Sunset

DU MÊME AUTEUR

Aux Éditions Robert Laffont

Le Grec (1973)
La Veuve (1976)
Out (1977)
Palm Beach (1979)
La Mienne s'appelait Régine (1984)
L'Opéra du fou (1984)
Une saison chez Lacan (1989)

Pierre Rey

Sunset

Roman

Cette édition de *Sunset*
est publiée par les Éditions de la Seine
avec l'aimable autorisation des Éditions Robert Laffont.
© Édition° 1 et Robert Laffont, S.A., Paris, 1988

« Tous les hommes de la planète rêvent de passer une nuit avec Rita Hayworth. Et le matin, ils se réveillent avec moi. »

Rita HAYWORTH.

PROLOGUE

1

LA PEAU D'UN HOMME

Kostia les regarda. Ils lui faisaient face de l'autre côté de la table minuscule, tous deux légèrement congestionnés, revêtus de costumes de drap sombre, une méchante cravate noire nouée en ficelle autour du cou, le regard perdu dans leur verre de saké.

Il n'avait bu que du thé. Mais Boris et Rodion avaient vidé de nombreuses canettes de bière de Kirin pour arroser leur *maguro* et leur *kappa*, saumon gras et maigre servi cru. Ils avaient terminé de déjeuner. Des clients se levèrent. D'un signe, Kostia demanda l'addition. Deux jeunes femmes firent une entrée discrète et s'installèrent à une table qui venait de se libérer. Du fond de la salle, un serveur goguenard les apostropha :

– *Zubico! Zubico!*

Les autres garçons, bandeau bleu autour du front et blouse blanche ornée d'un soleil écarlate, se poussèrent du coude en rigolant.

– *Zubico! Zubico!*

– Qu'est-ce qu'il leur dit ? demanda Rodion.

Ni lui ni Boris ne parlaient le japonais.

– Il les traite de salopes, traduisit Kostia.

Rodion le dévisagea avec stupéfaction.

– Tu es sérieux ?

– Absolument.

– Il les connaît ?

– Probablement pas.

– Mais pourquoi ?

– C'est l'usage.

D'autres serveurs se mirent de la partie. Les jeunes femmes les toisèrent d'un air méprisant. Aucun n'osait soutenir leur regard, mais les sarcasmes continuaient.

– *Zubico! Kono ama!*
– Salopes, traduisit Kostia. Putes.
– *Kitanai yaro!*
– Vieilles truies puantes..., enchaîna Kostia.

Une voix criarde domina le tumulte.

– *Kuso baba!*

Kostia se mordit les lèvres, prit un air embarrassé et baissa la tête. Rodion l'interrogea des yeux avec avidité.

– Sacs de merde, dit Kostia.
– Jamais entendu une chose pareille! balbutia Boris.

Kostia haussa les épaules et désigna les serveurs.

– Ils viennent tous d'une île du Nord. Dès qu'ils voient une femme, ils la traînent dans la boue.
– Et elles laissent faire? dit Rodion.
– C'est une tradition très mystérieuse... A Tokyo, personne ne s'en formalise. Il paraît que, dans leur île, tous les hommes sont des refoulés sexuels.

On apporta l'addition. Comme à l'ordinaire, Kostia demanda qu'on la lui tamponne. Boris tripotait machinalement l'écorce de son orange qu'un garçon avait découpée à une vitesse prodigieuse pour en faire une œuvre d'art en forme de fleur. Rodion observait à la dérobée les deux jeunes femmes. L'orage était passé. On prenait leur commande. Le serveur revint avec la note. Kostia l'empocha, abandonna quelques billets dans une soucoupe.

– On y va? demanda-t-il.

Ils se retrouvèrent dans la rue. Sur le trottoir, la foule était si dense qu'ils furent contraints de marcher en file indienne. Boris devant, Kostia au milieu, Rodion derrière. En général, ils se déplaçaient de front, Kostia au centre, Rodion à droite, Boris à gauche. Ils étaient à Tokyo depuis cinq semaines. Leur départ était prévu pour le lendemain.

– On est encore loin? demanda Boris.
– Cinq cents mètres, dit Kostia.

Pour les attirer dans le coin, il avait prétexté une indispensable visite à l'Okura Chukokan. Pourtant, le musée ne contenait rien de fameux, quelques kimonos, des vases, des costumes tradition-nels et d'autres objets artisanaux du folklore impérial. Mais il avait l'avantage d'être à deux blocs du salut, sur le même trottoir.

La rue était en pente. Il ralentit. Instantanément, Boris et Rodion calquèrent leur pas sur le sien.

C'est alors qu'il vit la boutique. La vieille formule latine de son adolescence clignota dans sa mémoire : *Hic et nunc...* « Ici et maintenant ». Ce serait donc ici, un mardi, en début d'après-midi, à Tokyo, entre Minato Ku et le quartier d'Akasaka qu'allait se jouer la peau d'un homme : la sienne. Il tomba en arrêt devant la vitrine regorgeant d'appareils photo et de caméras sophistiqués.

– Vous vous rendez compte, soupira-t-il. S'ils étaient moins radins, on pourrait en ramener quelques-uns à la maison....

– On les revendrait quatre fois leur prix, dit Boris rêveusement.

– Il faudrait d'abord pouvoir se les payer, déplora Rodion. Dix-huit mois de salaire pour un Nikon.

– On entre ? proposa Kostia.

Il s'effaça pour les laisser passer. Boris et Rodion s'engagèrent l'un derrière l'autre dans le pas de porte.

Alors, tout se passa très vite. Le pied de Kostia se propulsa en un éclair dans les reins de Rodion avec la force d'une ruade de mule. Catapulté en avant, il essaya de se raccrocher à Boris qui le précédait. Enlacés l'un à l'autre en un seul bloc tourbillonnant, ils s'écrasèrent lourdement de toute leur masse sur un présentoir en verre bourré d'objectifs coûteux qui explosèrent dans l'espace comme autant d'éclats de grenade.

Livide, Kostia claqua la porte à la volée. Les mille morceaux de la vitre pulvérisée n'avaient même pas touché le sol qu'il dévalait déjà la rue avec la hargne rageuse d'un sprinter en finale olympique. Désormais, sa vie ne dépendait plus que de son souffle, de sa chance et de la vitesse de ses poursuivants : s'ils ne parvenaient ni à le reprendre ni à l'abattre, ils iraient pourrir pour le restant de leurs jours dans un goulag de Sibérie.

Cent mètres...

Encore quatre cents à parcourir. Kostia n'osa pas se retourner pour savoir s'ils étaient déjà sur ses talons.

Il serra les dents. Sous l'impact de ses quatre-vingts kilos lancés à la vitesse d'une locomotive, les passants qu'il n'avait pu éviter valsaient comme des quilles, l'obligeant à des bonds prodigieux de lièvre traqué pour retrouver lui-même son équilibre. La langue sèche, inondé de sueur, il arracha sans ralentir le col de sa chemise et cette ridicule cravate qui l'étranglait... Trois cents mètres....

Une balle miaula à ses oreilles...

La panique au ventre, il se jeta dans le flot de voitures qui roulaient dans la rue pare-chocs contre pare-chocs et amorça une longue diagonale zigzaguante dans un terrifiant vacarme d'insultes, d'avertisseurs bloqués, de hurlements de freins, du grincement métallique des carrosseries froissées.

Miraculeusement indemne, il bondit sur le trottoir opposé, évita de justesse une colonne d'enfants en uniforme noir conduits par leurs maîtres, sentit avec terreur que sa course devenait plus saccadée et puisa dans ses dernières ressources pour ordonner à ses muscles de continuer leur effort malgré les crampes qui lui mordaient les jambes, la danse folle des papillons noirs devant ses yeux et cette boule d'étoupe brûlante qui lui embrasait les poumons.

En une zébrure de taches colorées, il apercevait dans une vision marginale les petites maisons accrochées au flanc de la colline, le visage effrayé des passants et, jaillies de jardins exigus, les grandes feuilles plates argentées des ginkgos, l'« arbre aux quarante écus » dont les Japonais avaient fait un symbole de fertilité. On était en avril. Les ginkgos n'avaient jamais été aussi beaux. Et c'était dérisoire : parce qu'il allait mourir...

Les oreilles bourdonnantes, la bouche démesurément ouverte, il banda sa volonté pour aller plus vite encore...

Deux cents mètres...

Plus de pensée... Ses jambes décidaient pour lui... Sans pouvoir orienter leur course, il comprit qu'elles avaient soudainement choisi une nouvelle traversée en sens inverse de Sotobori Dori... De nouveau, il se retrouva plongé dans la marée compacte de ferraille chaude... L'aile d'une fourgonnette le heurta à la cuisse... Des sirènes de police miaulaient de tous côtés. Il sauta par-dessus le capot d'une voiture qui n'avait pu freiner à temps, évita au millimètre l'avant d'un camion qui allait le renverser, prit pied sur le trottoir qu'il avait quitté vingt secondes plus tôt, regarda devant lui et aperçut soudain sur sa droite l'arrière de l'hôtel Okura. En face, à sa gauche, la masse gris-beige de l'ambassade américaine dont les panneaux de béton poli luisaient sourdement sous le soleil printanier.

Plus que vingt mètres...

12

Un hurlement le glaça :

– Kostia !

Rodion... nouvelle accélération... trois bonds fous pour franchir l'ultime rue transversale au cœur du trafic... la grille latérale de l'ambassade... l'entrée de service gardée par deux MP nonchalants... Il plongea dessus, s'accrocha aux barreaux, les secoua... En vain : les deux battants de la grille étaient rivés l'un à l'autre par une énorme chaîne fermée d'un cadenas.

– *Hey, man!*

Les deux militaires s'avançaient vers lui, canon de leur arme relevé.

– Kostia !

Cette fois, c'était Boris... si proche que Kostia crut sentir son souffle sur sa nuque. Les muscles de son dos se contractèrent dans l'attente des balles qui allaient lui faire éclater la tête. Deux coups de feu. Brusquement, il ne sentit plus rien, ni le brasier dans sa gorge, ni l'étau qui lui broyait la poitrine, ni les marteaux qui lui défonçaient l'intérieur du crâne.

Il n'avait plus de jambes non plus. Pourtant, il redémarra, courant sur du coton dans une brume noire avec la sensation bizarre de faire du sur-place et que son but, comme en un cauchemar, s'éloignait alors qu'il aurait dû se rapprocher. D'autres détonations. L'angle de l'ambassade... il vira à gauche, glissa, boula deux fois sur lui-même, rebondit, se retrouva debout, se rua le long de la grille vers l'entrée principale au moment où les sentinelles de service, témoins de la scène, la refermaient pour l'empêcher d'entrer.

– Laissez-moi passer ! vociféra Kostia.

Par bêtise, ils allaient le laisser assassiner sous leurs yeux ! Il jeta désespérément le bras dans le minuscule espace qui s'offrait encore entre les deux battants. De toutes les forces qui lui restaient, il s'accrocha farouchement à un barreau.

Il vit d'autres gardes courir vers lui, le mettre en joue. Ils pouvaient tirer, rien au monde ne lui ferait lâcher prise. Il sentit les muscles de son bras écrasés par les pesantes mâchoires de fer. Puis, soudain, les grilles se rouvrirent légèrement.

Il s'affaissa dans la cour d'honneur. Dans son dos, les battants métalliques se refermèrent avec un claquement sec pendant que les gardes, se détournant de lui, braquaient leurs armes vers l'extérieur. Il tituba, trébucha sur des pelouses immaculées dans une démarche d'ivrogne, prenant en point de mire le drapeau américain qui caressait de ses étoiles le fronton de l'édifice. Il poussa une porte.

Créant sur son passage une zone de silence absolu, il claudiqua sur le dallage de marbre jusqu'à la fascinante tache rouge de la robe de la réceptionniste assise derrière son bureau. Parvenu à un mètre d'elle, il s'immobilisa, une unique idée en tête, refréner le tremblement convulsif de tous ses membres.

Il n'y parvint pas. Pendant quelques secondes, il avala de l'air. Quand il crut en avoir assez absorbé pour maîtriser sa voix, il lui lança d'une traite :

— Je m'appelle Kostia Vlassov. Je suis citoyen soviétique. Je demande l'asile politique.

Figée de stupeur, elle décrocha un téléphone, composa un numéro.

— Je vais prévenir, dit-elle.

Il était sauvé : il allait pouvoir entrer dans la ville.

2

LA VILLE

Dans la ville, il ne se passait jamais rien. En fait, la ville n'était même pas une ville. Il s'agissait d'un lieu abstrait qui n'avait pas de centre, jailli du bleu du ciel entre le sable et l'océan. En moins d'un demi-siècle, les bâtiments avaient poussé au hasard de ces trois dimensions, les tours vers les nuages – mais il n'y avait jamais de nuages –, les parkings, les cimetières et les abris antiatomiques au cœur de la terre, les quartiers pauvres en direction du désert alors que les résidences de riches s'enfuyaient en sens inverse, droit vers l'ouest, jusqu'à la limite extrême où la mer prenait le relais de la terre dans le fracas des vagues du Pacifique.

Curieusement, cette absence de centre avait fini par marquer le psychisme de ceux qui s'étaient échoués sur ses rivages : à leur tour, ils devenaient « décentrés », c'est-à-dire décalés par rapport à eux-mêmes.

En porte à faux. A côté.

Nul n'y échappait. La ville entière baignait dans une folie ordonnée, sereine, où chacun se prenait pour ce qu'il n'était pas tout en souhaitant devenir quelqu'un d'autre. Mais tout le monde étant pris au moule de la même folie, il eût été déraisonnable de ne pas se montrer aussi fou que le voisin.

Les riches pensaient que leur argent les mettrait à l'abri des ennuis, de la maladie et de la mort. Les pauvres avaient la conviction qu'ils allaient faire fortune et entrer ainsi dans le clan fermé des riches. Quant à ceux qui étaient célèbres, à force d'être considérés comme des dieux par ceux qui espéraient le devenir, ils finissaient immanquablement par se prendre réellement pour

Dieu, ne se démarquant de l'ordinaire folie collective que pour mieux basculer dans une extraordinaire folie égocentrique.

En réalité, ils cherchaient inconsciemment à arrêter le temps afin que s'immobilisât à jamais la position qu'ils avaient conquise, quoique leur gloire, souvent, les glaçât jusqu'aux os.

Bien entendu, dans la ville, il n'était jamais question d'amour. Les intérêts passaient avant les passions. Le verbe « avoir » remplaçait le verbe « être », et rien, dans les rues, n'agressait l'ouïe ou le regard, ni chiens, ni enfants, ni papiers gras, ni pauvres, ni vieillards.

Mais le printemps était toujours éternel, l'air était doux et soufflait sur la ville un air unique de liberté et de nonchalance heureuse dans un subtil arôme de richesse. Dans les quartiers nobles, tout le monde était beau. Mais il était tellement naturel de l'être que nul ne semblait y attacher de l'importance.

La vraie valeur, c'était l'argent. Un jour, chacun ou presque avait débarqué dans la ville, anonyme et sans le sou, pour y devenir riche et célèbre. On ne pouvait dissocier ces deux termes : toute personne riche, du fait de sa fortune, devenait automatiquement célèbre. Et dans un mouvement inversé, la moindre étincelle de célébrité valait à son détenteur une fortune immédiate. Autant dire que la ville était placée sous le signe du chiffre. Celui de l'âge, du compte en banque, du prix d'un divorce, d'une fleur, d'une femme, d'une mort. Les jours eux-mêmes étaient comptés.

Car la ville était en sursis.

Bâtie sur la zébrure d'une fracture tellurique qui s'élargissait d'année en année, elle était irrémédiablement condamnée à s'abîmer un jour ou l'autre dans les flots.

Avec patience, l'océan attendait sa proie. Des indices précurseurs de son anéantissement la plaçaient déjà sous le signe du provisoire. Périodiquement, des tremblements de terre ébranlaient le sol dans une longue caresse grondante qui faisait éclater le bitume d'une autoroute, frémir les collines, frissonner les longs palmiers grêles et s'abattre les immeubles en brique des quartiers déshérités. Rien de très grave, sinon ce sentiment permanent d'insécurité diffuse accroché à la peau de ses habitants. On ne s'installait pas dans la ville. On y passait comme sous un projecteur. Elle n'était qu'un gigantesque décor d'une scène de théâtre où des candidats acteurs répétaient le grand rôle qu'ils allaient jouer dans une pièce imaginaire dont ils étaient à la fois l'auteur, le metteur en scène, le producteur et la vedette.

Pourtant, il ne s'agissait pas d'une pièce : ils répétaient leur propre vie. Mais chacun feignait d'ignorer que, pour l'immense majorité d'entre eux, il n'y aurait jamais de première.

Telle était la ville. Le soleil se levait. Tout était propre, neuf... Parfait.

A l'intérieur des jardins privés aux pelouses immaculées dont aucun brin d'herbe ne dépassait l'autre, des geais bleus criaient en voletant sur des massifs de fleurs s'ouvrant à la lumière dans l'ombre bleutée des oliviers, des cyprès et des eucalyptus. Avant de commencer leur journée de travail, les premiers joggers en survêtement arpentaient les contre-allées de Sunset ou de San Vicente. Certains se faisaient suivre par leur chien. D'autres, par un chauffeur qui pilotait leur limousine.

Les yeux battus de fatigue, les femmes de ménage qui allaient se coucher croisaient sans les voir les cadres regagnant les bureaux qu'elles venaient de nettoyer. A peine éveillé, un homme en pyjama s'accrochait au téléphone pour donner des ordres à ses agents de change de la côte est.

A New York, avec le décalage horaire, il était déjà 9 heures du matin. La Bourse ouvrait ses portes.

Des chauffeurs déposaient dans les chambres froides des restaurants la viande, les légumes et le poisson qu'ils sortaient de camions frigorifiques. Dans sa résidence de Beverly Hills, une femme entre deux âges constatait avec ennui que la journée serait magnifique. Aujourd'hui encore, il ferait trop chaud pour pouvoir décemment exhiber la magnifique fourrure que son mari lui avait offerte pour leurs vingt ans de mariage.

Non loin de là, dans une propriété de Bel Air hérissée de systèmes d'alarme, une autre femme se contemplait dans le miroir et se demandait si, oui ou non, elle irait la semaine prochaine rajeunir de dix ans dans sa clinique esthétique favorite.

Détails insignifiants d'un matin ordinaire, identique à tous les sublimes matins de Los Angeles.

Mais ce matin-là, au même instant, à six mille kilomètres de distance, un jeune homme aux cheveux blonds débarquait au Kennedy Airport de New York par le vol TWA en provenance de Tokyo. Perdu dans la foule des passagers, il attendait patiemment que les douaniers lui fassent signe de franchir la ligne jaune au-delà de laquelle s'ouvrirait l'Amérique. Il n'avait ni passeport ni un seul dollar en poche, même pas une pièce de un cent. Dans la main droite, il serrait le sauf-conduit provisoire que lui avaient fourni au Japon les fonctionnaires de l'ambassade. Pour tout bagage, il portait un sac de sport bon marché en toile verte, qui contenait la totalité de sa garde-robe, une chemise froissée.

Il s'en moquait complètement. Son but, c'était la ville. Et, dans la ville, il faisait toujours beau.

LIVRE I

LE RUSSE

1

La salle ressemblait à un souk dévasté après un bombardement. Les banquettes de bois destinées à la vérification des bagages disparaissaient sous les valises ouvertes, les sacs éventrés et un invraisemblable amoncellement de vêtements, de chaussures, de paquets, d'objets hétéroclites dont le trop-plein avait glissé sur le sol.

Le vol était arrivé de Bangkok une heure plus tôt. Tous les atterrissages en provenance de certains points chauds, l'Asie, la Thaïlande, les Pays-Bas, l'Inde ou le Pakistan, étaient particulièrement surveillés par la « Volante », une brigade de dix-huit hommes au flair imparable. Des millions de passagers débarquaient chaque année à l'aéroport de New York.

Il s'agissait de repérer le suspect, le type nerveux, ou trop sûr de lui. Ou celui dont l'histoire ne semblait pas coller avec ce qu'il avait l'air d'être. Sur un signe invisible d'un agent de la Brigade, il était convoyé par un douanier en uniforme à travers un labyrinthe de comptoirs bas cirés par les milliers de bagages qui les avaient polis. Là, au fond du hall de livraison où ils savaient qu'on allait les fouiller sérieusement, la plupart des trafiquants craquaient.

Certains, paralysés par la panique, attendaient avec fatalisme qu'on ait découvert ce qu'ils voulaient passer en fraude dans les cachettes les plus invraisemblables – fauteuils d'infirme truqués, béquilles creuses, socles de statues, tubes de dentifrice, perruques, doublures, faux bras cassés dans le plâtre, ballons en plastique destinés à simuler une grossesse, faux seins, sans parler des bébés emmaillotés dans des sachets de cocaïne.

– Hé, Perry..., glissa Dan Sherrod à son collègue, file à la 5 à l'arrivée du JAL de Tokyo... Le boss m'a demandé de te relayer...

– Une seconde... J'attends une radio.

Dix minutes plus tôt, il avait repéré une grosse femme de nationalité allemande. Un peu trop blême : l'obésité et la fatigue du voyage n'expliquaient pas tout. Elle arrivait de Bangkok. La fouille au corps n'avait rien donné. Ni celle de ses multiples valises.

Et pourtant, Perry savait d'instinct que quelque chose clochait. Derrière le petit bureau de douane, il y avait un cabinet médical. Perry l'avait priée de s'y rendre pour une radio.

– J'ai aussi un Pakistanais. Là, à droite... le type en sari jaune... tu le vois?

Dan jeta un coup d'œil. L'homme gardait une immobilité de pierre, mais la transpiration ruisselait sur son visage sans qu'il songe à l'essuyer d'un revers de la main.

– Tu l'as fouillé?

– Rien. Mais il en a... Je te jure qu'il en a!

Pour une plus grande efficacité, les agents de la « Volante » ne portaient pas d'uniforme. Rien ne les distinguait des autres passagers, en dehors de l'invisible colt 45 réglementaire pudiquement camouflé derrière la ceinture du blue-jeans.

La porte du bureau s'entrouvrit. Perry releva la tête. Il fit un signe discret à Dan.

– Tiens-moi le sari à l'œil, je reviens.

Il s'engouffra dans le bureau des douanes, le traversa, ouvrit la porte du cabinet médical. Le toubib était agenouillé au-dessus de la grosse femme affalée sur le parquet.

– Regarde-moi cette conne..., dit-il à Perry avec fureur.

– Qu'est-ce qu'elle a? demanda Perry.

– Cent un ballonnets de cocaïne dans l'estomac! Tu peux le croire?

Il la secouait dans tous les sens. Elle restait inerte, la tête ballottant comme si elle eût été détachée du cou. Le radiologiste lui souleva la paupière.

– Terminé.

Perry, médusé, le regarda avec des yeux ronds.

– Elle a gardé cette saloperie dans le buffet pendant les quinze heures du vol. L'acide gastrique a attaqué l'enveloppe des sacs. Un sac a crevé. Mort immédiate.

Perry s'élança.

— Préviens la Star tout de suite!

— Qui? demanda le médecin.

— Lieutenant O'Toole! Hollywood Division sur Wilcox!

Il se rua vers l'extérieur. Sans prendre le temps de rien expliquer à Dan, il crocheta le Pakistanais par le col, le fit galoper sans douceur vers le bureau de douane, le poussa d'une bourrade dans le cabinet et referma la porte. Alors, il désigna la volumineuse forme flasque de la passagère.

— Regarde! Un sac a crevé dans son estomac... Tu piges?

Le visage trempé de sueur, gris de peur maintenant, le type tentait vainement de réprimer un mouvement spasmodique de la bouche.

— Tu vas me dire où tu as mis la tienne!

La porte s'ouvrit. D'un regard, Dan enregistra la scène. Il fut si stupéfait qu'il ne put que bredouiller machinalement ce qu'il était venu dire :

— Perry... Le boss t'attend à la 5...

Sans lui prêter la moindre attention, Perry gifla le type en sari à la volée et lui cracha au visage :

— Alors, salaud? Où tu l'as planquée ta coke?

Des larmes coulèrent sur les joues du Pakistanais. Son corps sembla se tasser et il dit dans une espèce de sanglot rauque :

— Dans mon cul.

A sa grande surprise, aucun comité de réception. Kostia s'était attendu à ce que des flics l'accueillent à la sortie du toboggan pour l'escorter dans un bureau et l'interroger. Rien : personne ne lui avait rien demandé. Un flot de voyageurs s'était déjà écoulé devant lui, porte n° 5. Dans son dos, une troupe d'hommes d'affaires japonais disciplinés et silencieux avaient tous à la main, bien visibles, leur passeport et leur carte de débarquement.

— Suivant..., dit le préposé au contrôle de police.

Kostia franchit la ligne jaune : c'était son premier pas en Amérique. En deux autres, il fut devant l'homme en uniforme.

Sans mot dire, il lui déposa sous les yeux le sauf-conduit de l'ambassade des États-Unis à Tokyo. Le policier le lut attentivement, dévisagea Kostia et fit un signe à un grand type blond en jeans et chemise blanche qui avait l'air de s'ennuyer en attendant quelqu'un.

– Hé, Perry, lui murmura le policier en lui glissant le papier, qu'est-ce qu'on fait?

Pendant que Perry l'examinait, il dit à Kostia :

– Vous avez un passeport?

– Non.

– Aucun autre papier d'identité?

– Non.

– De l'argent?

– Non.

– Des bagages?

Kostia lui désigna son sac de sport.

– C'est tout?

– Oui.

– Quels seront vos moyens d'existence pendant votre séjour aux États-Unis?

– Je ne sais pas.

– Vous avez une adresse?

– Non.

– Combien de temps comptez-vous rester?

– Tant qu'on voudra de moi.

Le policier jeta un regard perplexe au type blond.

– Vous pouvez passer, monsieur Vlassov, dit Perry.

Il savait que le passager était un transfuge, qu'il disposait d'une durée de séjour d'un mois et d'une semaine pour se présenter aux autorités d'immigration qui examineraient son cas. Avec ces types qui venaient de l'Est, on ne savait jamais sur quel pied danser. Espions? Contre-espions? Doubles? Triples?

Ou plus bêtement, simples quidams qui en avaient ras le bol du communisme? « Du pain sur la planche pour le FBI, pensa Perry. Pas mon problème. »

Il rendit le document à Kostia et ajouta avec un sourire juvénile :

– *Welcome to America.*

C'était idiot, mais, à Leningrad, il s'était juré de le faire : sitôt à l'air libre, il s'agenouilla pour embrasser le sol de la terre américaine. Un Noir en uniforme qui attendait au volant d'un car éclata de rire. Depuis douze ans, il faisait la navette entre le centre-ville et l'aéroport six fois par jour, mais c'était la première fois qu'il voyait un dingue embrasser le bitume.

– Hé, mec... Quel goût ça a ?

– Le goût de la liberté, dit Kostia en souriant.

– Tu es d'où ?

– Leningrad.

Le chauffeur ouvrit de grands yeux.

– Tu es ruskof ?

– Oui.

Kostia se rapprocha et s'appuya contre la portière ouverte du car qui se remplissait petit à petit.

– Comment t'as fait ?

– J'ai couru très vite.

– Dis donc..., dit le chauffeur. Et tu vas où ?

– Manhattan.

– Ça tombe bien, moi aussi... Monte!

– C'est gratuit ?

Le chauffeur se rembrunit légèrement.

– On voit bien que t'es pas de New York!

– J'ai rien.

– Six dollars ?

Kostia écarta les bras en signe d'impuissance, eut un petit sourire navré et se décolla de la portière.

– Hé! cria le Noir... T'as pas six dollars ?

– Même pas un.

Le car était plein. Le chauffeur haussa les épaules, mit le contact, fit ronfler le moteur, jeta un coup d'œil furtif autour de lui.

Immobile sur le trottoir, son sac de toile verte à la main, Kostia le regardait sans rien dire.

– Monte, dit le chauffeur.

Kostia ne se le fit pas dire deux fois. Les portes à soufflet se refermèrent. Le chauffeur prit une expression confidentielle.

– Si un inspecteur te demande ton billet, je ne te connais pas. Tu t'es faufilé en douce. O.K. ?

– O.K., dit Kostia.

Le car s'ébranla dans un nuage de fumée noire.

Il faisait un soleil éclatant. Kostia leva les yeux. Son regard se perdit dans les hauteurs du Panam Building.

Il était descendu du car au bout de Park Avenue. Appuyé contre un mur, il s'imprégnait avidement de la foule et de la rumeur de New York. Dix mètres plus loin, une soucoupe posée sur le trottoir, un gamin japonais de huit ans interprétait au violon avec une maîtrise stupéfiante le mouvement *allegro* du *Concerto n° 3* de Mozart. Certains passants s'arrêtaient pour mieux l'écouter. Yeux clos, perdu dans la musique qui naissait de ses doigts, l'enfant jouait pour lui-même, indifférent aux pièces de monnaie qu'on déposait à ses pieds.

Il y avait quelque chose de magique dans ce mélange d'acier, de verre, d'espace, de grouillement de vie se mêlant aux jeux d'ombre et de lumière entre les gratte-ciel, et de ces notes pures semblant n'avoir été créées deux siècles plus tôt que pour donner son rythme au grondement de la ville. Tout n'était qu'énergie.

Elle irradiait du trottoir, du ciel, de la foule. Cloué au sol, Kostia la sentait vibrer en lui. Pourtant, il fallait qu'il appelle. Et il savait qui appeler. Mais il devait d'abord se gorger de cet air afin de se convaincre qu'il avait réussi. Un air unique, vif, caressant, un air qui sentait le goudron, l'océan et l'essence.

L'air de New York.

A regret, il se détacha du mur et se mêla aux passants.

A l'angle de la 59e, il y avait une cabine. Il y entra, posa son sac à terre, fouilla machinalement ses poches, se souvint qu'il n'avait pas un rond, esquissa un sourire et ressortit.

A Leningrad, il avait tant de fois étudié la carte de New York que la ville lui semblait déjà familière. La personne qu'il souhaitait rencontrer travaillait tout près de Broadway. Il réfléchit un instant, s'engagea dans la 59e. Au bout du bloc, il devait trouver Lexington. Ensuite, il tournerait à gauche et marcherait jusqu'à la 43e. S'il avait de la chance, son ami serait toujours là.

A peine avait-il disparu au coin de la 59e qu'un petit homme rondouillard entra dans la cabine, mit un jeton dans la fente, décrocha, composa un numéro, dit quelques mots et raccrocha.

Il était entré dans la cabine les mains nues. Il en ressortit avec un sac de sport en toile verte.

Vladimir Naritsa n'acceptait pas n'importe qui dans son cours. Tous les jours, Faye et Marilyn, ses deux assistantes, refusaient des dizaines de candidatures des deux sexes. Ils avaient entre dix-huit et vingt-cinq ans, arrivaient souvent à New York sans ressources d'un trou perdu de l'Ohio ou du Minnesota et avaient tous un point commun : chacun se prenait pour Greta Garbo ou Cary Grant.

Marilyn et Faye faisaient un premier tri. Elles flairaient le pur-sang, la gueule, la silhouette qui emplirait la scène, le visage dont la caméra tomberait amoureuse Ensuite, elles imposaient quelques tests à cette première sélection.

Enfin, lorsqu'elles estimaient avoir déniché l'oiseau rare digne de l'enseignement du Maître, elles le présentaient à Vladimir Naritsa en personne : d'un battement de cils, il rejetait le postulant dans les ténèbres extérieures ou l'admettait à partager un strapontin dans le saint des saints, son école.

Il faut dire qu'il avait formé parmi les jeunes quelques-unes des plus grandes vedettes des dernières années.

Nul ne l'ignorait dans la profession. La Columbia, la Fox, la Paramount ou la Warner faisaient régulièrement appel à Vladimir dès que se posait un problème délicat de distribution ou de direction d'acteur. Lui-même séjournait fréquemment à Hollywood où les « moguls » du cinéma lui réservaient un traitement de prince, la plus belle suite du Beverly Hills ou du Wilshire Hotel. Bien entendu, outre la légitime rétribution de ses services, personne, jusqu'à présent, n'avait eu l'indélicatesse de lui présenter la moindre note. On le « consultait ». Sa parole était oracle.

Son look faisait le reste. Queue de cheval, anneau d'or dans l'oreille droite, casquette façon Potemkine vissée sur la tête et un petit yorkshire, « Crunch », blotti en permanence contre sa poitrine. Mieux valait plaire à Crunch dans le monde du show-biz : il faisait et défaisait les carrières naissantes...

Trois cas de figure. Le nouveau venu ignorait le chien et parlait de lui-même : Naritsa l'éjectait sans explication.

Le nouveau venu avançait la main pour caresser le chien, se faisait mordre instantanément et manifestait une grimace de protestation ou de douleur : viré.

Le nouveau venu caressait le chien qui se laissait faire : à la porte.

— Tu n'as rien compris, dit Naritsa, rien !

Sur la mini-scène où évoluaient les apprentis acteurs, le long garçon très mince qui travaillait une scène se figea.

– Tu en fais trop, beaucoup trop !

Celui-là, c'était un cas. Lors de leur première rencontre, il avait dit à Vladimir : « J'ai rarement vu un yorkshire aussi harmonieux. » Ce mot, « harmonieux », avait troublé Vladimir.

Comme si Crunch en avait compris le sens, il avait sauté des bras de son maître. Le garçon avait incliné la tête : au lieu de le mordre, spontanément, Crunch lui avait léché le visage !

Du jamais vu.

– J'espère que vous avez bien suivi son jeu, dit Naritsa en prenant à témoin les autres élèves. Il a fait exactement le contraire de ce qu'il fallait faire !

Un délicieux frisson fit frémir les disciples. Entassés dans l'anonymat de l'ombre sur des chaises en hémicycle, ils étaient fascinés par les improvisations du Maître quand il se livrait à son sport favori, la mise à mort de l'un des leurs.

– Je lui ai demandé de jouer l'émotion du type qui voit réapparaître un ami qu'il croyait mort... Je vais vous montrer ce qu'il a fait !

En deux bonds, il fut sur scène, dans la pleine lumière des projecteurs. Rires serviles dans la salle. Naritsa s'en donna à cœur joie dans la caricature : ses lèvres tremblèrent, sa mâchoire s'affaissa d'étonnement, il ouvrit des yeux ronds et écarta les bras.

Tous les élèves pouffèrent.

– Quand elle est trop forte, trop intensément ressentie, une émotion ne s'exprime pas ! Jamais ! Tu dois au contraire...

Il s'interrompit brusquement : la porte avait grincé dans le fond de la salle. Toutes les têtes se tournèrent. Lèvres pincées par cet impardonnable délit de lèse-majesté, Naritsa, gêné par l'éclairage, mit ses mains en visière pour identifier le criminel.

Avec sadisme, l'éclairagiste de service braqua un spot dans la direction du bruit.

La porte était entrebâillée.

Debout dans l'encadrement, il y avait un jeune homme blond au visage sculpté par la violence du projecteur.

Les regards revinrent sur Naritsa : comment allait-il sanctionner l'affront ? La suite, qu'aucun des témoins ne devait oublier, fut étrange : les lèvres de Naritsa tremblèrent, sa mâchoire s'affaissa d'étonnement, il ouvrit des yeux ronds et écarta les bras. Puis, péniblement, il réussit à articuler un nom :

– Kostia...

2

– Où est-ce qu'on est? demanda Kostia lorsque le taxi s'arrêta.

– Deuxième Avenue, à deux pas de la 88ᵉ Rue. Elaine's, dit Vladimir Naritsa en payant distraitement la course.

L'apparition de Kostia en plein cours l'avait tellement soufflé qu'il n'avait pas ouvert la bouche pendant tout le trajet.

Ils entrèrent dans le restaurant. Visiblement, Vladimir y était très connu. Crunch contre son cœur, Kostia sur les talons, il se fraya un passage dans une rumeur flatteuse, répondant à peine aux saluts qu'on lui adressait de toutes parts. On lui avait réservé une table pour deux au fond de la salle. Ils s'y installèrent. Il y avait trois chaises autour de la table. Vladimir déposa le yorkshire sur la troisième.

– Comment il s'appelle?

– Crunch. Qu'est-ce que tu veux manger?

– Comme lui.

Le plus naturellement du monde, Kostia fourragea doucement dans le poil de Crunch qui, sans pudeur, grogna de plaisir.

– Et boire?

– Comme toi.

– Fettucini, Alfredo, et steaks saignants, dit Naritsa au maître d'hôtel qui les avait escortés.

– Et comme boisson?

– Smith-lafitte 75.

– Tout de suite, monsieur Naritsa!

Il s'esquiva. Vladimir, qui n'avait pas daigné quitter sa

29

casquette de révolutionnaire d'opérette, cala son menton sur ses deux poings et dévisagea longuement Kostia en silence.

Une minute s'écoula sans que ni l'un ni l'autre ne prononcent un mot. Puis Naritsa secoua la tête avec incrédulité.

– Comment tu as fait ?

Kostia eut une moue amusée.

– En quatre jours, ça fait déjà cent fois qu'on me pose la question.

– Tu n'as pas fini de l'entendre ! Raconte !

– J'étais à Tokyo pour tourner un truc de télé sur les lutteurs *sumos*.

– Surveillé ?

– A peine..., ironisa Kostia.

Ils parlaient russe. Pourtant, vieille habitude, Kostia ne put s'empêcher de lancer un coup d'œil aigu vers les tables voisines. Naritsa s'en aperçut, éclata de rire, avança la main, saisit affectueusement Kostia par la nuque et cogna son front contre le sien à travers la table.

– Tu te crois toujours sous l'œil du Kremlin ?

Kostia fit chorus. Le vin arriva. Vladimir le goûta, remplit leurs verres et leva le sien.

– A la sainte Russie !

– A la sainte Russie ! dit Kostia en écho.

– Et à l'Amérique !

– Et à l'Amérique !

Ils burent.

– Je n'arrive pas à y croire, dit Naritsa. J'ai trop de questions à poser... Je ne sais pas par où commencer. Alors ? Tokyo ?

Kostia lui raconta comment il avait semé ses anges gardiens et trouvé refuge à l'ambassade américaine.

– Ils t'ont cuisiné ?

– Pendant les trois jours où ils m'ont planqué. J'ai eu droit à un billet d'avion et ils m'ont accordé provisoirement l'asile politique.

– Tu es arrivé quand ?

– Il y a quatre heures.

– Tu as de l'argent ?

– Pas un rond.

– Des amis ?

– Toi.

Vladimir lui tapota la main en souriant.

– Tu ne pouvais pas mieux tomber, je suis le roi de la ville!

– J'ai vu...

– Et les services d'immigration?

– Rien. Je ne dois pas quitter New York, me présenter à eux tous les huit jours et leur communiquer mon adresse dès que j'en aurai une.

– Donne-leur la mienne!

On leur apporta les fettucini. La serveuse glissa l'assiette de Crunch au pied de sa chaise.

– Ne mange pas trop vite! intima Vladimir au chien.

Puis, confidentiel, à Kostia :

– Il a des ennuis intestinaux. Il avale sans mâcher.

Il resta fourchette en l'air.

– Tu es encore plus beau qu'avant! Tu veux toujours être acteur?

– J'ai horreur de ça!

– Alors pourquoi venais-tu chez moi à Leningrad?

– Pour mieux les connaître. Entrer dans leur peau. Apprendre le métier de l'intérieur.

– Dommage... Avec le physique que tu as, quel gâchis...

– C'est la mise en scène qui m'intéresse.

– Quand je t'ai laissé dans le couloir, toutes les filles du cours sont venues me demander qui tu étais... certains garçons aussi, d'ailleurs. Tu fais toujours autant de ravages. Je t'imagine dans *Hamlet*...

– Pour l'instant, je préférerais être troisième assistant sur un film de série B.

Naritsa eut un mouvement d'épaules agacé.

– J'ai plus d'ambition que ça pour toi. A partir de tout de suite, je te prends en main!

– Sérieusement?

– Je les connais tous! Je passe ma vie à Hollywood.

– Hollywood..., soupira Kostia rêveusement.

– Tu vas toutes les rendre dingues! Au fait, tu es marié?

Kostia plongea sa fourchette dans ses fettucini.

– Plus ou moins, dit-il.

Il s'agissait d'un superbe penthouse sur Central Park South, entre la Cinquième et la Sixième Avenue. Une petite cage de verre au quarantième étage évoquant une bulle de plastique dont on aurait coiffé l'immeuble.

L'appartement se composait de deux niveaux, une chambre et un salon dans le bas, une loggia en haut, qu'un canapé-lit transformait en chambre à coucher au gré des amis de Naritsa qu'il invitait parfois à passer la nuit. Sur le toit de la bulle, formant une mini-terrasse, une fausse pelouse de faux gazon plus vert que nature.

— Comment as-tu eu cette merveille? s'étonna Kostia.

— Une vieille folle, dit Vladimir. Veuve, bien entendu. Tout le pognon de ce pays est entre les mains des veuves.

— Sérieusement?

— Les maris se crèvent pour devenir riches, sortir de l'anonymat, devenir quelque chose ou quelqu'un. Vers quarante, quarante-cinq ans, ils achètent de la beauté, car elle fait partie de leur statut d'homme arrivé, au même titre que la collection de tableaux ou les œuvres philanthropiques. Ils épousent une fille de vingt ans. Ils meurent cinq ans plus tard d'un infarctus. L'épouse se fait baiser par son chauffeur, loue le service de gigolos — tu remarqueras qu'elle choisit toujours des catégories sociales inférieures à la sienne.

— Pourquoi?

— Pour les dominer comme son mari l'avait dominée elle-même... Maintenant qu'il est mort, elle a le pouvoir. Elle paie. Elle s'entoure de bouffons, de garçons coiffeurs, de minets homos. Elle vieillit doucement en remplaçant l'amour qu'elle n'a pas connu par des objets qui l'encombrent, dix Rolls, quinze Rolls, vingt-cinq Rolls... Un amant, dix amants, cent amants... La mienne est propriétaire de tours entières, cinq cents appartements, deux mille appartements, elle n'en sait rien elle-même. Son mari était dans les textiles. A lui tout seul, il habillait les trois corps de l'armée américaine. Elle n'a pas d'enfants. Elle a trois chiens. La ménopause est difficile. Un scotch?

— Oui, dit Kostia. Il désigna le salon. Ça doit coûter une fortune?

— Probablement. En ce qui me concerne, c'est gratuit. Elle considère ma présence dans ses murs comme une insigne faveur que je lui fais. De temps en temps, elle vient me rendre visite. Elle sait qu'elle rencontrera chez moi des gens vivants, qui se battent. On ne peut pas aimer qu'un chien!

Il s'empara de Crunch, lui embrassa doucement le museau, se leva, emplit deux verres. Il en tendit un à Kostia. Après quoi, il lui présenta une petite tabatière ancienne d'argent ciselé remplie à ras bord d'une poudre blanche.

– Tu en veux?

– Qu'est-ce que c'est?

– Cocaïne.

Kostia refusa d'un sourire. Vladimir Naritsa en fit tomber une pincée sur le dos de sa main, leva la tête et aspira par les narines d'un mouvement sec.

– Tu as tort, dit-il. Ça chasse la mélancolie.

On tendit le micro à la vieille femme.

– Pourquoi retournez-vous dans votre pays?

Elle se mordilla les lèvres avec embarras. Elle voulait trouver le mot juste. Son front se plissa sous l'effort de réflexion. Puis, elle lâcha:

– Je ne peux plus supporter les États-Unis.

Elle était vêtue d'un léger manteau de laine noir à col d'astrakan usé, coiffée d'un bonnet de fourrure, les bras encombrés de sacs.

– Quel est votre nom?

– Kotsap. Rebecca Kotsap.

Le ciel de New York était d'un bleu lumineux et tendre. Par les baies vitrées de l'aéroport Kennedy, on apercevait les avions faisant la queue pour prendre la piste d'envol. Sous l'œil vigilant des officiels de leur ambassade, un groupe d'émigrés soviétiques attendait d'embarquer dans le vol régulier de l'Aeroflot qui allait les ramener directement à l'aéroport Sheremetyevo de Moscou. Cinquante d'un coup: du jamais vu! Le reporter de NBC enchaîna.

– Depuis combien de temps vivez-vous en Amérique?

– Sept ans.

– Vous aviez un travail?

Pendant quelques secondes, on ne perçut plus que le ronronnement des caméras de télé filmant la scène. Un sourire flotta sur le visage ridé de la grand-mère.

– Je m'occupais de mon mari. Pour une femme russe, c'est un travail à plein temps.

– Et votre mari, il faisait quoi?

Elle se retourna vers un petit costaud au teint rougeaud.

– Chauffeur de taxi.

– Monsieur Kotsap? demanda le reporter.

– Oui, confirma le rougeaud.

– Et vous partez aussi?

– On ne s'est jamais quittés depuis trente ans.

– Qu'est-ce qui vous a déçue aux États-Unis, madame Kotsap?

– C'est trop dur.

– Vous pensez que Moscou est mieux que New York?

– Il y a moins de meurtres. Moins de pressions économiques.

– C'est réellement pour cela que vous partez?

– Je serai plus près de ma famille, répondit-elle sans se compromettre.

– Et la liberté?

Elle n'eut pas l'air de comprendre.

– La quoi?...

– La liberté, répéta le reporter.

Elle eut une réponse déconcertante :

– Pour quoi faire?

– Circuler... changer d'emploi... ne rien avoir à expliquer à personne... Être libre!

Les membres de l'ambassade venus escorter leurs compatriotes se figèrent.

– Je vais vous dire, monsieur..., assena Rebecca Kotsap sur un ton sans réplique. Chez nous, en Union soviétique, on est peut-être plus pauvres, mais on n'a jamais laissé un vieillard mourir tout seul.

– Bonjour, dit l'homme.

– Bonjour, dit Kostia.

Le type avait de grosses lunettes d'écaille, un costume de ville gris et une cravate à rayures rouges sur fond noir. Il avait l'air d'un cadre supérieur dont la boîte aurait fermé et qui se serait retrouvé au chômage. Installé à l'arrière de l'un des multiples fiacres stationnant le long des grilles du parc, entre la Cinquième et la Huitième, il avait vu Kostia sortir de l'immeuble de Naritsa et traverser Central Park South Avenue dans sa direction. Il avait attendu qu'il arrive à sa hauteur.

– Monsieur Vlassov, pouvez-vous monter avec moi une seconde ?

Kostia dut faire un gros effort pour garder un visage impassible.

– Qui êtes-vous ?

– Un ami.

– Comment savez-vous mon nom ?

– Faites-moi le plaisir de monter, je vous expliquerai ensuite.

Kostia se hissa à ses côtés sur la banquette. Le cocher eut un claquement sec de la langue. Le cheval se mit en branle et entreprit de trottiner placidement au cœur de la circulation intense.

– Je m'appelle Ted, dit l'inconnu en tendant la main. Avez-vous déjà fait le tour de Central Park en fiacre, monsieur Vlassov ?

– C'est la première fois.

– J'adore les fiacres. Sans les fiacres, nous n'aurions pas de chevaux. Et sans les chevaux, cette putain de ville oublierait l'odeur du crottin. Très important, le crottin, monsieur Vlassov. Je ne sais pas ce que vous en pensez, mais à mes yeux, dans un environnement urbain, un seul crottin de cheval peut recréer symboliquement la nature.

Kostia approuva de la tête.

– Le monde est mal fait. J'ai passé ma vie dans des villes alors que je n'apprécie que la campagne... Vous aimez la campagne, monsieur Vlassov ?

Le fiacre avait pris à droite sur la Huitième et passait maintenant devant le Mayflower.

– Beaucoup, dit Kostia.

– J'en suis ravi, monsieur Vlassov. J'allais précisément vous inviter à vous rendre dans l'un des coins les plus verdoyants des États-Unis. Vous verrez, c'est ravissant... Des arbres merveilleux, des pelouses, des vraies vaches. Même pas à deux heures de voiture. Un autre monde... Si vous êtes d'accord, un chauffeur passera vous prendre demain matin à 10 heures devant votre immeuble.

– Vous êtes très aimable.

– Vous arriverez tout juste à l'heure du déjeuner.

– Avant d'accepter, puis-je savoir qui m'invite? demanda Kostia.

Ted eut l'air surpris par la question, mais répondit avec un sourire désarmant de gentillesse :

– Le FBI.

3

– Écoute, dit Erwin en entrant dans le salon, j'ai une autre information qui vient de tomber.

– Tu en veux? demanda Janis en désignant une théière.

– Une goutte, merci.

– Lait ou citron?

– Lait.

Janis emplit une tasse de porcelaine et la tendit à Erwin.

– Alors?

– Le père du Russe vient d'avoir une crise cardiaque.

Janis fit tomber quatre sucres dans sa tasse et les écrasa avec soin du bout de sa petite cuillère.

– Il est mort?

– Non.

Elle trempa ses lèvres dans le thé, fit une légère grimace et en rajouta trois autres. Erwin la regardait avec fascination.

– Je me demande comment tu fais...

Janis haussa les épaules.

– Tu m'as regardée?

De race noire, elle avait la morphologie d'un lutteur de sumo. Et pourtant, malgré sa carrure fantastique et ses cent quarante-cinq kilos, elle dégageait une extraordinaire impression de douceur.

– Il était cardiaque? demanda-t-elle.

– Pas du tout. Il venait de faire trois ans en Afghanistan. Il crapahutait comme un cabri dans la montagne. Il a eu son malaise dans les bureaux du KGB, après avoir appris que son fils était un traître.

– Et les deux filles?

– Relâchées.

– Encore un drôle de coco!

Erwin lui jeta un regard interrogateur.

– Tu trouves ça moral, toi, bougonna-t-elle en feignant de s'indigner, d'aller courir ailleurs quand on est marié?

Erwin leva les yeux au ciel.

– Cochon! fulmina Janis. Vous êtes tous les mêmes!

– Mais il n'y est pour rien! Les femmes le trouvent irrésistible! A Leningrad, il paraît qu'elles se bagarraient toutes pour entrer dans son lit.

– Je peux te garantir qu'il n'entrera pas dans le mien!

Erwin gloussa de rire.

– Grossier personnage, dit Janis. Tu crois que je suis incapable de plaire?

Elle redevint brusquement sérieuse.

– Ton opinion?

– Apparemment, il est clean.

– Apparemment..., dit Janis à mi-voix. Où est-ce qu'il a atterri?

– Chez Naritsa... Vladimir Naritsa.

– Ça me dit quelque chose.

– Naritsa... Le gourou des stars. Il a une école d'art dramatique sur Broadway.

– Pédé?

Erwin eut un geste évasif.

– Sais pas. En tout cas, on ne lui prête aucune aventure féminine. Il doit être comme un tas de mecs dans son style...

– C'est-à-dire?

– Rien. Pas de vie sexuelle. Tout se passe dans la tête.

– C'est un fait ou c'est toi qui le dis?

– C'est moi qui le dis.

– Russe?

– Il a débarqué il y a onze ans. Il dirigeait la troupe du Kirov qui était venue jouer *Les Trois Sœurs*. Il a profité de la représentation pour foncer à l'hôtel Pierre, appeler les flics et demander l'asile politique.

– Il fréquente la communauté russe de New York?

– C'est pas son truc. Il est toujours fourré à Hollywood. On lui a accordé le passeport américain en 1983.

– On me l'amène quand ?

– Naritsa ? s'étonna Erwin.

– Non. Vlassov. Ton Adonis.

– Demain ?

– Parfait. On va voir s'il me résiste.

Erwin lui fit un clin d'œil affectueux et sortit de la pièce.

Restée seule, Janis s'approcha pensivement de la fenêtre. Le salon était de plain-pied avec les pelouses truffées de massifs d'hortensias qui s'étendaient jusqu'à un mur d'arbres superbes aux étonnantes fleurs bleues. Elle se dit que, si le paradis existait quelque part, il devait dégager l'harmonie de ce paysage.

Il y en avait des milliers de semblables sur l'immense territoire des États-Unis. Tous aussi beaux. Tous aussi fragiles. C'est pour les protéger de ceux qui auraient pu les détruire qu'elle était entrée en religion : elle avait gravi un à un les échelons du FBI.

Au début, ses handicaps paraissaient insurmontables. Elle était noire, elle était grosse, elle était femme. Mais elle possédait quelque chose d'unique : une intelligence hors du commun au service d'un instinct imparable. Elle devinait avant de réfléchir, elle savait avant de comprendre. A partir d'un fait anodin invisible pour tout autre qu'elle, elle pouvait dérouler l'écheveau le plus embrouillé et démonter le mécanisme de l'opération la plus tordue.

Elle pensa au Russe. Il était beau : mauvais.

La séduction était une arme dangereuse aux mains des communistes. Dans une société matriarcale où les femmes avaient le pouvoir par maris interposés, la beauté et le magnétisme constituaient la clé absolue pour pénétrer les sphères politiques ou financières les plus inaccessibles.

En général, côté charme slave, le KGB mettait le paquet. Ses représentants les plus brillants parlaient une multitude de langues, plaisaient aux deux sexes, étaient cultivés, manifestaient une aisance parfaite dans tous les milieux et, par leur dégaine, semblaient sortis tout droit des plus grandes universités américaines. Elle en avait déjà démasqué plusieurs.

Peut-être était-elle contaminée par déformation professionnelle, mais *a priori,* elle se méfiait de tout le monde et voyait des espions partout. Il y avait aussi très simplement des types qui savaient que la vie est courte, qu'on n'en a qu'une, et que mieux valait la risquer une bonne fois pour vivre libre que croupir sous la menace permanente du goulag.

Elle se demanda à quoi aurait ressemblé la sienne si elle avait été plus belle et moins intelligente...

Elle eut un petit sourire, se détacha de la fenêtre, revint à la table en évitant de se regarder au passage dans le miroir surmontant la cheminée et mit six sucres dans sa tasse.

Avec un soupir résigné, elle les arrosa de trois gouttes de thé, touilla le tout et l'avala.

4

Ce qui le frappa sitôt que le chauffeur eut arrêté son moteur, ce fut la qualité du silence. Ou, plutôt, les bruits qui habitaient ce silence, pépiement des oiseaux, infime frémissement sonore des arbres qu'agitait le vent par bouffées.

Il ouvrit la portière, perçut le crissement du gravier sous ses semelles et vit de plus près la résidence blanche qu'il avait admirée à travers les frondaisons, après qu'ils eurent franchi les lourdes grilles noires. Elle ressemblait au château de la Belle au Bois Dormant. Après trois heures de route, ils avaient laissé Providence sur la droite, pris une petite route qui serpentait entre des bocages magnifiques, traversé un village qui s'appelait Greenwood et roulé encore pendant une dizaine de kilomètres.

Il vit tout de suite les arbres bleus et s'apprêtait à demander leur nom au chauffeur lorsqu'un grand échalas hilare sortit de la maison et s'avança à sa rencontre.

– Bienvenue à bord. Je m'appelle Erwin.

Kostia lui tendit la main.

– Kostia Vlassov.

– Le voyage ne vous a pas paru trop long? Je vais faire porter vos bagages.

– Je n'en ai aucun.

– Parfait. On essaiera de se débrouiller. Je vous conduis à votre appartement.

Kostia le suivit. La voiture fit demi-tour.

– Vous avez faim?

– Assez, oui.

– Excellent! Nous vous attendions. On passe à table dans cinq minutes.

Erwin s'effaça pour le laisser entrer. Un couloir desservait plusieurs portes. Erwin ouvrit l'une d'elles...

– Voilà. C'est ici. Si vous souhaitez vous rafraîchir, la salle de bains est sur votre droite...

Tout en parlant, il alla ouvrir les rideaux. De nouveau, au bout des pelouses, Kostia vit les arbres bleus.

Erwin surprit son regard :

– Vous aimez ?

– Je serais difficile, dit Kostia.

– Vous verrez..., la maison est très agréable. La salle à manger est au fond du hall, sur votre gauche.

I! lui fit un sourire et sortit.

Kostia poussa la porte de la salle de bains.

La première chose qu'il vit fut son grand sac de sport en toile verte perdu à New York dans la cabine téléphonique de Park Avenue.

– Vous aimez le poulet grillé, monsieur Vlassov ?

– Beaucoup.

– Puis-je vous appeler Kostia ?

– Avec plaisir, dit Kostia.

– Je m'appelle Janis.

Fasciné, il observa du coin de l'œil cette énorme matrone noire à l'air jovial et chaleureux. Elle découpait le poulet comme si elle avait passé sa vie dans les cuisines d'un grand restaurant.

– Prenez place...

Il s'assit du bout des fesses. La nappe était blanche. Les assiettes de porcelaine bleue luisaient doucement dans les rais de soleil qui filtraient de la fenêtre.

– Je l'ai cuisiné moi-même. Une vieille recette cajun de La Nouvelle-Orléans. Il faut enduire les morceaux d'huile d'olive avant de les passer au gril. Puis, des herbes. Mais les herbes, je ne vous en dirai rien de plus, c'est un secret. Du vin ?

Kostia prit la bouteille et servit Janis. Elle leva son verre.

– A quoi voulez-vous boire ?

– A vous ?

Elle s'esclaffa.

– Volontiers. J'en ai besoin !

Elle avala d'un trait. Kostia l'imita.

- Il paraît qu'en Russie, vous êtes de sacrés soûlards?
- Exact.
- Vous, c'est de la vodka, nous, c'est le whisky.
- Pas seulement la vodka. Tout ce qui nous tombe sous la main.
- Par exemple?
- L'alcool à brûler. Ça coûte moins cher et ça soûle plus vite.

Elle le regarda en souriant.

- Vous n'avez presque aucun accent. Où avez-vous appris l'anglais?
- A Leningrad.
- Bravo. C'est là où on devrait envoyer nos étudiants pour apprendre l'anglais. Ils sortent de Yale et ils ne sont pas fichus de parler leur propre langue correctement! Vous aimez la Nouvelle-Angleterre?
- Le peu que j'en ai vu de la voiture m'a semblé superbe.
- Ici, vous êtes dans le Rhode Island. Après le déjeuner, je vous ferai faire un tour dans le parc. A l'automne, les couleurs sont incroyables... Tenez...

Elle déposa dans son assiette du poulet, des pommes de terre cuites sous la cendre et de la salade.

Ils mangèrent. Janis parlait de tout et de rien. Du temps, des saisons, des récoltes, du blé et des fleurs. Aucune allusion à l'arrivée de Kostia en Amérique. Aucune question sur sa vie antérieure, ses relations, sa famille, les raisons qui l'avaient poussé à prendre le risque de fuir. Comme dessert, il y avait une compote de pommes. Puis Janis servit le café qu'ils arrosèrent de deux verres de cognac. Ils se levèrent de table. Au lieu d'aller dans le jardin comme promis, Janis s'affala dans un fauteuil avec un soupir d'aise.

- C'était bon? demanda-t-elle.
- Fameux, dit Kostia.
- Aimeriez-vous un cigare?
- Vous en avez?
- « Monte Cristo A »... Les meilleurs, en direct de Cuba et avec les compliments de Castro... Contrebande!

Elle allongea le bras, s'empara d'un coffret sur la table, offrit un havane à Kostia et le lui alluma.

Ainsi s'acheva leur premier déjeuner.

Kostia piqua une tête dans la piscine. Corps tendu, il se propulsa au fond du bassin, s'y recroquevilla, s'allongea sur le dos. Les yeux ouverts, il se laissa doucement remonter en surface. Il n'avait pas nagé depuis longtemps et savourait avec volupté le contact de l'eau sur chacun de ses muscles libérés de la pesanteur. Il émergea enfin, aspira l'air goulûment, tourna son visage vers le soleil, effectua quelques lentes cabrioles sous-marines. A un moment, en profondeur, il éclata de rire. Des multitudes de bulles d'air irisées se lovèrent contre son corps : il savait très bien pourquoi il était là. Il avait imaginé des bureaux tristes, des flics lugubres et une avalanche de questions sauvages. Au lieu de quoi, une éléphantesque nounou cuisinière lui avait mijoté des petits plats et parlé d'horticulture. En Union soviétique, les mêmes circonstances l'auraient déjà conduit à l'hôpital après un troisième degré sévère. Pour se persuader qu'il ne rêvait pas, il opéra un virage basculé et attaqua le bassin d'un crawl rapide.

– Je vous ai vu par hasard dans la piscine. Savez-vous que j'aurais donné n'importe quoi pour nager comme vous ?
– As-tu au moins essayé ? demanda Erwin.
– Étant donné ma masse, je ferais déborder le bassin, dit Janis avec bonne humeur. Kostia, votre thé, lait ou citron ?
– Citron, s'il vous plaît.
– Je vous avais promis un tour de parc, et voilà... C'est scandaleux d'avoir une flemme pareille !
– Si vous avez envie de visiter les environs, prenez la Jeep, dit Erwin à Kostia. Vous la trouverez dans le garage. Le plein est fait. Les clés sont sur le tableau de bord.
– Pas tout de suite, protesta Janis. Je vais avoir besoin de lui dans une demi-heure.
Elle se tourna vers Kostia, sa tasse de thé à la main, petit doigt levé.
– Enfin, si vous acceptez de m'aider...
– A quoi ? demanda Erwin.
– Éplucher les légumes pour le dîner.

A 11 heures du soir, Kostia se retira dans sa chambre. Ni Erwin ni Janis n'avaient encore fait la moindre allusion à quoi que ce soit de personnel le concernant. La conversation avait roulé sur les sujets les plus futiles. Le dîner avait été exquis.

En sa présence, Erwin et Janis s'étaient livrés à un véritable numéro de mise en boîte au second degré, chacun balançant sur l'autre les pires vannes tout en gardant le visage impassible d'un joueur de poker. Kostia s'allongea sur le lit.

Il ne comprenait pas. Il se demanda si ce cinéma était une mise en condition. Tout était à sa disposition. Il était complètement libre d'aller et venir dans la résidence sans aucun contrôle.

Janis avait même insisté pour qu'il sorte.

— Alors, vous n'avez toujours pas envie de conduire?

Il lui avait jeté un regard moqueur.

— Seul?

— On n'a pas envie que vous vous perdiez dans le patelin... Un Russe dans le Rhode Island, vous vous rendez compte! Je vous accompagnerai... ou Erwin.

Pourtant, tôt ou tard, il faudrait bien qu'on lui pose les véritables questions.

Mais quand?

Il se déshabilla, se glissa dans les draps, songea un instant à regarder un programme de télé. Finalement, il éteignit la lumière. Il resta sur le lit, immobile.

Peu à peu, les minuscules bruits de la campagne lui parvinrent.

Et aussi, apportée par la nuit, filtrant des persiennes de la fenêtre ouverte, une profonde et délicieuse senteur de jasmin.

Kostia s'endormit.

Le lendemain matin, Janis passait à l'attaque.

Ils étaient sur le court de tennis. Kostia venait d'infliger un mémorable 6-0 à Erwin qui, de honte, restait affalé sur le dos, bras en croix.

La partie n'avait qu'un seul et unique spectateur : Janis.

Elle applaudit. Kostia s'approcha d'elle en trottinant.

Doublement protégée par un vaste chapeau de jardinier et l'ombre d'un parasol gigantesque, elle lui tendit une boîte de Coca glacée.

— Excellent! Vous jouez comme un pro!

Kostia remercia d'un regard, s'effondra sur une chaise, décapsula la boîte et but avec avidité. Janis le considéra avec un sourire affectueux.

— Kostia, êtes-vous membre du Parti communiste?

— Évidemment.

— Vous voulez dire que vous vous y êtes inscrit vous-même?

— Bien entendu.

— Pourquoi?

— Parce que la vie est impossible en Union soviétique si l'on n'est pas inscrit au Parti. Un peu comme si vous n'aviez pas de passeport aux États-Unis, pas de permis de conduire, pas de sécurité sociale, de carte de crédit ou de carnet de chèques. Être russe aujourd'hui, c'est être communiste de naissance.

Il ôta sa chemise trempée, s'essuya le torse avec une serviette et enfila un tee-shirt.

— Et le KGB? dit Janis qui le lorgnait à la dérobée.

— J'y suis resté en stage pendant dix-huit mois.

— Seulement?

— Il faut croire que je n'étais pas doué.

— C'était... également obligatoire?

— Oui. Fils d'un militaire de carrière et étudiant, j'y avais droit.

— Ça se passait où?

— A Moscou, sur la grande ceinture de banlieue. Un énorme bâtiment fonctionnel en demi-lune baptisé « l'Annexe ». Yuri Andropov l'a fait construire il y a une quinzaine d'années. La maison-mère était trop petite.

— Le square Dzerzhinsky?

— Oui. A l'Annexe, on s'occupe plus spécialement des opérations concernant l'étranger. Mais, dès qu'un problème devient sérieux, les hauts responsables se rabattent sur le vieux mausolée du square. Toutes les grandes décisions ont été prises dans une petite pièce tendue de vert du cinquième étage.

— Vous avez dû apprendre beaucoup de choses, là-bas?

— Quelques-unes, dit Kostia en achevant sa boîte de Coca. Quelques-unes...

— Alors, vous allez peut-être pouvoir m'expliquer..., dit Janis avec une expression faussement indignée.

Elle rafla un numéro de *Newsweek* qui traînait sur la pelouse au pied de la chaise.

— Vous êtes au courant?

Elle ouvrit le magazine, le feuilleta et le tendit à Kostia après avoir trouvé la page qu'elle cherchait.

– Pourquoi ces Russes nous crachent-ils à la gueule ? On leur donne le droit d'asile, le passeport américain et, au bout de vingt ans, cinquante d'entre eux demandent leur rapatriement en Union soviétique !

– Sous quel prétexte ? demanda Kostia sans pouvoir s'empêcher d'esquisser un sourire.

– Il paraît que chez nous la vie est trop dure, inhumaine, angoissante ! Ils auraient pu s'en apercevoir avant !

– Janis, vous avez déjà entendu parler de Karpov ?

– Évidemment... Quel rapport ?

– Atavisme. Dans chaque Russe sommeille un champion d'échecs. Nul ne bougera un pion s'il ignore le douzième mouvement qui va suivre.

Janis fronça les sourcils.

– En clair ?

– Stratégie KGB. Il y a vingt ans, ils ont dû ordonner à quelques cobayes de passer à l'Ouest. Mission : s'implanter, s'intégrer, et revenir au premier signal en crachant dans la soupe pour créer un impact psychologique.

– Ils étaient définitivement à l'abri. Qu'est-ce qui les obligeait à céder ?

– Vous tenteriez quelque chose, vous, si vous saviez qu'au moindre refus d'obéissance tous les membres de votre famille restés en otages iraient pourrir jusqu'à la mort dans un hôpital psychiatrique ?

– Vous vous croyez au courant, dit Kostia. En fait, vous ne savez pas grand-chose...

Janis eut une moue sceptique.

– Vous connaissez Novorossiysk ?

– C'est un port de la mer Noire.

– Exact.

– Environ cent trente, cent cinquante mille habitants. Métallurgie.

Kostia approuva de la tête.

– Un jour, les chantiers ont cessé de payer les ouvriers. Pour protester, ils ont commencé à se répandre dans les rues...

– Je croyais que vous n'aviez pas le droit de grève?

– Qui vous parle de grève? C'était un défilé. Les étudiants se sont joints au cortège. Ils ont commencé à balancer des pavés dans les magasins où il n'y avait plus rien à vendre... Les flics sont arrivés...

– Rien à vendre? l'interrompit Janis.

Kostia se mordilla les lèvres avec impatience.

– Tout ce qui est en vitrine est factice! Les gens ont faim. Il n'y a rien à bouffer!

– J'ai des amis qui ont séjourné à Moscou. Ils se sont empiffrés de saumon et de caviar!

– Ils n'étaient pas russes! Le prix d'un seul de leurs repas correspond au salaire mensuel d'un fonctionnaire.

– Alors, les flics?...

– Au bout de dix minutes, ils défilaient avec les autres. L'affaire tournait mal, on a envoyé la troupe avec l'ordre de faire feu si c'était nécessaire.

– Ils ont tiré?

– Non. Quand ils se sont retrouvés face à face, soldats, ouvriers, policiers et étudiants sont tombés dans les bras les uns des autres. Le comité local du Parti a appelé Moscou pour demander des renforts. Pendant ce temps, les casseurs s'emparaient de l'aéroport, des studios de radio, des centres de communication et des bâtiments administratifs et militaires. Plus personne ne pouvait sortir de Novorossiysk, plus personne ne pouvait y entrer. Une ville coupée du monde, sous le contrôle absolu des insurgés...

– Et ça se passe au paradis socialiste, soupira Janis.

– Le lendemain, un avion sanitaire demande un atterrissage d'urgence à cause d'une avarie de moteur. Accordé. L'appareil se pose... Il est bardé de croix rouges... A l'instant où il s'immobilise, cinquante paras en tenue de combat sautent sur la piste et arrosent tout ce qui bouge au bazooka... Dans leur dos, d'autres avions atterrissent... Des gros porteurs... Bourrés d'hommes en armes... Ils reprennent l'aéroport, encerclent la ville, l'envahissent, la quadrillent... Les insurgés résistent... Quand la bataille s'achève, on ramasse dans les rues vingt-cinq mille cadavres d'ouvriers et d'étudiants.

Kostia laissa flotter un long silence. Puis, regardant Janis droit dans les yeux, il demanda :

– Le saviez-vous ?

– Oui.

– Nous sommes en 1988. Vous l'avez appris quand ?

– Fin 1975.

– Et d'après vous, à quel moment s'est déroulé le massacre ?

– L'été précédent.

Kostia eut un petit sourire amer.

– Non, Janis, non. En 1962. Ce qui veut dire que les vrais secrets de l'Union soviétique parviennent en Occident avec treize ans de retard.

C'était comme des vacances. Dès qu'il s'éveillait, il se levait, passait dans la salle à manger d'où montait une bonne odeur de café et s'attablait avec Janis devant un solide petit déjeuner. Parfois, Erwin y participait. Certains jours, il n'apparaissait qu'à l'heure du lunch. Ou pas du tout de la journée. Il y avait aussi un autre homme, Francis, chargé des travaux domestiques. Quand Kostia le rencontrait au hasard d'un couloir, Francis se contentait de lui adresser un grand sourire. Il acquiesçait de la tête à tout ce qu'on lui demandait, sans jamais prononcer un mot.

Une semaine s'était déjà écoulée à la vitesse du vent... Deux jours plus tôt, Kostia avait demandé la permission d'appeler Naritsa : refusée.

Ce matin-là, à sa façon même de lui souhaiter le bonjour en entrant dans la cuisine, Kostia sut que Janis était préoccupée.

Elle lui servit le café, s'en versa une tasse et la bourra machinalement d'un chapelet de sucres en cube. Elle porta la tasse à ses lèvres et le dévisagea derrière le rempart de ses monstrueux avant-bras.

– J'ai une mauvaise nouvelle.

Kostia s'apprêtait à mordre dans une tartine de confiture. Il suspendit son geste.

– Votre père a été arrêté par le KGB. Il a eu une crise cardiaque.

Kostia se figea. Janis s'empressa de répondre à la question qu'il n'osait pas lui poser.

– Il est vivant. Il est rentré à la maison. Tout ira bien.

5

– Kostia, est-ce vrai qu'en Russie toutes les femmes sont grosses ?

– Beaucoup le sont.

– Grosses comme moi ? s'enquit Janis avec une lueur d'espoir dans les yeux.

– Dans certaines régions, vous passeriez pour filiforme, dit Kostia sur qui déteignait de plus en plus le ton d'humour maison.

– Comment expliquez-vous ça ?

– Féculents. Patates, haricots, haricots, patates.

– La viande ? Le poisson ?

– Zéro. Je vous ai déjà dit qu'il n'y avait rien.

– Les légumes ?

– Quels légumes ? A Moscou, quand il y a un arrivage de cinquante tonnes de tomates, on fait la queue toute la nuit pour attendre l'ouverture du Goum. Une heure après, tout est raflé ! Ceux qui n'ont pas été servis peuvent toujours les racheter aux autres trois fois leur prix.

Coiffée d'un large chapeau de jardinier vert pomme, Janis écrasait une chaise longue que sa masse réduisait à l'échelle d'un bibelot. Ils étaient installés sous un parasol au bord de la piscine. Il faisait un temps superbe.

– Délation, alcoolisme et corruption. Les trois mamelles de l'esclavage, ajouta pensivement Kostia.

– Dans le fond, vous n'aimez pas tellement votre pays ?

– Vous vous trompez. Je me sens totalement russe. C'est le système qui me révolte.

– A vous entendre, vous n'êtes pas le seul.

– Tout Soviétique le vomit!

– Vous vous fichez de moi?

– Savez-vous qui était leur dieu pendant la guerre, le sauveur des sauveurs? Hitler! Et savez-vous pourquoi? Ils pensaient que lui seul pourrait écraser le communisme! Après Yalta, des milliers de Russes ont préféré se suicider plutôt que d'être rapatriés.

– Alors comment expliquez-vous que tout le monde la ferme?

– La peur. Chacun se sent espionné par le voisin. Et la faim.

– Quel rapport?

– Un rôle politique capital. Question de dosage... Pas assez féroce pour déclencher la guerre civile comme à Novorossiysk. Assez forte pour attiser la haine contre les boucs émissaires désignés par le Parti.

– Comme quoi?

– Comme responsables de la famine.

Devinant la suite, Janis lui coula un regard méfiant.

– Et c'est qui?

– L'Amérique.

Janis se tapa sur les cuisses.

– Kostia...

– Oui?

– Le sac en toile qui vous avait été remis à Tokyo par l'ambassade, pourquoi l'avez-vous abandonné dans une cabine téléphonique de Park Avenue?

Kostia ouvrit des yeux ronds.

– Il ne vous est jamais arrivé d'oublier quelque chose? Il n'y avait rien dedans... Une vieille chemise sale!

Janis ne le quittait pas des yeux. Il éclata de rire.

– Hé, Janis, vous êtes sûre que vous ne lisez pas un peu trop de polars?

Torse nu, Kostia cassait du bois derrière une aile de la maison. La hache se levait très haut, filait comme un trait de lumière sur la bûche qui se fendait en deux comme tranchée par un coup de rasoir. A un moment, Kostia sentit un regard posé sur lui. Il se redressa, s'épongea le front, tourna lentement la tête et aperçut Erwin qui l'observait en souriant.

– Il y a des jours où je suis bien content de ne pas être une bûche... Vous avez fait beaucoup de sport ?

– Un peu...

Hache à la main, Kostia marcha sur Erwin, vérifia d'un coup d'œil qu'ils étaient bien seuls et lui lâcha à voix basse.

– Je peux vous dire un mot ?

Erwin acquiesça avec étonnement.

– Entre hommes seulement. Promis ?

Erwin hocha vigoureusement la tête. Kostia se rapprocha jusqu'à ce que ses lèvres soient à quelques centimètres de l'oreille d'Erwin qui se tenait debout avec raideur, une expression mi-figue, mi-raisin sur le visage.

– Erwin, j'ai besoin d'une femme.

Erwin eut un mouvement de recul.

– Je ne comprends pas.

– Une femme. Je n'ai pas approché une femme depuis six semaines. Je veux baiser.

– C'est impossible !

– Pourquoi ?

– Janis ne le permettra pas.

Kostia lui tourna le dos, brandit sa hache et fit exploser un énorme tronçon de bois.

– Ne vous pressez pas, dit Janis, vous avez tout votre temps...

Elle versa lentement le chocolat fondu dans la casserole et régla le gaz pour avoir un feu plus vif.

Ils étaient dans la cuisine en bois brun et carreaux de céramique bleue. Janis avait posé un morceau de cake devant Kostia. Il était 5 heures de l'après-midi. Il avait refusé le café qu'elle voulait lui servir. Assis à califourchon sur une chaise, il contempla les dizaines de photos qu'elle avait étalées sur la table soigneusement nettoyée. La plupart représentaient un visage d'homme ou de femme. Certaines, une perspective de rue, un bâtiment. D'autres, prises au téléobjectif, une foule, d'où se dégageait une silhouette isolée par un cercle tracé au crayon bleu.

– Le truc pour la crème au chocolat, c'est de ne pas y mettre de sucre... Personnellement, j'adore le sucre. Mais Erwin prétend que c'est trop écœurant...

Elle se concentra sur sa casserole. Kostia saisissait les photos l'une après l'autre, les contemplait, les rejetait.

– Vous reconnaissez quelqu'un? demanda Janis sans se retourner ni interrompre son mouvement de cuillère.

– Naritsa, dit Kostia. Vladimir Naritsa.

Un cliché où son ami brandissait très haut son chien en hurlant de rire.

– Mais à part lui?

– Des tas de gens.

Janis s'essuya les mains sur son tablier, s'approcha de la table et regarda la photo sur laquelle s'attardait Kostia.

– C'est qui?

– Chebrikov, dit Kostia. Vitaly Chebrikov. Grand patron de la Sluzhba. Il dirige tous les agents du KGB en poste à l'étranger.

Janis lui tendit un autre cliché. Un homme chauve. Regard perçant. Air sévère.

– Lui, c'est le chef du Politburo. Victor Vladimov.

– Et lui? demanda Janis en désignant une nouvelle photo.

– Igor Batrovin, numéro deux du Praesidium suprême...

Avec un petit sourire, il pointa son index sur une place recouverte de neige où se dressait une statue.

– Square Felix-Dzerzhinsky... La maison-mère... KGB. Toutes les catastrophes sont parties de là.

– Qui est celui-ci?

– Youli Voronsov. Premier vice-ministre des Affaires étrangères.

– Et celui-là?

– Un serpent à sonnette. Nikolaï Savankine.

– Je le croyais mort?

– Il en sait trop pour mourir. Officieusement, il n'a plus aucun titre. En réalité, il contrôle plus de sept cent mille agents hors de nos frontières. Et autant de « correspondants » sur les cinq continents. Renseignement, infiltration, espionnage, actions terroristes, déstabilisation, tout dépend de lui. Il est haï de tous. Mais depuis Khrouchtchev, indéracinable.

– Ma crème! cria Janis.

Elle se précipita sur le fourneau, touilla dans la casserole et dit sans se retourner :

– Il ne s'occupait pas de la « Russian Connection »?

Kostia l'interrogea du regard.

Elle revint s'asseoir près de lui, caressa de la main la pile de photos et laissa tomber avec indifférence :

– L'utilisation et la dissémination de la drogue comme arme stratégique contre le monde libre.

Kostia hocha la tête affirmativement.

– Si. Entre autres. Il a commencé en 1963. C'est lui qui a tout fait. Il a mis en place le réseau bancaire international destiné à blanchir les fonds provenant du trafic.

– De grosses sommes ?

– Des milliards et des milliards de dollars.

– Qu'est-ce qu'il fait de l'argent ?

– Cela va du financement des réseaux terroristes aux plus minuscules mouvements révolutionnaires, en passant par les agitateurs de quartier ou les mouvements écologistes manipulés à leur insu pour implorer le désarmement. Il s'agit de maintenir la planète sous pression en entretenant le désordre, l'inquiétude et la peur.

– Et la drogue ?

– Je sais qu'existent en Union soviétique des sections spéciales travaillant sur de nouvelles substances hallucinogènes.

– Où ?

Kostia eut un geste d'ignorance.

– Et ailleurs ?

– Partout. Les laboratoires secrets où se fabriquent l'héroïne et la cocaïne en France, en Turquie, en Italie... Les pistes d'atterrissage invisibles dans la jungle colombienne, les chaînes de revente à New York, à Miami...

– Savankine a-t-il un pouvoir sur l'Amérique latine ?

– Absolu. Elle est presque totalement pénétrée par les services secrets cubains, la « Direccion General de Inteligencia ». Pas un gramme d'opium ou de cocaïne ne se vend sans leur bénédiction.

– Si je comprends bien, Castro contrôle l'Amérique latine et Savankine contrôle Castro ?

– Exactement. Dans les années 1960 et 1970, il a fait cent fois la navette entre Moscou et Cuba pour signer personnellement les accords avec Castro.

– Portant sur quoi ?

– L'Union soviétique fournissait des capitaux et des armes, les services secrets cubains de la « Direccion General de Inteligencia » s'emparaient de la maîtrise du trafic. Savankine... Grâce à ses contacts, ses voyages incessants, ses dons pour corrompre, acheter, menacer, éliminer, tout a fonctionné comme l'avait prévu Khrouchtchev en lui donnant carte blanche vingt-cinq ans plus tôt.

– Et aujourd'hui ?

– Le monopole soviétique camouflé, Cuba se disloque. Trop d'argent. Trop de rats. Règlements de comptes entre bandes rivales, cargaisons saisies sur dénonciation, explosion d'entrepôts, destruction de laboratoires, navires coulés, avions abattus, dealers massacrés au coin d'une rue...

– Et le soutien logistique ?

– Savankine. C'est lui qui a assuré l'implantation et le cloisonnement des agents, la formation des chimistes, des passeurs, des revendeurs, avec la complicité des plus hautes autorités internationales, politiques, policières et douanières.

– Dégueulasse.

Kostia la dévisagea avec un étonnement sincère.

– Pourquoi ?

– Parce que c'est amoral !

Kostia éclata de rire.

– Vous avez fait la même chose au Viêt-nam. Et avant vous, les Français !

– Comment ?... Comment ? éructa Janis d'une voix révoltée.

– En pleine guerre, pendant que vos sénateurs dénonçaient les ravages de la drogue, la CIA utilisait ses propres compagnies de charters pour convoyer l'opium des Méos !

– Quelles compagnies ? se révolta Janis.

– Lao Development Air Service, Air America, Continental Air Service... Et je ne parle même pas des C130 de vos propres forces aériennes qui embarquaient leurs cargaisons de drogue à Long Tien pour les livrer à Udon, votre base de Thaïlande.

– Vous vous fichez de moi !

– Sans un petit coup de main aux populations locales pour transporter leurs récoltes d'opium, pensez-vous que votre armée aurait pu survivre huit jours ?

– Avant d'être à la télé, demanda Janis abruptement, qu'est-ce que vous avez fait comme études ?

Kostia la considéra avec une pointe d'ironie.

– Économie et finances.

– Vous connaissez les mécanismes bancaires?

– Sur le bout des doigts.

– Drôle de préparation pour un communiste qui aspire à finir derrière une caméra..

– Les chiffres m'emmerdent. Le pognon aussi.

– Probablement votre côté slave...

– Tout à fait! J'ai d'autres valeurs...

– Ah?...

– L'art, la beauté, la poésie... Tous ces trucs, quoi... Vous voyez ce que je veux dire...

Janis se leva brusquement. Kostia ne put s'empêcher de remarquer l'énorme déplacement d'air causé par le plus infime de ses mouvements. Elle posa une nouvelle photo sur la table.

– Et celui-là, vous l'avez déjà vu?

– Jamais, dit Kostia.

– C'est marrant, dit Janis.

De nouveau, elle s'affairait à son fourneau.

– Pourquoi? Je devrais?

– Quand avez-vous rencontré Naritsa?

– Je vous l'ai déjà dit cent fois. A Leningrad, il y a neuf ans.

– Pendant combien de temps avez-vous assisté à son cours?

– Six, sept mois...

– Six ou sept?

– Peut-être six...

– A quel moment de l'année était-ce?

– Fin septembre. A la rentrée.

– En 1979?

– Probablement.

– Vous pouvez me relayer une seconde?

Kostia la rejoignit. Elle fourrageait dans sa casserole.

– Si on arrête de tourner, tout fout le camp. Je dois prendre quelque chose dans le placard...

Kostia s'empara de la cuillère et continua le mouvement. Janis alla au fond de la cuisine, farfouilla dans un tiroir, en sortit un livre de cuisine, le feuilleta rapidement.

– Excusez-moi, j'avais oublié un détail pour le temps de cuisson..

Elle reprit la cuillère à Kostia.

– Merci... Par conséquent, vous avez assisté au cours jusqu'en mars, avril?

– A peu près, oui...

– Marrant... Très marrant...

– Quoi?

– Le type que vous ne connaissez pas, sur la photo, il s'appelle Igor Tchoubanian. Soit dit en passant, il prétendait vous connaître très bien avant de se pendre dans sa cellule.

– Quelle cellule?

– A Paris. Il y a deux mois. Il était conseiller commercial à l'ambassade soviétique. Il s'est fait coffrer parce qu'il essayait de négocier avec un fonctionnaire français les plans de système de guidage de leur missile Hadès.

– Ah bon! dit Kostia avec un imperceptible haussement d'épaules. Et alors?

– Alors, ce Tchoubanian a pris des cours de comédie chez Naritsa de septembre 1979 à juin 1980. En même temps que vous.

– Je ne l'ai jamais vu, dit Kostia.

Janis lui fit un clin d'œil complice.

– Justement... C'est ça qui est marrant...

– Tu veux que je te donne mon avis? dit Janis. Il ne sait rien. Ou alors, c'est un sacré comédien!

– Les photos? Il a identifié quelqu'un?

– Tous les grands responsables. Étant donné qu'il a fait partie du KGB, il peut difficilement ne pas les reconnaître. J'ai même fourré dans le paquet un Tchoubanian imaginaire, soi-disant espion suicidé dans une prison française, en prétendant qu'ils étaient ensemble à Leningrad en 1979.

– Il a bronché?

– Pas du tout.

– J'ai fait recouper tout son curriculum par Washington. Il n'a pas menti une seule fois.

– C'est bien ce qui m'inquiète, soupira Janis.

Elle se frotta le menton.

– C'est presque trop beau. Le transfuge d'anthologie... Le passé sans zone d'ombre...

– Et s'il disait la vérité?

– La vérité est toujours pleine de trous. Dans son histoire, justement, il n'y en a aucun. Elle a la perfection d'un coup monté.

– En somme, ce qui te chiffonne, c'est qu'il ait l'air trop innocent?

– Exactement! Trop séduisant. Trop intelligent. Trop cultivé. Trop à l'aise. Il est trop tout. Et en plus, il maîtrise neuf langues! Pour le mettre en boîte, je lui ai demandé s'il parlait aussi le chinois. Tu sais ce qu'il m'a répondu?... « Si c'est nécessaire »!

– Tu lui as montré des listes de noms?

– Rien. Il ne sait rien.

– Alors, qu'est-ce qu'on fait?

– On le cuisine encore un peu et on le relâche.

– Quand?

– Le plus tôt possible.

Elle roula des yeux pâmés et ajouta comiquement:

– C'est mieux pour nous tous, Erwin... S'il reste ici huit jours de plus, je crois que je vais tomber amoureuse de lui!

La technique était toujours la même. Une conversation à bâtons rompus d'où jaillissait soudain, au détour d'une phrase, la question piège. Cent fois répétée au cours des dernières semaines. Kostia avait la sensation de ramasser à longueur de journée les mille morceaux de son passé pour en recomposer indéfiniment le même paysage... Ou alors, Janis se faisait séductrice, rassurante, et lui jetait un mot...

– Évasion?

Il la regarda sans comprendre.

– Laissez-vous aller, Kostia... Dites tout ce qui vous passe par la tête... Parlez librement!

– Je vous ai déjà raconté ma vie mille fois.

– Est-ce qu'on s'évade du goulag?

Ils étaient assis à la table de jardin, sur la pelouse. Janis avait installé entre eux un jeu d'échecs.

Kostia marqua un temps d'hésitation.

– S'évader pour aller où? Chaque camp est entouré par des milliers de kilomètres de glace.

– Personne n'a donc jamais essayé de s'enfuir?

– On n'arrête pas de s'enfuir.

– Comment?

– Beaucoup se mutilent.

– De quelle façon?

– Je ne voudrais pas vous choquer...

Elle le toisa avec ironie.

– Vous m'avez regardée?

– Certains s'attachent les testicules à la poignée de leur cellule. Ensuite, ils hurlent. Dès qu'un gardien ouvre la porte, il y a arrachement des organes génitaux.

– Abominable...

– D'autres avalent ce qui leur tombe sous la main, fourchettes, lames de rasoir, couteaux... Ou alors, ils se blessent volontairement et infectent la plaie avec de l'urine et des excréments.

– Dans quel but?

– Ils espèrent qu'on les transportera à l'hôpital. La faim rend fou. Ils sont prêts à tout plutôt que ne pas bouffer.

Janis baissa pudiquement les yeux.

– Je peux comprendre...

– Il y a aussi ceux qui ont la chance d'être transférés d'un camp à un autre. Le déplacemement s'effectue dans des trains-prisons spéciaux composés de minuscules compartiments individuels.

– Minuscules?

– Impossible d'y être debout ou allongé. Des espèces de cages d'un mètre cube. On ne peut s'y installer qu'accroupi.

– Où sont les gardiens?

– Dans le couloir. Si l'on a bien préparé son coup, on peut dévisser le plancher métallique et se laisser couler entre les deux voies, sur la neige.

Janis le regarda avec des yeux horrifiés.

– C'est du suicide!

– Pratiquement. Si l'on n'est pas écrasé par le train, on sera peut-être décapité par la lame de fer fixée au bas du dernier wagon pour balayer le sol.

– Et ils sautent quand même?

– Sans hésiter.

– Les gardes s'en aperçoivent?

– Pas forcément tout de suite. Parfois, à l'arrivée du convoi. Dès qu'une évasion est signalée, on demande des unités armées en renfort et des hélicoptères survolent la steppe glacée mètre par mètre.

– A supposer qu'un évadé arrive à survivre, où va-t-il?

– Toujours vers la mer. Pour se cacher dans un port.

– Combien de temps?

– Par exemple, jusqu'à ce qu'il achève de trafiquer un tronc d'arbre dans lequel il pourra se glisser. Ensuite, il suffit d'attendre qu'un cargo emmène la cargaison de bois à l'étranger.

– Y a-t-il eu des évasions réussies?

– Nul ne le sait. S'il y a des survivants, peut-être se cachent-ils quelque part, visage refait, comme le pilote du Mig qui avait réussi à poser son appareil au Japon en échappant à son escadrille.

– Il vit aux États-Unis, dit Janis. Je l'ai rencontré.

Kostia hocha la tête.

– Eh bien, vous voyez... Celui-là a réussi.

– Mais les autres? Ceux qui n'ont pas la chance de voler un avion?... Comment se nourrissent-ils?

Kostia ne put réprimer un sourire.

– Vous savez ce qu'est une vache?

Janis le considéra d'un air étonné.

– « Vache », c'est un mot d'argot en usage dans les goulags de Sibérie. Quand deux prisonniers s'associent pour préparer une évasion, leur premier soin est de trouver la vache qui fera partie du voyage.

– Une vraie vache?

Cette fois, Kostia éclata franchement de rire.

Il avait envie de révéler à Janis ce qu'il savait, mais en même temps, il craignait de la froisser à cause de sa corpulence et des identifications qu'elle allait immanquablement provoquer.

Après tout, elle l'avait voulu.

– Une vache, c'est le prisonnier le plus gras du camp. Les futurs évadés lui font miroiter la possibilité de la liberté. Ils lui racontent – ce qui est vrai – qu'il leur est indispensable et qu'ils l'ont choisi comme compagnon de cavale.

– Je ne vois toujours pas le rapport...

– Vous ne pouvez pas le voir. Il n'y a aucune logique humaine dans un pays où en soixante-dix ans d'histoire, soixante-dix millions de personnes ont été déportées, massacrées ou ont simplement disparu au nom de l'idéologie révolutionnaire. Sans parler des morts de la guerre. Vous connaissez la devise du goulag? « Meurs aujourd'hui, je mourrai demain. » Quand on

60

s'évade, il s'agit de marcher pendant des milliers de kilomètres par moins quarante, en échappant aux hommes, aux ours et aux loups. Une chance sur un million. Car il semble impensable qu'on puisse survivre pendant des mois dans le froid et sans aucune nourriture...

— Dans ces conditions, pourquoi aller s'encombrer d'une vache ?

— Pour la manger, dit Kostia.

Kostia s'imprégna une dernière fois du parfum de jasmin. D'où venait-il ? Il avait cherché en vain des jasmins dans le parc mais n'en avait trouvé aucun.

Il regarda les pelouses hérissées de massifs de fleurs, les étranges arbres bleus qui barraient la ligne d'horizon. Il avait vécu dans ce paradis pendant quatorze semaines. Il savait qu'il n'y reviendrait jamais plus.

Il entendit un crissement sur le gravier. La limousine venait d'arriver. Il s'arracha à sa rêverie, tourna le dos à la fenêtre, s'empara de son sac en toile verte alourdi de jeans, de baskets et de chemises que Janis lui avait donnés. Un ultime regard sur sa chambre... Il sortit. Erwin l'attendait dans le couloir.

— Janis vous a fait du café.

Kostia lui adressa un sourire et entra dans la cuisine. Janis leur tournait le dos. Sans dire un mot, elle mit trois tasses sur la table.

— Eh bien, voilà, dit-elle avec un gros soupir.

Kostia déposa son sac sur les tommettes ocre rouge. Janis emplit les tasses avec sa cafetière, tendit le sucrier et, selon son habitude, fit tomber dans la sienne une cascade de cubes si abondante qu'elle dut rajouter du café dans le mélange pour pouvoir le faire fondre. Erwin fit un clin d'œil à Kostia.

— Elle est amoureuse...

— Idiot, dit-elle avec douceur.

— Vous retournez chez Naritsa ? demanda Erwin.

— Pour le moment.

— Et après ? dit Janis.

— Je vais chercher un travail.

— Quel genre ?

— L'idéal serait de trouver un truc dans ma partie. Le cinéma. Vladimir a beaucoup de relations. Il me mettra peut-être sur un coup. Mais, en attendant, je prendrai ce qui se présente. N'importe quoi... La plonge, videur, garçon de restaurant, ce qui se présentera. J'ai écrit un scénario que je rêve de tourner depuis longtemps. Pourquoi pas en Amérique? On verra...

On gratta à la porte. Francis passa la tête.

— Oui, oui... Dites-lui qu'on arrive, dit Janis avec impatience... Elle se retourna vers Kostia.

— Quel dommage...

— Que je parte? ironisa Kostia avec gentillesse. Si vous voulez bien encore de moi, je rempile!

— Non, intervint Erwin. Janis regrette que vous ne puissiez retourner en Union soviétique. Pour le moment...

— Vous auriez peut-être pu nous aider, enchaîna Janis.

Kostia eut un imperceptible froncement de sourcils. Il chercha le regard d'Erwin.

— Pour le moment? Que voulez-vous dire?

Erwin écarta les bras en un vague geste d'embarras.

— Mon père a failli mourir, ajouta Kostia. Ma mère est probablement sous surveillance et tous ceux qui m'ont connu vont subir de graves ennuis. Vous savez très bien qu'après ce qui s'est passé, je serai un exilé jusqu'à ma mort.

Erwin toussota. Janis tendit la main à Kostia.

— Bonne chance, Kostia.

Au lieu de s'en emparer, Kostia la prit dans ses bras et lui donna une accolade à la russe. Il n'avait jamais tenu un corps aussi volumineux contre lui, si bien que, pour l'embrasser, il dut se plier en avant pour contourner la masse de sa fantastique poitrine.

— Je vous remercie pour tout...

— Vous savez où nous trouver, dit Janis.

— N'oubliez pas d'appeler une fois par semaine, dit Erwin. Vous avez le numéro...

Kostia lui tapota l'épaule, s'empara de son sac et sortit. Au-dehors, rangée devant le perron, la longue limousine noire dont la portière arrière était ouverte.

Kostia s'installa. Il allait la refermer quand Erwin se précipita et lui tendit un paquet enveloppé dans du papier d'argent.

— Cadeau de Janis. C'est un cake. Elle l'a fait spécialement pour vous.

Un dernier clin d'œil. Erwin claqua la portière. La voiture démarra.

6

– C'est un type qui rentre un soir chez lui. Il dit à sa femme :
« Ouvre la bouche et ferme les yeux, j'ai une surprise... » Elle
ouvre la bouche et ferme les yeux. Il lui colle un truc entre les
dents. « Avale... » Elle n'est pas tellement rassurée mais elle avale.
« Qu'est-ce que c'est ? – Un cachet d'aspirine. – Mais pourquoi, je
n'ai pas mal à la tête ! – Tu n'as pas mal à la tête ? Alors on
baise !... »

Vladimir hurla de rire en se tapant sur les cuisses.

Kostia fit chorus. Il était en robe de chambre éponge, un
verre de vodka à la main. Pour fêter son retour, Naritsa le
Magnifique avait mis le paquet. Un vrai dîner de copains :
vodka finlandaise, toasts, saumon fumé d'Écosse et caviar d'Iran
gros grains blancs de l'ex-réserve impériale. La vodka avait
alterné avec des verres de chablis, les deux breuvages absorbés
pratiquement cul sec.

– Tu sais pourquoi je t'ai raconté cette histoire ? s'étouffa
Vladimir. En ce qui concerne les relations entre hommes et
femmes dans ce pays, elle est exemplaire ! La trouille !

Dès le début du dîner, Kostia avait sorti de son papier d'argent
le cake confectionné par Janis. Il trônait au centre d'un plat de
porcelaine. Kostia s'empara d'un couteau et en coupa deux
morceaux qu'il déposa dans leurs assiettes.

Il était 10 heures du soir. A leurs pieds, New York était un
ruissellement de lumières troué par la tache sombre de Central
Park. Vladimir mordit dans le cake.

– Pourquoi la trouille ? demanda Kostia.

– Parce que les femmes font la loi. Et que la loi est faite pour

63

elles. Le grand sport, c'est d'épouser un type bourré et de négocier la pension alimentaire.

– Et ça marche?

– Je connais un garçon qui écrit des scripts. Il rencontre une femme, en tombe raide dingue et se marie au bout de huit jours : erreur fatale! Le soir des noces, elle lui refuse sa chambre...

– Tu aimes? dit Kostia en désignant le cake.

– Fameux!

Discrètement, Vladimir en glissa un morceau à Crunch qui attendait au pied de la chaise.

– Alors, ton ami?

– Grande bagarre. Il la supplie pendant une semaine de faire l'amour. Pas question! Pour ne pas lui casser la tête à coups de marteau, il lui annonce qu'il divorce. Elle lui rit au nez. Tu sais ce qu'elle lui répond? « Jamais! Maintenant, je suis ta femme. Je te pomperai ton fric jusqu'à la dernière goutte! »

– Il l'a tuée? demanda Kostia négligemment.

– Non. Il est allé voir son psychiatre. Il est en cure de sommeil.

Kostia coupa une autre tranche de cake. Avec surprise, il sentit brusquement une résistance sous son couteau. Du bout de la lame, il dégagea un cylindre de papier d'argent. Aussi étonné que lui, Vladimir l'observait sans rien dire.

Lentement, Kostia commença à défaire le papier.

– Et si ça explose? s'inquiéta Vladimir.

Apparut une liasse de billets verts roulés en cigare. Kostia la déplia. C'étaient des billets de 100 dollars. Il y en avait dix. Sur le dernier était accroché un petit mot : « Pour vos premiers frais. »

Suivaient deux signatures : « Jánis, Erwin. »

Janis et Erwin achevaient de dîner dans la cuisine. Francis entra, se servit sans façon un verre de vin, l'avala et dit :

– Tout est prêt.

– Alors? l'interrogea Janis.

– Rien à signaler.

– Et le reste, empreintes, etc.?

– C'est fait. Je vous montre?

Tous trois gravirent l'escalier qui menait au premier étage. Par courtoisie, Erwin et Francis laissèrent Janis monter la dernière. Francis déverrouilla une porte. Janis et Erwin s'affalèrent sur un divan. Face à eux, sur le mur, un écran s'illumina. Vedette unique du film : Kostia. Dans les actes les plus intimes de sa vie. En train de se laver les dents, s'habiller, se déshabiller, se doucher, lire, rêver. Mieux encore, dormir.

A Washington, les électroniciens de la maison-mère avaient mis au point des caméras si sensibles qu'elles pouvaient enregistrer dans le noir absolu des images aussi nettes que si elles avaient été prises en pleine lumière.

Ce qui frappait dans l'attitude de Kostia, dans ses gestes, sa façon de bouger ou de se reposer alors qu'il ne se savait pas observé, c'était le calme absolu. Francis avait fait un montage des points les plus saillants de la journée. C'était étrange de le voir éteindre sa lumière, rester un moment couché sur le dos les yeux ouverts dans l'obscurité, le visage lisse et tranquille.

Puis il fermait les yeux et s'endormait.

– Les rêves? dit Janis.

– Il n'a rêvé que deux fois pendant tout son séjour.

– En quelle langue?

– En russe.

Francis lui tendit une feuille de papier.

– Voilà la traduction. La première fois, il appelle son père. La deuxième, deux mois plus tard, il fredonne une chanson.

– Quelle chanson?

– Un air russe. Sans paroles.

– Un chant de guerre? L'hymne soviétique? Une chanson d'amour, une marche de paras?

– Nos spécialistes s'occupent de la bande. On le saura demain.

Erwin haussa les épaules avec une expression désabusée.

– Qu'est-ce que ça change? Il n'y a qu'à le regarder dormir. A mon avis, ce type est limpide.

– Trop, murmura Janis d'un air buté. Trop...

– Il y a un seul truc qui me semble bizarre.

– Quoi?

Erwin se mordilla les lèvres, regarda Janis d'un air embarrassé, hésita...

– Je n'en fais mention qu'à titre physiologique..., purement organique... Ce type jeune qui se prétend sevré de femmes, il ne

65

s'est même pas masturbé une seule fois en quatorze semaines...

– Cochon! dit Janis.

Le lendemain matin, Kostia se leva tôt. Vladimir était déjà debout, affairé dans la cuisine. Crunch exigeait sa première pâtée faite de poulet grillé à 6 h 30 précises. Lorsque Vladimir avait quelques secondes de retard, le chien poussait des hurlements à réveiller les trente étages de l'immeuble.

– J'ai réfléchi à ton histoire d'hier, dit Vladimir à Kostia en lui tendant un verre de jus d'orange. C'est bien beau de vouloir rendre ces 1 000 dollars. Mais à qui?

– A ceux qui me les ont donnés.

– Tu as leur adresse?

– Non.

– Leur nom exact?

– Non.

– Alors? Où et à qui veux-tu les adresser? A la direction générale du FBI?

Kostia reposa son verre sans répondre.

– Je descends acheter les journaux, dit-il.

– Et ton café?

– En remontant.

– Tu as de la monnaie?

Kostia était déjà sur le seuil de la porte. Il se retourna.

– Oui. 1 000 dollars.

Il voulait trouver du travail au plus vite. Arrivé sur l'avenue, il prit à gauche, marcha jusqu'au coin de la 7e, acheta le *New York Times* et *USA Today* à un vendeur à la criée.

Quand il fut de nouveau dans l'appartement, il éplucha les petites annonces à la rubrique marché du travail. Comme il n'y avait rien concernant le cinéma ou la télé, il cocha toutes celles ayant un rapport avec la photo. Vladimir était sorti pour faire faire son tour de parc à Crunch. Kostia appela une dizaine de numéros. Sans succès. Ou le job était sans intérêt, ou il était déjà pris. Il en déduisit que New York était une ville où il fallait se lever très tôt. Restait une dernière annonce : « Recherchons bon photographe professionnel pour travail plein temps. »

Il composa le numéro.

– Allô... J'appelle pour votre annonce dans le *New York Times*...

– Vous êtes photographe? s'enquit une voix de femme.
– Oui.
– Professionnel?
– Oui.
– Vous avez un dossier?
– Non.
– Vous êtes disponible à plein temps?
– Oui.
– Quel est votre nom?
– Kostia Vlassov.
– Vous pourriez commencer quand?
– Tout de suite.
– O.K. Pointez-vous.
– Quelle est votre adresse?

La femme la lui donna en lui précisant la raison sociale de l'entreprise : Kostia eut un sursaut.

– En arrivant, demandez le poste 7211.

Elle raccrocha.

Erwin apparut sur le perron et tiqua à la vue de l'amoncellement de bagages.

– Ça ne rentrera jamais dans la voiture!

– Dépêche-toi, dit Janis en se donnant de l'air avec un éventail. J'ai déjà faim.

Un whisky à la main, elle était installée à l'arrière de la limousine, drapée dans une invraisemblable robe noire à pois blancs, un immense chapeau blanc sur la tête.

Erwin s'assit auprès d'elle.

– Et moi?

Janis ouvrit le bar en acajou, mit de la glace dans un verre, le remplit de scotch et le tendit à Erwin.

– Je regretterai cet endroit, dit-elle. As-tu déjà vu des arbres bleus aussi bleus?

– Tous les jours. A minuit. Quand je suis rond.

Ils faisaient équipe depuis vingt ans. Ils avaient fini – en tout bien tout honneur – par avoir entre eux les relations d'un vieux couple. Quand ils avaient un cas délicat à résoudre, ils emménageaient dans l'une des multiples résidences achetées en sous-main au nom d'une société bidon par les services financiers du FBI. Par le jeu de son organisation, la compagnie était devenue au fil des années l'un des plus gros propriétaires fonciers des États-Unis : pas une ville d'Amérique où elle ne possédât plusieurs appartements secrets. Mais, depuis qu'ils menaient leur vie étrange de chasseurs, Janis et Erwin n'étaient jamais retournés deux fois au même endroit.

— A quoi penses-tu ? demanda Erwin.

— Au Russe.

— Tu l'adores, hein ?

— Oui. Je veux qu'il reste sous surveillance absolue au cours des six prochains mois.

— Je me demande ce qu'il doit faire en ce moment précis, dit Erwin.

La voiture roulait doucement dans l'allée de gravier conduisant aux grilles noires.

Janis haussa les épaules avec nostalgie, se retourna pour contempler les arbres bleus une dernière fois et soupira.

— Il est au lit avec une fille.

La fille était allongée dans le lit, ses longs cheveux blonds flottant sur l'oreiller, sa peau très claire formant un halo lumineux sur les draps froissés bleu marine.

Elle portait un bracelet d'or fin à la cheville droite.

La chambre était pleine de parfums. Une baie vitrée largement ouverte donnait accès à une terrasse fleurie au bout de laquelle on apercevait les réservoirs d'eau de Central Park.

Kostia s'agenouilla au pied du lit et contempla sous toutes les coutures ce corps parfait. Il changea de position et prit encore deux ou trois photos.

— C'est fini, dit-il.

— Elle est belle, hein ? fit l'homme adossé contre le mur.

Kostia approuva.

Ce qui le gênait surtout chez la jeune femme, c'étaient ces entrailles répandues sur les draps, jaillies de l'abdomen fendu par un coup de rasoir.

Et la tête, tranchée par la même arme, ne tenant au reste du corps que par quelques fibres de chair.

Kostia entrebâilla discrètement la porte et vit que la table était mise pour deux. La visiteuse était toujours là, écoutant Vladimir qui lui parlait avec fougue.

Par discrétion, Kostia retourna dans la salle de bains, ôta son peignoir, passa dans sa chambre, enfila une chemise et des jeans et s'allongea sur le lit. Il était crevé. En rentrant une heure plus tôt, il avait trouvé Vladimir en grande conversation avec cette inconnue à la beauté fracassante. Brune, les pommettes hautes, les yeux verts.

Le temps de traverser le salon, il avait enregistré en un instantané son corsage bistre, ses bottes fauves, ses pantalons noirs et la splendeur de sa chevelure. Au lieu de les présenter, Vladimir avait à peine tourné la tête pour le saluer. Quant à la jeune femme, Kostia n'était même pas certain qu'elle l'eût regardé.

Il était 8 heures du soir. Il avait faim. Pour ne pas s'imposer, il décida de ressortir pour grignoter n'importe quoi dans un snack.

Il se leva, ouvrit la porte et, à pas feutrés, gagna la sortie sans regarder personne.

— Kostia!

Vladimir quitta sa chaise, prit Kostia par la main et l'entraîna jusqu'à la table.

— Wendy, je vous présente Kostia. Il vient de débarquer à New York. C'est un moujik, un paysan... Wendy... Notre future Garbo.

Sans prononcer un mot, Wendy fixa simplement ses yeux verts sur Kostia. Vladimir fit sauter le bouchon d'une bouteille de champagne qui rafraîchissait dans un seau à glace.

— Kostia, j'ai un cours qui commence à 9 heures. Ensuite, un souper. Je ne rentrerai pas de la nuit. Je devais dîner avec Wendy... Veux-tu me faire le plaisir de me remplacer?

Il versa du champagne dans les coupes, trempa ses lèvres dans la sienne, disparut dans la cuisine et revint avec un plateau saumon-caviar et un panier de fruits.

— Il ne sait même pas faire cuire un œuf..., dit-il à Wendy sur un ton d'excuse.

Il prit Kostia par les épaules, l'installa sur une chaise en face de Wendy, jeta une veste sur son dos et ouvrit la porte.

— Bonsoir!

La porte se referma. Wendy et Kostia restèrent immobiles,

continuant à se dévisager en silence. Au bout de plusieurs minutes, sans qu'aucun des deux n'eût baissé les yeux, Wendy ouvrit la bouche :

– Vous avez faim ?

– Je ne sais pas.

Elle se leva, déboutonna son corsage et l'enleva. Ses seins apparurent. Puis, lentement, sans cesser de le dévisager, elle ôta ses bottes, dégrafa son pantalon et le fit glisser sur ses jambes.

Maintenant, elle était debout devant lui, complètement nue, un léger sourire sur les lèvres, sans gêne ni provocation.

La bouche de Kostia était trop sèche pour qu'il pût articuler un son. Pourtant, il entendit ces trois mots sortir de sa gorge :

– Qui êtes-vous ?

– Un cadeau de Vladimir, dit-elle.

Tout le fond du hangar était tapissé d'une palissade derrière laquelle les maçons avaient creusé le sol pour faire un silo. Depuis le début de leur construction, les docks de l'Hudson River étaient un chantier perpétuel où se remodelait l'architecture des quais selon les nécessités du trafic maritime.

Dans le coin gauche, les ouvriers avaient entreposé un énorme tas de ciment, des marteaux-piqueurs et deux mini-bulldozers. Le tonneau métallique, haut de un mètre quatre-vingts, était posé bien en vue contre le mur. Il était empli de ciment jusqu'à ras bord. Le ciment avait séché au cours de la nuit. La tête de l'homme émergeait de ce bloc de pierre, comme si elle avait fait partie d'une extravagante sculpture hyperréaliste, mi-chair, mi-béton.

Kostia prit plusieurs clichés en gros plan, à l'endroit surtout où la balle avait roussi la chair des tempes, autour du petit trou noirâtre presque masqué par une retombée de cheveux gris.

Il termina sa bobine en se plaçant sous un angle différent.

Ainsi, sur la photo, on verrait au premier plan le chrysanthème rose posé par les bourreaux, avec une ironie macabre, devant le visage du supplicié.

– Grande nouvelle ! clama Naritsa sur un ton de triomphe, je viens de faire ta carrière !

70

Kostia le regarda sans comprendre.

– J'ai réussi à t'ouvrir les portes!

– Quelles portes!

– Les grandes! Les portes de Hollywood! Demain après-midi, 5 heures, le rendez-vous de ta vie!

– Où?

– Au Pierre.

– Avec qui?

– Le Grand, l'Inouï, le Puissant, le Sublime! Alex Malachian en personne!

– Qui est-ce?

– Dieu! Il t'attend!

– Impossible, dit Kostia.

– Pardon?

– Demain, je suis pris du matin au soir.

– Qu'est-ce que tu oses raconter? s'indigna Vladimir.

– J'ai trouvé un job.

– Un job? Quel job?

– Chez les flics.

Depuis la veille, les événements s'étaient enchaînés si vite qu'ils n'avaient pas eu l'occasion de se parler. Kostia s'était précipité pour l'annonce. Il faut croire qu'il n'y avait pas pléthore de candidats: on l'avait engagé sur-le-champ. Après lui avoir collé un Leica entre les mains, on l'avait poussé dans un fourgon cellulaire qui avait démarré toutes sirènes hurlantes pour débarquer sa cargaison de flics sur les lieux de son premier cadavre. Le soir, au retour, il y avait eu l'épisode Wendy. Avant qu'il ait eu le temps d'ouvrir la bouche, Vladimir s'était éclipsé.

A 7 heures du matin, rompu par une nuit d'amour, il était reparti vers de nouveaux drames. Meurtres, incendies, accidents, crises de folie, bagarres, drogue, règlements de compte et tragédies en tout genre, New York semblait les faire naître en une espèce de génération spontanée.

– Tu es devenu flic? s'étrangla Vladimir.

– Je leur fais seulement des photos, corrigea Kostia.

– Quelles photos? demanda Naritsa avec dégoût.

– Des portraits de macchabées.

Vladimir se laissa glisser le long du mur, s'affala sur la moquette, se prit la tête entre les mains et répéta comme une litanie: «Quelle horreur!... Quelle horreur!...» Il se leva d'un bond, pointa un doigt menaçant vers Kostia:

– Demain, 5 heures!

– Impossible.

– 5 heures! tonna Vladimir.

Il se jeta dans sa chambre et claqua la porte.

– Impossible! cria Kostia.

– Je ne pense pas que M. Malachian soit dans ses appartements.

– J'ai rendez-vous, dit Kostia.

– Qui dois-je annoncer? demanda le concierge avec l'expression de lassitude hautaine réservée aux solliciteurs bas de gamme.

– Kostia Vlassov.

– Je vais voir, monsieur.

Il tourna les talons avec majesté et composa un numéro sur le cadran d'un téléphone. Kostia jeta un coup d'œil autour de lui. Pour un type qui arrivait de l'autre côté du rideau de fer, le spectacle du hall du Pierre était fascinant. Tout puait l'aisance, le fric, l'amour du fric et le respect du fric. Cheveux délicatement bleutés, de vieux messieurs élégants provoquaient sur leur passage une tempête de courbettes. Des femmes à la silhouette insolente foulaient de leurs escarpins à mille dollars les tapis précieux jetés sur le dallage de marbre rose. Certaines avaient des chiens entre les bras. Malgré ses jeans et sa chemise à trois sous, Kostia ne put s'empêcher de remarquer les regards appuyés que la plupart lui lançaient.

– M. Malachian vous attend, monsieur. Penthouse n° 1. Je vous fais accompagner.

L'ascenseur revêtu de cuir sentait le parfum. Kostia soupçonna un instant le groom. Mais non. Sa petite tête d'Irlandais têtu ne prêtait pas à l'équivoque. Dernier étage... Couloir luxueux décoré d'estampes botaniques... Le groom sonna à une porte. Un maître d'hôtel en blanc s'effaça pour laisser entrer Kostia dans une antichambre.

– Monsieur Vlassov? M. Malachian va vous recevoir dans une minute. Voulez-vous boire quelque chose, monsieur?

– Un whisky, s'il vous plaît.

La vue, comme chez Vladimir, donnait sur Central Park.

Kostia s'approcha de la baie vitrée qui dominait la Cinquième Avenue et n'eut aucun mal à repérer son immeuble sur la gauche.

Il détourna les yeux. Par le curieux hasard d'un jeu de miroirs se renvoyant leur reflet d'une pièce à l'autre à travers les portes entrebâillées, il aperçut l'homme qui allait le recevoir. Il était assis à une table de bridge et se faisait tirer les cartes par une grosse dame à la robe vert pomme.

– Votre whisky, monsieur.

Kostia prit le verre sur le plateau que lui présentait le maître d'hôtel. Sans changer de position, il continua à observer du coin de l'œil. La grosse dame se leva et disparut de son champ de vision. Il retourna vers la fenêtre. Étouffé, le bruit de sirènes de police lui parvint. Normalement, il aurait dû se trouver dans le fourgon. La femme flic qui l'avait engagé lui avait laissé clairement entendre qu'il n'était pas impossible que la place fût prise plus tard dans la soirée, au cas où il voudrait la récupérer.

Il avait prétexté une visite à un ami transporté au service des urgences...

– Monsieur Vlassov?... Alex Malachian...

Ils se serrèrent la main.

– Naritsa m'a dit beaucoup de bien sur vous. Il paraît que vous arrivez d'Union soviétique?

– Je débarque.

– Vous êtes metteur en scène?

– Oui.

– Je démarre un film de 25 millions de dollars supposé se dérouler à Moscou, *Nyet*. Très grosse production. Vous connaissez Moscou?

– Parfaitement.

– J'hésite encore sur le premier rôle masculin. Mais j'ai déjà engagé ma vedette féminine, Jennifer Lewis. Les intérieurs seront tournés en studio à Hollywood. Les extérieurs, en Finlande, dans les environs d'Helsinki. Accepteriez-vous un poste de conseiller technique?

– A Hollywood, oui. A Helsinki, non.

– Pourquoi?

– La Finlande est trop près de la frontière soviétique. Je ne tiens pas à ce qu'on m'arrête.

– Je comprends. Mais je pense que, le moment venu, j'aurai des arguments pour vous convaincre...

Il balaya d'un revers de main le refus éventuel de Kostia.

– Je pars pour l'Europe dans trois heures. Londres, Helsinki,

73

Rome, Paris, etc. Je serai de retour à Los Angeles dans une semaine après un arrêt à Vegas. Nous sommes le 10, je vous donne rendez-vous le 20 à 5 heures de l'après-midi dans ma résidence, chez moi, à Bel Air. Voici ma carte. Je suis enchanté de vous connaître. Paul!

Le maître d'hôtel apparut.

Alex Malachian tendit la main à Kostia.

– Vous m'excuserez... Je n'ai encore pas mis le nez dans mes bagages... N'oubliez pas... Le 20, 5 heures de l'après-midi...

Il sortit par où il était arrivé.

Escorté par Paul qui lui ouvrit la porte, Kostia en fit autant.

Dès qu'il fut dans le couloir, une onde de joie l'envahit : cette fois, il y était...

Il allait entrer dans la Ville.

LIVRE II

QUELQUES JOURNÉES
TRÈS ORDINAIRES...

7

Bien entendu, il avait fait trois ans dans les Marines.

Bien entendu, il n'avait pas retrouvé de travail après avoir été exclu de l'armée pour coups et blessures, ayant provoqué la mort sans intention de la donner.

Bien entendu, comme les copains, il avait tâté de la figuration de cinéma, enseigné dans une école de karaté de Sunset les coups tordus du close-combat avant de casser la figure, en présence de ses élèves, au pseudo-grand maître qui se faisait tirer l'oreille pour lui payer son dû.

S'était ensuivie une assez brève période de chômage et de gigantesques cuites à la bière alternant avec de minuscules boulots foireux.

Puis la chance avait tourné.

Presque par hasard, sur la recommandation d'un ami aide-marmiton, il avait trouvé la fabuleuse planque : vigile.

Sa nuque épaisse de catcheur sanglée dans le col d'un uniforme kaki, il faisait chaque soir le pied de grue de 18 heures à minuit devant l'Orangerie, le restaurant de La Cienega le plus « in » de Los Angeles. Le rêve : être payé pour regarder passer les célébrités de Hollywood dont le visage mondialement célèbre ornait la une des grands magazines.

Certaines d'entre elles lui tapotaient parfois l'épaule avec familiarité en l'appelant par son prénom : « Bonsoir, Tony... Comment ça va, Tony ?... » Ça allait très bien : son travail consistait seulement à être là.

Lorsque les clients avaient trop forcé sur les grands bourgognes, il les aidait gentiment à s'affaler sur la banquette arrière de leur

Rolls. Lorsqu'ils arrivaient, il portait respectueusement la main à sa casquette et leur ouvrait la porte derrière laquelle le directeur de réception prenait instantanément le relais. Il regarda sa montre : 10 heures.

Il était rare que des dîneurs se présentassent plus tard. Encore deux heures à tirer avant d'aller boire le dernier verre dans une académie de billard cachée au fond d'une ruelle derrière Santa Monica Boulevard. Une Jaguar bleue s'arrêta soudain en double file devant le restaurant. Le voiturier en vareuse rouge se précipita pour ouvrir la portière.

Il faisait assez frais. Pourtant, l'homme qui descendit de la Jaguar était intégralement nu. Il repoussa d'un geste sec le voiturier dont la mâchoire se décrochait d'étonnement et se dirigea le plus naturellement du monde vers Tony.

Tony enregistrait parfaitement ce qu'il voyait – les cheveux grisonnants, les lunettes à monture dorée, le sexe qui ballottait gracieusement au rythme de la marche – mais était incapable d'imaginer la moindre parade à une situation incongrue que ne prévoyait aucun règlement.

Par réflexe, il porta deux doigts à sa casquette quand l'homme s'arrêta à deux pas de lui pour lui demander d'un ton courtois : « J'ai une espèce de boule dans la gorge. Je cherche un vétérinaire. Avez-vous une adresse ? » Avec embarras, Tony passa la langue sur ses lèvres sèches et fit un signe de dénégation. « Je vous remercie », dit l'homme. Il tourna les talons, offrit ses fesses musclées au regard de Tony, remonta dans la Jaguar et démarra.

– Il t'a demandé une table ? interrogea Manuello, le voiturier.

– Un vétérinaire! soupira Tony.

– T'as vu ses pupilles ? Il était complètement schnouffé!

La porte s'ouvrit. Des femmes en jaillirent. Elles riaient et leurs jacassements semblaient faire naître les bouffées de parfum coûteux et violent s'échappant de leurs robes du soir. Tony s'ébroua et leur tint la porte largement ouverte.

Elles passèrent devant lui sans le voir.

Pieds nus dans des baskets, vêtu d'un jeans raide de crasse et d'un tee-shirt violet sur lequel on pouvait lire « La vie est courte », un grand escogriffe noir vautré par terre riait à gorge déployée dans la poussière et les papiers gras que faisaient voleter sur le trottoir des bouffées de vent tiède. Appuyé de tout son dos contre la porte d'entrée du Crazy Gedeon's, à l'angle de Highland et de Hollywood Boulevard, il tenait des discours incohérents aux passants qui faisaient un pas de côté pour l'éviter en feignant de ne pas le voir. Le quartier était bourré de marginaux imprévisibles qui racolaient, prêchaient, mendiaient ou sortaient un couteau pour un coup d'œil équivoque, un mot de travers.

— Appelle les flics, Tom, dit la vendeuse au gérant. Les clients ont la trouille...

La vitrine de la boutique, spécialisée dans la vente à crédit de téléviseurs, de chaînes stéréo et de gadgets électroniques, disparaissait sous un amoncellement de panonceaux du style « Achetez tout de suite et payez dans un an ».

Le jeudi était le jour du meilleur chiffre d'affaires.

Tom eut un sourire indulgent, ouvrit la porte et tapota gentiment l'épaule du type hilare.

— Salut, mec. Comment tu t'appelles?

Le Noir fit un effort considérable pour s'en souvenir. Finalement, il lâcha :

— Barcus.

— Enchanté. Maintenant, Barcus, tire-toi. Tu gênes le négoce.

Le Noir leva la tête, dévisagea Tom et fut pris d'un nouveau fou rire qui le plia en deux. Tom se pencha, le prit sous les aisselles, le releva en souplesse d'un coup de reins...

— Allez, file...

Debout, Barcus avait vingt centimètres de plus que lui. Sans cesser de rire, il lui désigna l'inscription de son tee-shirt :

— Tu sais lire, mon pote?... « La vie est courte »! Alors, carre-toi tes magnétos où je pense et dégage!

Il accompagna sa phrase d'une bourrade distraite qui envoya Tom s'aplatir contre le mur. Tom s'ébroua à regret : pourquoi fallait-il toujours avoir recours à la violence pour se faire comprendre? Quinze ans plus tôt, il avait remporté les Golden Gloves, catégorie poids moyen. A l'époque, on l'avait baptisé « le Marteau ». Pas par hasard. En trois pas souples, il fut sur le Noir, marmonna sur un ton navré : « Désolé, vieux... », et fit exploser deux terrifiants crochets qui atteignirent leur but de plein fouet à un dixième de seconde d'intervalle, l'un au plexus, l'autre à la pointe du menton.

Sans un regard pour la chute de sa victime – son punch ne pardonnait pas –, il tourna les talons.

Un énorme éclat de rire le figea sur place : Barcus, toujours debout, le considérait avec un étonnement amusé.

A l'intérieur, la vendeuse qui n'avait rien perdu de la scène avait déjà formé le 911 pour appeler Police secours.

– T'as rien dans les pognes, mec, dit Barcus. Tiens, regarde!

Il projeta sa tête en avant et fracassa la vitrine. Le visage en sang, il hurla de rire sous les yeux médusés de Tom.

Puis il s'accroupit, agrippa le châssis d'une petite Honda dont les deux passagères bavardaient en attendant le feu vert et, d'une poussée irrésistible, la fit rouler sur le toit. Des glapissements aigus s'en échappèrent à l'instant où deux voitures de police freinaient devant le Crazy Gedeon's dans une agonie de sirènes. Trois flics en jaillirent.

Leur longue matraque caoutchoutée au bout du bras, ils entreprirent un mouvement tournant autour de Barcus.

Au lieu de leur faire face, Barcus fonça sur la voiture où le quatrième policier était resté en faction, micro en main, et, d'un coup de tête, en pulvérisa le pare-brise. Abasourdi, le flic lâcha son micro, eut la vision d'une énorme mâchoire dont la blancheur éclatait dans une flaque de sang, se sentit aspiré sur le capot, reçut au passage un formidable coup de tête qui lui broya le nez et alla s'écraser sur le trottoir.

Un déluge de coups de matraque s'abattit sur les reins et la nuque de Barcus sans autre effet que le faire rire davantage. Pourtant, son visage taillardé par les éclats de verre n'était plus qu'une bouillie sanglante et son bras gauche, visiblement cassé, pendait à la verticale le long de sa hanche. L'un des flics sortit son arme, visa un genou...

– Ne tire pas! cria son copain.

Barcus en profita pour échapper à l'étreinte du troisième policier qui s'accrochait à son bras valide et, tête en avant, se rua avec la puissance d'un bélier sur la deuxième voiture de police dont le pare-brise éclata à son tour. Rageusement, le flic revint à la charge, le plaqua contre la carrosserie et poussa un hurlement de douleur. Barcus venait de le mordre à pleines dents dans le gras de l'épaule et recrachait avec mépris des lambeaux de chair et de tissu.

Trois autres voitures de police s'immobilisèrent devant Crazy Gedeon's... Six hommes en descendirent en voltige.

En silence, ils déployèrent un filet semblable à ceux des gladiateurs de la Rome antique combattant les fauves et le jetèrent sur Barcus : il le déchira, démolit deux flics à coups de pied, reçut le choc d'une matraque qui lui brisa le tibia de la jambe droite. Claudiquant sur la gauche, empêtré dans les mailles du filet, indestructible, il mordit de nouveau la nuque d'un policier et secoua en riant de plus belle la grappe humaine accrochée à ses basques.

– Écartez-vous! hurla un flic.

Il pointa son «bâton à vache» sur le ventre de Barcus et lâcha le courant. Traversé par une décharge de 2 000 volts, le corps de Barcus s'arc-bouta en un soubresaut frénétique et s'effondra sur le trottoir. Foudroyé.

Dix secondes plus tard, séparé du conducteur par un grillage d'acier, il gisait à l'arrière d'une voiture de police qui démarra sur les chapeaux de roue.

Les flics indemnes ramassèrent leurs blessés et s'engouffrèrent à leur tour dans les Chevrolet de service.

Le dernier policier resté sur place s'approcha de Tom.

– Nom, adresse et profession? dit-il en sortant un carnet de sa poche.

– Hé, minute... dit Tom.

Il était encore sonné par l'intense férocité de la scène.

– Ce type... C'est un martien ou quoi?

Le flic eut le haussement d'épaules réservé aux questions idiotes et laissa tomber avec une moue de dégoût :

– *Angel dust* [1].

Les deux filles brandissaient deux énormes éponges au-dessus de la tête d'Alex Malachian et les tordaient pour en faire ruisseler l'eau qui lui chutait en cascades sur la tête... Tous trois barbotaient dans le jaccuzi aussi vaste qu'une petite piscine.

La blonde, Lili, était revêtue d'un tailleur Chanel bleu marine de la blouse duquel s'échappaient ses deux seins. Lola, la rousse, portait une robe de soie vert Véronèse qui lui collait au corps comme une seconde peau. Alex, en complet d'alpaga noir, n'avait

---

1. *Angel dust* ou P.C.P. : littéralement « poussière d'ange ». Hallucinogène bon marché altérant le fonctionnement des centre nerveux et rendant insensible à la douleur.

même pas desserré son nœud de cravate quand il avait plongé tout habillé dans l'écume bouillonnante.

Par la baie vitrée de la salle d'eau, on apercevait le ciel d'un immuable bleu dur et dans les lointains, vibrant sous la chaleur, les premiers contreforts du désert du Nevada où venaient mourir, la nuit venue, les derniers néons du Strip.

Vingt-cinq étages plus bas, dans les salles de jeu où n'avait jamais pénétré un rayon de soleil, les clients du Cesar's Palace se pressaient autour des tables de craps, de black jack et de roulette, dans les hurlements de joie qui annonçaient l'avènement d'un numéro gagnant. Mais, dans la suite royale du dernier étage, le silence n'était troublé que par le chuintement de l'air conditionné.

– Alex, dit Lili. Dans *Nyet*... Tu m'as promis...
– Juré, marmonna Alex en mâchouillant son cigare éteint.
– Vrai ? insista Lili.
– Puisque Alex te le dit..., intervint Lola.

Elle était debout, les yeux mi-clos, le pommeau de la douche enfoui sous sa robe. Avec reconnaissance, Lili se lova contre Alex. Sa main droite plongea dans l'écume. A son tour, Alex ferma les yeux.

Il avait tout ce qu'il faut pour séduire les imbéciles, quel que fût leur niveau de fortune, de culture ou d'éducation : faconde, mensonge et flatterie, fausse cordialité érigée en stratégie sociale, amitié chaleureuse pour s'attirer les grâces des puissants et coups de pied de mule à ceux du bas de l'échelle.

Triste à dire, mais cela lui avait merveilleusement réussi.

A cinquante-six ans, à l'âge où l'idiot commun prend sa retraite, il était bourré de projets qui allaient faire de lui l'homme le plus riche de Hollywood. Il possédait déjà dix-huit voitures, parmi lesquelles une Bugatti 1928 rarissime, un manoir gothique au cœur de Bel Air bourré de faux meubles Louis XV, une propriété à Las Brisas, la colline la plus chère d'Acapulco, deux villas sur la Côte d'Azur, un penthouse à New York à l'hôtel Pierre, un hôtel particulier à Londres, un haras en Argentine, un appartement avenue Montaigne, à Paris.

Lorsqu'il voyageait – et il voyageait sans cesse –, il lui suffisait de passer d'une résidence à l'autre sans même se donner la peine d'emporter une brosse à dents : partout, il était attendu, fêté, cajolé.

Cheveux argentés, visage éternellement bronzé, ses deux célè-

82

bres fossettes se creusaient en permanence sous l'effet d'un sourire indulgent et amusé. Dans les milieux financiers, des histoires extravagantes couraient sur son compte.

On lui prêtait un pouvoir de persuasion quasi surnaturel.

Il est vrai qu'il avait réussi à vendre du pétrole aux Iraniens, aux Français, des fromages turcs et du vin de Californie, des locomotives à deux pays d'Afrique qui ne possédaient aucune infrastructure ferroviaire, sans parler des cargos refilés à des nations sans ouverture maritime et des films indiens bradés à Hollywood. Immobilier, industrie lourde, agro-alimentaire, théâtre, cinéma, biens de consommation, tous les secteurs de l'économie lui étaient bons pour faire de l'argent.

Quant aux banquiers, il lui suffisait de leur dire bonjour pour qu'ils lui ouvrent leurs coffres : n'avait-il pas convaincu les Libyens de produire un documentaire à la gloire de l'État hébreu et inversement, les juifs de la diaspora à monter un film sur la suprématie intellectuelle du monde arabe ?

En fait, à côté de ce qui allait suivre, peu de chose : dans le courant de l'après-midi, il allait devenir propriétaire et maître absolu de la Continental, la plus grosse « major » de Hollywood.

Et sans mettre un seul dollar de sa poche.

Un coup génial. Imparable...

Premier temps, il s'était porté acquéreur de la compagnie détenue depuis peu par un Texan, Edward Sherrod III, qui l'avait acquise par caprice, comme on achète un kilo de carottes, simplement pour faire un cadeau d'anniversaire personnalisé à sa fille de seize ans, Marjorie, entichée brusquement de Mickey Rourke dont elle avait vu la photo, pieds nus dans un baquet d'eau, sur un magazine de cinéma.

Or, Mickey Rourke était sous contrat à la Continental : devenir propriétaire de la Continental équivalait donc, métaphoriquement, à faire don à Marjorie d'un morceau de Mickey Rourke.

— Pas à vendre, avait grommelé Edward Sherrod III, qui, secrètement, souhaitait se débarrasser de ce jouet encombrant et ruineux, même pour quelqu'un possédant sa fortune.

— Combien ? avait insisté Alex.

— 1 milliard de dollars.

— 300 millions.

— 800.

– 400.

– 600.

– 450.

– 500!

– Marché conclu!

Deuxième temps : les banques.

Alex avait prié à dîner Ronald Gumbiner, président de la First Interstate. Pas n'importe quel dîner. A l'aide d'une somme extravagante, il avait réussi à convaincre un grand chef français de se déplacer par avion spécial pour venir confectionner à Los Angeles un repas de rêve pour deux personnes.

– Ronald, j'ai besoin de 500 millions de dollars.

– En cash? avait ironisé le banquier dont une lampée de château-margaux 1970 – 800 dollars la bouteille – lui restait bloquée dans la gorge.

– Naturellement.

– Alex, je suppose que vous plaisantez?

– Jamais en affaires, Ronald.

Posément, il lui avait expliqué qu'à ce prix ridiculement bas, les avoirs de la compagnie étaient dépréciés puisqu'elle ne prenait pas en compte le fantastique catalogue de films réalisés depuis quarante ans – « Une revente aux chaînes de télévision de plusieurs centaines de millions de dollars » –, sans parler du potentiel financier des œuvres en cours de réalisation, de la valeur du merchandising de plusieurs films style James Bond, des hectares de terrain où s'érigeaient les studios, entre Pico et Olympic Boulevard, de la dizaine de tours de bureaux et autres biens immobiliers parmi lesquels une cinquantaine de tennis et deux terrains de golf.

– En tout, mon cher Ronald, un patrimoine dont une gestion énergique peut faire grimper le capital dans les 2 milliards de dollars en moins de dix-huit mois.

– Au cas où je vous consentirais cette avance, comment me rembourseriez-vous les 5 millions de dollars d'intérêts mensuels?

– Facile. En six mois, je vends pour 80 millions de dollars de terrains. Au cours des six autres, 30 millions environ de vieux films du catalogue dont je tiens la liste à votre disposition. Soit 110 millions de dollars en un an. Vous êtes rassuré?

– Et le capital?

— N'oubliez pas que l'affaire tourne, Ronald. Elle génère une masse énorme de *cash-flow*. Chaque fois que rentrent des bénéfices ou que je vends une parcelle de ce que je viens d'acheter, je vous en rembourse une partie dont les intérêts, bien entendu, deviennent dégressifs.

— M'apporterez-vous une garantie personnelle ?

— J'ai mieux à vous proposer. Sitôt l'achat conclu, vous prendrez l'hypothèque de la totalité des biens de la compagnie.

— Qui me prouve qu'elle vaut autant que vous le dites ?

— Un vieux principe qui vous est familier : sitôt que vous morcelez un bloc d'avoirs, le total de la vente au détail est toujours supérieur au prix de l'ensemble.

Au dessert, l'affaire était conclue. Encore fallait-il la concrétiser par la signature des contrats. Dans moins de deux heures, ce serait chose faite. L'élaboration des contrats – aux frais de la banque – n'avait pas duré moins de sept mois.

— Alex..., dit Lola d'une voix bizarre...

Il lui désigna le meuble en miroir au-dessus des lavabos.

Elle se redressa, sortit du jaccuzzi toute ruisselante et, sur la pointe de ses chaussures à talons aiguilles inondées, ouvrit la porte de l'armoire. Allongée dans le bain, de la mousse tourbillonnante jusqu'au menton, Lili, les yeux brillants, s'immobilisa soudain, épiant d'un regard aigu le moindre des mouvements de Lola.

— En haut... à droite..., dit Alex. Le petit flacon bleu...

Lola s'en empara, fit sauter la capsule, plongea l'ongle de son index dans le flacon et le porta sur le bout de sa langue.

— Fais-moi une ligne, dit Lili avec avidité.

— Tu en veux ? demanda Lola à Alex.

Il acquiesça d'un sourire.

Dans les situations difficiles, certains demandent du secours à Dieu. Mais, pour Alex, le nom de Dieu se prononçait « cocaïne ». Il y avait recours depuis des années aux carrefours de toutes les épreuves qui l'avaient porté au pouvoir.

Un peu de « blanche », la fatigue et les inhibitions s'envolaient, le cerveau devenait extraordinairement lucide, les situations les plus compliquées se résolvaient en quelques secondes... Penchée au-dessus du lavabo en marbre rose, Lola étalait la poudre sur un carton d'invitation à une fête de charité au profit des orphelins catholiques. A l'aide d'une pince à épiler, elle la sépara avec un soin minutieux en trois lignes parallèles, deux petites et une grande, baptisée « boulevard » par les initiés.

Puis, en évitant tout déplacement d'air, elle alla chercher une paille qui traînait sur le bar de la pièce à côté.

– A toi l'honneur, dit Alex.

De la main gauche, Lola porta le carton à son visage. De la droite, elle introduisit la paille dans une de ses narines et renifla sèchement.

– Lola..., implora Lili.

Brandissant le carton comme un saint sacrement, Lola, avec un soupir de volupté, fit les quatre pas qui la séparaient du jaccuzzi. Lili avança la main.

– Minute..., dit Alex.

Il prit la paille que lui tendait Lola et, d'un seul coup, renifla les deux lignes restées sur le carton.

– Tu es vache, protesta Lili.

Alex renversa la tête en arrière.

Depuis quelque temps, chaque prise s'accompagnait de visions extraordinaires, imaginaires ou vécues. Des scènes de son enfance dans le Bronx, le quartier pouilleux de New York où les caïds du coin, déjà, lui faisaient porter de la drogue car les flics ne se méfiaient pas d'un enfant. Ou sa mère lui faisant des réprimandes tout en épluchant des légumes sur la table de la cuisine recouverte d'une toile cirée représentant de grandes fleurs rouges. Il y avait aussi la musique, des mélodies divines qui le traversaient sans qu'il parvînt à se les rappeler sitôt qu'il sortait de son état de bien-être...

Les yeux mi-clos, étranger soudain au monde extérieur, il quitta le jaccuzzi et s'avança vers le lavabo surmonté d'un miroir. En fait, il ne s'agissait pas réellement d'un miroir, mais d'un écran sur lequel se projetaient des couleurs si violentes et si belles qu'il fut pris d'une brusque envie de pleurer. Elles se chevauchaient, se fondaient l'une en l'autre, éclataient de nouveau en soleils liquides.

– Alex..., s'inquiéta Lola, alertée par la fixité de son regard.

Mais Alex ne l'entendit pas. Il écoutait un train entrer en gare. Il savait qu'il n'y avait pas de train à Vegas.

Et, pourtant, le train était là. Non seulement il en percevait le halètement, mais il le voyait maintenant devant lui. Des gens marchaient sur le quai. Il connaissait chacun de leurs visages sans parvenir à retrouver leur nom.

– Alex..., répéta Lola en le prenant doucement par le bras.

– En voiture, cria le chef de gare.

Il y eut un coup de sifflet. Alex, le cœur serré, s'agrippa aux montants du wagon. Il fallait qu'il prenne ce train...

– Appelle le concierge, ordonna Lola à Lili.

– Tu lui en as trop donné! glapit Lili.

– Vite! dit Lola... Il se sent mal!

A travers une espèce de brume sonore, les mots parvinrent à Alex tandis que les voyageurs, debout dans le couloir du wagon, envoyaient un dernier adieu à leurs amis restés sur le quai : quelle blague! Il ne s'était jamais senti aussi bien.

Il s'apprêtait à le leur dire, mais le train prenait déjà de la vitesse. Le paysage se mit à défiler à toute allure.

Il était désormais inutile de crier, on ne l'entendrait plus.

L'œil dilaté, Alex Malachian s'affaissa avec lenteur le long du lavabo.

Lili se précipita sur lui.

– Alex! Alex!

Elle le gifla, le secoua, tenta de le faire asseoir. En vain. Il restait aussi mou et inerte qu'une poupée de son.

Elle se mit à pleurer doucement. Lola vint s'agenouiller auprès d'elle. Elle passa la main à plusieurs reprises devant les yeux grands ouverts de Malachian : pas de réaction.

– Ne te fatigue pas, dit-elle. Il est mort.

8

Quatre jours plus tard, à l'aube du jeudi, entre Crescent Heights et Dohenny, des camionnettes déposèrent les ouvriers par groupes de six à tous les carrefours de Sunset Boulevard. La première équipe débarqua à l'angle de Marmont Lane, au pied de l'hôtel Château Marmont, l'un des plus anciens et des plus chargés d'histoire de Hollywood -- malgré le garde du corps payé par sa femme pour l'empêcher de se droguer, John Belushi y était mort d'une overdose, et tous les grands noms du cinéma y avaient séjourné au cours d'une rupture ou d'un nouvel amour secret.

Les autres spécialistes, tous vêtus de salopettes orange, chaussés de bottes et coiffés de casques de sécurité, furent largués au coin de Sweetzer, Kingsroad, La Cienega, Sunset Plazza Drive, Larabee, San Vicente et Hammonds.

Ils sortirent leur matériel des véhicules, rangèrent sur le trottoir de longues tiges tubulaires, des barils de colle, des pots de peinture, d'énormes rouleaux de vinyle et grimpèrent sans un mot dans les échafaudages des panneaux publicitaires géants. Chacun savait parfaitement ce qu'il avait à faire.

Ceux de Marmont entreprirent d'arracher la célèbre affiche du cow-boy Marlboro qui se dressait en plein virage sur une hauteur de vingt mètres. Un peu plus loin, à deux pas du restaurant japonais Imperial Garden, une autre équipe lacéra le poster annonçant au Cesar's Palace de Las Vegas une rencontre de poids lourds pour le championnat du monde version WBC.

Au coin de Larabee, la publicité du dernier best-seller de Harold Robbins fut mise en pièces.

Sur San Vicente, on déchirait le chameau des cigarettes Camel lorsque Arnold Grimberg, directeur technique de la compagnie publicitaire Advisor's, fit son apparition et demanda à Joe Porcino, le contremaître de l'équipe numéro six, de veiller à laisser en place l'installation thermo-électrique réglée par ordinateur pour cracher, toutes les vingt-deux secondes, le geyser de fumée bleutée sortant de la bouche du chameau. Porcino acquiesça.

Grimberg regagna sa BMW, s'installa au volant, mit le contact et caressa distraitement la cuisse de Maggy, son assistante. Elle était rousse, pas assez décorative pour qu'il s'affiche avec elle en public mais suffisamment appétissante pour lui calmer les nerfs à l'abri des vitres teintées de la voiture. Elle avait une espèce de génie dans l'exercice de ces privautés d'autant plus excitantes qu'elles se déroulaient n'importe où, en plein jour, au milieu de la circulation, sous le regard aveugle des autres qui les frôlaient sans les voir.

Maggy, croyant à une invite, posa docilement sa tête sur les genoux d'Arnold, bloqué au feu rouge de Tower Records, sous le restaurant Spago. Il la repoussa gentiment.

— Pas maintenant, dit-il.

— Tu as des ennuis avec le chameau? demanda Maggy en reprenant une position normale.

— Non, pas le chameau. Le client.

— Qu'est-ce qu'il veut?

— Il râle. Je lui offre Sunset sur un plateau et il n'est pas content!

— Pourquoi?

— Il voulait *tous* les emplacements.

— Quel con!

— Non, Maggy, non... Un type qui peut se permettre de claquer 200 000 dollars pour un affichage de huit jours ne peut pas être un con. Cinglé, d'accord. Mais con, non.

Maggy dévisagea Arnold avec respect.

— 200 000! Comment il s'appelle?

— Rinaldo quelque chose.

— C'est quoi, son affiche?

Arnold eut une espèce de gloussement désabusé.

— Tu verras ce soir... Dingue! Ils sont tous dingues!

Il freina à hauteur de Larabee, rangea la voiture devant une pompe à incendie au mépris de tous les règlements, ouvrit la portière et, sans quitter son siège, héla le chef de l'équipe numéro trois.

– Bill! N'oublie pas! Ce soir, 5 heures. Terminé!

Bill lui fit un sourire et leva le pouce.

Arnold redémarra.

Il avait encore cinq chantiers à contrôler. Son client le préoccupait. Il s'appelait Rinaldo Kubler, n'avait guère plus de vingt ans, était vêtu d'un vieux jeans, de baskets trouées et d'un tee-shirt, mais à la moindre contestation, il dégainait son carnet de chèques comme d'autres braquent leur revolver. Il y avait aussi ce tic inquiétant chez un garçon de son âge : dès qu'il riait, c'était pour proférer une menace. Il avait prévenu Arnold en pouffant : « Si tout n'est pas en place au coucher du soleil, vous irez vous faire payer chez les Mexicains! »

– Cinglé..., marmonna Arnold.

– Qu'est-ce que j'ai fait? demanda humblement Maggy en pensant que le mot lui était adressé et que, pour une raison inconnue, elle avait pu lui déplaire.

– Je ne te parle pas, dit Arnold.

Elle se renfrogna.

– Vraiment, tu n'es pas très gentil...

Le quiproquo risquait de se prolonger. Découragé, Arnold coupa court.

– Je te dépose au bureau... Il faut que je passe chez moi me changer.

– Tu sors?

– Oui.

– Avec ta femme?

– Oui.

– Elle a de la chance. Une party?

– Pas exactement. Des obsèques.

A 1 heure de l'après-midi, les ouvriers firent une pause pour avaler un sandwich arrosé d'eau fraîche ou de Coca-Cola. Vingt minutes plus tard, sur Larabee, Joe Porcino donna un coup de sifflet. Comme un seul homme, son équipe escalada de nouveau les échafaudages sans un regard pour les filles extraordinaires qui croisaient sur Sunset dans des tenues d'été étourdissantes. Les femmes, ils s'en foutaient. Ils étaient payés 25 dollars de l'heure et, aux robes légères, ils préféraient le craquement subtil des billets de banque qu'on leur remettait en fin de semaine.

Jennifer Lewis était morte. Son corps admirable, privé de toute pesanteur, flottait dans un caisson étanche rempli d'eau parfumée à la température parfaite de 37 degrés. Ses longs cheveux noirs dénoués caressaient ses épaules et flottaient mollement au-dessus de la peau blanche de ses seins nus. Nuit totale. Silence absolu. L'eau eut un imperceptible frémissement.

– Merde! enragea Jennifer.

C'était foutu. Le moindre mouvement cassait l'état de béatitude dans lequel elle plongeait, sans pensée, sans sensation, débarrassée de ce malentendu qui avait fait sa fortune, son corps. Mourir n'est rien, elle adorait mourir. Mais revenir aux fureurs de la vie, quitter le silence, retrouver l'agression des odeurs, des bruits, de la lumière, des autres, quelle torture!

Dans son caisson d'isolation, rien ni personne ne pouvait l'atteindre. Ce gourou rencontré sur la plage de Venice lui avait garanti qu'en s'y immergeant à la température du placenta, elle retrouverait ses sensations intra-utérines. Il était au-dessous de la vérité : au bout d'une heure de flottement, elle se sentait régénérée, neuve, aussi fraîche que si elle venait de naître.

Avec dépit, elle se glissa hors du caisson. Bien qu'il fît 25 degrés, le froid extérieur lui parut insupportable. Frissonnante, elle se dirigea vers la douche, ouvrit en grand le robinet d'eau chaude et se lova sous le jet brûlant pendant plusieurs minutes.

Lorsqu'elle en sortit, son regard rencontra le miroir qui lui renvoyait sa propre image. Elle haussa les épaules avec mépris.

– Qu'est-ce qu'ils peuvent bien me trouver, ces cons?

Elle ne s'aimait pas. La première fois qu'elle s'était vue au cinéma, elle avait quitté la salle en courant, incapable d'admettre que cette étrangère qu'elle voyait se trémousser sur l'écran pût avoir un rapport quelconque avec elle.

Depuis, elle n'avait plus jamais vu aucun de ses films.

Pour la dixième fois depuis le début de la matinée, elle souleva le couvercle de la petite tabatière en argent habituellement remplie à ras bords de cocaïne : rien, pas l'ombre d'une poussière. Son dealer aurait déjà dû la livrer depuis midi. Elle n'avait aucun moyen de le joindre : qu'est-ce qu'il faisait alors qu'elle avait tellement besoin d'une ligne?

Nerveusement, elle ouvrit la porte de l'immense pièce climatisée qui lui servait de garde-robe. A la vue de la multitude d'ensembles qu'elle achetait par douzaines les jours de stress, elle se demanda avec accablement ce qu'il convenait de porter pour la circonstance : c'était la première fois de sa vie qu'elle allait devoir assister à une cérémonie funéraire.

Ses liens professionnels avec le défunt étaient trop connus dans la ville pour qu'elle puisse s'y dérober. De son vivant, elle l'avait détesté pour toutes les servitudes auxquelles il l'avait contrainte.

Mort, il réussissait à lui imposer cette mascarade supplémentaire, faire semblant d'avoir du chagrin.

Indécise, elle effleura du bout des doigts quelques lainages noirs et se consola à la pensée que ce serait sa dernière corvée.

Depuis qu'il était né, Abundio ne survivait que par miracle. Jusqu'à présent, la Providence lui avait assuré un toit pour la nuit et au moins un repas par jour. En échange de quoi, au lieu de vivre dans l'abondance comme le stupide prénom qu'il avait reçu aurait dû l'y prédisposer, il était obligé de trimer dix heures par jour à des besognes obscures et mal payées. Et encore envoyait-il une partie de son salaire à sa famille restée à Atotonilco, un bled poussiéreux dans le sud du Mexique, entre Tepatitlan et Trapuato où les jours de grand froid, le thermomètre se maintenait à 28 degrés.

Il agita machinalement son balai dans le caniveau. Après tout, il était payé par les services de la voirie de la municipalité de Beverly Hills pour faire semblant de nettoyer une avenue où, de mémoire de Californien, on n'avait jamais vu un grain de poussière, une feuille morte ou le moindre gravier.

En une semaine, il faisait l'aller-retour dans la portion de Witthier comprise entre Sunset Boulevard et Wilshire.

La semaine d'après, il recommençait en sens inverse. La plus modeste des résidences qui la bordaient valait 2 millions de dollars. N'y passaient que des limousines et quelques joggers qui, jamais, n'avaient fait l'aumône d'un regard à Abundio.

Comme s'il avait été un arbre, ou pire, qu'il n'eût jamais existé. Son seul jour faste, c'était le jeudi qui le ramenait régulièrement, vers les 4 heures, dans les parages de la Junior High School à l'adresse du 605, à l'angle de l'avenue Elevado. Les gosses entre douze et quatorze ans qui en sortaient ne lui prêtaient pas plus attention que les adultes, mais il y avait leurs cris, les vigiles à survêtement orange qui, panneau rouge en main, arrêtaient toute circulation pour qu'ils traversent Whittier, la ronde des Rolls et Cadillac se rangeant le long du trottoir où elles recueillaient la précieuse progéniture et souvent, enrobant Abundio dans une bouffée de parfum subtil, ces sublimes mamans de trente ans à la silhouette de déesse, à la chair douce, à la chevelure de duvet blond doré, rêve inaccessible de tout immigré mexicain, clandestin ou non.

Bien entendu, Abundio n'était pas assez fou pour commettre ce péché mortel, lever les yeux sur elles. Une règle non écrite exigeait que chaque communauté ignorât l'autre.

Ni regard ni parole n'étaient jamais échangés. On communiquait par chèques et maîtres d'hôtel interposés.

Les premières voitures arrivèrent. Abundio, placé à une cinquantaine de mètres, baissa la tête et balaya avec ardeur un angle de trottoir assez propre pour y dresser le couvert.

Du coin de l'œil, il vit des groupes de gosses sortir de l'école. Certains étaient récupérés par des chauffeurs en uniforme qui leur ouvraient cérémonieusement la portière.

D'autres grimpaient dans les voitures où les attendaient leur mère ou une femme de chambre. Au bout de dix minutes, tout le monde avait embarqué. L'avenue était redevenue déserte et silencieuse.

Abundio se releva, s'appuya sur son balai.

C'est alors qu'il vit la jeune fille. En fait, elle ne devait pas avoir plus de douze ou treize ans. Elle se tenait, hésitante, sur le seuil du portail de l'école désertée. En survêtement de sport blanc barré en diagonale par deux larges bandes bleues, elle portait, suspendus à une ficelle au bout des doigts, deux ou trois livres et quelques cahiers. Par réflexe, Abundio se remit à balayer sans la perdre de vue, se demandant si elle allait se diriger du côté de Wilshire où se dressaient face à face le Beverly Hilton et le magasin Robinson's, ou si elle allait venir dans sa direction.

Pourquoi était-elle seule ?

Elle traversa l'avenue et glissa vers Abundio à pas incertains. Gêné, il feignit de ramasser des débris imaginaires. Quand elle fut près de lui, il l'observa en dessous et remarqua qu'elle était grande et blonde. Il s'était accroupi sans la perdre de vue.

Elle passa à quelques centimètres de lui et il en éprouva une impression de malaise : pas une seconde elle n'avait tourné son regard vers lui – ce qui était naturel –, mais, plus inquiétant, ses grands yeux d'un bleu fixe, rivés à un point mystérieux de la ligne d'horizon, semblaient ne rien voir du tout.

Elle le dépassa d'une démarche mécanique. Quand elle se fut éloignée de lui de dix mètres, elle quitta l'avenue, obliqua légèrement sur la droite et s'engagea sur une pelouse du même pas de somnambule. Alerté, Abundio se redressa pour mieux voir. La jeune fille se dirigeait vers un palmier montant la garde au milieu de l'herbe sans avoir l'air de se rendre compte qu'un obstacle se dressait devant elle. Il faillit crier : trop tard.

Sans ralentir, sans avoir le moindre geste de protection, elle heurta le palmier de plein fouet, glissa mollement le long du tronc et s'affaissa sur la pelouse.

La première impulsion d'Abundio fut de se précipiter pour lui porter secours. Pourtant, il resta figé : sa situation n'était pas tout à fait régulière, n'importe quel témoin pouvait le soupçonner, s'il s'approchait d'elle, d'avoir un rapport avec l'accident. Être mexicain à Beverly Hills, c'était avant tout se sentir coupable. Tous ses muscles frémissant d'impatience lui commandaient d'intervenir. Tous ses systèmes d'alarme lui interdisaient de le faire.

En un dixième de seconde, il se vit expulsé des États-Unis et de retour à Atotonilco, assis dans la poussière avec les garçons de son âge, sans travail, sans espoir. Il décida qu'il était soudain très urgent d'aller nettoyer l'asphalte le plus loin possible du corps de cette enfant gisant dans l'herbe : tenter de l'aider serait un suicide. Il ne pouvait rien pour elle.

Il tourna les talons.

– Hé! cria l'homme.

Abundio pressa le pas comme s'il n'avait rien entendu.

Il discerna encore « Bon Dieu de bon Dieu ! » et ne se risqua à couler un regard en biais vers l'arrière qu'après avoir franchi une vingtaine de mètres. Il vit une voiture garée au bord du trottoir, portière ouverte, et sur la pelouse, penché sur le corps de la jeune fille, un type corpulent en costume bleu de ville et nœud papillon noir.

Malgré lui, Abundio s'arrêta. Le type en bleu leva les yeux vers lui et lui cracha avec colère :

– Hé, vous! Qu'est-ce que vous attendez pour m'aider? Vous ne voyez pas que cette gosse est morte?

9

Peter O'Toole regardait sa Pontiac glisser sur les rails de la station de lavage automatique à l'angle de La Cienega et de Sawyer. Le long du trajet, les produits détergents formaient des amoncellements de mousse semblable à de la neige. Étrange : à quarante-cinq ans, il n'avait jamais vu de sa vie la moindre parcelle de vraie neige.

La voiture s'engageait maintenant sous un souple buisson de lanières en caoutchouc qui se mirent en mouvement pour venir en fouetter la carrosserie tandis que des jets d'eau la criblaient sous tous les angles. Plus loin, de lourdes brosses rotatives se mirent en branle pour continuer le travail qu'achèveraient au bout de la chaîne des employés mexicains.

Peter fut traversé par la brève vision de son propre corps allongé sur les mêmes rails et récuré de fond en comble jusqu'à ce qu'il oublie la crasse que sa profession l'obligeait à côtoyer chaque jour. Voyous, assassins, dingues en tout genre, camés...

Et, sans cesse, de nouvelles trouvailles... Ses collègues de New York venaient de le prévenir à l'instant qu'une passagère allemande du vol en provenance de Bangkok était morte à Kennedy Airport pour s'être planqué dans l'estomac cent un ballonnets de cocaïne.

Le matin même, il apprenait qu'une prostituée droguée de Chicago, Lou Ann Powell, avait laissé son fils de vingt-deux mois, Anthony, en gage à un dealer qui lui avait refilé pour 50 dollars de coke... Le dealer, ne voyant pas rentrer son investissement, avait balancé le bébé dans une poubelle.

Et à Los Angeles, son propre fief, un couple de Noirs de vingt ans, se prenant pour des oiseaux après une absorption massive de LSD, s'étaient jetés une heure plus tôt du toit de la plus haute tour de Century City avec la certitude qu'ils allaient planer.

Une escalade permanente dans l'horreur.

Il décolla son nez de la paroi et s'avança dans le couloir vitré permettant de suivre toutes les phases de l'opération.

Machinalement, il jeta un regard distrait sur les objets offerts à la vente par la station-service. « Mettez votre doigt ici et vérifiez l'état de votre cœur. » Il introduisit le bout de son index dans une cavité de la petite machine rouge, glissa une pièce dans la fente et lut les instructions : « Au-dessous de 60, vous êtes dans la forme olympique d'un super-athlète. Entre 60 et 70, condition exceptionnelle. De 70 à 80, tout est normal. 80 à 90, vous devriez vous reposer. 90 à 100, consultez votre médecin. Au-delà de 100, courez immédiatement dans le plus proche hôpital! »

Une petite boule rouge, semblable à une balle de ping-pong sur un jet d'eau, se mit à palpiter capricieusement sur l'écran de l'appareil. Autant dire que Peter voyait son cœur battre.

Des chiffres s'inscrivirent... 80... 90... 100... 120...

Peter retira son doigt plus vite encore que s'il l'avait plongé dans de l'huile bouillante : il allait mourir!

Peut-être même était-il déjà mort?

Il desserra le col de sa chemise, se rua à l'extérieur, sauta dans sa voiture et démarra comme un fou sous l'œil ahuri du Mexicain de service planté dans le soleil avec ses chiffons à la main.

Rinaldo Kubler n'avait jamais porté de cravate : à quoi bon? Il avait fait fortune à dix-huit ans et dans les lieux à la mode qu'il affectionnait – il y débarquait chaque soir dans une voiture différente –, personne ne se serait hasardé à lui en faire la remarque. Il arrosait le personnel de pourboires vertigineux. Pour tester sa puissance, il faisait exprès d'arriver dans les endroits les plus élégants vêtu d'un tee-shirt en lambeaux et de jeans déchirés : on se précipitait pour lui donner la meilleure table.

A vingt-quatre ans, ces égards dus à la reine d'Angleterre avaient quelque chose de grisant dont il ne se lassait pas.

N'eussent été ces obsèques qui allaient lui empoisonner sa journée, et ce rhume qui faisait couler son nez et enrouait sa gorge, tout aurait été parfait.

Il avait acheté comptant la plus belle propriété de Bel Air et dépensé 2 millions de dollars supplémentaires pour l'aménager selon ses rêves d'enfant parano. Il avait fait creuser en sous-sol une énorme cave blindée aussi bien à l'abri des tremblements de terre que de l'explosion de cent bombes atomiques. En dehors de lui, nul ne pouvait y accéder.

L'ordinateur central commandant l'ouverture et la fermeture des portes avait été programmé phonétiquement pour n'obéir qu'à la voix de son maître, la sienne.

Pour y avoir accès, il fallait passer par un sas de sécurité n'autorisant qu'une seule personne à la fois. Une porte ne s'ouvrait que si l'autre était fermée. L'intérieur de cette caverne d'Ali Baba était aussi délirant que le personnage qui l'avait fait construire.

Température, degré d'hygrométrie et intensité de l'éclairage ne variaient jamais. Un jardin inouï aux fleurs étranges bourgeonnait sur du gazon autour d'une cascade artificielle. Dans les quatre pièces composant ce refuge absolu – une chambre, le jardin, une salle vidéo et un bureau –, Rinaldo conservait ce qu'il avait de plus précieux : bijoux, tableaux de maîtres vrais ou faux, dossiers privés.

Sans parler de l'aquarium d'eau de mer aux poissons les plus rares, des parfums variés – foin, réséda, terre mouillée, roses, lilas, herbe fraîche – alternativement ventilés par le maître de maison qui appuyait sur tel ou tel bouton selon ses humeurs olfactives.

Il avait prévu de porter pour les funérailles une montre en platine fabriquée spécialement pour lui par Van Cleef.

Il arriva devant la porte permettant de passer dans le premier sas et prononça la phrase qui en actionnait l'ouverture.

– Alors, connasse, tu ouvres ?

Il fit un pas en avant et se retint pour ne pas buter sur la surface d'acier lisse et froide : au lieu de glisser silencieusement sur ses gonds, la porte restait close.

Il répéta la formule à plusieurs reprises, calmement d'abord, avec colère ensuite, avec rage enfin.

Quand il se rendit compte que ses coups de poing furieux étaient aussi inefficaces que ses injures, il remonta dans la maison et agonit d'insultes au téléphone l'ingénieur électronicien qui avait réalisé l'installation.

L'autre ne perdit pas son calme :

– Vous lui avez bien dit : « Alors, connasse, tu ouvres ? »

– Puisque je vous dis que je n'ai pas arrêté !

– Monsieur Kubler, je crois comprendre... Apparemment, vous avez pris froid. Votre voix est déformée. L'ordinateur ne reconnaît plus vos impulsions acoustiques.

– Et ma montre ? hurla Rinaldo.

– Monsieur Kubler, rien au monde ne pourra vous la faire récupérer avant la fin de votre rhume.

Il n'était pas facile de s'appeler Peter O'Toole. Quand il déclinait son nom au téléphone, il arrivait que des standardistes goguenardes lui éclatent de rire au nez en répondant qu'elles étaient Nancy Reagan, Marilyn ou Liz Taylor. Parfois, Peter en voulait férocement à l'acteur de porter le même nom que lui. Il avait la sensation irritante que « l'Autre » – ainsi l'avait-il surnommé dans ses moments de frustration – n'était qu'un imposteur venu au monde pour lui empoisonner la vie.

Au cœur du comté Wicklow, dans le minuscule village de Roundwood, berceau immémorial de sa famille, ses ancêtres reposaient depuis des dizaines de générations sous les dalles de granit gris du cimetière celte.

Pas de doute sur ce point : ils s'appelaient tous O'Toole.

Et lui aussi, comme des centaines d'autres Irlandais de Rosslare à Belfast ou de Dublin à Cork. Pourquoi avait-il fallu que ses parents le prénomment Peter ? Mais comment auraient-ils pu savoir ? Quand il était né, « l'Autre » était encore dans l'anonymat des culottes courtes et des premiers boutons de la puberté.

A l'angle du Beverly Center, il quitta La Cienega pour San Vicente et se gara en voltige dans le parking du Cedar Sinai Hospital. Il y connaissait un cardiologue, Bromsky.

Il poussa la porte à double battant, pénétra dans le hall central et se dirigea sur sa gauche vers les quatre guichets d'accueil où, à l'intérieur de leur cage de verre, des réceptionnistes en blouse bleue s'activaient devant leur ordinateur. Il salua celle qui avait l'air le moins occupé – elle se faisait les ongles.

– S'il vous plaît, le docteur Bromsky...

– Vous avez rendez-vous ?

– Non.

– Qu'est-ce qui ne va pas ?

– Tout va bien. Je veux simplement prendre ma tension.

– Il s'agit du cœur?

Il était énervé, anxieux, pressé...

– Je vous dis que tout va très bien...

Elle le fouailla d'un regard inquisiteur.

– Vous avez eu un malaise?

Il eut envie de la tuer.

– Je vous demande simplement de prévenir le docteur Bromsky que...

– Une seconde, le coupa-t-elle. Comment allez-vous régler le prix de la consultation?

– Carte de crédit.

– Visa? American? Diner? Master Charge?

– American.

– Vous l'avez sur vous?

Il la sortit de sa poche, la lui tendit : eût-il été mourant, couvert de sang ou les jambes broyées qu'elle n'eût pas davantage accéléré le mouvement avant d'avoir examiné sa foutue carte de crédit! Sans crédit, la morgue en direct.

Certes, on n'avait pas le droit de le laisser mourir, mais aucun texte légal ne prévoyait qu'on dût le soigner s'il n'avait pas de quoi régler la facture à l'avance : contre qui se retourner si le patient restait sur le billard?

Sans même y jeter un regard, elle passa la carte dans sa machine.

– Adresse, date de naissance, antécédents médicaux.

Il comprit que s'il ne jouait pas son jeu à elle, il ne verrait jamais Bromsky. Il contint son exaspération et répondit à toutes les questions qu'elle voulut bien lui poser. A la fin, comme en point d'orgue, elle lui demanda son nom.

– O'Toole.

– Prénom?

– Peter, dit-il avec un soupir résigné.

Non seulement elle se mit à rire, mais, reprenant soudain son masque professionnel, elle eut le culot de lui balancer sèchement qu'elle n'avait pas de temps à perdre avec des plaisanteries vaseuses!

– Écoutez! Je suis le lieutenant O'Toole de la Hollywood Division. Vous vous bougez ou j'y vais tout seul?

Elle le considéra avec attention, appuya sur un bouton, poussa devant lui un stylo et le récépissé de la carte de crédit. Peter le signa. Elle rafla le papillon de papier, lui désigna une infirmière en blanc qui venait à sa rencontre et laissa tomber :

– On va s'occuper de vous...

Il avait payé... Désormais, il pouvait mourir tranquille avec les égards dus à ceux qui en ont les moyens. Il zigzagua dans les couloirs blancs sur les talons de l'infirmière jusqu'à ce qu'ils arrivent à la salle des urgences où des rideaux tirés isolaient des boxes de consultation. Elle le fit entrer dans l'un d'eux. Il contenait un lit recouvert d'une housse de plastique, des bouteilles d'oxygène, un appareillage de goutte-à-goutte et divers instruments de réanimation agrémentés de cadrans.

– Mademoiselle..., commença Peter.

– Déshabillez-vous, dit-elle.

Avec un sourire neutre, elle lui tendit un pyjama bleu...

– Écoutez, se révolta Peter, je suis simplement venu prendre ma tension !

Le sourire se fit plus froid.

– C'est la règle. Vous venez d'être admis dans le service des urgences, nous devons procéder à certains examens avant toute intervention.

– Je ne veux aucune intervention ! hurla Peter. Je suis venu voir le docteur Bromsky !

– Le docteur Bromsky est-il votre médecin traitant ?

– Je ne suis pas malade !

– Le docteur Bromsky n'est pas de service aujourd'hui...

– Appelez-le ! Faites-le venir ! implora Peter.

– Calmez-vous... Nous allons prévenir le docteur Bromsky tout de suite...

Trois minutes plus tard, fou de rage, il se retrouvait allongé, des tuyaux plein le nez, des seringues dans le bras, un stéthoscope sur la poitrine et des électrodes sur les tempes pendant qu'une équipe chirurgicale de six personnes le palpait sous toutes les coutures, les uns contrôlant sur un écran de télé les pulsations de son électrocardiogramme, les autres lui faisant subir une encéphalographie, les derniers lui nettoyant le conduit auditif des deux oreilles. Le grand cirque...

Écœuré, il s'abandonna...

Bromsky n'arriva qu'une heure plus tard.

– Merde alors ! Vous auriez pu choisir un autre moment pour trépasser ! J'étais en train de gagner une partie de golf !

100

Il jeta un regard sur Peter, mit son doigt sur ses lèvres pour arrêter le torrent de protestations qui allait jaillir de sa bouche, parcourut des yeux le résultat des examens et éclata de rire.

– Qu'est-ce qu'il se passe? ironisa-t-il. Vous êtes parano ou quoi? Tout est parfait...

O'Toole se plaignit d'abord d'avoir été séquestré, lui raconta l'épisode de la station-service et du gadget à prendre la tension. Bromsky pouffa.

– Vous avez un pouls à 52. Vous pourriez faire dix rounds sans même vous essouffler!

Deux heures et demie après y être entré, Peter se rhabillait et sortait de l'hôpital. Au lieu de foncer chez lui pour se changer, il mit rageusement le cap vers l'est, vira à droite dans La Cienega et tenta de se faufiler dans le flot de la circulation. Peine perdue, ça n'avançait pas. Il s'empara d'un clignotant lumineux sur le siège arrière, passa le bras à travers la portière, le fixa sur le toit grâce à la ventouse de caoutchouc qui formait socle et enclencha sa sirène de police : comme par magie, le trafic se figea instantanément dans les deux sens.

Cinq minutes plus tard, il était au coin de Sawyer. Il freina en voltige sur le parking de la station-service, passa devant la caissière, s'engouffra dans le couloir longeant la chaîne de lavage. Arrivé devant la petite machine rouge qui lui avait menti sur le rythme de ses battements de cœur, il sortit de son holster son 345 Magnum réglementaire et fit feu. La machine vola en éclats. Une seconde durant, Peter en contempla les débris avec satisfaction.

– Ça t'apprendra à raconter des conneries!

Puis il tourna les talons, passa sans les regarder devant des clients et des employés gris de peur, remonta dans sa voiture et démarra en trombe : il avait déjà reçu vingt messages radio dans sa voiture. On l'attendait au bureau.

– Regarde, Jennifer, regarde... Tu n'as jamais été aussi belle! C'est superbe!

Jennifer Lewis marmonna une vague approbation sans lâcher du regard l'article qu'elle parcourait dans *Elle*.

Quand Paulo prenait soin de ses cheveux, elle s'absorbait dans la lecture d'un magazine pour ne pas avoir à affronter son image dans le miroir de la coiffeuse.

– Tu ne te sens pas bien ? s'inquiéta Paulo.

Il avait remarqué qu'elle allumait cigarette sur cigarette.

Son visage était pâle et sans expression alors que sa jambe droite était parcourue par un tremblement nerveux.

Des symptômes que Paulo connaissait bien : Jennifer était en manque. Dans ses salons de Rodeo Drive où venaient se confier à la magie de ses petites mains boudinées les chevelures les plus célèbres de Hollywood, il avait assisté cent fois au même phénomène. Les clientes quittaient le casque pour se rendre aux toilettes. Quand elles se levaient de leur fauteuil, elles étaient livides. En revenant, elles avaient dix ans de moins : cocaïne.

Paulo, qui n'avait même pas fumé une seule cigarette de hasch de sa vie, trouvait ces pratiques amorales sur un plan de l'éthique et dégradantes pour celles qui s'y adonnaient.

On lui avait raconté pire : d'après la rumeur, certains propriétaires de magasins laissaient traîner quelques doses de coke dans leur arrière-boutique. Malgré le prix de la drogue, ils y trouvaient leur compte. Le rendement était meilleur. Et une fois accroché, aucun employé ne songeait à discuter les horaires imposés ou le montant de son salaire. La quadrature du cercle réussie : le travail dans la joie.

– J'ai mal au crâne, dit Jenny. Et puis alors, ces obsèques...

– Je ne te lâcherai pas... Ne t'inquiète pas... Regarde-toi, je t'en prie...

Il lui fit doucement pivoter la tête de bas en haut. Elle se vit : il lui avait ramené les cheveux en une masse unique qui dégageait totalement le front pour former une lourde torsade blond cendré s'enroulant au-dessus de la nuque.

– Tu aimes ?

Elle était l'une des rares élues pour laquelle il daignât se déplacer à domicile. Prenant son silence pour un manque d'approbation, il ajouta :

– Non seulement c'est beau, mais ça fait deuil. Jenny...

Depuis dix minutes, il brûlait de lui demander la faveur suprême...

– Je peux essayer tes bijoux ?

Elle eut un geste vague de la main. Paulo s'empara d'un coffret où Jenny jetait en vrac les plus belles pièces de joaillerie, cadeaux de ses admirateurs ou « placements » que lui conseillaient ses hommes d'affaires. Elle se fichait des bijoux comme de sa première paire de socquettes, et sauf circonstance exceptionnelle, se refusait à porter cette quincaillerie qui l'alourdissait et la condamnait encore plus au regard des autres.

– Quelles merveilles! gémit Paulo en étalant les joyaux avec avidité... Quelles merveilles!

Il approcha une chaise de la coiffeuse et s'installa à côté de Jenny. Assis, sans le secours des talonnettes qui le grandissaient de douze centimètres, il ressemblait à une petite boule brune de saindoux. Il fixa d'abord sur le lobe de ses oreilles deux clips de saphir d'un bleu velouté intense, exceptionnel.

Jenny l'observait sans le voir, le visage vide...

– Je pourrais mourir pour les posséder, rêva Paulo à voix haute.

Il savait qu'elle n'entendait pas un mot de ce qu'il lui disait. Pourtant, il fallait qu'il communique cet instant d'émotion par le biais du langage...

– Sais-tu au moins d'où ils viennent?

Pas de réaction : elle s'en foutait. Pas son truc...

– Un gisement unique et épuisé, continua Paulo. Dans les montagnes de Zaskar, au Cachemire, à six mille mètres d'altitude... A la fin du siècle dernier, les paysans les échangeaient poids pour poids contre du sel...

Il se pencha vers le miroir, tapota ses joues flasques, fit bouffer ses cheveux pour mieux dégager ses oreilles et admirer la parure. Sa main allait plonger pour saisir une broche en diamants lorsque Jenny tressaillit et sauta si vite sur le téléphone qu'il eut l'impression qu'elle avait bougé avant même d'avoir entendu la sonnerie.

Il vit son visage se durcir.

– Où êtes-vous? Je vous attends depuis des heures! Vous deviez passer à midi!

Avec mélancolie, Paulo décrocha les clips de ses oreilles, les remit dans la boîte et, discrètement, se rendit au fond de la chambre où il feignit de chercher dans sa trousse des peignes imaginaires : pendant quelques minutes, il s'était senti grand et beau.

Du coin de l'œil, il observa Jenny qui semblait se décomposer à vue d'œil.

– Mais c'est impossible! J'en ai besoin tout de suite! Je dois aller... je dois faire...

Elle bégayait d'angoisse, la voix oppressée, suppliante soudain...

– Vous me jurez?... Vous pouvez noter?... 5969 Santa Monica Boulevard... En face du cimetière... à l'angle de Gower... Dans une heure?... Ne me faites pas faux bond! Je vous attends.

Elle regarda le téléphone. Paulo comprit qu'à l'autre bout du fil, on avait raccroché.

Il lui laissa prendre le risque du premier mot.

Elle observa sa coiffure et dit sur un ton redevenu normal et morne :

– Tu as raison... Ça fait deuil.

On allait atterrir. Il attacha sa ceinture et regarda par le hublot les alignements rectilignes des rues et des avenues de Los Angeles se croisant à angle droit jusqu'à l'infini du Pacifique : la Ville. L'appareil perdait de l'altitude. Il commença à distinguer le tourbillon de voitures collées l'une à l'autre dans l'invraisemblable enchevêtrement des *highways* noyées de soleil. On était le 20 mai, 4 heures de l'après-midi.

Une semaine plus tôt, alors qu'il vivait seul dans le penthouse de Vladimir en tournée de conférence à Dallas, il avait reçu un aller-retour New York-Los Angeles-New York « avec les compliments d'Alex Malachian », griffonnés sur un bristol par la main anonyme d'une secrétaire.

Jusqu'à la dernière minute précédant son départ, il avait été trimballé dans les cars de flics sur tous les lieux de New York où fleurissait la mort violente.

Les morgues du Bronx et de Manhattan n'avaient plus de secret pour lui. Il rentrait le soir ivre de fatigue et était immanquablement tiré du sommeil par une urgence qui le rejetait dans la fureur de la rue. Il avait gagné 3 000 dollars et aurait pu publier un livre de photos consacré aux horreurs dont il avait gardé les clichés en double.

Terminé : dans une heure, il serait en face de Malachian. Il tournerait la page.

L'avion se posa en une longue glissade. Kostia se mêla au flot des passagers, s'attendant instinctivement à ce qu'on lui demande ses papiers. Mais les portes du hall de l'aéroport étaient largement ouvertes, personne ne s'intéressait à personne et chacun entrait et sortait librement. Il avisa une cabine téléphonique et composa le numéro de Malachian qu'il aurait pu réciter par cœur et à l'envers. On décrocha.

– Je m'appelle Kostia Vlassov. Je voudrais parler à M. Alexandre Malachian.

Effervescence dans l'office : le personnel de la résidence était partagé sur la conduite à tenir. Certes, le décès d'Alexandre Malachian allait d'une certaine façon changer leur destin, mais encore convenait-il de savoir qui allait payer les gages qui leur étaient dus et dont personne ne semblait se préoccuper.

– Qu'est-ce qu'on t'a dit au bureau ? demanda le cuisinier au valet de chambre qui avait pris la responsabilité des opérations.

– Que tout serait réglé dans la semaine.

– Par qui ?

– Je ne sais pas.

– Tu as parlé à qui ?

– Une femme.

– Son nom ?

– Elle ne me l'a pas donné.

José eut un geste d'impuissance et prit les autres à témoin. Y compris Stefano, le valet, ils étaient dix. Deux jardiniers, deux femmes de chambre, Anis, le chauffeur libanais, Peter, le garde du corps, André, un aide en cuisine, et Jeff, dont le travail essentiel consistait à entretenir les tennis, vérifier la température de la piscine, vaporiser des produits antimites dans les garde-robes et changer quotidiennement les centaines d'ampoules brûlant nuit et jour dans l'enceinte de la propriété.

Outre les extras engagés à cette occasion pour subir les mêmes brimades, Malachian leur menait une vie infernale chaque fois qu'il souhaitait éblouir ses invités.

Il discutait avec âpreté le prix du moindre service, exigeait des rabais des fournisseurs et vérifiait dans les poubelles, après la fête, le nombre de bouteilles vidées. Quand l'envie lui venait, il n'hésitait pas à mobiliser ses employés le dimanche jusqu'aux premières lueurs de l'aube du lundi. En Californie, la plupart des gens de maison n'avaient pas de permis de travail. Plutôt que de se retrouver avec les habituels problèmes des services d'immigration, ils préféraient se soumettre sans protester au moindre caprice.

– Alors? demanda le cuisinier à la cantonade.

– Vous voulez que je vous dise?... répondit Stefano. Même après sa mort, ce salaud s'est arrangé pour qu'on ne soit pas payés!

Téléphone... Stefano alla décrocher...

– Résidence Malachian...

Il écouta ce que lui disait son interlocuteur, le pria de ne pas quitter, masqua le bas du combiné dans la paume de sa main gauche...

– C'est un type qui veut parler à Malachian...

Sourires amusés dans l'assistance.

– Comment il s'appelle? dit Anis.

– Kostia Vlassov. Qu'est-ce que je fais?

– Demande-lui ce qu'il veut.

– C'est à quel sujet, monsieur? questionna Stefano en prenant sa voix professionnelle de valet stylé.

Il écouta la réponse, hocha la tête et glissa aux autres :

– Il dit qu'il arrive de New York et que Malachian lui a donné rendez-vous à 5 heures...

Anis se précipita, prit le téléphone des mains de Stefano...

– M. Malachian n'est pas à la résidence pour le moment, monsieur... Un regrettable contretemps. Des obsèques dont il est l'invité d'honneur. Mais certainement, monsieur... Fierce Brothers, 5969 Santa Monica Boulevard... Il s'agit d'une entreprise de pompes funèbres... Je vous en prie, monsieur... C'est tout à fait naturel... Je vous remercie, monsieur...

Il raccrocha doucement, se tourna vers les autres qui hoquetaient de rire et leur lança, pas mécontent de lui :

– Qu'est-ce qui vous fait marrer? Ai-je menti en quoi que ce soit?

10

Peter O'Toole ouvrit en coup de vent la porte du poste de police. Il ne put s'empêcher de songer qu'il la poussait régulièrement jour et nuit depuis quatorze ans.

Comme tous les autres postes de Los Angeles, le sien, celui de la Hollywood Division au 1538 North Wilcox, était fort d'une centaine d'hommes, soixante en uniforme, les flics de base, sans parler de la quarantaine de détectives en civil.

Un grand patron, le police commander, régnait avec son assistant sur les différents services comprenant un capitaine pour une section de dix hommes, elle-même divisée en brigades de quatre sergents sous les ordres d'un lieutenant.

Chacune avait une mission très précise et son autonomie propre. La SWAT (Special Weapon Advanced Team) – qui comprenait une section spéciale avec chiens reconnaissable à l'énorme « K9 » peint sur le flanc de ses voitures – regroupait les unités de patrouille automobile et motocycliste destinées aux interventions d'urgence pour haute criminalité. Toutes avaient priorité pour demander des renforts en hommes, armements ou hélicoptères au QG de Downtown.

La Bomb Squad se consacrait aux missions de déminage.

Venaient ensuite la Vice Squad et trois autres sections, Homicide, Metro, Narcotic. De quoi couvrir, en principe, toutes les activités criminelles troublant l'ordre d'une mégapole où se côtoyaient plus de douze millions d'habitants.

O'Toole traversa le bureau d'accueil sans répondre aux signes désespérés des trois flics en uniforme, deux derrière un guichet, le troisième devant son ordinateur. Quoi qu'il fasse, il était toujours en retard d'une urgence. Sans ralentir le pas, il traversa la pièce centrale où, de nouveau, il fit semblant de ne pas voir les collègues cherchant à attirer son attention, coula un bref regard à droite vers les huit cellules de garde à vue pour les délits mineurs. Comme par hasard, chacune était occupée.

Dans l'une d'elles, une espèce de colosse en tricot rayé tirait de toutes ses forces sur les barreaux pour les tordre.

O'Toole haussa les épaules, entra dans son bureau et en referma précipitamment la porte.

– Peter!

– Tu permets...

Il se versa un gobelet d'eau glacée au distributeur Arrowhead, le but d'un trait et dit sans reprendre son souffle :

– Baobab?

– Lee et Dick viennent d'appeler... La filature continue.

– Quel quartier?

– A deux pas d'ici. North Hollywood. Ils arrivaient sur Lankershim Boulevard.

– Kioskitos... Cette fois, on leur rentre dans le chou! Marc...

– Lieutenant?

– Envoie six hommes en planque autour du Kioskitos. Qu'ils se tiennent prêts à investir les lieux à mon signal!

– Bien, lieutenant.

Marc décrocha son téléphone.

– Quoi d'autre? demanda O'Toole à Harry.

Comme s'il avait voulu faire l'inventaire des cheveux qui lui restaient, le sergent Harry Bloch se gratta la tête...

– Routine..., dit-il.

Il entreprit de lire la feuille de papier posée devant lui :

– Rixe de camés sur Hollywood Boulevard... Un mort par arme blanche... Un autre camé sur le toit d'un immeuble, 3ᵉ Rue... Il menace de se jeter dans le vide...

– Qu'il saute, approuva O'Toole.

– C'est bien ce que je pense. Malheureusement, il a un gosse dans les bras... Excuse-moi...

Il se pencha sur un appareil où clignotait une lampe rouge et dit :

– Alpha... Alpha...

– Marc! dit O'Toole.

Marc avait le grade de détective. Il avait vingt-six ans et était le dernier arrivé à la Hollywood Division, chez les Narc de O'Toole.

Les états de service de son chef, surnommé « la Star » aussi bien à cause de son nom que de sa fabuleuse résidence ou de ses exploits sur le terrain, l'emplissaient d'une admiration superstitieuse. A ses yeux, O'Toole n'était pas un flic. Il était Dieu. Et il n'en revenait pas que Harry – vingt ans de service – se permette d'appeler Dieu par son prénom.

– Lieutenant ?

La porte s'ouvrit à la volée.

– Lieutenant ! Vous avez Lee en ligne, dit un flic en uniforme.

O'Toole écrasa son gobelet et gagna la porte en deux bonds.

– Hé, Peter ! l'interpella Harry. Il y a aussi une petite fille qu'on vient de retrouver morte...

Mais O'Toole ne l'entendit pas. Il fonçait déjà vers sa voiture. Il savait d'instinct que le moment de conclure était venu : plus rien ne pourrait lui arracher sa proie.

José Urego avait commencé dans la drogue comme *pusher* lorsqu'il avait quatorze ans. Il allait faire la sortie des écoles et vendait à des garçons et filles de son âge les petits sachets de cocaïne que lui remettaient ses frères.

Il avait pour mission, quand ses éventuels clients n'étaient pas intéressés, de jouer les bons copains et de leur faire cadeau de ce qu'il n'avait pas pu leur vendre. Ou alors, lorsqu'on lui en achetait trois doses, il en offrait deux en prime en faisant jurer au bénéficiaire de ne pas le répéter sous peine de « casser le commerce ».

Avec ce système, les adolescents étaient très vite accrochés et se transformaient en consommateurs réguliers qui, eux-mêmes, devenaient prosélytes. Pour sa peine, José recevait de la main de ses frères son sachet quotidien. Il consommait depuis l'âge de onze ans. A mesure que le temps passait, ses besoins en coke étaient devenus plus impérieux. Malheureusement, ses deux frères n'étaient plus là pour le tirer d'affaire quand il était en manque. L'un d'eux était mort de quatre balles dans la tête pour avoir refilé à un revendeur de la poudre trop diluée.

Le second, pour des raisons mystérieuses, s'était fait défenestrer du dernier étage d'un entrepôt.

A cette époque, avec quinze mille autres déracinés sans travail, ils vivaient avec leur mère sur le trottoir, Downtown, au cœur du quadrilatère pourri, cinq blocks sur dix, compris entre la 3e Rue et Tower Street.

Leur domicile se composait d'une cabine en cartons d'emballages calés entre les deux murs d'une venelle.

Ils partageaient en famille le rêve de tous les clandestins, boliviens, colombiens ou péruviens : rentrer chez eux pour repasser la frontière en ramenant un kilo de coke sous leurs hardes. La fortune! En outre, ils ne risquaient pas grand-chose.

Les prisons américaines regorgeaient de monde. Quand ils se faisaient pincer, faute de place, on les relâchait ou, au pire, on les extradait.

En ce temps-là, leurs plus proches voisins étaient des épaves recouvertes de journaux, clochards, alcooliques, drogués moribonds.

La mère se débrouillait pour faire son frichti sur un réchaud à pétrole. Certes, il fallait se lever tôt...

Tous les matins, sur le coup de 4 heures, la municipalité envoyait des équipes armées de bulldozers et de lances à incendie pour nettoyer les abris misérables qui faisaient désordre et grouillaient de rats. Mais cette vie de plein air avait ses avantages : pas d'école, aucun devoir civique, les bonheurs de la rue et la liberté. En outre, ils ne crevaient jamais de faim.

Quand on avait l'estomac vide, on supportait pendant une heure les sermons d'un cinglé qui plantait sa croix de trois mètres de haut dans un terrain vague, installait dix rangées de chaises et haranguait les clodos avant de leur refiler du pain et du café. Ou alors, quand on avait réellement besoin de 10 dollars, on grimpait à l'aube dans un camion dont le chauffeur ramassait les sans-abri pour leur faire accomplir des petits boulots imbéciles. Maintenant qu'il avait réussi, José n'hésitait jamais à faire un crochet dans le quartier qui lui rappelait son enfance.

Marrant : rien, absolument rien n'avait changé.

Les mêmes combines, les mêmes espoirs, la même déchéance.

Aujourd'hui, José menait pour ainsi dire une existence de notable. Il avait mis son expérience au service d'un gang de dealers colombiens comme lui. Autant que ses talents de vendeur et ses qualités naturelles – José ne posait jamais de question –, la solidarité nationale avait joué.

Ses compatriotes le rétribuaient grassement pour ventiler la drogue à une clientèle triée sur le volet et faite d'acteurs, de bourgeois, de commerçants. Frayer avec des gens aussi respectables lui donnait une agréable impression d'impunité que renforçaient les deux grammes de coke sniffés quotidiennement. Parfois, José avait même la sensation qu'il était intouchable.

Il était 4 heures de l'après-midi. Il avait encore trois livraisons à faire. La première, à une manucure noire qui l'attendait sur Vine à un arrêt de bus. La seconde, à une actrice célèbre qu'il devait retrouver dans une entreprise de pompes funèbres. La dernière, à un danseur qui lui avait un jour rendu cet hommage : « Grâce à toi, José, je m'envole dès que j'entre en scène. »

Aussi, conscient qu'il était une espèce de pourvoyeur de bonheur, est-ce sans appréhension qu'il gara sa voiture non loin du Kioskitos pour y retrouver l'homme qui lui livrait la marchandise.

Les temps étaient durs. Les gens mouraient avec la même allégresse, mais les survivants devenaient de plus en plus radins. Ils discutaient longuement le prix d'un cercueil – dix-neuf catégories convenant à toutes les bourses, 500 dollars pour le modèle bas de gamme en simple sapin, 15 000 pour la Rolls des sarcophages en acier bruni et couvercle de verre électrique actionné à distance par *remote control* –, exigeaient des rabais lorsqu'ils l'avaient choisi, lésinaient sur le nombre de fleurs fraîches composant une couronne et n'hésitaient pas, lorsqu'ils n'étaient pas satisfaits, à menacer de passer à la concurrence.

Elle devenait terrible. Chaque compagnie de pompes funèbres se disputait férocement le moindre défunt.

Des membres de la famille se voyaient proposer une prime en liquide s'ils annonçaient le décès de leur cher disparu dans les dix minutes suivant le dernier souffle – ce qui provoquait, quand le cousin de service était malhonnête et vendait l'information à plusieurs firmes rivales, la ruée des fourgons mortuaires vers le domicile du trépassé.

Il y avait pire : la crédibilité elle-même des entreprises était menacée. Des non-professionnels s'étaient aperçus que la mort,

111

avec la bouffe et le cul, était la seule industrie ne connaissant jamais de marasme. Ils avaient investi massivement dans la construction et l'entretien de cimetières, créé des sociétés d'inhumation, formé des pleureuses syndiquées chargées d'avoir du chagrin à la place de ceux qui auraient dû en éprouver et, bien entendu, ce qui devait arriver était advenu : on avait retrouvé dans une décharge publique de Sun Valley une tonne et demie de cendres humaines.

Le scandale avait été déclenché par un privé agissant à la demande d'un client qui avait porté plainte. Il avait payé la Neptune Society pour la crémation et la dispersion par hélicoptère des cendres de son neveu au large du Pacifique, du côté de l'île Catalina. Étaient compris dans le forfait, outre le recueillement des employés maison, les services d'un pasteur et la performance d'un lettré chargé de composer et prononcer l'oraison funèbre. Le privé n'avait pas eu à enquêter longtemps : tout était bidon. Les deux frères propriétaires de l'entreprise, qui avaient un parc automobile de Ferrari, Porsche et Mercedes, un yacht de vingt-huit mètres, un jet privé et plusieurs résidences, ne prenaient même plus la peine de se cacher.

Sitôt l'incinération accomplie, ils se débarrassaient des cendres dans la décharge publique.

David se souvenait très bien de l'indignation qu'il avait éprouvée au moment de ces événements déplorables.

Embaumeur et maquilleur de grand talent à la conscience professionnelle rigoureuse, il exerçait son art avec la ferveur d'un sacerdoce pour la plus grande gloire de la Fierce Brothers.

Il se recula pour contempler son œuvre : c'était vraiment quelque chose de toute beauté! Il savoura à l'avance la lueur d'admiration qu'il verrait briller tout à l'heure dans l'œil des premiers invités.

Son seul regret, c'est que les personnalités livrées à ses soins n'aient pas la moindre possibilité, et pour cause, de lui décerner de vive voix les compliments que méritait son génie.

Dick et Lee fumaient tranquillement un joint dans une voiture en ruine de couleur indéterminée rangée contre le trottoir non loin du Kioskitos, un restaurant colombien au 6001 du Lankershim Boulevard.

112

Dick et Lee avaient une dégaine aussi cradingue que leur voiture. Jeans effilochés, cheveux longs tombant dans le cou, ils portaient des tee-shirts à motifs champêtres laissant voir la richesse des tatouages gravés sur leurs biceps. Dick avait une casquette à visière de joueur de base-ball sur la tête. Un bandeau d'Indien rouge vif ceignait le front de Lee. Ni l'un ni l'autre ne détonaient dans l'environnement.

Le quartier nord de Hollywood n'était pas à proprement parler une zone résidentielle. Pas mal de camés, des bagarres, des clochards et des putes domino, noires ou blanches, faisant le trottoir de-ci de-là.

— Attention, le voilà! souffla Dick.

D'instinct, sa main droite caressa la clé de contact sur le tableau de bord. La porte du restaurant venait de s'ouvrir et de se refermer sur un petit homme basané qui traversa la rue après avoir jeté un bref regard circulaire autour de lui.

— Il a toujours son sac, dit Lee.

— Ouais..., grommela Dick. Mais je te parie qu'il n'a rien dedans... Il planque sa came dans ses poches.

Le petit homme basané jeta le sac dans le coffre d'une énorme Oldsmobile cabossée de couleur orange, grimpa dans la voiture et démarra. Lee dégagea un Motorola portatif coincé entre ses genoux. Dernier cri de la technique, l'appareil miniature était directement relié par satellite aux trente-cinq longueurs d'onde de la police de Los Angeles.

— Alpha... Alpha..., dit Lee.

— Alpha..., répondit une voix avec une telle présence qu'on avait l'impression qu'un troisième homme était dans la voiture.

— Cobra... Baobab... Dix quatre..., enchaîna Lee.

— Cinq sur cinq, dit la voix. Dix quatre...

— Maintenant! ordonna Lee. Rogers!

Il coupa le contact.

Les gangs se procuraient parfois à prix d'or ou par corruption le matériel sophistiqué de la police. Encore fallait-il déchiffrer le code des messages. « Alpha » était le terme général pour « police », section des Narcotiques. « Python » signifiait « surveillance ». « Cobra », « intervention ». Puis d'autres petits trucs. « Dix quatre » voulait dire : « A toi, je t'écoute. » « Rogers » était sans mystère : « Terminé. » Quant à « Baobab », il s'agissait du nom de code de l'opération en cours.

113

Dick s'était déjà faufilé dans la circulation sur les traces de l'Oldsmobile. Le type qu'ils suivaient s'appelait José Urego. Ils le filaient depuis quatre semaines et auraient déjà pu le prendre cent fois en flagrant délit.

Au lieu de le coffrer, relayés jour et nuit par leurs collègues des Narc, ils avaient soigneusement noté toutes les livraisons qu'il avait faites et, maillon après maillon, remonté la filière.

Toutes les pistes partaient et revenaient au même point : le Kioskitos.

Sur instructions de son chef, Lee venait de donner le signal de la curée. A cet instant même, leurs collègues flics devaient chambarder le restaurant pour y traquer la moindre cache : il y avait fort à parier qu'il ne rouvrirait pas de sitôt.

— Appelle la Star..., dit Dick en rageant contre un camion de livraison qui venait de déboîter pour s'intercaler entre l'Oldsmobile et lui.

Lee régla son Motorola sur une certaine fréquence.

— Alpha... Alpha... Baobab... Python...

— Cinq sur cinq... Dix quatre..., dit O'Toole. Où êtes-vous ?

— On vient de quitter Lankershim... Il se dirige vers Sunset...

— Ne le lâchez pas !

— Facile à dire, grogna Dick en franchissant carrément la ligne jaune pour doubler le camion.

— Lee...

— Lieutenant ?

— Restez en ligne constamment..., continuez à me donner votre position... Je suis sur Wilshire, angle Robertson... Je vous suis à la trace... Ne levez pas le petit doigt avant que j'arrive !

— On est sur Vine... On traverse Sunset...

O'Toole le coupa.

— Je vous reprends dans une minute...

Dick coula un regard vers Lee.

— Une guêpe a dû entrer dans son caleçon.

— La Star ne porte pas de caleçon.

— Qu'est-ce que tu en sais ? Tu lui a déjà mis la main au panier ?

— C'est une femme qui me l'a dit.

— Qui ?

— Ta mère.

114

– Connard! pouffa Dick en grillant le feu de Melrose.

Il veillait à ce que trois voitures seulement soient intercalées entre l'Oldsmobile et lui. Attention aux feux : en ville, nul ne semblait jamais aller nulle part. Personne ne se pressait. Pour peu qu'une conductrice vérifie son maquillage quand le bazar passait au vert, on pouvait dire adieu à une filature.

– Alpha... Baobab..., dit O'Toole.

– Alpha... Baobab..., répondit Lee.

– On a investi le Kioskitos... Huit arrestations... Vous savez ce qu'on vient d'y trouver ? Huit kilos de cocaïne pure. Il y en a pour près d'un million de dollars!

– Quand je te disais qu'on s'est trompés de boulot..., souffla Dick entre ses dents.

– Qu'est-ce que vous dites ? demanda O'Toole.

– Rien, lieutenant... C'est Lee qui me faisait remarquer un truc...

– Je suis sûr que c'est une connerie!

– Exact, lieutenant..., pouffa Dick. Hé!... Il s'arrête!

Urego, sans quitter le volant, semblait demander sa route à une jeune Noire en robe moulante verte. Elle était debout devant l'arrêt du bus, un cabas à la main.

– Regarde! Il lui file un paquet...

Il fallait vraiment être flic pour s'en apercevoir tant la manœuvre avait été rapide. En une fraction de seconde, le paquet avait glissé de la boîte à gants de l'Oldsmobile dans le cabas de la jeune Noire.

– L'adresse! rugit O'Toole.

– Angle Vine et Santa Monica.... Elle s'éloigne sur le trottoir... Merde! Urego redémarre! Lieutenant, qu'est-ce qu'on fait ?

– Suivez Urego!

– Et la fille ?

– Laissez-la filer! Je préviens toutes les unités de patrouille... Où voulez-vous qu'elle aille ?

La communication fut coupée.

– Lee...

– Ouais ?

– Tu m'allumes un joint ?

L'ensemble se composait de trois petits immeubles gris flanqués d'un étage. Le premier abritait les bureaux administratifs. Le second était une espèce de hall d'exposition où étaient proposés tous les accessoires de la mort, couronnes, sculptures, ex-voto; fleurs artificielles, garnitures, ornements, cercueils, ainsi que la présentation du parc automobile des corbillards réfrigérés dernier cri. Sur la droite, le dernier bâtiment, tout blanc et gris laqué, comportait une grande salle au carrelage à damiers noirs et blancs ouvrant sur deux petites chapelles aménagées pour des cérémonies simultanées. Quatre colonnes d'angle en faux marbre, des chaises pliantes démontables et, au fond à gauche, un magasin d'objets religieux permettant d'adapter toute cérémonie à la liturgie souhaitée par le client.

Un quart d'heure plus tôt, David avait fait monter son chef-d'œuvre par un ascenseur à crémaillère aménagé pour transporter les clients des ateliers du sous-sol dans l'une ou l'autre des chapelles.

Longuement, il avait réglé les éclairages, vérifié la sono, fait répandre de l'encens, houspillé ses assistants qu'il trouvait trop brutaux et, finalement, chassé tout le monde du lieu saint pour mieux contempler son œuvre.

Maintenant, il était seul, face à face à ce qu'il avait créé, et qui ne serait plus avant une heure. Il prit des photos au Polaroïd sous tous les angles, se recula, poussa un gémissement de bonheur et s'entendit dire à voix haute :

– Mon Dieu, que c'est beau! Quel dommage! Quel dommage!

Puis, à regret, il appuya sur un bouton placé derrière l'autel miniature. Son assistant apparut, joufflu, blême, l'air craintif. Sans le regarder, David lui fit signe de la main et dit avec le soupir méprisant d'un roi s'adressant à un valet :

– Qu'ils entrent!

11

Ils étaient déjà une quarantaine dans la salle au carrelage à damiers à attendre que veuillent bien s'ouvrir les portes de la chapelle.

Et Paulo savait que Jenny allait craquer.

Il lui coula un regard à la dérobée. Malgré les immenses lunettes noires qui lui mangeaient le visage, nul ne pouvait ne pas remarquer son teint livide. Un tic nerveux lui tiraillait spasmodiquement la commissure des lèvres. Il y avait trop d'initiés dans la petite foule pour que ces symptômes pussent uniquement être attribués au chagrin.

Mais, plus que tout, les mains de Jenny trahissaient l'angoisse du manque. Enlacées l'une à l'autre, la peau mordue par ses bagues, elles se tordaient comme des couleuvres, s'étreignaient, se crispaient. D'une sèche inclination de la tête, elle tenait à distance les invités qui désiraient l'approcher pour la saluer. Paulo lui enserra charitablement les mains de sa main droite et imprima sur ses paumes une série de petites pressions affectueuses.

Fidèle à l'image qui avait fait sa célébrité à Beverly Hills, il n'avait pas quitté le turban de corsaire écarlate qu'il portait autour du crâne en toutes circonstances, dîners, cérémonies, mariages, enterrements. Même dans l'intimité de ses nuits, il refusait que ses amants y touchent. Outre la célébrité qu'il lui devait, le bandeau fétiche présentait le double avantage de masquer sa calvitie et d'attirer en permanence les regards sur sa personne. Mieux qu'un passeport, il était sa marque de fabrique et désignait à chacun son identité marginale et créative.

La preuve : dans cette assemblée qui symbolisait pouvoir, gloire et fortune, il connaissait pratiquement tout le monde et tout le monde le reconnaissait.

Une bouffée d'orgueil lui monta au visage : si sa mère avait pu le voir! Lui qui avait commencé son apprentissage en tondant les moutons près de Smyrne...

Il se sentit tiré par le cou, se retourna, vit avec embarras à qui il avait affaire et, de mauvaise grâce, se laissa embrasser sur les deux joues par un très jeune homme en chemisette claire et aux éternelles baskets : Rinaldo Kubler. Jenny l'avait viré quinze jours plus tôt. Dans l'état où elle était, il eut peur qu'elle fasse un esclandre. Il ouvrit la bouche pour le prévenir discrètement : trop tard. Rinaldo pivotait déjà vers Jenny.

– Jenny...

Elle sembla ne pas entendre.

– Jenny..., répéta Rinaldo avec un sourire désarmant de gentillesse.

Toujours pas de réaction. Il avança la main.

– Paulo, dis à ce type de foutre le camp, dit Jenny d'une voix dure. Il m'emmerde.

Kostia régla le taxi qui l'avait amené directement de l'aéroport. De petits groupes élégants bavardaient devant l'entrée du bâtiment gris. Kostia ne vit pas Malachian parmi eux, mais repéra le mouchard électronique de sécurité fixé au-dessus de la double porte massive.

Il était 5 heures : peut-être que Malachian était déjà entré? Il se dirigea vers la porte. A tout hasard, des journalistes braquèrent d'instinct leurs caméras sur lui. Il était inconnu au bataillon et, pourtant, il avait l'air d'être de la famille.

Les deux gardes qui filtraient les visiteurs le regardèrent s'approcher.

– Monsieur?

– Est-ce qu'Alexandre Malachian est à l'intérieur? demanda Kostia.

Ils acquiescèrent d'un battement de cils et s'écartèrent.

– Vous pourrez le voir dans quelques minutes.

Kostia pénétra dans le *funeral parlour*.

José Urego hésitait sur la conduite à tenir. Il avait bien vérifié le numéro, était passé deux fois devant la porte mais, à la vue des groupes qui bavardaient à voix basse sur le trottoir, il n'avait pas osé entrer. Il savait pourtant que Jennifer Lewis était là. Que faire?

Il eut la tentation de tout laisser tomber pour repartir au Kioskitos. Par ailleurs, il ne voulait pas perdre une cliente qui payait comptant sans jamais discuter les prix. Si elle était en manque et qu'il lui fasse faux bond, elle ne le lui pardonnerait pas. Los Angeles grouillait de dealers. Elle se ferait livrer par quelqu'un d'autre. Il décida de s'accorder cinq minutes de plus : s'il ne la voyait pas sortir d'ici là à sa recherche, il se résignerait à aller jusqu'à elle.

Paulo se tourna vers Jenny. Il savait qu'à l'abri de ses lunettes, elle gardait le regard désespérément fixé vers la porte : et si ce petit pourri de dealer lui faisait faux bond?

A son tour, il se sentit gagné par l'angoisse. Soudain, mêlé au flot des intimes du défunt qui continuaient à pénétrer dans le hall, il vit entrer un garçon à la beauté fracassante. Il était blond, vêtu d'une veste bleu foncé, d'un jeans et d'une chemise blanche sans cravate. Visiblement, il ne connaissait personne. Toutes les têtes pivotèrent vers lui. Il traversa la salle, alla s'adosser contre l'une des colonnes d'angle et se tint immobile, les bras croisés. Paulo pensa avec une pointe d'envie que certains êtres avaient assez de magnétisme pour pouvoir se passer de bandeau.

Un acteur? Impossible. Avec la gueule qu'il avait, il serait déjà célèbre. Alors, qui?

Il voulut savoir si Jenny avait remarqué l'inconnu : figée, tendue, elle avait toujours les yeux rivés sur la porte. Elle ne l'avait même pas vu! Il lui prit doucement la main. Elle enfonça ses ongles dans sa paume.

— Paulo, je me sens mal..., chuchota-t-elle.

— Tiens le coup... Je suis là...

— Mesdames..., messieurs... Par ici, je vous prie..., dit un ordonnateur en noir à cravate violette...

Avec la même solennité que s'il avait frappé les trois coups, il ouvrit largement les deux battants de la chapelle.

Peter O'Toole dépassa avec lenteur l'ignoble véhicule de ses deux assistants garé le long de Santa Monica et se rangea dix mètres plus loin. Seul, Dick était au volant. O'Toole porta son Motorola à ses lèvres.

– Baobab... Baobab...

– Baobab..., répondit Dick.

– Alors?

– Urego est sorti de sa voiture.

– Qu'est-ce qu'il fait?

– Il est passé deux ou trois fois devant la maison des macchabs.

– Et Lee?

– Il lui colle au cul. Probable qu'Urego va livrer sa came à un invité de l'enterrement.

Peter coula un regard circulaire sur la foule et les journalistes agglutinés devant l'entreprise de pompes funèbres.

– Qui est mort? La reine d'Angleterre?

– Au moins! Rien que du beau monde. Vous savez qui j'ai vu entrer? De Niro, Dustin Hoffman, Faye Dunaway... Et Jennifer Lewis! Avec une pédale qui a un bandeau rouge sur la tronche! Quel gâchis... Ça vous ennuie si je quitte ma planque une minute pour aller lui demander un autographe?

O'Toole ne prit pas la peine de relever.

– Dick...

– Oui?

– Je vais sortir de ma tire et entrer dans le bazar. Tu restes où tu es. S'il remonte en voiture, arrêtez-le. S'il entre dans le *funeral parlour*, laissez-le-moi. Je veux voir à qui il livre. On le cravate à la sortie.

– O.K.

O'Toole fourra le Motorola dans sa poche, s'arracha à la Ford et marcha tranquillement vers l'entreprise de pompes funèbres.

Devant la porte, l'un des deux hommes en sentinelle le toisa avec hauteur.

– Monsieur?

O'Toole lui jeta un regard glacial et lui cracha à voix basse entre les dents:

– Dégage...

Il mettait un point d'honneur à ne jamais décliner sa qualité. Il

120

faut croire que son regard valait toutes les cartes de police : personne n'insistait jamais.

Il entra.

Kostia eut un choc quand il fut sur le seuil de la chapelle : Alexandre Malachian avait bien meilleure mine que lors de leur première rencontre.

En fait, il était superbe.

Bronzé, souriant, vêtu d'un costume blanc immaculé, il occupait la place d'honneur dans un fauteuil faux Louis XV à dorures, jambes haut croisées, un verre de scotch dans la main droite, le *Financial Times* dans la gauche. De la poche extérieure de son veston dépassaient deux gros havanes et une paire de lunettes de soleil.

Malgré l'odeur d'encens qui flottait dans l'air, le tableau d'ensemble dégageait une impression de vie, d'énergie.

Des haut-parleurs invisibles diffusaient en sourdine *Stranger in the night*. Tout était si pimpant et gai qu'on avait presque envie d'en fredonner le refrain avec Sinatra.

Kostia regarda longuement l'homme qu'il avait connu à New York et se dit que, tel qu'il était, aucune femme n'aurait pu résister au charme de ces tempes grises, à ce subtil parfum de richesse et à cette moue ironique qui avait l'air de se moquer de tout.

Un seul détail clochait : Alex Malachian était tout ce qu'il y a de plus mort.

— Mesdames, messieurs, je vous demande de vous recueillir à la mémoire du disparu..., énonça l'ordonnateur de sa voix de basse.

Éclata la musique d'un harmonium.

Chacun baissa la tête. Sauf Jenny. Soudain, elle tressaillit : Urego se glissait dans la chapelle.

À sa vue, les crampes qui lui tordaient le corps redoublèrent. Il fallait qu'elle sniffe une ligne, là, tout de suite...

Elle se mordit les lèvres pour ne pas l'appeler. Elle voulut lui faire un signe pour attirer son attention. Inutile : Urego l'avait repérée. Il se signa sans la lâcher du regard et resta immobile dans l'embrasure de la porte. Méfiant, mal à l'aise.

Un peu plus loin, O'Toole n'en perdait pas une miette.

Jusqu'alors, tout en guettant l'arrivée probable du dealer, il avait été intrigué par ce grand type blond à gueule d'acteur qui, lui non plus, n'avait pas quitté des yeux une seconde Jennifer Lewis.

Quelques raclements de gorge... L'ordonnateur estima que le recueillement avait assez duré.

– Nous allons maintenant nous rendre au cimetière... Je vous prie d'attendre devant la porte que le convoi funèbre se forme...

David se décrocha vivement de la tenture derrière laquelle il voyait tout sans être vu. Il ne disposait que de quelques minutes pour défaire ce que son génie spécifique lui avait permis d'élaborer : rendre à la mort l'apparence de la vie.

Sitôt les portes de la chapelle refermées, le monte-charge situé derrière l'autel redescendrait Alexandre Malachian au sous-sol où trois assistants en gants de caoutchouc l'attendaient pour commencer le travail.

Il allait falloir maintenant redonner à son corps une position qui lui permette d'entrer dans le cercueil où il ferait son ultime voyage avant l'incinération. Pour un homme qui avait passé son existence à parcourir le monde, une balade misérable : il suffisait de traverser l'avenue pour pénétrer dans le Forest Lawn Memorial Cemetery.

Sur un geste de l'ordonnateur, les participants refluèrent vers la sortie. Avec désespoir, Jenny vit Urego disparaître le premier.

Elle échappa à l'étreinte de Paulo qui lui tenait le bras et chercha à le rattraper. La foule l'en empêcha.

O'Toole lui collait aux talons : il avait compris.

Deux pas en arrière, Kostia fermait la marche.

Le crématorium était niché au fond du cimetière. Une vraie merveille de modernisme et d'efficacité dont l'appareillage anti-pollution agréé par le gouvernement avait été fabriqué en Allemagne par Mayer and Sons à Ahren, près d'Aix-la-Chapelle. Une machinerie parfaite de 250 000 dollars : douze fours, pas de fumée, aucune odeur.

David était déjà sur place avec ses trois aides. Il avait précédé le convoi ayant à sa tête la Cadillac-corbillard tous phares allumés.

122

Roulant au pas, les autres voitures lui faisaient cortège dans les allées ratissées traversant les pelouses parfaites arrosées en permanence par des jets d'eau automatiques à l'ombre de cèdres majestueux. Certains avaient préféré suivre le convoi à pied.

Malgré la défection du prêtre arménien, la première partie de la cérémonie ne s'était pas trop mal passée jusque-là...

Avec ses compétences et le matériel dont il disposait, David estimait que la seconde serait un jeu d'enfant.

Il transférerait le corps de Malachian dans un cercueil spécial-crémation composé de quatre planches de balsa. Il n'oubliait jamais, quand il formait de futurs spécialistes de la mise au tombeau, d'insister sur les avantages du balsa : le bois brûlait comme de la paille et se consumait entièrement sans laisser le moindre détritus.

Une grille formait la base du four. L'incinération accomplie, il suffisait de retirer le tiroir placé dessous pour recueillir les cendres et de les ramasser avec une espèce de pelle à gâteau.

Après quoi, on les déposait dans une urne qu'on plaçait dans le columbarium, le mur funéraire troué de centaines d'alvéoles.

Mais, aujourd'hui, léger changement de programme : David avait reçu pour instructions de diviser les cendres du défunt en parties égales afin d'en emplir deux urnes.

L'une d'elles seulement était destinée à s'intégrer au columbarium pour l'éternité.

Peter O'Toole fut sans doute le seul à voir la manœuvre. A l'instant où Jenny franchissait la porte de la chapelle pour passer dans la salle d'accueil, Urego, debout contre le battant du porche, profita de la cohue pour lui glisser quelque chose dans la main.

Simultanément, Jenny, plantant Paulo, s'éloigna à pas rapides vers les toilettes tandis que le dealer se dirigeait avec une feinte nonchalance vers la sortie.

Mission accomplie. O'Toole hésita une demi-seconde.

Il y avait trop de journalistes. Il ne pouvait pas embarquer l'une des plus célèbres stars de Hollywood en plein enterrement parce qu'elle allait s'enfiler une dose dans les lavabos d'une entreprise de pompes funèbres. Pas de scandale...

Il décida d'attendre la fin de la cérémonie pour l'interpeller et

123

sortit dans la lumière de Santa Monica sur les traces du dealer.

En un instantané qu'il ne devait plus oublier, il vit deux choses : Dick et Lee encadrer Urego et le pousser discrètement vers la poubelle qui leur servait de voiture.

Et Harry Bloch, le vieux sergent qui aurait dû se trouver au bureau. Sans qu'il sache pourquoi, Peter se sentit brusquement en alerte.

— Qu'est-ce que tu fous là ?

Harry, le visage décomposé, n'osa pas soutenir son regard.

Peter sut qu'un malheur venait d'arriver, quelque chose qui n'avait rien à voir avec les hauts et les bas d'une enquête.

Quelque chose qui le concernait personnellement.

Il refoula toute pensée, refusant de laisser monter à sa conscience ce qui pouvait le broyer, se concentrant désespérément sur le goût de pourri qui lui venait à la bouche.

Puis il banda ses muscles et s'apprêta à encaisser le choc.

Presque avec douceur, il murmura :

— Dis-moi, Harry... Vas-y, dis-moi...

Ils travaillaient ensemble depuis seize ans. Le vieux sergent baissa la tête et bredouilla d'une voix à peine audible :

— Laura.

Maintenant, ce n'était plus le pourri, mais la sensation qu'on lui versait dans la gorge des bidons de rouille... Il avait froid aussi. Et il faisait nuit.

— Elle a eu un accident, dit Harry.

Peter gardait une immobilité de pierre. Harry eut peur de son silence. Il se jeta à l'eau.

— On l'a retrouvée inanimée sur Whittier, à la sortie des classes. Un automobiliste s'est arrêté. On a un témoin qui a tout vu, un jardinier mexicain.

Ce fut tout ce que Harry parvint à prononcer. Laura avait quatorze ans. Il était incapable de lui dire qu'elle était morte. Et il comprit que son chef, qui l'avait sans doute deviné, ne pouvait pas le lui demander précisément parce qu'il lui était impossible de l'entendre.

O'Toole mit simplement sa main dans la sienne.

Et lui dit, toujours de la même voix empreinte d'une terrifiante douceur :

— Emmène-moi, Harry... Emmène-moi...

12

Les participants se tortillaient nerveusement sur leur chaise. On attendait la fin de l'incinération dans la salle de recueillement dont Jenny admirait les jeux de lumière s'irisant dans les vitraux.

Son dealer était un type formidable : il lui avait refilé la coke sans même prendre l'argent qu'elle lui devait. L'air lui paraissait plus pur, plus léger. Les couleurs de chaque chose prenaient une intensité jamais atteinte. Les gens étaient bons, gentils, elle avait du talent, elle ne mourrait jamais. Même *Stranger in the night*, diffusé de nouveau en sourdine, lui paraissait sublime. Elle avait toujours haï cette chanson du jour où elle avait su qu'elle était la rengaine favorite d'Alex.

— Jenny, dit Paulo d'une voix bizarre, il faut que je sorte...
— Qu'est-ce que tu racontes ?
— Je vais tourner de l'œil.

Elle lui broya la main.

— Pas question.

Le visage couvert de sueur, Paulo essaya de chasser l'image infernale qui devenait encore plus nette dès qu'il fermait le yeux pour la fuir : le corps de Malachian se tordant dans les flammes...

— Mesdames, messieurs...

Tout le monde se dressa d'un bloc pour suivre l'appariteur. Paulo, tête baissée pour mieux résister à sa nausée, l'observa à la dérobée : l'homme brandissait l'urne funéraire.

C'en était trop. Avant que Jenny ait pu faire un geste, il bouscula ses plus proches voisins et, les deux mains sur la bouche, se rua vers la sortie dans un gargouillement de gorge.

Jenny se laissa porter par le flot qui l'entraînait.

Ils arrivèrent devant le mur. Tout se passa très vite. Ni prêtre, ni discours. Lorsque chacun fut rangé devant le columbarium, l'appariteur déposa dans son alvéole l'urne contenant les cendres de Malachian. Truelle à la main, un maçon entreprit de sceller la pierre qui en fermait l'ouverture. Elle s'ornait d'une plaque de cuivre mentionnant le nom du défunt et la trace de son passage sur la terre, sa date de naissance et le jour de sa mort.

Voilà, c'était fini. Les groupes commençaient à se disperser.

— Madame... Pourriez-vous m'accompagner, je vous prie ? J'ai quelque chose à vous remettre.

Jenny dévisagea l'appariteur.

— De la part du défunt.

Il indiqua la direction du bâtiment crématoire.

Intriguée, Jenny se mit en marche. Il lui emboîta le pas.

Quelques curieux et des photographes leur firent cortège.

L'appariteur fit entrer Jenny dans un petit bureau dont il referma soigneusement la porte.

— Si vous voulez bien m'excuser une seconde...

Il s'éclipsa dans une arrière-salle. Quand il revint, il tenait respectueusement une urne identique à celle qu'il avait déposée dans le columbarium. Il la tendit à Jenny, trop sidérée pour la prendre.

— Je ne comprends pas, balbutia-t-elle.

— Nous avons retrouvé un testament rédigé par Malachian. Il y demande expressément que vous soit remise la moitié de ses cendres.

Jenny le regarda comme si elle avait affaire à un fou.

Finalement, elle s'entendit dire :

— Que voulez-vous que j'en fasse ?

L'appariteur eut un geste d'ignorance : il était clair qu'il s'en foutait éperdument.

— Madame, il s'agit de dernières volontés.

Avant qu'elle ait pu protester, il lui remit très naturellement l'urne dans les bras et ouvrit la porte.

— Jenny...

Rinaldo se tenait sur le seuil, un sourire de chien battu sur les lèvres.

Elle se sentait si désemparée qu'elle faillit commettre l'erreur de se blottir contre lui. Mais Rinaldo lui passait déjà un bras familier autour du cou en prenant la pose devant les photographes.

— Fous le camp! dit Jenny à voix basse et rageuse.

Elle le repoussa avec violence, écarta les journalistes et s'éloigna à pas rapides dans l'allée du cimetière. L'urne lui brûlait les mains. Elle n'osa se retourner pour voir si elle était suivie.

— Voulez-vous me permettre?

Le type blond venait de jaillir de l'abri d'un cèdre. Sans prononcer un mot, il exauça le vœu inconscient de Jenny : il lui prit l'urne des mains.

Derrière, les autres se rapprochaient Elle s'accrocha à son bras...

— Marchez avec moi, dit-elle sans le regarder.

Elle accéléra l'allure.

— Vous savez conduire une voiture?

— Oui.

— Pouvez-vous me déposer chez moi?

— Oui.

— Quel est votre nom?

— Kostia Vlassov.

Depuis qu'il était flic, c'était la première fois de sa vie que Harry débranchait la radio de bord en montant dans sa voiture. Il n'aurait su dire pourquoi, bien qu'il sentît obscurément qu'en cet instant précis, aucun autre drame n'aurait pu l'atteindre. Qu'ils volent, qu'ils tuent, qu'ils violent, qu'ils mettent la ville à feu et à sang, tout lui était devenu soudain indifférent. Rien que cette peine immense, cet horrible sentiment d'impuissance devant la douleur d'un homme qu'il aimait et respectait... A ses côtés, muet de souffrance contenue, lèvres scellées, O'Toole ressemblait davantage à une masse de granit qu'à un être humain.

Regardant droit devant lui sans rien voir, il n'entendait que le vacarme d'un nom lui fracasser la tête : Laura... Laura... Laura...

Ils roulaient sur Santa Monica, droit vers l'ouest. Harry s'arrêta au feu rouge de Dohenny.

— Où est-elle? demanda soudainement O'Toole d'une voix morne.

— Chez toi, dit Harry. J'ai pensé que ça serait mieux.

Il se racla la gorge et ajouta :

— Il n'y avait plus rien à faire. A l'hôpital... c'était trop tard... Ils ont vu tout de suite... Ils ont dit...

— Quoi ?

Harry hésita un instant.

— Quoi ? répéta Peter d'une voix plus dure.

Harry se passa la langue sur les lèvres. Il fallait bien lâcher le mot...

— Acide. LSD.

Le silence retomba. Ils arrivaient au carrefour de Beverly Boulevard.

— Préviens toutes les patrouilles d'intercepter la voiture de Jennifer Lewis. Elle a de la coke sur elle.

— Tout de suite, Peter...

Harry sortit précipitamment son Motorola de la boîte à gants.

Rinaldo Kubler regarda sa montre.

— Quelle heure avez-vous ? dit-il à Kremsky.

— 17 h 29 et des poussières, répondit l'avocat.

— Et vous ? demanda-t-il à l'huissier.

— Même chose.

Rinaldo espérait qu'ils seraient en retard de quelques secondes. Il avait déjà prévu de faire un procès de 20 millions de dollars à la compagnie Advisor's pour non-respect de contrat si, à 17 h 30 précises, tous les emplacements publicitaires qu'il avait loués sur Sunset n'étaient pas dévoilés.

Mieux qu'un sport local, la chicane juridique était devenue à Los Angeles une véritable industrie. Des masses de gens vivaient des procès qu'ils intentaient pour un oui ou pour un non, sous n'importe quel prétexte, à n'importe qui. Ce qui expliquait le fourmillement des hommes de loi dans les statistiques socio-professionnelles, à croire que, sur deux habitants de Beverly Hills, l'un était plaignant, l'autre avocat.

Certaines poursuites n'auraient été que bouffonnes si, au bout du compte, un pigeon n'avait dû finir par en payer les frais. Un restaurant se voyait attaqué pour « sexisme » sous prétexte que les menus fournis aux dames ne mentionnaient pas le prix des plats.

Une avocate facturait à des amis son temps de déplacement lorsqu'elle était invitée à dîner chez eux.

Un industriel, qui n'avait pas eu la table souhaitée dans une boîte, prétendait que sa contrariété lui avait valu une crise cardiaque qui, précisément, l'avait empêché d'assister le lendemain à un rendez-vous d'affaire à 100 millions de dollars.

Par conséquent, son défenseur en demandait deux cents en dommages et intérêts pour en obtenir quinze.

Dans le cas de Rinaldo Kubler, il s'agissait moins de tirer un profit que d'empoisonner la vie à Arnold Grimberg, le directeur de la société qui l'avait traité, pensait-il, avec suffisance.

Raté : à l'heure pile, les ouvriers grimpés sur les échafaudages du Château Marmont libérèrent les immenses bâches bleues retenues par des poulies.

Rinaldo vit enfin la première des multiples affiches lumineuses qui lui avaient coûté 200 000 dollars.

Pendant huit jours, elles allaient agrémenter le paysage de Sunset Boulevard dans son centre névralgique. Nul ne pouvait ne pas les voir. A commencer par leur destinataire unique.

Sur un fond bleu marine dansait une farandole de petits cœurs écarlates percés de flèches entourant un message rédigé en énormes lettres blanches :

« REVIENS JENNY. JE REGRETTE. JE T'AIME ET JE T'ATTENDS. »

Suivait un nom : « RINALDO. »

Le sien.

Rinaldo le lut et le relut avec ravissement. Pour que son bonheur soit complet, flèches et cœurs s'illuminèrent soudain et entreprirent de se transpercer les uns les autres en un tourbillonnant ballet de lumière.

Il toisa Kremsky.

– Quelle femme au monde pourrait résister à ça ?

Derrière le rempart de ses lunettes noires, Jenny regardait les mains de Kostia. Elle avait toujours été sensible aux mains d'homme.

Celles-ci étaient parfaites. Longues, déliées, ni trop fines ni trop fortes. Des mains gardant leur mystère car elle pouvait les imaginer aussi bien jouant du piano qu'habiles à caresser, peindre, sculpter, tuer. Elles effleuraient en souplesse le volant de la Chrysler qui remontait La Brea en direction de Sunset.

Jenny aurait aimé détailler de la même façon le visage de l'inconnu. Mais elle aurait dû tourner la tête. Il aurait su aussitôt qu'elle l'observait.

Elle trouva la solution, lui parler. Jusqu'à présent, ils n'avaient pas échangé un mot. Si, à la sortie du cimetière, elle lui avait dit : « Merci. » Elle n'avait obtenu aucune réponse.

Elle alluma une Philip Morris et pivota franchement vers lui.

– Vous fumez ?

– Non.

– Vous connaissiez Malachian ?

– Je l'avais rencontré une fois, à New York.

– Et c'était suffisant pour assister à ses obsèques ?

– Je ne savais pas qu'il était mort.

– Vraiment ?

– Il m'avait donné rendez-vous aujourd'hui, à 5 heures.

– Comment avez-vous atterri au cimetière ?

– J'ai appelé chez lui. On m'a dit que je le trouverais à l'adresse de Santa Monica.

– C'est un coup des domestiques. Ils ont dû vouloir se venger.

– De quoi ?

– De ne pas être payés. Alex détestait payer.

Elle tira une longue bouffée de sa cigarette et regarda instinctivement la couverture camouflant l'urne posée sur la banquette arrière. Elle baissa la voix, comme si les cendres de Malachian avaient pu l'entendre.

– Vous étiez en relation d'affaires avec lui ?

– Il m'avait proposé un rôle de conseiller sur un film qu'il allait produire.

– *Nyet* ?

– *Nyet*.

– C'est moi qui avais le rôle féminin, précisa Jenny.

– Je sais. Il me l'avait dit.

– Tournez à gauche sur Sunset.

Il gagna le refuge au milieu de l'avenue et stoppa au feu rouge.

– Vous habitez Los Angeles ?

– Non.

– Mais vous connaissez? insista Jenny.

– Non. Je débarque.

Le feu passa au vert. Kostia s'engagea sur Sunset.

– C'est une ville idiote, dit Jenny.

– Alors pourquoi y vivre?

Elle passa sa langue sur ses lèvres.

– Vous connaissez quelque chose de mieux?

Ils franchirent le carrefour de Fairfax. Même à cette distance, on ne voyait que le panneau d'affichage qui barrait l'horizon à l'entrée du virage, juste après Crescent Heights.

Dans la douce lumière du couchant, des centaines d'ampoules faisaient clignoter des petits cœurs de néon.

– C'est vous? demanda Kostia.

Elle regarda le panneau qu'il lui désignait d'un mouvement de menton.

– La Jenny de l'affiche?

Jenny eut une expression stupéfaite.

– Vous pouvez le croire? dit-elle.

– Un de vos amis?

Elle se rencogna sur son siège et laissa tomber :

– Un petit con.

En quelques secondes, l'ordinateur central avait transmis les renseignements demandés : une Chrysler noire immatriculée JSB 33 47.

– La voilà! dit Nat.

Toutes les voitures de patrouille avaient reçu l'ordre d'intercepter la Chrysler. Double plaisir pour n'importe quel flic sensible à la gloire : elle était pilotée par Jennifer Lewis en personne. Et on allait trouver de la cocaïne sur la star.

Où, on ne leur avait pas précisé. Mais quand ils s'y mettaient, ils auraient été capables d'en dénicher la moitié d'un gramme parmi des tonnes de farine.

– Suppose qu'elle ait mis la came dans son soutien-gorge..., soupira Ernie.

– Pourquoi pas dans sa culotte, gros malin... De toute façon, c'est pas toi qui la fouilleras!

Tous deux avaient vingt-cinq ans. Des coriaces... Quand ils

étaient sur un coup, dix femmes nues leur faisant la danse du ventre n'auraient pu détourner leur attention.

— Passe un message à la brigade. Dis-leur qu'on l'a retrouvée et qu'on l'intercepte, dit Ernie.

— O.K., dit Nat.

— Grouille, lança Ernie. On la coince avant d'arriver à Kingsroad.

Nat s'empara du micro.

— Vous êtes d'origine slave? demanda Jenny.

— Pur Bolchevik, précisa Kostia en souriant.

— Né en Amérique?

— A Leningrad.

— Depuis combien de temps vivez-vous ici?

— Aux États-Unis? Bientôt six mois.

Elle le dévisagea avec attention.

— Et qu'est-ce que vous faisiez... là-bas?

— Je m'emmerdais.

— Comme travail, je veux dire...

— Metteur en scène.

— Oh non! Je déteste les metteurs en scène, les acteurs et les producteurs!

— Pas autant que moi.

Elle tira de son sac un petit sachet de papier beige.

— Vous en voulez?

— Qu'est-ce que c'est?

— Coke.

— Non, merci.

Elle plongea directement une paille dans le sachet et aspira deux fois d'un coup sec dans chaque narine.

Elle réfléchit une seconde, lui jeta un regard méfiant.

— Hé, vous êtes sûr que vous n'êtes pas flic?

Il éclata de rire. Elle se détendit. Ses doigts jouaient avec le sachet roulé en boule. Elle baissa la vitre et l'envoya valser sur le trottoir d'une chiquenaude.

— Qu'est-ce que vous allez faire maintenant?

— Vous déposer chez vous, appeler un taxi et retourner à l'aéroport.

— Pour repartir à New York?

– Oui.
– On vous attend?
– Non.
– Vous êtes marié?
– Non.
– Encore, dit-elle. Quel con!

Ils étaient à peine à la hauteur de Sweetzer et c'était déjà les cœurs percés de flèches du troisième panneau lumineux qui les agressaient.

– Où habitez-vous à New York?
– Chez un ami.
– Russe?
– D'origine.
– Qu'est-ce qu'il fait?
– Il a un cours d'art dramatique.
– Comment il s'appelle?
– Vladimir Naritsa.
– Mais je le connais!

Elle alluma une autre cigarette.

– C'est un peu idiot, non?
– Quoi?
– De prendre la fuite aussi vite.

Kostia leva les épaules avec fatalisme.

– Qu'est-ce que je peux faire? Malachian n'est plus là.

Elle posa sa main sur son bras.

– Avec ou sans lui, le film va se tourner. Tous les contrats sont signés.

– Qui le produira?
– N'importe quelle compagnie. Vous gardez toutes vos chances.
– Je ne connais personne.
– Évidemment, vous débarquez. Il faudrait faire le sacrifice de rester quelques jours de plus...

Il l'enveloppa d'un long regard sceptique.

– Si ça peut vous dépanner..., commença-t-elle.

Et elle ajouta sans le regarder :

– J'ai une grande baraque.

Il se concentrait sur la conduite, mais elle vit qu'il se mordillait les lèvres avec embarras.

– Vous êtes sûre que vous avez une chambre pour moi? dit-il.

133

– Sans parler des quartiers des domestiques, j'en ai vingt-sept. Vingt-six sont vides.

Il resta un moment silencieux. Puis il secoua la tête de droite à gauche et éclata de rire.

– Pourquoi pas?

Une sirène de police éclata dans leur dos. Kostia jeta un coup d'œil dans le rétroviseur et vit tournoyer le clignotant de la voiture-pie. Elle leur collait au pare-chocs.

– C'est ma journée, dit Jenny. Un enterrement, et maintenant, les flics. Aussi gai que la Sibérie en hiver...

– Rangez-vous sur la droite et coupez le moteur, intima une voix amplifiée par un mégaphone.

Kostia obéit. La sirène se tut. Il regarda le nom de la rue qu'ils allaient dépasser : Kingsroad.

– Gardez vos mains sur le volant, dit Jenny. Ils ont la détente nerveuse...

Dans le miroir extérieur, Kostia vit s'approcher un agent en uniforme. Jenny enleva ses lunettes : pour la première fois, Kostia aperçut ses yeux violets. Au naturel, ils étaient encore plus beaux que dans ses films.

Nat se pencha et jeta un regard à l'intérieur de la Chrysler.

– Ouvrez la boîte à gants, ordonna-t-il d'une voix dure.

Jenny s'exécuta.

– Laissez-la ouverte. Vous, descendez, dit-il à Kostia.

Kostia sortit de la voiture. Nat le colla contre la carrosserie en position de déséquilibre et entreprit de le palper pour une fouille rapide. Entre-temps, Ernie passait de l'autre côté et vérifiait le contenu de la boîte à gants.

– Nous avons commis une infraction? s'enquit Jenny avec douceur.

Il lui était déjà arrivé de se faire arrêter par la police. En général, l'excès de vitesse caractérisé se terminait par une signature d'autographe. Mais, à voir la gueule fermée de ce flic, il était évident qu'il n'allait jamais au cinéma. Il désigna la banquette arrière.

– Qu'est-ce qu'il y a sous cette couverture?

– Un ami, répondit Jenny étourdiment.

Elle se rendit compte de la bourde qu'elle venait de lâcher.

Trop tard, c'était sorti. Ernie lui jeta un regard glacial de mépris, ouvrit la porte arrière, déplia la couverture et s'empara de l'urne.

— N'y touchez pas! cria Jenny.

Elle bondit hors de la Chrysler pour se retrouver face à un revolver braqué fermement sur son ventre. Elle en considéra le canon avec une expression incrédule.

— Faites un seul mouvement et je m'en sers, dit le flic.

— Écoutez, dit Jenny...

Brusquement, les larmes lui montaient aux yeux : c'était trop bête. Elle se tourna vers Kostia pour lui demander du secours. Il était toujours dans la même position. D'une main, l'autre policier examinait ses papiers. De l'autre, il le tenait en joue avec son arme.

— Laissez-moi au moins vous expliquer..., plaida Jenny.

— Silence! la coupa Ernie.

Bouche bée, elle le vit dévisser le bouchon d'argent de l'urne.

— Ah non! non!

Elle se jeta sur le policier. En trois secondes, elle se retrouva menottes aux mains plaquée contre la carrosserie.

— Dernier avertissement, menaça Ernie. Hé, Nat, viens voir un peu...

Nat fit le tour de la Chrysler. D'une bourrade, il poussa Kostia près de Jenny pour les avoir tous deux dans sa ligne de mire.

Jenny tenta de raffermir sa voix pour une ultime tentative.

— Sergent, permettez-moi, juste un mot...

Pour toute réponse, elle vit Ernie relever le canon de son arme.

— Dites-moi au moins ce que vous cherchez! se révolta-t-elle.

D'un regard entendu, Nat désigna à son collègue la poudre grisâtre qui emplissait l'urne. Avant que Jenny ait pu réagir, il y plongeait son index, le portait à ses lèvres et goûtait sur le bout de la langue.

— Salaud! hurla Jenny avec indignation. Vous êtes en train de bouffer les cendres de mon producteur!

LIVRE III

NOTRE HOMME
EST DANS LA PLACE...

13

Le général Savankine passa machinalement le dos de la main sur le tapis brun qui recouvrait la table ronde.

D'après ce qu'on lui avait raconté, et autant qu'il s'en souvienne, on ne l'avait pas changé depuis l'époque de Staline.

« Comme moi... », songea le général.

A travers les carreaux de la fenêtre toujours fermée, il laissa son regard errer sur la place...

Il y avait encore un peu de neige accrochée aux épaules de la statue de Felix Dzerzhinsky, créateur de la police secrète soviétique. Depuis la fin de la Révolution bolchevique, dressée sur son socle de bronze, elle montait la garde au cœur de Moscou devant le n° 2 du square Dzerzhinsky où se dressait la masse d'un grand bâtiment ocre jaune de style néo-Renaissance.

Le fronton du dernier étage s'ornait d'une horloge au cadran rond totalement inutile. Le temps, en ce lieu, n'avait aucune signification : jour et nuit, la machine y tournait à plein régime.

Car là était le centre vital du système.

Le cœur.

Le cerveau.

Lors de sa création, on l'avait baptisé « Tchéka ».

Au fil des années, à mesure que se renforçaient sa redoutable puissance et son emprise sur tous les rouages de l'État, les sigles qui le désignaient avaient valsé comme les prix sur une étiquette : GPU, OGPU, NKVD, NKGB, MGB...

Pour prendre en 1954 son nom définitif, « Komitet Gossoudarstvennoï Bezopasnosti », Comité pour la sécurité de l'État.

C'est-à-dire le « KGB ».

Le regard de Savankine revint dans la petite pièce.

Chaque détail lui en était familier, les murs tendus de velours vert, la moquette marron, les six chaises, la table. Et cette qualité de silence qui n'appartenait qu'à elle, une atmosphère rassurante, feutrée, douce.

Pourtant, depuis toujours, la foudre était partie de là.

Et depuis que Khrouchtchev l'avait nommé « directeur adjoint du département des organes administratifs du Comité central », un quart de siècle plus tôt, Savankine avait été le plus acharné à appuyer sur la gâchette.

De taille moyenne, le crâne à la calvitie parfaite, un visage figé de saurien troué par deux yeux d'un bleu magnétique, il était le seul rescapé à avoir survécu à quarante années de purges.

Ses pouvoirs étaient inouïs : à l'extérieur comme à l'intérieur des frontières, il régnait sur une armée de sept cent mille agents, initiés par ses cadres à toutes les formes d'espionnage, de manipulation et d'assassinat.

Toutes les cabales s'étant brisées contre lui, il en avait déduit qu'il était intouchable. Mais, dans son dos, la haine jaillissait. Il faisait peur. On savait qu'il détenait des dossiers sur tous les personnages importants de la nomenklatura. On lui reprochait de se prendre pour Dieu le Père, de s'identifier aux intérêts supérieurs de l'Union soviétique, d'agir comme un État dans l'État.

De son côté, le vieux crocodile ne croyait qu'aux bonnes vieilles valeurs bolcheviques : le goulag, la trique, la peur.

Gorbatchev et sa prétendue politique d'ouverture le rendaient malade. Le mot *glasnot* lui donnait la nausée : il avait suffi qu'on desserre à peine les boulons pour que le bordel s'installe et que l'autonomie nationale soit menacée.

Du jamais vu!

Chacun croyait brusquement pouvoir s'arroger le droit d'exprimer son opinion comme dans les démocraties déliquescentes.

Manifestations des Kazakhs, des *refuzniks* juifs, des Tatars de Crimée. Les Arméniens s'agitaient, les musulmans se regroupaient, l'Ukraine opérait un travail de sape contre l'autorité de l'État. Lors du quarante-huitième anniversaire du pacte germano-soviétique, des centaines de protestataires avaient défilé dans les trois républiques baltes, Lettonie, Lituanie, Estonie. Brandissant des banderoles vengeresses, hurlant des slogans, ils avaient envahi les rues de Riga, de Vilnius, de Tallin... A Riga toujours, à Leningrad, à Moscou et à Lvov, en Ukraine, rassemblements concertés de protestataires à l'occasion de la Journée du prisonnier politique : « Souvenir éternel pour les martyrs des camps politiques »; « Liberté pour les détenus politiques »; « Supprimez les délits d'opinion! »

En guise de répression, les miliciens s'étaient contentés de confisquer les pancartes!

Pire : pour la première fois dans l'histoire de la Révolution bolchevique, un hôpital psychiatrique de Leningrad venait de refuser l'internement d'un protestataire sous prétexte qu'il était sain d'esprit!

Quant aux nouveaux dirigeants soviétiques, ils semblaient eux-mêmes conspirer contre le régime.

Relayés par la *Pravda* et les *Isvetzia*, les services d'action psychologique de Savankine s'étaient donné un mal fou pour répandre une rumeur séduisante : à l'affût de nouvelles armes chimiques, les chercheurs américains avaient créé de toutes pièces le virus du SIDA par manipulations génétiques. La population commençait à y croire lorsque, sur ordre supérieur, deux savants de l'Académie des sciences de Moscou, Roald Sagdeyev et Vitali Goldansky, avaient dû, sur ordre du Kremlin, la démentir publiquement.

Il y avait pourtant deux remèdes radicaux à ce laxisme criminel : à l'intérieur, tirer dans le tas. A l'extérieur, porter sans pitié l'incendie chez les fauteurs de troubles capitalistes.

Mais rien de tel ne s'était passé.

Chacun était rentré tranquillement chez soi.

Nul n'avait été inquiété.

On n'avait déporté personne.

La *Pravda* s'était bornée à publier un article scandaleux de veulerie stigmatisant du bout des lèvres les « rassemblements organisés au-delà de l'océan par les ennemis idéologiques de l'URSS ».

Dont Gorbatchev, traître à l'idéal communiste et aux intérêts supérieurs de l'Union soviétique, léchait le cul sans vergogne.

Qui désormais pouvait servir de rempart au pays?

Savankine!

Pendant cinq ans, il avait préparé sa propre guerre : plus radicalement que l'explosion de cent bombes H, il savait qu'elle détruirait pour plusieurs générations les forces vives des États-Unis.

Le moment était venu de la déclarer.

Sept mois plus tôt, il l'avait fait. A son habitude, il n'en avait référé à personne. Pourtant, l'audace même de son plan impliquait trois points aléatoires impossibles à éliminer.

Si le coup avortait, l'Union soviétique, par effet de boomerang, subirait un énorme contrecoup politique et serait saignée financièrement.

L'ultime maillon de l'engrenage ne reposait que sur la baraka d'un seul homme.

Enfin, et non le moindre, en cas d'échec, la peau de Savankine ne valait pas un kopeck.

Pour la première fois de sa vie, le vieux crocodile avait été assailli par le doute : fallait-il arrêter l'opération ?

La veille, une catastrophe lui avait fourni la réponse : non.

Tout serait mené à terme. Et en cas de faillite, quelqu'un d'autre que lui porterait le chapeau.

On frappa.

– *Da...*, dit le général.

Yakokev... Il était depuis toujours l'exécuteur des hautes œuvres de Savankine, son disciple, son confident, son complice...

A son expression d'enthousiasme contenu, Savankine sut qu'il venait de gagner la première manche.

– Camarade général..., dit précipitamment le colonel Yakokev.

D'un froncement de sourcils, Savankine lui coupa la parole. Il aurait pu citer mot à mot ce que le colonel s'apprêtait à lui dire. Résultat de cinq années de préparation intensive, la phrase allait concrétiser ses espoirs et ses prévisions.

Il voulut retarder de quelques secondes la jouissance de l'entendre...

– Yakokev, le maréchal est-il arrivé ?

– A l'instant, camarade général.

– Fais-le entrer.

– Bien, général.

Savankine poussa le vice jusqu'à feindre de se désintéresser de la conversation et se plongea dans un dossier.

– Camarade général...

Savankine se composa une expression d'indifférence ennuyée et releva la tête.

– Oui ?

– Je viens d'avoir des nouvelles de la côte ouest...

Savankine étouffa un bâillement. Alors, avec un sourire de triomphe, Yakokev lui lâcha d'une voix vibrante :

– Notre homme est dans la place !

14

La première chose que vit Kostia fut le piano à queue de couleur blanche perdu dans l'immensité de la pièce au sol de marbre. Courant sous le plafond le long des murs, une galerie en mezzanine tapissée de milliers de livres à l'identique reliure brune et or. D'énormes divans blancs, des toiles monochromes bleues ou orange et deux postes de télévision à chaque bout du salon diffusant chacun des programmes différents.

– Les salauds! dit Jenny.

Elle envoya valser ses chaussures, alla jusqu'à un bar et fourragea dans les rangées de bouteilles.

– Vodka?

– Whisky, s'il vous plaît.

– Adjibi! cria Jenny.

Elle emplit deux verres, retourna près de Kostia toujours immobile sur le seuil et lui en tendit un.

– Madame?

Apparut une jeune femme en robe noire.

– Adjibi, s'il te plaît, fais-moi couler un bain.

Adjibi acquiesça et disparut.

– Ne restez pas planté comme un pot de fleurs, asseyez-vous, dit Jenny.

Kostia lui jeta un regard embarrassé. Il avait toujours contre son cœur l'urne contenant les cendres de Malachian. Il n'osait pas la déposer. Au commissariat, on la leur avait restituée après analyse de son contenu. Jenny s'affala sur un divan, ferma les yeux, se tira les cheveux en arrière, poussa un profond soupir et l'observa avec curiosité.

– Vous allez rester debout longtemps?

Ses yeux se fixèrent sur l'urne.

– Merde..., murmura-t-elle. Qu'est-ce que je vais en faire?

Kostia eut un geste d'ignorance.

– Je ne vais tout de même pas garder ça dans mon réfrigérateur!

Le visage tendu de contrariété, elle se leva, chercha des yeux un endroit propice, n'en trouva pas...

– Écoutez, installez-la sur le piano... On verra après...

Kostia s'exécuta avec précaution. Jenny retourna à son divan. Il allait la rejoindre. Elle l'arrêta.

– Non, pas là, dit-elle, on ne voit que ça!

Il reprit l'urne à bras-le-corps.

– Mettez-la où vous voudrez du moment que je ne la vois pas!

Il y avait un grand vase de fleurs sur une cheminée de pierre. Kostia y déposa l'urne de façon à ce qu'elle soit masquée en partie par le vase. Il consulta Jenny. Elle approuva d'un battement de paupières.

– Ils m'ont tuée..., gémit-elle.

Kostia alla la rejoindre. Elle choqua son verre contre le sien.

– A la mort de tous les flics!

Elle avala d'un trait.

– Ils m'ont fait déshabiller complètement!

– Moi aussi, dit Kostia.

– Oui, mais vous, on ne vous a jamais donné 2 millions de dollars pour dégrafer le haut de votre soutien-gorge.

– J'en porte rarement, dit poliment Kostia.

– Horrible grosse femme en uniforme pleine de cellulite!... J'étais nue comme un ver... Où aurais-je bien pu cacher de la coke?

Kostia aurait pu le lui indiquer. Il préféra tremper ses lèvres dans son verre. Les policiers ne leur avaient même pas permis de remonter dans leur voiture. Ils les avaient embarqués à l'arrière de leur Ford, portières cadenassées. Un grillage les séparait des sièges avant. Malgré les vitupérations de Jenny, ils s'étaient retrouvés quelques minutes plus tard au poste de la Hollywood Division, au 1358 North Wilcox Avenue.

Leur arrivée n'était pas passée inaperçue: voir débarquer

Jennifer Lewis en personne alors qu'on se morfond dans une cellule de garde à vue avant d'être transféré à la prison centrale de Downtown, c'était un cadeau du ciel. Même les flics, s'ils l'avaient osé, lui auraient demandé un autographe. Un vrai chahut!

– Hé, Jenny! Qu'est-ce que tu as fait?

– Jenny, tu me refiles une photo de toi? Je vais en prendre pour vingt ans! Tu me tiendras compagnie!

– Jenny, t'as un rôle pour moi dans ton prochain film?

– Viens, ma mignonne! hurlait un colosse de deux mètres en tee-shirt. Je m'appelle Barcus! L'affaire du siècle!

Les flics avaient placé l'urne sur un bureau et on les avait séparés pour la fouille. Pendant ce temps, des chimistes de la police devaient vérifier si la poudre grise était réellement des cendres humaines ou de la drogue. En guise de papiers, Kostia n'avait toujours que le sauf-conduit remis à Tokyo par les fonctionnaires de l'ambassade américaine. Une fois de plus, il avait dû raconter patiemment son histoire à deux inspecteurs.

Conformément à la loi, que le délit soit constitué d'une contravention pour stationnement interdit ou du meurtre de vingt personnes dans un supermarché, Jenny avait eu le droit de donner un coup de téléphone.

Dix minutes plus tard, son avocat débarquait.

A la seule vue de Ralph Nadelman, on avait la certitude d'aller droit vers un acquittement. Vieillard superbe, très grand, le hâle permanent du visage mis en valeur par une crinière de cheveux blancs, il avait cette autorité naturelle qui impose le silence ou arrête le coup de couteau.

Les choses n'avaient pas traîné... Dédaignant le menu fretin de la flicaille, il avait demandé à parler au chef : Peter O'Toole n'était pas là. Son adjoint? Le sergent Harry Bloch est en mission. Finalement, on l'avait aiguillé sur le jeune Marc.

– Inspecteur, puis-je savoir pourquoi ma cliente a été arrêtée?

– Elle est soupçonnée d'avoir de la drogue sur elle.

– Vraiment? Quelle drogue?

– Cocaïne.

– Avez-vous procédé à une fouille?

– Oui, monsieur, avait répondu Marc d'une voix mal assurée.

– Avez-vous trouvé de la cocaïne sur Miss Lewis?

– Non, monsieur...

– Par conséquent, inspecteur, je suppose que vos soupçons n'étaient pas fondés ?

– Je le suppose.

– Avez-vous un autre motif pour garder Miss Lewis dans ce poste de police ?

– Pas à ma connaissance, monsieur.

– Parfait, inspecteur. Dans ce cas, je vous prie de la relâcher immédiatement et de lui présenter vos excuses. Sans préjuger, bien entendu, des suites que je souhaite donner à cet acte illégal de détention abusive.

Jenny l'avait tiré par la manche.

– Ralph, je ne suis pas seule...

Kostia n'était pas près d'oublier le regard que lui avait jeté l'avocat. En une seconde, il s'était senti jaugé au plus profond de lui-même. Un mélange d'intérêt méprisant, de calcul soupçonneux : maquereau ? gigolo ? parasite ? Cinq minutes plus tard, ils étaient dans la rue. Nadelman était monté avec eux à l'arrière de la Bentley et avait donné l'ordre à son chauffeur de les déposer chez Jenny sur North Roxbury, au cœur de Beverly Hills.

– Au fait, où sont vos bagages ?

– Je n'en ai pas, dit Kostia.

– Voulez-vous m'excuser ?

Jenny se leva et alla décrocher un téléphone au fond de la pièce. Kostia nota qu'elle n'utilisait pas celui qu'elle avait à portée de la main, au pied du divan. Il la vit composer un numéro et parler d'une voix étouffée dans le creux de son épaule.

Lorsqu'elle se retourna vers lui, elle semblait beaucoup plus sereine.

– Non !

Il la vit soudain porter les mains à ses tempes et se cacher les yeux.

– Faites quelque chose !

Il comprit qu'il s'agissait de l'urne.

– Je ne peux pas supporter la vision de cette horreur !

Kostia vint se placer derrière elle, devant le manteau de la cheminée surmonté d'un miroir. Elle gardait la même position, les mains sur la tête, les yeux baissés. Il fut à deux doigts de la prendre dans ses bras pour la rassurer. Son intuition l'en empêcha.

– Débarrassez-m'en, implora-t-elle.
– Vous voulez que je les jette?
Elle le regarda.
– Pas les cendres, je m'en fous... L'urne seulement! C'est laid...
Ça pue la mort!
Elle se dégagea, se planta au milieu de la pièce et cria le nom
d'Adjibi comme on appelle au secours.
Instantanément, la femme de chambre fut à ses côtés. Jenny la
prit par les épaules et lui chuchota quelque chose à l'oreille.
Adjibi s'éclipsa.
– Quel effet vous a-t-il fait? demanda-t-elle à Kostia d'une
voix rassérénée.
– Qui?
– Le grand Nadelman... Mon avocat...
– Expéditif.
– C'est un bandit. Dès qu'il vous dit bonjour, ça vous coûte
10 000 dollars. Mais il sait tout, il connaît tout le monde et il
gagne tout! A Hollywood, il a couché avec toutes les actrices...
Kostia faillit lui demander si elle faisait partie de la liste.
– En dehors des procès de cinéma, il s'est spécialisé dans les
épouses délaissées. Quand il en a fini avec leurs maris, ils
redeviennent gardiens de parking.
Adjibi revint dans la pièce avec un grand carton à chapeaux de
forme ovale frappé du sigle Christian Dior. Jenny le lui prit des
mains et se tourna vers Kostia :
– Vous pouvez m'aider?
Elle vérifia par-dessus son épaule qu'Adjibi était bien sortie.
Elle défit les rubans écarlates qui fermaient la boîte et, après en
avoir ôté le couvercle, la tendit à Kostia. Puis elle alla jusqu'à la
cheminée, s'empara de l'urne et en dévissa le fermoir.
– Ne bougez pas, dit-elle avec calme.
Elle entreprit avec précision de déverser le contenu de l'urne
dans le carton à chapeaux. On sonna. Elle sursauta, posa
précipitamment l'urne par terre, rafla son sac sur le divan et se
précipita vers le vestibule dont la porte se referma sur elle.
Dans son mouvement, une pincée de cendres s'était dispersée
sur le dallage de marbre.
A Leningrad ou à Moscou, Kostia avait vu plusieurs de ses
films. Jennifer Lewis posait un problème aux cinéphiles : devant
la caméra, jouait-elle ou ne jouait-elle pas? Et, sinon, quelle était

l'énigme du prodigieux magnétisme animal que dégageait son image sur les foules?

Tous les hommes valides de la planète auraient donné leur bras droit pour passer une soirée en tête à tête avec elle.

Mais, au lieu de la star stéréotypée durcie par le succès, Kostia pressentait une créature plus riche, déroutante, complexe, fragile, insolite. La maison elle-même l'intriguait. Qu'y avait-il dans ces milliers de livres grimpant à l'assaut des murs?

Il ne put résister.

Il se faufila dans l'escalier qui menait à la galerie et pointa son index au hasard sur l'un des ouvrages. Il n'en crut pas ses yeux: saint Thomas, *L'Être et l'Esprit.* Ainsi, Jennifer Lewis lisait saint Thomas!

Abasourdi, il tira le livre hors du rayonnage: un pan de reliures long d'un mètre lui resta dans la main: toute la bibliothèque n'était qu'une illusion de carton-pâte ne contenant pas la moindre page imprimée.

Il réinséra le motif décoratif dans son étagère, redescendit sur la pointe des pieds et retourna auprès de la cheminée.

Ses yeux glissèrent machinalement sur le contenu de la boîte. D'une certaine façon, il n'avait pas manqué son rendez-vous: le jour dit, il était effectivement en présence d'Alexandre Malachian. Mais il était inconcevable que l'homme rencontré à New York dans la suite royale d'un palace pût se retrouver à Los Angeles deux semaines plus tard dans un carton à chapeaux.

— On termine? demanda Jenny d'une voix enjouée.

Il ne l'avait pas entendue arriver. Il remarqua l'imperceptible traînée de cristaux blancs sur l'aile de sa narine gauche. Elle reprit l'urne et versa ce qui restait de cendres dans le carton. Elle s'empara d'une petite cuillère en argent qui traînait sur une table basse et en tapota le tas de poussière grise pour en égaliser la surface. Après quoi, elle rabattit sur les cendres le papier de soie qui formait le fond de la boîte, en referma le couvercle et refit les nœuds du ruban écarlate qui la scellaient.

— Madame, souffla Adjibi dans leur dos, votre bain est presque froid...

— J'arrive, dit Jenny.

Elle déposa le carton à chapeaux dans ses bras.

— Mets-moi ça en haut d'une étagère...

— Dans quel placard, madame?

Jenny hésita un instant.

– Dans mon armoire à fourrures...

Elle lui tendit l'urne.

– Et ça, tu vas me le flanquer immédiatement à la poubelle!

Adjibi eut une expression de reproche.

– C'est un si joli vase, madame...

– Ça porte malheur! dit Jenny d'un ton péremptoire.

Adjibi tourna les talons. Jenny remplit leurs verres.

– A Alexandre Malachian!

Elle but une gorgée, reposa son verre et prit Kostia par la main.

– Venez, je vais vous faire visiter la maison... Vous pourrez choisir votre chambre...

Elle l'entraîna au rez-de-chaussée et au premier étage dans un dédale de pièces. Dans chacune, un poste de télé était branché à pleine puissance.

– Pourquoi? l'interrogea Kostia.

– Ça tient compagnie, répondit Jenny sans autre commentaire.

L'une des chambres était tapissée de soie bleue. Kostia s'y attarda.

– Elle est à vous! dit Jenny. Vérifiez s'il peut vous manquer quelque chose...

Kostia poussa la porte de la salle de bains regorgeant de sels, de savons, de serviettes. Il voulut mettre Jenny à l'épreuve.

– Brosse à dents?

D'un mouvement de menton, elle lui désigna l'armoire murale.

– Dure? Moyenne? Souple?

Derrière la paroi de miroir, soigneusement rangées, il en découvrit un faisceau de toutes les couleurs. Il grimaça un petit sourire, actionna la pédale de la poubelle dont l'intérieur, comme le reste, était tapissé de soie bleue, repassa dans la chambre et contempla le lit géant.

– Vous voulez l'essayer?

Il s'allongea. Jenny venait d'allumer une cigarette. Elle était appuyée contre le chambranle et l'observait du coin de l'œil à travers les volutes de fumée. Elle éteignit la télé, se rapprocha, s'assit sur un coin du lit, ouvrit le tiroir de la table de nuit et en sortit quelque chose qu'elle garda dans la main.

Kostia restait strictement immobile.

150

– Fermez les yeux, dit-elle...

Il obéit. Il sentit qu'elle lui passait autour de la tête l'espèce de bandeau qu'utilisent les passagers d'un avion lorsqu'ils veulent dormir.

Tout contre son oreille, il perçut brusquement la chaleur de son souffle...

– Laissez-vous faire..., chuchota-t-elle.

Frémissant, il sentit le frôlement de sa main sous l'étoffe de sa chemise. Ses ongles crissèrent sur sa poitrine, à l'emplacement de son cœur. Il ne pouvait deviner aucun des gestes qui allaient suivre. Plongé dans la nuit totale, submergé par le parfum de Jenny, il décida d'entrer dans son jeu. Et puisque tel semblait être son désir, de se laisser manipuler comme une poupée. Parfois, sa main quittait sa peau, et il avait une envie furieuse de l'attirer contre lui.

D'abord, elle défit ses chaussures qui tombèrent sur la moquette.

Une après l'autre, elle fit ensuite glisser ses chaussettes le long de ses chevilles. Puis elle lui souleva le dos et ôta sa veste. Le souffle court, Kostia tortilla les bras pour l'aider à enlever sa chemise plus vite.

Quand il fut torse nu, il attendit vainement le contact de ses doigts contre sa peau.

A son parfum, il savait qu'elle était là, à quelques centimètres. Mais, à son tour, elle restait immobile et silencieuse. Au moment où elle bougea, le lit craqua doucement. Il entendit un imperceptible bruit de soie froissée, lutta de toutes ses forces pour ne pas enlever le bandeau qui le privait de la voir et, de nouveau, frissonna sous la caresse légère de sa main sur son ventre. Elle défit sa ceinture, tira le bas de son pantalon. Maintenant, Kostia était aussi nu que dans le poste de police, lorsqu'on l'avait fouillé au corps.

– Ne bougez pas..., souffla-t-elle.

Il sut qu'elle se levait. Quelques instants plus tard, il entendit des bruits infimes venus de la salle de bains, chocs légers de métal contre la céramique, bruissement de tissu, clapotis de l'eau qui coule...

Et, de nouveau, sa main, remontant le long de ses hanches pendant que la frange de ses cheveux balayait doucement sa joue. Ses lèvres, rapides et légères, se posèrent en dix endroits autour de sa bouche. Il chercha à la happer avec la sienne : la magie fut cassée. Son corps s'éloigna. Les sens exaspérés, il eut encore la force de rester immobile. Il attendit longtemps...

Puis elle revint coller sa peau à la sienne et recommença ses lentes caresses imperceptibles. Au risque de la perdre, il s'enhardit à laisser traîner le dos de sa main contre sa cuisse.

Elle le laissa faire. Du bout des doigts, il agaça le même point de sa peau. Avec une douceur insupportable, elle bascula alors au-dessus de lui et il crut qu'il allait hurler lorsqu'il sentit le contact de son pubis contre son sexe. Elle prit longuement sa bouche. Sa langue joua avec sa langue. Se décolla...

– Maintenant! dit-elle.

Plus tard – Faisait-il jour? Faisait-il nuit? – il se retrouva seul dans le lit. Son corps était ravagé comme s'il avait subi une tempête dans une coquille de noix. Il se leva péniblement, entra dans la salle de bains, alluma et découvrit avec un sourire son visage barbouillé de rouge à lèvres. Il se passa de l'eau sur la bouche, s'empara d'un Kleenex, s'en frictionna vigoureusement et actionna l'ouverture de la petite poubelle pour le jeter : elle n'était plus vide.

Sur le fond de soie bleue, il y avait une seringue.

15

Savankine n'avait que quelques secondes pour se concentrer. Totalement immobile, les deux mains posées bien à plat sur la table, il aspira une profonde bouffée d'air et, contrôlant son souffle, le laissa très lentement s'échapper de ses poumons : le sort de la deuxième manche allait se jouer à l'instant même.

De nouveau, la porte pivota. Yakokev la tint largement ouverte et s'effaça pour livrer passage à un civil corpulent de haute taille : bras tendus pour l'accolade, le général Nikolaï Savankine se leva pour accueillir le maréchal Oleg Vorotchenko.

Les deux hommes se connaissaient depuis près de cinquante ans. Pour accéder au pouvoir, chacun avait choisi des voies différentes. Pendant que Savankine s'enfonçait dans l'ombre, Vorotchenko avait gravi un à un les échelons de la hiérarchie officielle pour devenir, à soixante-quinze ans, maître absolu du GRU. C'est-à-dire de tout ce qui concernait l'armée, la sécurité, l'espionnage et le contre-espionnage militaires, les vopos de la gendarmerie nationale et la totalité de l'infrastructure aérospatiale dont le centre administratif était à Moscou mais la base géante principale en Sibérie, à Bakou.

Les deux hommes s'interpellaient par leur prénom et se tutoyaient. Mais chacun craignait l'autre.

– Je suppose que tu es au courant..., attaqua Savankine.

D'un geste, il invita Vorotchenko à s'asseoir et regagna lui-même sa chaise.

Le maréchal observa un silence accablé. Puis il laissa tomber d'un air sombre :

– Je n'arrive pas à y croire, Nikolaï...

Sans un mot, Savankine déroula sur la table un agrandissement de la page onze du *New York Times* daté du jour même et fit signe à Vorotchenko de se rapprocher.

Sur un cliché d'une grande netteté, on pouvait voir une vaste région montagneuse.

En haut à droite, desservi par la rivière Vakhsh, le barrage hydro-électrique de Nurek. Plus bas, le lac Nurek aux berges torturées, rappelant par sa forme un scorpion prêt à l'attaque.

Vorotchenko aurait voulu disparaître. Ce qu'il avait sous les yeux, il l'avait fait construire dans la région la plus désolée de l'Union soviétique, au cœur de l'Asie centrale, dans l'inaccessible massif montagneux du Tadjikistan : la base la plus secrète de leur arme absolue.

La base laser du troisième millénaire.

La voir étalée dans un journal américain avait quelque chose de si incongru que le maréchal n'eût pas été gêné davantage de passer l'Armée rouge en revue sans son pantalon. Ou de découvrir des images dénudées de la maréchale Vorotchenko, son épouse, dans un magazine pornographique.

Savankine enfonça suavement le couteau dans la plaie :

— N'importe quel civil de Houston ou de Chicago peut acheter ces photos s'il en fait la demande. 150 dollars en noir et blanc. 750 en couleur...

Abîmé dans la contemplation du désastre, Vorotchenko n'osa pas relever la tête.

Entre le barrage et le centre laser, la mince ligne blanche de la route qui les reliait. Plus bas, sur la partie gauche, le centre laser proprement dit. Malgré la distance énorme d'où la photo avait été prise par le satellite US, pas besoin d'une loupe pour distinguer les moindres détails de l'ensemble. Dix bâtiments blancs en forme de dômes, chacun d'un diamètre d'une dizaine de mètres. Six pour les télescopes de repérage, les quatre autres armés des rayons laser.

Savankine murmura avec douceur :

— Nous venons de perdre en une nuit l'effet de surprise que nous donnaient vingt ans d'avance technologique.

Brusquement, Vorotchenko lui fit face :

— Nikolaï, je vais offrir ma démission au Praesidium.

Savankine eut une imperceptible grimace : ce n'était pas exactement ce qu'il souhaitait entendre.

154

– Oleg..., Oleg... Du calme... Nous sommes de vieux compagnons...

Ils avaient en commun un identique mépris pour la criminelle passivité de Gorbatchev. Au point que Vorotchenko, vexé de ne pas avoir été consulté lors de l'élection du chef de l'État, avait personnellement donné l'ordre d'abattre l'avion coréen égaré dans leur espace aérien.

Simplement par représailles contre le gouvernement politique.

Et pour que la mort de deux cent cinquante passagers innocents le mette dans l'embarras.

– Le pays a besoin de toi... Ta démission serait une lâcheté...

Vorotchenko lui jeta un regard perdu.

Savankine lissa du dos de la main la surface du cliché. Ensuite, il contempla au-dehors la statue de Felix Dzerzhinsky.

– Oleg... Il n'y a aucune tragédie qu'on ne puisse effacer par un coup d'éclat...

D'une pression sur un commutateur, il fit tomber des cintres une carte d'état-major qui s'afficha sur le mur.

– Je crois que je peux t'aider..., dit-il avec un mince sourire.

Il désigna la carte...

– Ton malheur est venu de là.

Quoique hébété, Vorotchenko nota au passage l'emploi de la deuxième personne de l'adjectif possessif : Savankine n'avait pas dit *notre*.

Il avait dit *ton* : *ton malheur*.

En d'autres termes, son «vieux compagnon» le désignait comme responsable du désastre. En plein désarroi, Vorotchenko attendit la suite.

Savankine se leva, s'empara d'une mince canne en bambou et se planta devant la carte. Le maréchal avait déjà identifié la fraction du territoire de la côte ouest des États-Unis comprise entre Centerville Beach et San Diego.

Il ouvrit la bouche pour dire quelque chose. Savankine le coupa d'un geste :

– Une seconde... Regarde d'abord ce que j'ai à te montrer...

Il braqua la canne en haut et à gauche, à l'intérieur des terres.

– Yakima... Yakima Research Station. L'un des centres d'écoute les plus secrets de la NASA. C'est de là qu'ils captent la totalité de tout ce qu'émettent nos satellites dans leur hémisphère Ouest.

La canne glissa vers le bas.

– Centerville Beach...

– « Colossus... », enchaîna mécaniquement Vorotchenko. Leur réseau d'écoute sous-marine...

– Exact, approuva Savankine. Grâce à lui, le Pentagone connaît l'emplacement et le déplacement de tous nos sous-marins nucléaires.

La canne remonta vers le haut.

– Marysville. La «Beale Air Force Base». Le centre principal des SR-71, U-2R et TR-1. Surveillance et contrôle par avions espions de toute l'Amérique latine...

Il parcourut ensuite la côte du nord au sud, désignant un à un les points encadrés de rouge qui la parsemaient.

– Skaggs Island. L'antenne géante de la Marine manipulée par la NASA...

– « La Cage à Éléphants », souligna Vorotchenko. C'est à cause de cette foutue saloperie qu'ils nous localisent dans la zone Pacifique...

– ... et à deux pas de San Francisco, reprit Savankine, Mountain View...

– Moffett Field Naval Air Station, précisa le maréchal.

Il ne voyait pas où voulait en venir Savankine en lui énumérant ce que savait le dernier de ses officiers. Mais déjà, pris par le jeu, il ne put s'empêcher d'ajouter :

– En cas de conflit, c'est de là que partiront leurs P-3C Orion pour dégommer nos sous-marins...

Savankine l'encouragea d'un sourire et continua...

– Ici, Sunnyvale...

– « Le Cube Bleu »..., dit Vorotchenko.

– Vingt-quatre heures sur vingt-quatre, leurs spécialistes corrigent l'orbite de tous leurs satellites pour leur faire survoler les zones à espionner...

Vorotchenko lui jeta un regard amer. Savankine désigna un autre point.

– Lompoc.

– La «Vandenberg Air Force Base»...

156

– Tous leurs satellites placés en orbite polaire partent de là... Ils font deux fois par jour le tour de la terre. Rien ne leur échappe.

– Ils sont en train d'y construire une nouvelle base top-secret de navettes spatiales capables de lancer un satellite géant en orbite polaire, révéla Vorotchenko.

– Le Lockheed KH-12..., confirma Savankine.

Il déplaça vers la droite son morceau de bambou...

– San Diego, leur base de sous-marins nucléaires... Ici, El Segundo. Le « National Reconnaissance Office ». Contrôle ultime par les membres du quartier général de toutes leurs flottes de satellites...

Savankine reposa négligemment la canne sur la table et retourna s'asseoir.

– Oleg, dit-il après un long silence, une réunion du Praesidium suprême est imminente. Il leur faut un bouc émissaire. Tu devines qui ?

Vorotchenko se sentit coincé comme un rat. Il se tortilla sur sa chaise. Savankine, qui l'observait du coin de l'œil, feignit de ne pas s'en apercevoir.

– Oleg, ce que je viens de te montrer, ce sont les yeux de l'Amérique.

Le maréchal le dévisagea pour déchiffrer le sens de la phrase.

– Oleg, poursuivit Savankine d'une voix douce, nous sommes de la même génération, toi et moi... De la même école... S'ils ont ta peau, c'est un peu comme s'ils avaient la mienne : je peux te donner le moyen de t'en tirer.

Vorotchenko releva vivement la tête.

– Et de venger l'affront, ajouta Savankine.

– Comment ?

– En les crevant.

Le maréchal le regarda sans comprendre.

– Oleg, on va foutre tout leur putain de bazar en l'air !

Il claqua des doigts.

– Comme ça ! Écoute-moi bien... Tu n'as plus qu'à appuyer sur le bouton !

Son regard se fixa un instant sur la statue de Felix Dzerzhinsky, glissa dans les lointains, revint dans la pièce.

– On va les ensevelir sous la drogue !

157

Vorotchenko le dévisagea sans comprendre.

– Une seule et ultime livraison, Oleg... La plus colossale de l'Histoire... Supérieure en quantité à tout ce que nous avons déjà introduit en Amérique depuis quinze ans...

– Où ? s'affola Vorotchenko.

– Los Angeles.

– Quelle quantité ? bredouilla Vorotchenko qui avait soudain une bizarre envie de vomir.

– Mille tonnes.

– C'est impossible ! se révolta Vorotchenko.

– J'y travaille depuis cinq ans... En un seul jour, nous allons casser le marché, briser la racaille des gangs, pourrir les centres nerveux de la côte ouest et provoquer des ravages plus effrayants que l'explosion de cent bombes H !

Vorotchenko déglutit péniblement.

– Nikolaï, tu sais aussi bien que moi que nul au monde ne peut débarquer impunément mille tonnes de drogue...

Savankine esquissa un mince sourire.

– Si, Oleg. Quelqu'un le peut.

Il se redressa, prit une longue aspiration et se mit à marcher de long en large.

Puis, avec une passion contenue et glacée, il entreprit de lui expliquer son plan.

Il parla pendant longtemps.

A aucun moment, Vorotchenko ne songea à l'interrompre.

Une heure plus tard, sidéré, il acceptait d'entériner l'opération la plus effroyable jamais montée contre le monde libre.

Elle partirait du cœur de la côte ouest.

Nom de code : « SUNSET ».

16

La petite fille semblait dormir. Elle était allongée tout habillée sur le lit, les mains sagement croisées sur la poitrine. On était en plein jour. Malgré les rideaux tirés, un rai de lumière venu du jardin achevait curieusement sa course sur la flamme d'un cierge. Assise sur une chaise le long du lit, une femme immobile contemplait avec des yeux vides le visage paisible de la petite fille. Dans son dos, la porte s'ouvrit. Un homme entra. La femme ne fit pas un mouvement. L'homme posa ses mains sur ses épaules.

– Viens, dit-il. Viens...

Il la prit par le bras et l'entraîna doucement. Il aurait voulu parler, mais quoi dire? L'un soutenant l'autre, ils descendirent l'escalier et sortirent dans le jardin. Il faisait un soleil radieux.

– Anna..., murmura-t-il.

Il l'aida à s'installer sur un banc de pierre, s'assit auprès d'elle et l'enlaça. La vie éclatait dans chaque feuille, dans chaque fleur, dans chaque coup d'aile des geais bleus qui se poursuivaient en jacassant dans les bougainvillées pourpres inondées de lumière.

– Anna...

Elle lui répondit par une pression de la paume de la main. Elle avait les yeux fixés droit devant elle, sans rien voir. Elle avait trente ans. Son enfant était morte.

– Anna... Veux-tu que je te parle ou préfères-tu que je me taise?

Nouvelle pression sur sa main.

– Je sais que tout ce que je peux dire ne te rendra pas Laura... Mais je veux te faire un serment... Je te jure que j'aurai leur peau!

Elle n'eut pas un frémissement, mais il vit que des larmes coulaient sur sa joue. Il appuya sa tête contre la sienne. Ils se connaissaient depuis quatre ans. Elle était douce, féminine, vulnérable. Son mari n'avait pas voulu lui accorder le divorce.

Pour ne pas perdre la garde de Laura, elle avait préféré ne pas venir habiter avec lui dans cette maison trop grande pour lui. Mais ils se voyaient tous les jours.

– Tu m'entends, Anna ? Je te le jure !

Il y eut un crissement sur le gravier. Jerry, le maître d'hôtel, lui fit un signe.

– Je reviens, dit-il à Anna.

Il se leva, contourna des massifs de fleurs sur la pelouse. Harry Bloch se tenait dans l'allée.

– On a récupéré le chicanos. Il est sur place avec Marc. Ma voiture est devant la grille.

– Attends-moi une seconde, dit Peter O'Toole. J'arrive.

En général, les magasins attirent les clients en ouvrant toutes grandes leurs portes. Chez Bijan, c'était l'inverse : nul ne pouvait y pénétrer sans s'être fait longuement annoncer, recommander et parrainer. Personne n'était reçu sans avoir pris rendez-vous. Pour faire fortune, Bijan avait pris le contre-pied des règles de tout négoce : ne rien montrer et, à la limite, ne rien vendre. De cette façon, chacun se battait pour être admis chez lui et avoir le privilège de payer cent fois plus que dans la boutique voisine. La devise de la maison l'indiquait clairement : « Le magasin le plus cher du monde. »

– Et qu'est-ce qu'on y vend ? demanda Kostia.

– Des trucs dingues..., dit Jenny.

– Ça se mange ?

– Ça se porte, ça se sent, ça s'affiche.

– Quoi, par exemple ?

Elle réfléchit un instant.

– Des gilets pare-balles en vison faits sur mesures pour chiens à pedigree. Tourne à droite. Le parking est en bas...

Kostia descendit lentement la rampe souterraine de Rodeo Collection. L'ensemble immobilier de brique rouge et de marbre rose se dressait au cœur de Rodeo Drive. La conception architecturale était simple : de quelque endroit que ce soit, chacun pouvait voir et être vu. Trois niveaux à ciel ouvert où se serraient les boutiques hors de prix des grands noms de la vieille Europe, haute couture, sellerie, joaillerie.

Une volée d'employés en livrée rouge s'empara de la Bentley. Ils s'engagèrent sur l'escalier mécanique pour remonter du parking au niveau de la rue. Jenny portait de grosses lunettes noires. Elle avait tenu à offrir un cadeau à l'une de ses amies irlandaises mariée au guitariste des U2, un groupe de rockers milliardaires de passage à Los Angeles.

Au rythme de l'escalier mécanique, Kostia aperçut la terrasse d'un restaurant bourré de jolies filles qui jacassaient sous des parasols blancs en grignotant deux feuilles de salade arrosées de thé glacé.

– C'est juste en face, dit Jenny.

Ils passèrent sous un porche et traversèrent l'avenue qui dégageait une puissante odeur de fric.

Dans la vitrine de Bijan, Kostia vit quelques chemises semblables à toutes les chemises du monde.

– On vend les mêmes au Goum de Moscou.

Jenny eut un sourire. Il insista.

– Qu'est-ce qu'elles ont de plus que les autres?

– Elles sont dix fois plus chères qu'ailleurs, répondit Jenny.

Elle sonna à la porte. Un garde armé les dévisagea avec méfiance à travers la vitre. Puis un vendeur arriva à la rescousse, reconnut sa cliente et ouvrit.

– Miss Lewis!... lança-t-il d'un air pâmé.

Il les escorta dans un salon et les pria de s'asseoir tandis qu'un maître d'hôtel se confondait en courbettes.

– Caviar, Miss Lewis? Du russe, de l'iranien?

Il se pencha vers elle et chuchota, confidentiel :

– Il nous reste quelque chose d'unique... pour nos clients de marque...

Il baissa la voix d'un ton et annonça avec une émotion réelle :

– Du gros grain blanc de la Réserve impériale!

Il sembla s'apercevoir de la présence de Kostia. Par pure courtoisie, il lui glissa :

– On ne dira jamais assez le tort porté au commerce par l'ayatollah Khomeiny... Préférez-vous du cristal-roederer, du dom-pérignon ou plus simplement un bordeaux exceptionnel, un lafite 1964?

— Je voudrais une écharpe, dit Jenny.

— Nos assistants vont vous montrer sur-le-champ ce que nous avons de plus beau... En ce qui me concerne, permettez-moi de vous apporter un assortiment de canapés et de boissons... Vous ferez vous-même votre choix...

Il claqua des mains et disparut. Un jeune homme en veste rouge et or vint à eux. Il tendit respectueusement un télégramme à Jenny. Elle l'ouvrit :

« DÉSOLÉ DE NE POUVOIR VOUS RECEVOIR MOI-MÊME. VOTRE VISITE EST UN GRAND HONNEUR POUR MA MAISON. TOUT CE QU'ELLE CONTIENT, EMPLOYÉS COMPRIS, VOUS APPARTIENT SANS RÉSERVE. »

C'était signé Bijan. Le télégramme venait de Hong Kong.

— M. Bijan a été contraint de partir d'urgence. Sir Waterley lui a envoyé son jet personnel afin qu'il vienne prendre ses mesures pour des caleçons... Je m'appelle Robert, à votre service.

Kostia se leva et fit quelques pas jusqu'au fond du magasin où s'étalaient sur le mur quelques plaques en or gravé portant en leur centre un nom et un millésime. Il sentit la présence de Jenny dans son dos. Il les lui désigna d'un mouvement de menton.

— Les employés tombés au champ d'honneur ?

— Les clients qui ont laissé dans les caisses de la maison un million de dollars au moins par an.

Kostia la regarda pour voir si elle était sérieuse : elle l'était.

Il caressa de la main un manteau bleu en cachemire accroché à un cintre. En palpant un tissu, il vit, cousu dans la doublure à l'aide de fils d'or, l'inscription « US n° 1 ».

— C'est pour le président Reagan, lui murmura Robert avec componction.

Il étala une multitude d'écharpes sur un présentoir. Jenny fit la moue.

— Je voudrais autre chose.

— Est-ce pour vous, madame ?

— Pour une amie.

— Vous avez une idée précise ?

— Aucune. Plus original... insolite...

Robert réfléchit une seconde.

— Permettez-moi... Je reviens dans un instant.

— Si vous voulez bien vous installer, dit le maître d'hôtel.

Il avait dressé une petite table ronde recouverte d'une nappe rose chargée de porcelaines fines, de verres en cristal, de caviar, de saumon, de champagne... Jenny allait refuser d'un geste. Kostia lui fit une pression discrète de la main et l'entraîna. Le maître d'hôtel, qui se posait des questions à son sujet, en conclut que le jeune homme blond, ne se comportant pas comme le chauffeur de la Lewis, ne pouvait être que son amant. Il n'eut pas le loisir de se demander ce qu'étaient devenus les autres.

– Avez-vous de la vodka? demanda Kostia qui s'était installé face à Jenny.

– Certainement, monsieur! Russe ou polonaise?

– Finlandaise.

– Je vous l'apporte!

Retour de Robert... Avec des airs mystérieux, il déposa un écrin de velours bleu devant Jenny. Elle le regarda avec curiosité.

– Si vous voulez bien l'ouvrir...

Il en défit lui-même le fermoir. Jenny souleva le couvercle. Serties sur un cercle d'acier, des pierres scintillèrent.

– Qu'est-ce que c'est? s'étonna Jenny.

Robert se rengorgea.

– Un modèle unique de collier de chien, acier tressé, saphir, topaze.

– Mais mon amie n'a pas de chien!

– Justement, madame, elle n'en sera que davantage surprise.

– Robert a tout à fait raison, approuva Kostia en engloutissant un canapé de caviar.

Pour ne pas avoir l'air trop idiot, il venait de décider d'agir désormais comme si tout ce qu'il voyait ou entendait était parfaitement normal.

Visiblement, le type n'en menait pas large. D'abord, le rassurer...

– Comment s'appelle-t-il? glissa O'Toole à Harry.

– Abundio.

– Abundio, dit O'Toole, je vous remercie d'être ici. Vous parlez l'anglais?

Le jardinier hocha la tête. Il ne savait où fourrer ses mains ni sur quoi fixer ses yeux.

– Je suis le lieutenant O'Toole. Je suis sûr que vous allez pouvoir nous aider...

Avec Marc, ils étaient quatre, debout dans la lumière radieuse de Whittier, presque à l'angle de Elevado, là où Laura était tombée. O'Toole se racla la gorge.

– Quand vous avez remarqué la jeune fille, où était-elle?

D'un geste, Abundio désigna le portail de l'école.

– Qu'est-ce qui a attiré votre attention?

Abundio se dandina, chercha pourquoi il avait « vu » cette jeune fille plutôt que les autres. Face à lui, les trois flics attendaient qu'il ouvre la bouche. Finalement, il dit avec un épouvantable accent espagnol :

– Elle était seule.

– Mais elle est sortie avec les autres?

Abundio secoua vigoureusement la tête de droite à gauche.

– Elle était seule. Elle est sortie après. Elle... hésitait.

– Ensuite?

– Elle a traversé l'avenue.

– Dans votre direction?

– Oui.

– Et vous étiez au même endroit que maintenant?

– Oui.

– Elle est passée près de vous?

– Oui. Là...

– Qu'avez-vous remarqué?

Abundio fronça les sourcils.

– Ses yeux.

– Qu'est-ce qu'ils avaient de spécial?

– Ils ne voyaient rien. Fixes...

– Vides?

– Oui. Vides.

– Et après?

– Elle a marché sur la pelouse. Droit sur l'arbre.

Abundio montra un palmier de l'index.

– Elle ne s'est pas arrêtée? demanda O'Toole.

– Non. Elle ne voyait rien. Elle est tombée.

– Et vous n'avez rien fait pour l'en empêcher?

Abundio eut un geste d'impuissance, se mordit les lèvres et baissa la tête.

– Qu'avez-vous fait quand vous avez vu qu'elle était à terre?

– J'allais y aller. Une voiture s'est arrêtée. L'homme m'a dit que l'enfant était morte.

164

O'Toole avait déjà interrogé le conducteur, Larry Himes, un banquier que le hasard avait placé là à cet instant. Rien à tirer de ce côté-là.

– Abundio... Quand les jeunes filles sont sorties de l'école, vous n'avez rien remarqué de spécial?

Le jardinier le regarda sans comprendre.

– Y avait-il, reprit O'Toole, quelqu'un de suspect? Je veux dire quelqu'un qui attendait ou qui observait?... qui guettait les enfants?...

Abundio fit non de la tête. O'Toole échangea un regard avec Harry et Marc. Il revint au jardinier.

– Je vous remercie, Abundio. Il se peut qu'on se revoie.

Il entraîna Marc et Harry vers les voitures.

– Demain matin 10 heures, j'irai interroger les gosses de l'école.

– Désolé, monsieur. C'est complet.

Le garçon désigna des groupes qui bavardaient debout en attendant une table.

– Certains sont là depuis une demi-heure...

Kostia poussa un soupir résigné. Il était presque 2 heures de l'après-midi. Il avait faim. Jenny était allée déjeuner avec Noëlle, son amie irlandaise, et Ralph Nadelman. Elle ne lui avait pas demandé de se joindre à eux, mais lui avait suggéré de prendre la Bentley et d'aller faire une reconnaissance à Beverly Hills. Il s'était retrouvé dans Rodeo Drive pour se garer au même endroit que la veille, lors de la visite chez Bijan, dans le parking de Rodeo Collection.

Le restaurant aux parasols blancs s'appelait Pastel. Pas une table de libre.

– Antonio!

Le garçon s'excusa. Il se précipita vers le manager qui l'appelait – le seul à porter veste et cravate. Kostia les vit échanger quelques mots à voix basse. Le garçon revint...

– Si vous voulez bien patienter quelques secondes... Je vais pouvoir vous caser...

Un instant plus tard, Kostia était assis. Il commanda un poisson grillé et une carafe de vin blanc qu'on lui apporta immédiatement. Il s'en servit un verre et regarda autour de lui. Il y avait autant de jolies filles que la veille. Où étaient donc les moches? Ils les cachaient? Il se promit de poser la question à Jenny.

C'était étrange : elle avait le monde entier à ses pieds et elle avait froid. Pour la deuxième nuit passée ensemble, elle l'avait entraîné dans sa chambre.

– Serre-moi contre toi, lui avait-elle murmuré. J'ai froid.

La température était douce. Il l'avait serrée très fort.

– J'ai toujours froid... Comme si le froid venait de mes os...

Elle lui avait proposé de dîner à la maison. Mille questions brûlaient les lèvres de Kostia. Il n'en avait posé aucune. De son côté, elle n'avait pratiquement pas ouvert la bouche. Et pourtant ce silence n'avait rien eu de gênant. Au contraire, il semblait former barrière pour protéger quelque chose de si ténu que des paroles vides l'auraient détruit. Souvent, il avait levé les yeux sur elle pour apercevoir son regard posé sur lui. A chaque fois, elle l'avait détourné vivement.

Plus tard, quand ils s'étaient lovés dans les draps, elle avait éteint la lumière. Elle qui vivait sous les projecteurs ne semblait pouvoir palpiter, prononcer un mot ou oser un geste que dans l'obscurité.

– Pourquoi?

– Je ne m'aime pas.

Croyant qu'elle se moquait de lui, il avait éclaté de rire.

– Bonjour...

Kostia se retourna. A la table voisine, un jeune garçon le dévorait d'un regard énamouré.

– Robert... Vous vous souvenez?... Je travaille chez Bijan.

Jenny était entrée dans la boutique pour acheter une écharpe. Elle en était ressortie avec un collier de chien en pierres précieuses : ce type était un génie!

En guise de salut, Kostia leva son verre.

– Comment va Miss Lewis?

– Très bien.

– J'allais partir. Puis-je me permettre de m'asseoir un instant avec vous?

Il s'installa à la table.

– Est-elle satisfaite de son achat?

– Enchantée, dit Kostia.

Elle avait payé cette saloperie 6 000 dollars!

– Vous habitez L.A. ? continua Robert.

– Non.

– C'est votre premier voyage ?

– Oui.

– Quelle ville, hein ? Ça vous plaît ?

– Épatant.

– Je me souviens lorsque j'y ai débarqué...

– C'était quand ?

– Quatre ans.

– Vous veniez d'où ?

– Du froid. Vancouver. Je suis canadien.

– Qu'est-ce qui vous a plu ?

– Le soleil. Les palmiers. L'ambiance. Les gens...

– Qu'est-ce qu'ils ont de spécial ?

– Tous givrés. Chacun se prend pour quelqu'un d'autre. A les entendre, ils sont tous acteurs ou écrivains.

Kostia eut un regard amusé.

– Vous ne me croyez pas ?

– Non.

– Désignez-moi une des serveuses au hasard ! le défia Robert.

Des yeux, Kostia fit le tour de la terrasse. Il repéra une fille en pantalon et tee-shirt blancs qui naviguait entre les tables. Partout ailleurs, à Rome ou à Bombay, elle aurait été un prix de beauté. Ici, elle était simplement un peu moins belle que les autres.

– Celle-ci, dit-il.

– S'il vous plaît ! lui lança Robert.

Son plateau à la main, la fille s'approcha. Robert la considéra longuement des pieds à la tête.

– Vous êtes actrice ?

La réponse fusa à la vitesse d'une balle :

– Oui !

Un oui si violent que Kostia fut persuadé qu'elle allait jeter son plateau pour se rendre plus vite à la salle de maquillage. En une seconde, elle avait changé de visage.

– Vous êtes producteur ?

Elle avait une expression pathétique faite d'espoir et d'avidité.

– Vous avez une carte ? interrogea Robert.

Comme par magie, elle fut dans sa main.

— Je vous ferai signe. Pouvez-vous m'apporter un autre café?

— Tout de suite!

Elle tourna les talons.

— C'est déprimant, non? s'enquit Robert sur un ton désabusé. La moindre vendeuse de chaussures se prend pour Marilyn. Essayez vous-même, ça ne rate jamais... Le grand mirage... Elles débarquent ici sans un rond en pensant qu'on n'attend qu'elles... Les plus intelligentes comprennent au bout de trois mois. Si elles ne sont pas trop abîmées et qu'elles aient de la chance, elles retournent dans leur patelin, épousent le pompiste et torchent les enfants.

— Et les autres?

— Démolies. Elles attendent.

— Quoi?

— Le milliardaire qui les épousera, l'argent, la gloire, se faire un nom... Ici, tout le monde passe sa vie à attendre... Savez-vous que dans cette ville, chaque soir que Dieu fait, cinq cent mille filles de vingt ans qui n'ont pas réussi à se faire inviter à dîner se couchent à 9 heures après avoir bouffé une boîte de sardines macrobiotiques en conserve en regardant la télé? Seules! Et encore heureux quand elles n'ont pas de la drogue plein le nez...

— Et vous?

— Oh! moi, vous savez..., mon cas est désespéré... J'ai vingt-quatre ans. Je suis pédé. Je n'ai aucune ambition et je me fiche du fric...

— Robert! Quelle surprise!

Robert se leva et embrassa avec effusion un superbe athlète noir.

— Marco!

Il se retourna, sourit à Kostia et lui dit en s'excusant:

— Je dois retourner à mon travail. Ravi d'avoir bavardé avec vous... J'espère vous revoir...

Il lui glissa sa carte et s'éloigna dans la foule avec son ami...

Quand il eut fini de déjeuner, Kostia redescendit au sous-sol, donna son ticket de parking au caissier, lui laissa 3 dollars et demanda à un valet en veste rouge:

— Excusez-moi... Êtes-vous écrivain?

168

– Absolument! dit le valet. J'ai déjà six scripts de prêts...
Je viens justement de finir le septième... Comment avez-vous
deviné?

– L'instinct..., dit Kostia.

– Comme c'est intéressant! dit le valet. Vous êtes dans le
cinéma?

– Un peu...

– Passionnant! Je m'appelle Harper, dit le valet. Jack Harper...

Il tira une carte de sa poche et la tendit à Kostia.

– Mon histoire est formidable! Une comédie noire... En fait,
c'est un peu ma vie... Des rôles en or pour De Niro et Faye
Dunaway!

– Hé, Jack! Merde alors, s'indigna un autre valet en descendant à la volée d'une Mercedes.

– Il écrit aussi? demanda Kostia.

– Lui? Non, dit Jack à Kostia. Il chante. Je reviens...

Il partit au galop dans les profondeurs du garage. Kostia alla
s'installer derrière la rangée de chaises où les clients attendaient
leur voiture. Tout le monde était bronzé, souriant, détendu.
Chacun semblait avoir l'éternité devant lui. Kostia sentit un
regard posé sur sa nuque. Il se retourna. Un homme très élégant à
lunettes dorées lui souriait aimablement.

– Vous êtes de Kiev? demanda l'homme.

Kostia le dévisagea froidement une fraction de seconde.

– Pas du tout. Je suis de Leningrad.

La Bentley freina en douceur devant lui. Un valet en descendit
et lui tint la portière ouverte.

Kostia s'installa au volant et démarra.

17

A 7 heures du matin, un minibus orange de la municipalité les déposa sur Whittier.

Comme tous les jours, Esperanza, qui était la responsable des clés, ouvrit le portail du collège. Elle laissa passer ses quatre collègues et referma soigneusement derrière elles.

Depuis longtemps, elles s'étaient partagé le travail par sections. Chacune savait si bien ce qu'elle avait à faire que tout serait terminé dans une heure. Elles se rendirent à un appentis où était rangé le matériel de nettoyage. Esperanza en ouvrit le cadenas. A l'intérieur, des seaux, des serpillières, des bidons de détergent, des balais, des brosses et des salopettes bleu ciel qu'elles enfilèrent sur leurs autres vêtements.

– A tout à l'heure, dit Esperanza.

Maria, une petite boulotte aux cheveux de charbon, s'empara de deux seaux, un jaune et un bleu, alluma une cigarette et se dirigea vers les toilettes. Elle y trouvait parfois des choses bizarres, slips, soutiens-gorge, chaussures, lettres d'amour, sans parler des trucs moins poétiques inhérents à ce genre d'endroit. Elle poussa la porte, posa ses seaux sur le carrelage blanc et contempla la double rangée des vingt compartiments hygiéniques.

Pendant quelques secondes, elle resta immobile, l'oreille aux aguets. Après quoi elle rebroussa chemin sur la pointe des pieds et risqua un œil au-dehors : ses collègues étaient déjà au travail. Elle referma doucement la porte et plaça contre elle l'un des seaux en équilibre. Il n'y avait aucune chance qu'on la surprenne, mais elle avait l'habitude de ne négliger aucune précaution. Elle se rendit directement au troisième cabinet sur la file de gauche, souleva le lourd couvercle de céramique sur le réservoir de la chasse et prit du bout des doigts, collée à l'intérieur de la cuvette par du papier adhésif, une pochette en plastique imperméable.

Elle l'ouvrit et compta rapidement les billets de banque qu'elle contenait. Il y en avait quatre de 100 dollars, deux de 50, trois de 20 et quatre de 10. Elle détacha 60 dollars de la liasse, les glissa dans la poche de son pantalon et fourra le reste sous sa salopette dans l'échancrure de son corsage, entre ses deux seins volumineux. Elle referma la pochette, la rejeta à l'eau, remit le couvercle en place, ralluma son mégot éteint et retourna vers la porte en sifflotant une rengaine mexicaine. Elle dégagea le seau, ouvrit la porte et entreprit le travail pour lequel elle était payée 5 dollars de l'heure.

A 7 h 25, Esperanza entra dans les toilettes.

– Ça va?

Maria était agenouillée dans le coin extrême de la pièce, frottant avec acharnement un morceau de carrelage.

– Ça va...

Esperanza poussa un petit sifflement d'admiration et dit en espagnol :

– Ça brille tellement qu'on se croirait davantage dans une église que dans un pissoir!

Maria se redressa et lui renvoya un sourire.

– Je vais ouvrir aux hommes, dit Esperanza.

Elle s'éloigna. Le matin, à 7 h 30, trois employés venaient nettoyer la cour et l'aire du gymnase.

Maria alla jusqu'au seuil et vit, derrière la grille, Enrico, Antonio et José vers qui s'avançait Esperanza.

Maria tira la liasse de son corsage et la roula dans une feuille de papier journal qu'elle enfouit au fond du seau jaune sous plusieurs serpillières. Elle prit le seau et, en passant, le déposa très naturellement devant l'appentis.

Les hommes arrivaient...

– Hé, Maria, tu es libre samedi soir?

Elle était mariée et mère de quatre enfants. Elle pouffa de rire, les salua et retourna d'où elle venait. Du coin de l'œil, elle avait eu le temps de voir qu'Enrico avait saisi le seau avant d'entrer dans l'appentis, pendant que José et Antonio échangeaient quelques blagues avec Esperanza. Arrivée dans les toilettes, Maria alluma une cigarette et inspecta les lieux du regard : tout était impeccable. Elle tira rêveusement quelques bouffées, jeta la cigarette dans un lavabo dont elle ouvrit les robinets pour en dissoudre le tabac et alla se poster devant la porte. Elle vit le dos d'Enrico qui s'éloignait, sanglé dans sa salopette écarlate. A sa gauche, posé par terre contre le mur, il y avait le seau. Elle le prit par l'anse, retourna dans le troisième cabinet de la file de gauche, dégagea les serpillières, déplia la feuille de papier journal et s'empara d'un petit paquet enveloppé dans un sac de plastique translucide.

Du bout des doigts, elle constata qu'il contenait six sachets.

Comme auparavant, elle souleva le couvercle en céramique de la chasse d'eau et fixa le paquet sur la paroi intérieure de la cuvette à l'aide d'un ruban de Scotch.

Elle remit le couvercle en place, se lava les mains et sortit dans la cour pour aller se débarrasser de sa tenue de travail.

Le minibus serait là dans cinq minutes.

Il était près de 8 heures. La journée commençait.

A 8 h 10 du matin, Peter O'Toole se fit déposer par Marc à l'angle de Whittier et de Santa Monica. Il était en tenue de jogger. Pour tout bagage, il n'avait sur lui que sa carte d'officier de police dans la poche arrière du pantalon de son survêtement.

Il se mit à arpenter l'avenue en petites foulées en direction de Sunset. Arrivé au carrefour où se dressaient les bâtiments de l'école, il prit Elevado sur la droite.

Du coin de l'œil, il vit qu'en dehors de trois employés en salopettes écarlates qui balayaient la cour, personne n'était encore arrivé. Les classes ne commençaient qu'à 8 h 30. Il trottina huit cents mètres environ, fit demi-tour, constata avec une grimace qu'il avait le souffle court et revint vers son point de départ...

Cette fois, il y avait de l'animation devant l'école. Des jeunes filles descendaient des voitures qui les déposaient sur le trottoir, devant le portail. Revêtue de l'uniforme municipal, une grosse femme à cheveux blancs barrait le trafic de toute sa masse en brandissant au milieu de la route un énorme panneau « Stop ».

Les gamines entraient dans la cour, se regroupaient par affinités. Certaines hurlaient de rire. O'Toole avait obtenu des témoins du drame de ne rien en dire à la presse : aucun article n'avait paru sur la mort de Laura.

172

Il se baissa et feignit de rattacher les lacets de ses chaussures pour mieux graver dans sa mémoire ce qu'il observait. Il était en terrain étranger. Pour comprendre, il lui fallait s'imprégner de l'ambiance, des bruits, des couleurs... Parfois, des hommes, parents ou gardes du corps, escortaient les élèves jusqu'à ce qu'elles soient entrées dans l'établissement.

Femmes ou enfants?... Elles avaient entre quatorze et seize ans. O'Toole était placé pour savoir qu'elles étaient beaucoup plus précoces que les jeunes filles de sa génération. Plusieurs fois par semaine, on amenait au poste des *runaway kids*, des gosses de douze à quatorze ans. A la suite d'une réprimande ou d'un désaccord de famille, elles quittaient la maison paternelle pour fuir en stop vers la Californie. On les ramassait sur un trottoir après quelques jours de cavale.

Pour survivre, pour un Coca, un sandwich ou un billet de cinéma, certaines se prostituaient, quand elles ne devenaient pas elles-mêmes la vedette de films très spéciaux vendus à prix d'or à des amateurs pervers... O'Toole se releva. Le spectacle était trop fascinant pour s'en éloigner. Il se mit à sautiller sur place et, bras levés en cadence, à faire des mouvements respiratoires.

Maintenant, c'était l'heure de pointe. Les dernières élèves arrivaient. Légalement, il était interdit à un adulte de se poster devant un lieu d'enseignement réservé à des mineurs. Il décida de repartir en petites foulées sans perdre l'école de vue. Un objet dur lui fouailla les reins.

— Ne bouge pas!

Peter risqua un œil au-dessus de son épaule et découvrit un malabar qui le dépassait de la tête. Autour d'eux, la scène était passé inaperçue.

— Tu vas me suivre gentiment sans faire d'esclandre.

— Hé, vieux... Je crois que tu fais une erreur...

— Ta gueule!

Trop bête...

— Police, lâcha O'Toole avec un soupir résigné mais sans se hasarder à faire le moindre mouvement.

— Mon cul!

— Justement, tâte le mien... Tu trouveras ma carte sur ma fesse droite.

L'autre la palpa sans que le canon de l'arme qu'il avait dans les reins bouge d'un millimètre.

– Je suis le lieutenant O'Toole, de la Hollywood Division, Narcotic Section, l'encouragea Peter. Tu es qui?

Brusquement, il n'eut plus le déplaisant contact du revolver sur sa hanche.

– Sergent Mac Bride, lieutenant. Vice Squad de Beverly Hills.

O'Toole se retourna. Mac Bride lui rendit sa carte.

– Des ennuis, lieutenant?

Marc... Il se tenait derrière Mac Bride, la main droite enfoncée sous son blouson.

– O.K., Marc... C'est un collègue... Sergent Mac Bride... Détective Marc Picitelli...

Les deux hommes se saluèrent.

– Qu'est-ce que tu fais là? demanda O'Toole.

– On surveille les écoles, lieutenant. Une gosse est morte ici il y a deux jours...

Au moment où il prononçait ces mots, Mac Bride, rencontrant le regard de Marc qui cherchait à le prévenir, regrettait déjà de les avoir lâchés : quel con!

Il avait affaire au fameux O'Toole, « la Star », et dans le feu de l'action, il n'avait même pas fait le rapprochement en entendant son nom!

A travers lui, le dernier des flics de Los Angeles était un peu en deuil : la gosse morte d'une overdose était la fille d'Anna Keane, sa maîtresse.

O'Toole n'avait pas attendu ce drame pour devenir légendaire. Il y avait l'extravagante histoire de sa propriété de Rexford, sur Beverly Hills, qui faisait sûrement de lui le seul officier de police du monde à résider dans un palais de 4 millions de dollars légué à sa mort par un industriel richissime qu'il avait sauvé d'un chantage. Le testament précisait que tous les frais de la maison ainsi que le salaire des quatre domestiques seraient payés à vie par la fondation du donateur à condition que O'Toole y habite réellement.

Et aussi tous les gros coups qu'il avait réussis, les réseaux démantelés, les prises de drogue et les gros poissons qu'il avait envoyés au trou...

Mais, surtout, son courage physique : quand il se mettait en branle, plus rien ne pouvait l'arrêter.

– Je suis désolé, lieutenant, dit Mac Bride.

174

Il se mordit les lèvres violemment, baissa la tête...

– Si je peux vous aider en quoi que ce soit...

Le visage soudain amer et fermé, O'Toole lui tapota l'épaule.

– Tu sais ce que je cherche?

– Oui, lieutenant.

– Tu sais où me joindre?

– Oui, lieutenant.

O'Toole lui fit un clin d'œil amical et tourna les talons. Escorté par Marc, il se dirigea vers la Ford.

Il n'était pas dans son tempérament d'affronter une armée de teen-agers en tenue de jogging.

Tout le monde était en classe depuis dix minutes. L'avenue était redevenue déserte. Il prit place sur la banquette arrière.

– Démarre, dit-il à Marc.

Marc s'exécuta.

– Je vais où, lieutenant?

– Fais le tour du quartier et ramène-moi ici. Le temps de me changer...

Il enleva le haut de son survêtement.

– Marc...

– Lieutenant?

O'Toole enfila une chemise sortie du sac qu'il avait laissé plus tôt dans la voiture.

– On a des nouvelles de Jennifer Lewis?

– Il paraît qu'elle prépare un film.

– Ils préparent tous un film. Elle dépense 20 000 dollars par mois en cocaïne. Urego est hors circuit. Qui sont ses autres dealers? dit O'Toole en se tortillant pour passer un pantalon. Le Russe?

– Depuis qu'il a débarqué à L.A., il vit chez elle.

– Tu as demandé un rapport sur lui?

– Complet.

– A qui?

– A l'officier d'immigration qui l'a contrôlé à son arrivée à New York.

– Chris Perry? Je lui ai déjà parlé. A qui d'autre?

– A notre ambassade de Tokyo où il a obtenu l'asile politique.

– Pas suffisant. Demande Ernie Blackwell de ma part au

centre Edgard Hoover de Washington. Direction du FBI. Il travaille directement avec le grand patron. Ils doivent bien avoir quelque chose.

– Bien, lieutenant.

– Tu as le dossier?

– Oui, lieutenant. Apparemment, tout est en ordre.

– De combien était son permis de séjour?

– Un mois renouvelable.

– Il pointe à l'immigration?

– Régulièrement.

– De quoi il vit?

– A New York, il a photographié des macchabs pour l'identité judiciaire.

– Il habitait où?

– Central Park South, chez Vladimir Naritsa, le type de l'Actor's Studio.

– Vérifie combien il a touché. Regarde si ça colle avec ses dépenses. Je veux savoir d'où vient le reste.

Marc jeta un coup d'œil dans le rétroviseur. O'Toole nouait sa cravate.

– Il est peut-être gigolo?

– C'est son problème. Le nôtre, c'est qu'il est russe, hébergé par une camée notoire rencontrée aux obsèques d'un autre camé notoire mort d'une overdose, et qu'on ne sait ni d'où il vient ni ce qu'il branle aux États-Unis.

– Vous voulez que je le fasse surveiller, lieutenant?

– A partir de maintenant, colle-lui Dick et Lee aux fesses.

– Bien, lieutenant.

– O.K.! Ramène-moi à l'école.

Marc fit sur place le genre de demi-tour qui aurait coûté un retrait de permis de conduire instantané à n'importe quel citoyen ordinaire.

– Marc...

– Lieutenant?

– Comment il s'appelle, déjà?

– Vlassov, lieutenant. Kostia Vlassov.

Apparemment, Jenny ne tenait pas à ce qu'il rencontre son amie Noëlle. Elles déjeunaient ensemble pour la deuxième fois consécutive, et pas davantage que la veille elle n'avait invité Kostia à se joindre à elles.

Il voulait voir la mer. « Tu prends Sunset, lui avait dit Jenny, tu files droit vers l'ouest et tu débouches sur l'océan. »

Le trajet lui avait pris vingt minutes. Il n'avait eu qu'à traverser Pacific Coast Highway pour garer la Bentley dans un gigantesque parking recouvert de sable.

En caleçon de bain, pieds nus, il courait maintenant sur le sable humide dans l'écume des vagues qui roulaient à ses pieds. La plage s'allongeait à perte de vue. Parfois, il contemplait au passage les maisons de bois montées sur pilotis, inondées par la lumière bleutée du Pacifique. Il croisait des gens qui couraient comme lui. Hommes ou femmes, tous lui adressaient un petit signe amical. Des chiens fous de joie plongeaient dans l'eau et barbotaient sur la crête des vagues à la poursuite d'un bâton que leur jetait leur maître...

L'espace et la paix... Le vol des mouettes, le mouvement vif de petits échassiers tricotant des pattes à toute allure pour suivre l'écume de la vague lorsqu'elle se retirait, laissant à découvert dans le sable d'infimes crustacés qu'ils déterraient d'un coup de bec... Pour la première fois de sa vie, il vit aussi des pélicans qui décollaient de la surface de l'eau avec des mouvements de bombardiers lourds, avant de s'élever dans l'azur pour mieux piquer sur leur proie à la vitesse d'une pierre...

Ses pieds s'enfonçaient dans le sable humide et, au rythme de sa course, il sentait avec bonheur les pulsations de son cœur et, comme s'il avait pu en suivre le tracé, le flux et la chaleur de son sang irriguant le moindre millimètre carré de sa peau.

Robert, le vendeur de chez Bijan, n'avait pas exagéré : dans le périmètre de Beverly Hills et de Hollywood, toutes les filles étaient actrices, tous les garçons écrivains. Par jeu, Kostia ne se lassait pas de poser la question à tous ceux qui affichaient une occupation quelconque, serveurs, pompistes, vendeuses, professeurs de yoga, marchands à la sauvette. Le mirage du cinéma intoxiquait la ville comme une drogue. Pour les très belles filles, il y avait aussi une légère variante. Mais elle revenait sans cesse : « Je pose pour des photos, mais je suis actrice. »

Quand il se sentit la tête en feu et les muscles en coton, il se laissa choir sur le sable pour reprendre haleine. Bras en croix, visage tourné vers le ciel, il se laissa pénétrer avec délice par le

vertige de l'espace, le cri des oiseaux et l'odeur des embruns...
Puis il s'assit face au Pacifique et regarda la mer.

– Puis-je vous poser une question personnelle, Miss Bryan?
dit O'Toole avec un étonnement sincère.

D'un battement de cils, Emily Bryan l'encouragea à poursuivre.

– Comment pouvez-vous avoir un poste aussi important à votre
âge?

– Question pour question, comment imaginez-vous le proviseur d'un collège?

– Avec un chignon, des lunettes, les cheveux blancs, la
soixantaine...

– Les temps ont changé, lieutenant. J'ai vingt-six ans, je suis
sortie première de ma promotion à Columbia. Je pourrais, si je le
voulais, diriger une banque et gagner beaucoup d'argent. J'ai
préféré l'enseignement. J'ai peut-être des fins de mois plus
modestes, mais je fais ce que j'aime. Question de choix.

Elle changea d'expression, hésita, se jeta à l'eau.

– Je voudrais que vous sachiez que je suis anéantie par le deuil
qui vous frappe.

– Merci, dit O'Toole.

– Laura était l'une des élèves les plus attachantes. Vivante,
curieuse, douée...

Il sentit que sa peine était réelle. Il la considéra pensivement.

– Miss Bryan, est-ce que beaucoup de vos élèves se droguent?

– Ni plus ni moins qu'ailleurs. Mais effectivement, certaines,
oui.

Elle eut peur qu'il interprète mal sa pensée.

– Comprenez-moi bien, lieutenant... Elles ont entre quatorze et
seize ans. Il ne s'agit pas de droguées chroniques... Plutôt quelque
chose d'occasionnel... Par jeu... Par défi... Pour essayer...

– Comment les repérez-vous?

– Au début, elles s'en vanteraient plutôt... Elles ont la sensation
d'être devenues adultes et de faire partie d'une élite. L'excitation
de l'interdit.

– Et la coke?

– Il m'est parfois arrivé d'exclure des élèves en pleine défonce.

– Comment entre-t-elle ici?

– Je l'ignore. Mais j'en ai déjà trouvé à l'intérieur des classes, dans un cartable, ou dans des sachets de plastique collés sous les bureaux.

– Vous avez prévenu la police?

– Non.

– Et les parents?

– Évidemment.

– Leurs réactions?

– Curieuses. Certains semblaient m'en rendre responsable. D'autres avaient l'air de trouver ça normal. Dans tous les cas, les étudiantes ne remettaient plus les pieds dans mon établissement.

– Pas d'héroïne?

– A ma connaissance, non.

Elle réfléchit un long moment.

– Vous savez, lieutenant..., pour Laura...

Elle vit que O'Toole la vrillait du regard.

– Il s'agit d'un accident, dit-elle.

– Vous voulez dire que quelqu'un lui aurait donné ou fait prendre du LSD?

Miss Bryan confirma d'un mouvement de tête.

– Elle était trop saine. Elle n'avait rien à prouver.

– Vous avez interrogé ses camarades?

– Oui. Vous aurez peut-être plus de chance que moi...

– Je peux les voir?

– Bien sûr... Mais à mon avis, pas ensemble. Elles feraient bloc contre vous. En revanche, j'en ai choisi trois qui ont des antécédents. Si vous agissez avec doigté, il se peut que vous en tiriez quelque chose.

– Comment s'appellent-elles?

– Catherine Hopkins, Vanina Michael et Julia Oxenberg.

– Quel âge?

– Entre quinze et seize ans.

– Elles sont ici ce matin?

– Non. Elles n'ont pas cours. Vous pourrez les rencontrer cet après-midi.

– Miss Bryan..., lâcha O'Toole après une hésitation, avez-vous parmi vos élèves une nommée Elizabeth Pierson?

Emily Bryan confirma.

– Elle est là en ce moment ?

– Non. Cet après-midi.

– Pourrez-vous me l'envoyer avec les autres ?

La jeune femme le dévisagea avec surprise.

– Puis-je vous demander pourquoi ?

– Non, dit O'Toole.

– Elle se drogue ? insista Miss Bryan.

Pas de réponse.

– Lieutenant, soupira-t-elle, dans l'intérêt même de votre enquête, je pense qu'il serait préférable que vous les voyiez sans moi.

– Vous avez peut-être raison, dit O'Toole. A quelle heure dois-je revenir ?

– Les cours reprennent à 2 heures... Disons 2 h 15. Mon bureau est à votre disposition.

Elle lui désigna le téléphone posé sur la table.

– Si vous avez besoin de quoi que ce soit, composez le 9. Vous m'aurez en ligne.

– Merci, Miss Bryan. J'apprécie beaucoup. Je serai là.

18

Jenny quitta Sunset et s'engagea vivement sur la droite dans l'avenue privée conduisant au Beverly Hills Hotel. Elle pesta soudain contre le *bumper* qui l'envoya se cogner la tête dans le plafond de sa Ferrari. Comme si la vie n'était pas assez compliquée ! Il fallait qu'on s'ingénie à la rendre démoniaque en hérissant les allées d'obstacles de béton destinés à vous faire rouler à la vitesse d'une tortue...

Elle leva le pied, passa sans encombre les deux autres pièges, freina devant le perron, descendit en voltige et abandonna le bolide rouge à des valets qui s'en emparèrent.

Toutes les têtes pivotèrent sur son passage.

Elle avait beau en avoir l'habitude, elle ne s'y ferait jamais : être reconnue de tous où qu'elle aille et devenir le centre des regards la rendaient malade.

Une obsession...

Pour ne pas avoir à rendre le salut des employés, elle s'engouffra dans le hall, vira à droite le long des comptoirs de réception et la tête haute, sans regarder personne, traversa le bar du Polo Lounge pour déboucher dans le patio où se tenait le restaurant de plein air.

Un maître d'hôtel fondit sur elle :

— Miss Lewis, votre amie est arrivée... Permettez-moi... Par ici...

Il lui ouvrit la route jusqu'aux banquettes surélevées qui couraient en hémicycle contre le mur du fond. Noëlle lui fit signe. Jenny l'embrassa et s'installa face à elle, de façon à tourner le dos au reste de la salle.

– Désolée d'être en retard. Tu as faim?... Attends... Hier, j'ai oublié de te donner quelque chose que j'avais acheté pour toi...

Elle déposa un écrin bleu sur la table.

– Puis-je prendre votre commande? les interrompit le maître d'hôtel.

Noëlle ouvrit des yeux ronds et dévisagea Jenny.

– Qu'est-ce que c'est?

– Un cadeau.

– Mais pourquoi? En quel honneur?

– En l'honneur de rien. Simplement parce que ça me fait plaisir de te revoir et plaisir de te l'offrir.

Toujours planté devant elles, le maître d'hôtel revint à la charge.

– Mesdames, si vous voulez bien consulter la carte...

Jenny se retourna vers lui, lui adressa un sourire suave et lui dit, de cette voix profonde qu'elle prenait pour jouer les grandes scènes d'amour qui faisaient frémir les foules sur la planète :

– Allez vous faire foutre, connard...

– Bien, madame, dit le maître d'hôtel.

Jenny le regarda s'éloigner.

– Ils m'emmerdent, à la fin! Dans cette putain de ville, n'importe quel loufiat se croit permis de couper les clients en pleine conversation. Qu'ils adaptent leur service à ceux qui les font vivre, et non pas le contraire! Maintenant, ouvre...

Noëlle s'exécuta et resta bouche bée.

– Tu es folle, balbutia-t-elle. Je n'ai jamais rien vu d'aussi beau!

– C'est un collier de chien.

Déjà, Noëlle se le passait autour du cou, sortait un miroir de son sac et admirait la parure sur sa gorge.

– Il te plaît?

– Merci, Jenny, merci...

Elle se pencha au-dessus de la table et la serra dans ses bras avec effusion. Jenny se dégagea en riant.

– Tu crois qu'un garçon aurait l'idée de venir prendre notre commande? Où sont-ils donc?

Elles choisirent une salade de crevettes, du melon et une bouteille de chablis. Il y avait un téléphone blanc sur chaque table.

– Pour quoi faire? demanda Noëlle.

— Double avantage : tu n'as pas à te déranger si tu veux parler à un correspondant de Hong Kong avec la bouche pleine. Et n'importe quel raseur peut te joindre au moment du café.

— A qui appartient l'hôtel ?

— Jusqu'à hier, à Marvin Davis. Il l'a acheté 135 millions de dollars il y a six mois.

— Il ne l'a plus ?

— Il vient de le revendre 185 millions au sultan de Brunei.

— Qu'est-ce qu'il veut en faire ?

— Son pied-à-terre à Los Angeles.

— C'est insensé..., dit Noëlle.

— Oui. C'est la preuve que, si tu disposes de 100 ou 200 millions, tu peux en gagner une cinquantaine en quelques semaines par un simple jeu de papiers. Comment va John ?

— Sa musique et moi. Le même. Il y a deux ans, on n'avait pas de quoi se payer un sandwich. Aujourd'hui, il pourrait acheter la moitié de la ville. On fait les mêmes choses, on voit les mêmes gens. Rien à signaler. Et toi ?

— Tu es libre demain soir ?

— Sais pas... Il faut que je demande à John... Pourquoi ?

— Mon coiffeur se marie. Paulo...

— Avec une coiffeuse ?

— Pas du tout. Il est tombé amoureux d'un homme d'affaires, Bernard. Il m'a fait jurer d'être son témoin.

— Incroyable..., pouffa Noëlle.

— Ils veulent s'épouser à la face du monde. Ils s'aiment.

— Et toi ?

— Moi, quoi ?

— Les amours ?...

— Ça va, ça vient... Des oiseaux de passage...

— J'ai appris, pour Malachian...

— Paix à ses cendres, dit Jenny en avalant une gorgée de vodka. Tu ne devineras jamais où elles sont !

Noëlle la considéra avec surprise.

— Dans un carton à chapeaux enfoui dans mon armoire à fourrures...

— Tu plaisantes ?

— Pas du tout. Où voulais-tu que je les mette ? Il a tenu à m'en léguer la moitié. Très généreux de sa part. Après tout, il ne prenait que vingt pour cent de tous mes cachets...

Noëlle trempa rêveusement ses lèvres dans son verre de vodka.

– Et Rinaldo?

– Tu as vu les affiches sur Sunset?

– C'était toi? C'est tellement évident que ça ne m'a pas sauté aux yeux!

– Je l'ai viré. Il est nul. C'est étrange, mon goût pour les tocards... D'après toi, c'est parce que je suis maso?

Noëlle caressait son collier. Elle pouffa.

– Pas forcément. Disons que tu n'es jamais tombée amoureuse.

– Peut-être que je n'en ai pas eu le temps... A quoi ça se reconnaît?

Noëlle désigna la table et l'espace.

– C'est bon comme le caviar, fort comme la vodka, aussi chaud que le soleil et bleu comme le ciel... A la tienne!

– Tu as de la chance, toi. Tu es mariée, tu as un enfant et tu aimes un homme...

– Oui, mais moi, je ne suis pas un symbole sexuel...

– Ne me fais pas gerber, dit Jenny. Tu crois que c'est marrant d'être désirée par des masses de crétins sans visage et de dormir seule dans son lit?

Noëlle eut une moue dubitative.

– Pourrais-tu me jurer que tu étais seule la nuit dernière?

Jenny éclata de rire.

– Raconte! insista Noëlle.

– Un Russe, dit Jenny.

– Un vrai Russe?

– Garanti bolchevik cent pour cent! Un transfuge...

– Comment tu l'as connu?

– Aux obsèques de Malachian. Il avait rendez-vous avec lui. Il devait travailler sur *Nyet*.

– Il est beau?

– Spécial...

– Où est-ce qu'il habite?

– Où veux-tu qu'il habite? dit Jenny avec un mouvement d'épaules résigné. Chez moi.

– Comment il s'appelle?

– Kostia et quelque chose en « ov ».

– Qu'est-ce qu'il fait?

184

– Puisque je te dis qu'il est russe... Probable qu'il est comme tous les autres Russes. Espion.

Elle réfléchit un instant et ajouta pensivement :

– Chien perdu sans collier, apatride, fauché, ni situation ni relations... Comme d'habitude, quoi...

– Mais dis donc, tu es amoureuse!

– Moi?... Ça me ferait mal! On se connaît depuis quatre jours... Tu m'excuses une seconde...

Depuis un moment, elle sentait baisser son tonus.

Malgré son horreur d'attirer une fois de plus tous les regards, elle traversa le restaurant et se précipita dans les toilettes...

– Hé! Elizabeth!

– Salut les filles!...

Elle devait avoir seize ans. Légèrement maquillée, elle était moulée dans une robe de toile verte qui ne sortait certainement pas d'un Prisunic. Elle arpenta la cour du collège d'un pas souverain, distribuant à droite et à gauche clins d'œil et petits signes amicaux aux autres étudiantes qui attendaient l'ouverture des classes de l'après-midi. Une adolescente en rouge s'avança à sa rencontre, la prit par les épaules et lui donna l'accolade.

– Ça va, Julia?

– Ça va...

A voix très basse, Julia lui murmura entre les dents :

– Tu en as? Je craque!

– Tout à l'heure, pendant le cours..., répondit Elizabeth sur le même ton.

Elle se dirigea vers les bâtiments, entra dans les toilettes et donna une bourrade complice à la fille qui se lavait les mains à un lavabo.

– Au lieu de te décrasser les ongles, tu ferais mieux de te refaire la frite! T'as de l'œuf sur le nez!

L'autre éclata de rire et lui tira la langue dans le miroir.

Elizabeth pénétra dans le troisième cabinet sur la gauche, claqua la porte sur elle et ferma le loquet.

Elle s'immobilisa quelques instants, risqua un œil par-dessus la claire-voie et vit sa camarade sortir après s'être essuyé les mains au distributeur de Kleenex.

Elizabeth s'arc-bouta, souleva le couvercle en céramique de la

185

chasse d'eau et le posa lentement contre le mur. Elle décolla de l'intérieur de la paroi ainsi dégagée un sachet de plastique transparent dont elle fit jouer le fermoir : il contenait six petits sachets de poudre blanche. Elle sortit un poudrier de sa poche, creva un sachet du bout de l'ongle et en étala le contenu sur la partie du poudrier formant miroir.

Du bout d'une lime, elle disposa la poudre répandue en une seule ligne droite, s'empara d'une paille qu'elle introduisit dans sa narine et renifla d'un coup sec.

Elle s'assit une seconde sur la toilette, poussa un soupir d'aise... La première sonnerie annonçant la reprise des cours retentit. Elizabeth se redressa, jeta la paille dans la cuvette, appuya sur la chasse et fourra au fond de sa poche le sac en plastique contenant les cinq autres doses de coke : les amateurs ne manquaient pas. Elle s'empara ensuite d'une autre enveloppe imperméable dans laquelle étaient pliés cinq billets de 100 dollars et la colla à l'aide d'un ruban adhésif sur le rebord du réservoir d'eau dont elle remit le lourd couvercle en place.

Après quoi, elle sortit rapidement rejoindre les autres.

Pourvu qu'on ne l'interroge pas...

Le cours portait sur la morale : elle n'en connaissait pas un traître mot.

Le regard de O'Toole glissa sur les murs, accrocha les reproductions de Gauguin, Van Gogh et Monet qui égayaient les murs de leurs taches claires.

Adolescent, il était chahuteur.

Il arrivait qu'un prof à bout de nerfs l'envoie dans le bureau du proviseur pour s'y faire passer un savon. A force de s'y rendre et de se rencontrer, ils étaient devenus copains. Le proviseur, jour après jour, lui faisait ses confidences, lui parlait de sa femme – ça ne marchait pas très fort – et de ses filles – elles sortaient trop le soir. A tel point que, les matins d'ennui, O'Toole provoquait lui-même sa propre exclusion de la classe pour aller retrouver son copain et passer avec lui une heure de détente...

La porte s'entrouvrit. Debout dans l'embrasure, quatre jeunes filles le regardaient avec curiosité.

Il se leva.

– Entrez, je vous prie... Bonjour... Voulez-vous vous asseoir ?

Elles s'installèrent sur des chaises. Il posa ses fesses sur le bureau de Miss Bryan.

— Je suis le lieutenant O'Toole, de la Hollywood Division...

Les quatre regards ne le lâchaient pas. Il se demanda comment attaquer... Il dit :

— Je sais que vous étiez des amies de Laura...

Quatre hochements de tête simultanés.

— Voilà, je l'ai pratiquement élevée. Elle était comme ma fille.

Merde... Il ne trouvait plus rien à dire. Peut-être était-ce à cause de cette boule bizarre qui lui obstruait la gorge et l'empêchait de parler sitôt qu'il prononçait le nom de Laura ?

Elles l'observaient en silence. Il eut la sensation idiote de se trouver lui-même devant des juges... Il se secoua.

— Puis-je vous demander vos noms ?

Sa jambe droite allait et venait dans un mouvement de balancier...

— Julia Oxenberg.

— Elizabeth Pierson.

— Vanina Michael.

— Catherine Hopkins.

— Je voudrais savoir ce qui s'est passé, dit-il. Pour Laura...

Personne ne broncha.

— Je voudrais savoir pourquoi elle est morte.

Ses yeux se fixèrent sur la blonde dont la robe rouge ne laissait rien ignorer de son opulente poitrine.

— Julia ?

— Vous étiez le père de Laura ? demanda-t-elle d'une voix ferme.

— Non. L'ami de sa mère.

Elles échangèrent entre elles un regard neutre et froid.

— En fait, sa mère est comme ma femme, se justifia O'Toole.

— Mais vous n'êtes pas mariés ? fit Vanina.

Elle était brune, portait un petit tailleur bleu marine à col blanc et des chaussures noires vernies à talons plats.

— Non. Nous ne sommes pas mariés. C'est bien plus bête... On s'aime.

— Par conséquent, ajouta Elizabeth, vous n'êtes ni le père de Laura ni le mari de sa mère ?

Elle était très légèrement fardée et vêtue d'une robe de laine collante vert bouteille qui mettait en valeur ses cheveux roux dont des franges lui balayaient le front.

— C'est exact, dit O'Toole de plus en plus embarrassé.

Il voulut reprendre l'avantage.

— C'est important ?

— Capital, lui rétorqua Elizabeth avec insolence. Nous quatre, on est pour la vertu. Tant qu'à recevoir des leçons, on préfère savoir de qui elles nous viennent.

Il aurait instantanément retourné une torgnole à un malfrat se permettant de lui balancer un truc pareil.

Mais là... Il ouvrit la bouche pour répondre... Vanina le cloua sur place avec un petit sourire dur.

— En d'autres termes, on tient à savoir si on parle à un père ou à un flic. Or, apparemment, vous n'êtes pas père.

Il eut la force de se maîtriser.

— D'accord. Je ne suis pas père.

— Par conséquent, persifla Julia, nous n'avons affaire qu'à un flic.

O'Toole ravala sa salive.

Mais la provocation la plus grave restait encore à venir.

— On peut en griller une ? demanda Catherine avec innocence.

— Ne vous gênez surtout pas pour moi.

— Merci.

Froidement, elle sortit un joint de sa poche et l'alluma.

— Laura fumait ? dit-il en respirant lentement pour contrôler sa voix.

— Puisque vous vous considériez comme son père, railla Elizabeth, c'est quelque chose que vous devriez savoir.

— Elle a raison, renchérit Julia. Tout père digne de ce nom ne doit rien ignorer de ce que fait sa fille.

— Elle fumait... répéta O'Toole en contractant ses mâchoires à s'en faire craquer les os.

Elles se consultèrent du regard.

— Non, dit Vanina en secouant la tête.

— Sûr ?

Elles confirmèrent.

— Et de la coke ?... Elle en prenait ?

— Non, dit Julia.

— Vous avez appris comment Laura...

Oui, elles le savaient.

– D'après vous, qu'est-ce qui a pu arriver?

La pièce puait déjà l'âcre odeur de la marijuana pendant qu'elles se repassaient le joint de l'une à l'autre.

– Vous savez, dit Catherine, nous, les affaires des autres...

– Vous étiez son amie?

– Oui, dit Elizabeth.

Les trois autres l'approuvèrent.

– Et... en tant qu'amies, ça vous laisse indifférentes la façon... la façon dont elle a disparu?

Elles restèrent muettes.

– Vos joints, demanda Peter, vous les achetez ici?

Elles haussèrent les épaules avec un bel ensemble.

– On en trouve partout, dit Julia.

– Où?

– Dans la rue, dans les boîtes, dans les bars. On ne peut pas faire dix mètres ou nager une longueur dans une piscine sans qu'on vous en propose!

– Qui?

– N'importe qui, conclut Elizabeth avec une nuance de mépris. De toute façon, avec le métier que vous faites, ce n'est pas à vous qu'on va l'apprendre.

Vanina lui fit face.

– Il faut que je retourne en classe. Au lieu de tourner autour du pot, pourquoi ne pas nous demander clairement ce que vous désirez savoir?

– D'accord, dit O'Toole en essayant de se maîtriser. Qui a donné du LSD à Laura?

Julia croisa haut les jambes, sortit un miroir de sa poche et vérifia l'ordonnance de sa coiffure.

– Je ne sais pas, dit-elle.

Il se retint à quatre pour ne pas la gifler. Il respira profondément et leur tourna le dos.

– Je vous remercie, dit-il.

– On peut partir? demanda Vanina en glissant le mégot éteint dans sa poche.

– Je ne vous retiens pas.

Sans ajouter un mot, elles se levèrent et refluèrent vers la porte.

– Oh!... Elizabeth..., dit O'Toole.

Elle s'arrêta sur le seuil.

– Vous pouvez rester encore une minute? J'ai quelque chose à vous demander... Venez, fermez la porte...

Elle obéit et le considéra avec méfiance.

O'Toole se mit à arpenter la pièce d'un bout à l'autre. Il se détestait pour ce qu'il allait devoir faire, mais aucune d'elles ne lui avait laissé le choix.

– Elizabeth, votre père est le plus gros concessionnaire de Toyota pour la côte ouest. Vous avez deux frères aînés, Paul et Hubert, qui font de brillantes études, et une sœur plus jeune, Linda. Je suppose que, dans votre enfance, vous n'avez jamais manqué de rien?

Il interrompit son va-et-vient pour la dévisager.

Elle l'écoutait, immobile, le visage fermé, une imperceptible nuance d'ironie lui relevant la commissure des lèvres.

– Vos parents s'entendent bien? continua O'Toole.

– Ménage parfait, dit Elizabeth.

– Pas de drames, de bagarres?

– Calme plat.

– Et avec vos frères et sœurs, quel est le climat?

– Fraternel.

O'Toole reprit sa marche.

– Par conséquent, dit-il sans la regarder, je ne me trompe pas en disant que vous appartenez à une famille équilibrée, heureuse et sans problème?

– C'est ma fierté, persifla Elizabeth.

O'Toole s'arrêta brusquement de marcher et la fixa droit dans les yeux.

– Alors, expliquez-moi pourquoi vous faites la pute?

– Pardon? dit-elle.

– Vous vous droguez et vous vous prostituez.

– Vous êtes cinglé?... bafouilla-t-elle.

Il étala sous son nez un jeu de photos qu'il lui fourra de force dans les mains et alla se planter devant la fenêtre, bras le long du corps. D'où il se trouvait, il apercevait un coin de la cour où se dressaient des portiques de gymnastique...

L'image de Laura en survêtement de sport s'imposa à lui : elle avait joué là... Elle y avait ri. Elle avait devant elle une immense plage de vie. Elle s'était cassée net.

– Qu'est-ce que vous allez en faire?... demanda Elizabeth.

– Les apporter à vos parents.

– Très bien, je me suicide, lui répondit-elle sur un ton étrangement calme et détaché.

Il se retourna d'une pièce : en quelques secondes, le défi agressif de la petite putain droguée avait fait place au désarroi.

Il la saisit par les épaules, la secoua avec rage...

– Espèce d'idiote! Tu n'as même pas commencé à vivre et tu nages déjà dans les conneries!

Dans un premier temps, elle résista.

– Envoyez-les, je m'en fous, je vais me tuer.

O'Toole éclata.

– Et Laura, vous ne l'avez pas tuée ?

– C'est un accident! lui hurla Elizabeth au visage.

O'Toole devint tout pâle. Il lui tourna le dos et alla lourdement se poster près de la fenêtre, comme si la vue du monde extérieur eût pu lui apporter une bouffée d'air frais.

Il resta longtemps immobile.

Il entendait qu'elle pleurait.

– Raconte, lui dit-il d'une voix morne, sans la regarder.

– Pendant le cours de psy, attaqua-t-elle entre deux sanglots, une boulette de buvard circulait... On se la passait de l'une à l'autre...

– LSD ?

– Probablement.

– Ça venait d'où ?

– Aucune idée, je vous le jure... La boulette a fait deux ou trois fois le tour de la classe... Tout le monde pouffait... A un moment, c'est Laura qui l'a eue en main... La prof lui a demandé ce que c'était... Laura lui a dit : « Rien, madame. » Et comme elle en avait marre de tout ce cirque, en douce, elle a avalé la boulette.

– Elle savait ce que c'était ?

– Bien sûr que non!

– Et toi, comment le savais-tu ?

– Je n'y ai pensé que plus tard... quand j'ai appris... Ce n'est pas la première fois qu'on voit se balader en classe un morceau de buvard à l'acide... Personne n'avait jamais été malade...

– Et après ?

– Le cours a continué normalement.

– Et Laura ?

– Elle était... comme d'habitude. Personne n'y a plus pensé.

Il perçut un frémissement dans son dos.

Avant qu'il eût pu réagir, Elizabeth se jetait dans ses bras.

– Aidez-moi!... dit-elle.

Il scruta son visage : décomposé, ruisselant de larmes.

– Qui amène la drogue à l'école?

– Je ne sais pas.

Il la repoussa doucement et murmura sur un ton de reproche :

– Elizabeth...

– Je vous en donne ma parole! Quand on en veut pour le lendemain, la veille au soir, on planque de l'argent.

– Où?

– Dans les toilettes. Le réservoir de la chasse d'eau... Troisième porte en entrant. Rangée de gauche...

– Combien d'argent?

– 300... 500 dollars...

– Tous les jours?

– Presque, avoua-t-elle dans un souffle.

– Où le prenez-vous?

– On le vole.

Ses sanglots redoublèrent.

– Il y a toujours quelques billets qui traînent à la maison. Ou un bijou... On le revend...

O'Toole lui jeta un regard pensif.

– Je te remercie, Elizabeth.

Il ramassa les photos qu'elle avait laissé tomber par terre, les déchira, en jeta les morceaux dans la cheminée et y mit le feu. Le paquet grésilla dans une grande flamme.

– Qu'est-ce que vous allez faire? demanda-t-elle d'une voix cassée.

Il la regarda droit dans les yeux.

– Ça dépend de toi.

Visiblement, elle ne comprenait pas ce qu'il voulait dire.

– Depuis combien de temps tu prends de la coke?

– Deux... trois ans...

– Tu as envie de changer quelque chose à ta vie?

Elle secoua vigoureusement la tête de haut en bas.

– Alors, je te propose un pacte. Je te tiens en dehors de toute cette merde, mais tu commences d'abord à te faire désintoxiquer.

192

– Et ma famille?

– Personne n'en saura rien. Je m'occupe de tout.

Il lui glissa sa carte.

– Tous mes numéros. Tu peux me joindre jour et nuit si c'est nécessaire. Tu ne me dérangeras jamais. Appelle-moi demain, on réglera les détails. D'accord?

– D'accord, dit-elle.

Il lui tendit la main. Elle la serra.

– Maintenant, file...

Elle essuya ses larmes d'un revers de manche, se dirigea vers la porte, l'ouvrit...

– Elizabeth...

Elle se figea. O'Toole s'était rassis sur le bureau, jambe droite ballante. Il l'encouragea d'un sourire en tendant la main vers elle dans le geste classique des mendiants.

Elle revint vers lui, fouilla dans sa poche et lui remit le sachet en plastique.

Au simple toucher, il constata qu'il contenait cinq doses.

– Tu allais les revendre? demanda-t-il avec douceur.

– Oui.

– A tes copines?

– Oui.

– Et la sixième?

– Elle était pour moi.

Il hocha la tête.

– A demain.

Elle sortit.

19

Arthur Boswell freina en bout de piste, coupa les moteurs de son vieux DC-3, s'étira et alluma une cigarette. Deux fois par semaine, il faisait la navette entre Los Angeles et San José de Costa Rica pour le compte de promoteurs immobiliers californiens chargés par le gouvernement du Costa Rica d'implanter un centre touristique sur la côte Pacifique, non loin de Alajuela, dans le creux du golfe de Nicoya.

Bonne combine : il quittait la Californie chargé de matériel de maçonnerie destiné aux chantiers et, au lieu de revenir à vide, s'était mis en cheville avec des exploitants agricoles de Pandora qui bourraient son avion de régimes de bananes.

Pour Arthur, double profit.

Il défit sa ceinture et déplia ses deux mètres tandis que des employés du Los Angeles Airport amenaient des wagonnets électriques et des treuils pour sortir les caisses de l'appareil.

Sa flamboyante tignasse rousse était célèbre et, dans les deux Amériques, on l'avait surnommé « le roi Arthur ». Pendant le vol, il avait établi son programme pour la soirée.

D'abord, passer prendre une douche dans le studio qu'il louait à l'année dans l'immeuble de Westview Towers, sur La Cienega... Ensuite, emmener Pat dîner au Dôme, sur Sunset.

Pour un baroudeur du calibre d'Arthur, Pat présentait un avantage considérable : du moment qu'on l'invitait à dîner, elle était toujours prête à tirer un coup. Autre privilège : elle était secrétaire dans une agence de spectacles et se levait très tôt le matin. Par conséquent, pas besoin de passer la nuit entière chez elle. « Après », on pouvait rentrer chez soi et dormir seul.

– Alors, Arthur! Toujours dans la banane?

Arthur descendit de son zing, posa le pied sur la terre ferme et fit un sourire amical à Rudy Disler, l'officier des douanes qui venait contrôler la cargaison.

– Si ça te chante, tu peux toujours t'en carrer une!

– Où?

– Dans l'oreille!

Rudy s'esclaffa. Arthur était le seul pilote privé à avoir cette qualité de repartie.

Un gros camion bleu vint se ranger le long de l'appareil. Il portait sur ses flancs, écrit en énormes lettres blanches, le sigle de sa firme : « FFL », « Fresh Fruit Limited ».

Arthur salua de la main les deux hommes qu'on devinait dans la cabine, balança son blouson de cuir râpé sur son épaule et se dirigea en sifflotant vers le bureau de douanes pour y régler les formalités de fret.

Kostia ne savait trop sur quel pied danser avec Jenny. Il habitait chez elle, mais à quel titre? Invité? Amant? Ami? Avec une droguée, mieux valait ne pas chercher.

Tantôt, elle agissait comme une enfant qui demande aide et chaleur. Parfois, comme une putain timide. Ou alors, elle le traitait en parfait étranger avec une dureté glaciale. Pour compenser ces sautes d'humeur, il essayait de garder une attitude neutre. Il souriait quand elle souriait, gardait le silence lorsqu'elle ne lui adressait pas la parole, disparaissait si elle avait l'air énervée et répondait à ses élans amoureux dès qu'il la sentait d'humeur rêveuse. Malheureusement, la patience n'était pas son fort. Chaque jour, Jenny faisait allusion aux gens qu'elle allait voir pour l'improbable tournage de *Nyet*.

Mais, jusqu'à présent, elle ne lui avait fait rencontrer personne. Il décida de prendre les choses comme elles venaient.

Les 2 000 dollars qui lui restaient lui permettaient de s'offrir huit jours supplémentaires de vacances.

Après quoi, il reprendrait son autonomie et sa liberté.

En attendant, il ne se lassait pas de sillonner la ville.

Elle semblait avoir été conçue un soir de cuite par un architecte fou ayant fait le pari de marier des styles irréconciliables en saupoudrant un gigantesque terrain vague avec n'importe quoi.

195

Brique, béton, acier, poutres de bois, miroirs, pierre, plastique, boue.

Au hasard de la même avenue, on passait d'un bâtiment hispano-mauresque à un pavillon japonais voisinant avec une tour d'acier futuriste, de fausses colonnades grecques en carton-pâte, une pagode japonaise, une masure peinturlurée comme un pub irlandais, une façade Nouvelle-Angleterre, une villa californienne, une isba de Sibérie... Et pourtant l'ensemble était aussi vivant et harmonieux que le désordre, lorsque le hasard le rend créateur.

Kostia commençait à bien s'y repérer.

A l'est, le désert. A l'ouest, l'océan auquel on accédait par une multitude de parallèles, Sunset, Santa Monica, Wilshire, Olympice, Pico, Venice, Washington. Au sud, le Mexique. Au nord, San Francisco. En suivant Sunset d'est en ouest à partir de Hollywood, on traversait Beverly Hills, Bel Air, Westwood et Brentwood. Au volant de la Bentley, il avait exploré la colline de Bel Air où le prix de la moindre résidence aurait suffi à faire vivre cent familles soviétiques pendant dix ans. On y accédait par des grilles contrôlées par des postes de garde.

En voyant les places fortes électroniques de ce ghetto doré, Kostia pressentait que la solitude était le prix de la réussite.

Comme si, au-delà de 10 millions de dollars, le rêve de chacun eût été de se protéger en se coupant de tous les autres.

Curieux mélange... Jenny lui avait raconté qu'à l'est de la ville, en revanche, des clochards mouraient d'alcoolisme et de faim dans des monceaux de détritus. Comment le savait-elle ?

Elle n'y avait sans doute jamais mis les pieds...

– Hé..., jeune homme...

La tête ailleurs, Kostia roulait depuis un moment sur le Petit Santa Monica, au cœur de Beverly Hills.

Il regarda l'immense Cadillac crème décapotable arrêtée au feu rouge à côté de la sienne, à l'angle de Roxbury.

Au volant, une femme tirée à quatre épingles, la soixantaine triomphante aux cheveux bleutés.

– Je n'ai jamais vu quelqu'un conduire d'une façon aussi névrotique, lui lança-t-elle.

Kostia lui renvoya un sourire exquis.

– Mais je suis névrosé.

196

Elle détourna les yeux avec un dédain hautain.

Le feu passa au vert. Kostia démarra. Jenny l'attendait.

– Tu en as encore pour longtemps?

– Je peux arrêter quand tu veux.

– O.K. Encore dix minutes.

Les rois avaient leur bouffon. Rinaldo Kubler, lui, s'était payé un peintre. Il s'appelait Ernst Loring. Rinaldo l'avait engagé à plein temps au salaire de 35 000 dollars par mois pour n'exécuter que des portraits de lui-même selon une technique très spéciale. Loring reproduisait d'abord sur sa toile un chef-d'œuvre du passé. Ensuite, au lieu de copier comme le reste le visage du personnage central, il le remplaçait par celui de Rinaldo. La pièce où ils travaillaient était un ahurissant musée imaginaire à la gloire du maître de maison qui semblait avoir posé au cours des siècles, et à travers leurs chefs-d'œuvre, pour les plus grands génies de l'humanité, Rembrandt, Botticelli, Léonard, Michel-Ange, Van Gogh, Gauguin, Lautrec, Renoir, Modigliani, Goya...

Au centre de ces fausses pièces uniques, on n'identifiait qu'un seul personnage : Rinaldo Kubler.

– Ça y est... Ne bouge pas... J'ai l'expression...

Ernst caressa amoureusement la toile en cours du bout de son pinceau de martre. Il s'agissait d'une copie du *Saint Sébastien* de Mantegna. Si parfaite que, par comparaison, on aurait attribué l'original du Louvre à un faussaire. Il fallait y regarder à deux fois pour s'apercevoir que le visage du martyr au corps percé de flèches n'était pas celui du saint, mais celui de Rinaldo. Rinaldo aussi, la tête de l'empereur du *Sacre de Napoléon* de David exposé sur un mur. Rinaldo encore, dans le *Louis XIV* de Rigaud, l'autoportrait de Gauguin, le *Christ* de Memling, la Vierge de la *Sainte Famille* de Vinci...

Rinaldo partout.

A force de vivre avec lui, Loring, qui s'identifiait déjà aux maîtres qu'il pastichait, avait fini par entrer de plain-pied dans la parano de son jeune mécène. Pendant des années, pour des salaires de misère, il avait exécuté des travaux de copiste dans tous les musées d'Europe.

Il en avait retiré deux certitudes : une prodigieuse habileté technique et la navrante conviction que, livré à lui-même, il était incapable de créer quoi que ce soit de personnel.

– Il faut que je file, dit Rinaldo.

Malgré les 200 000 dollars investis dans les panneaux publicitaires de Sunset pour la reconquérir, il n'avait eu aucune réaction de Jenny. Or, comme ses trente-deux voitures de collection, ses propriétés éparses sur la planète et ses 700 millions de dollars de revenus pour la dernière année écoulée, Jenny faisait partie intégrante des signes extérieurs de son patrimoine. Pour l'amadouer, il avait décidé de lui faire cadeau d'une petite merveille qu'elle avait beaucoup appréciée en son temps, la *Psyché et l'Amour* de Guérin.

Son exécution avait demandé trois mois d'efforts à Ernst Loring.

A la demande de Rinaldo, il avait remplacé le visage de Psyché par celui de Jenny.

Quant à celui de l'Amour, il avait les traits de Rinaldo.

Lee et Dick s'étaient garés sur Roxbury dans la cour d'une maison en réfection. Leur ignoble voiture n'était qu'un tas de ferraille de plus au milieu des amas de ciment et de briques, les pelles, les pioches, les excavatrices, les concasseurs rouillés et les marteaux pneumatiques épars sur le chantier.

Installés dans la Pontiac, ils avaient un champ de vision suffisant pour contrôler tout ce qui passait sur Roxbury. Et surtout, sans risque d'être repérés eux-mêmes, une vue parfaite sur la propriété de Jenny Lewis. Ils étaient là depuis deux heures : rien n'avait bougé. Ni star ni Russe à l'horizon...

– On s'emmerde, dit Lee. Surveiller... surveiller quoi?

Le bip de leur Motorola grésilla.

– Tu aurais mieux fait de la fermer, protesta Dick. On était bien peinards...

Lee s'empara de l'appareil avec un soupir.

– Alpha Python...

– Alpha Cobra..., nasilla la voix de O'Toole... Foutez le camp d'où vous êtes et filez à tout' berzingue vers l'aéroport!... Dix quatre...

– Cinq sur cinq... Hé..., dit Lee. On peut vous demander pourquoi...

O'Toole l'interrompit sèchement :

– On vous expliquera en route. Rogers.

La communication fut coupée.

Dick avait déjà embrayé et démarrait sur les chapeaux de roue dans un nuage de poussière.

Ça n'avait pas traîné : grâce aux confidences d'Elizabeth, O'Toole avait fait coffrer les dealers le matin même. Pendant la nuit, un de ses détectives, Donald Lum, s'était introduit par effraction dans le collège. Il n'avait eu aucun mal pour repérer les toilettes et y déposer 500 dollars enveloppés de plastique dans la cuvette du troisième cabinet de la file de gauche.

Le piège était prêt.

A 4 heures, trois autres collègues rejoignaient Donald et exploraient les lieux. L'un d'eux s'installait sous les combles dans un débarras désaffecté d'où il avait toute la cour en point de mire. Le second perçait au vilebrequin un trou minuscule dans la cloison de la salle de gym afin d'avoir une vision totale des toilettes.

Le troisième accomplissait le même travail dans le mur séparant une bibliothèque du troisième sanitaire de la file de gauche. A l'extérieur comme à l'intérieur, tous les points chauds de l'établissement étaient désormais sous surveillance. A 6 heures et demie du matin, un 345 Magnum sous son survêtement, Donald Lum arpentait Whittier en tenue de jogger.

A 7 heures, il vit le minibus s'arrêter devant la grille. Les femmes du service de nettoyage en descendirent et entrèrent dans l'école. Dix minutes plus tard, leurs collègues chargés de l'entretien de la cour firent leur apparition.

Une heure après, avant même l'arrivée des premières étudiantes, tout était terminé.

Communiquant avec ses collègues à l'aide de talkies-walkies, chacun des hommes en planque avait pu observer une partie du puzzle : dans le troisième cabinet, Maria s'était emparée de l'argent et l'avait caché dans un seau. Enrico l'avait ramassé négligemment. Puis il avait raflé les 500 dollars qu'il contenait et remis à leur place les sachets de coke. Dernière phase de l'opération, Maria récupérait le seau et camouflait la drogue au même endroit.

— Vous n'avez à répondre qu'à une seule question, dit O'Toole. Qui vous livre la cocaïne ?

Maria baissa la tête. Elle avait de grosses mains rougies par les travaux. Enrico gardait les yeux obstinément fixés sur le sol.

— J'écoute, insista O'Toole.

Il ne s'était pas assis derrière son bureau, mais à côté d'eux. Harry Bloch barrait la porte de sa carrure massive.

— Je n'ai rien à voir là-dedans! balbutia soudain Maria d'une voix sourde.

— Alors qui? demanda Harry.

De nouveau, elle baissa la tête. O'Toole eut un sentiment d'écœurement : ce n'était même pas la drogue qui pourrissait tout, c'était le fric. Cette pathétique bonne femme jouait un misérable rôle de maillon de la chaîne pour 50 dollars par jour. D'autres en touchaient 500, 50 000, 500 000, 5 millions ou plus, au fur et à mesure qu'on montait dans la hiérarchie du trafic. Pour ne pas être extradé de Bogota aux États-Unis, un des grands patrons du Cartel de Medellin avait été jusqu'à proposer au gouvernement colombien de payer de sa poche la dette extérieure du pays, soit 6 milliards de dollars. Des politiciens de haut rang se laissaient corrompre, des chefs d'État... Ces deux paumés de nettoyeurs de chiottes n'étaient qu'un grain de poussière dans la galaxie de la pourriture...

— Vous avez combien d'enfants? s'enquit O'Toole en s'adressant à Maria.

— Quatre.

— Quel âge a l'aîné?

— Il a treize ans.

— Il se drogue? demanda Harry.

Elle se révulsa :

— Je préférerais le tuer!

— Vous les aimez, vos enfants? reprit Harry.

Elle lui adressa un regard indigné : comment pouvait-on poser une question aussi stupide à une mère mexicaine? O'Toole se mordilla les lèvres.

— J'ai peur que vous ne soyez pas près de les revoir..., murmura Harry avec tristesse.

O'Toole lui fit un signe discret.

— Suivez-moi, dit Harry à Maria.

Elle se leva avec hésitation, regarda O'Toole. Il lui opposa un visage de marbre. Il avait déjà compris qu'il n'y avait rien à tirer d'elle. Son rôle consistait à prendre de l'argent et à planquer de la drogue sans savoir d'où venaient et à qui étaient destinés l'un et l'autre. La porte se referma. O'Toole, dont Lee et Dick attendaient les ordres, ne disposait que de quelques minutes pour mettre Enrico en condition.

Il le considéra avec un feint détachement.

– Tu m'as dit que tu étais péruvien ?

– Oui.

– Tu as un passeport ?

– Non.

– Des papiers ?

– Non.

– Un permis de travail ?

– Non.

– Tu sais combien ça coûte d'introduire de la cocaïne dans une école ?

Long silence...

– Trente ans de prison, assena O'Toole sur un ton badin.

Il lui laissa le temps de digérer l'information.

– Alors qu'est-ce qu'on fait ?

Visiblement, Enrico aurait bien aimé le savoir lui-même.

– Je t'envoie au trou ou tu me dis qui te fournit ?

– Pour me faire descendre ! se révolta Enrico.

O'Toole s'approcha de lui. Malgré sa répugnance, il lui posa la main sur l'épaule.

– On peut toujours s'arranger...

Au lieu de regarder dans l'œilleton, Adjibi eut le tort d'entrouvrir la porte : avant qu'elle ait pu la refermer, Rinaldo Kubler avait déjà passé son pied dans l'embrasure et entrait sans façons.

– Bonjour, Adjibi.

Sa patronne l'avait pourtant bien prévenue : ne plus jamais laisser ce type entrer dans la maison. Avant qu'elle ait pu réagir ou protester, Rinaldo lui collait entre les mains une petite boîte enveloppée de papier doré.

– Pour vous, Adjibi... Un cadeau.

Elle resta plantée au milieu du hall, tenant son paquet, ne sachant que dire ni que faire.

– Jenny est ici ?

– Non, monsieur. Madame n'est pas là.

– Tant mieux.

Comme s'il était chez lui, il entra dans le salon et déposa sur le piano une toile protégée par un emballage de carton. Comme à l'ordinaire, toutes les télés de la résidence étaient branchées à fond dans une cacophonie discordante jaillissant de toutes les pièces. Du temps de leur idylle, Rinaldo et Jenny ne vivaient pas ensemble à proprement parler mais, bien souvent, Adjibi leur avait apporté le petit déjeuner au lit. La situation était doublement gênante. Rinaldo avait toujours été gentil avec elle. Comment lui dire de filer? Et, vingt minutes plus tôt, le nouvel élu était entré avec sa propre clé...

On sonna. Miss Lewis était de retour. Adjibi se précipita vers la porte.

– Par ici, cria Rinaldo.

Comme si Adjibi n'avait pas existé, deux hommes en salopette bleue portant un volumineux colis la bousculèrent et rejoignirent Rinaldo dans le salon.

– Défaites-le, dit-il. Doucement...

Les livreurs arrachèrent l'emballage et mirent à jour un magnifique cadre doré. Rinaldo parcourut la pièce des yeux, réfléchit un instant et désigna le mur derrière le piano...

– Là, dit-il.

Il fit un signe. Les deux hommes décrochèrent une litho de Rauschenberg.

– Vous boirez bien quelque chose? proposa-t-il aux deux hommes. Bière?... Adjibi, s'il vous plaît, deux bières!

Sidérée, elle disparut dans la cuisine.

A peine en avait-elle refermé la porte qu'elle ne put résister à sa curiosité. Elle ouvrit le petit paquet : il contenait une broche en or en forme de cœur. Elle l'agrafa sur sa blouse et se contempla dans le miroir intérieur du vaisselier : le bijou était superbe. Elle le fourra rapidement dans sa poche.

Que faire? Elle connaissait les sautes d'humeur de sa patronne : si elle arrivait maintenant, elle était capable d'appeler la police. Dans le meilleur des cas, Adjibi serait renvoyée. Le Russe était probablement dans sa chambre. Un instant, elle songea à aller lui faire part de son embarras. La voix de Rinaldo la cloua sur place :

– Adjibi!

Il entra dans la cuisine, mordit dans une pomme qui traînait sur un compotier et vit le paquet défait :

– Ça vous plaît?

– Magnifique, monsieur, bredouilla-t-elle. C'est beaucoup trop beau. Je vous remercie.

Elle sortit le cœur en or de sa poche et le lui tendit.

– Malheureusement, je ne puis accepter...

Rinaldo éclata de rire, lui donna une tape familière sur l'épaule et ouvrit la porte du réfrigérateur.

– Ce qui est donné est donné!

Il farfouilla dans les étagères, sortit deux boîtes de bière. Adjibi les lui arracha des mains, les posa sur un plateau avec deux verres et, de plus en plus mal à l'aise, retourna dans le salon.

– Alors, dit Rinaldo dans son dos. Qu'est-ce que vous en pensez?

A la place du Rauschenberg, il y avait une divine peinture suspendue au mur dans le cadre doré. Elle représentait un homme et une femme nus dans un lit. L'homme dormait. A la lueur d'une bougie, la femme regardait son visage avec ravissement.

– *Psyché et l'Amour*, lança Rinaldo en se rengorgeant. Vous ne remarquez rien?

– C'est Monsieur et Madame, dit Adjibi avec stupéfaction.

Rinaldo approuva de la tête. Les livreurs avaient fini leur bière. Il leur glissa quelques billets dans la poche de leur vareuse. Adjibi les raccompagna. Quand elle revint du hall pour reprendre le plateau, elle eut un choc: Rinaldo et le Russe étaient debout face à face. L'ancien et le nouveau! L'événement était trop écrasant: elle s'éclipsa sur la pointe des pieds...

– Salut, dit Rinaldo.

– Salut, dit Kostia.

– Qu'est-ce que vous faites ici? lança Rinaldo.

– J'y habite.

Rinaldo éclata de rire.

– Et depuis quand?

– Quelques jours.

– Vous êtes le nouveau chauffeur?

Kostia sourit avec froideur. Il avait déjà compris que ce petit connard prétentieux en baskets était le cinglé qui avait inondé Sunset Boulevard de ses déclarations d'amour pour Jenny par voie de panneaux publicitaires.

– Attendez..., persifla Rinaldo... Laissez-moi deviner... Maître d'hôtel?... Valet de chambre?... Masseur?...

Il feignit d'être à court d'inspiration.

— Au fait, je m'appelle Rinaldo Kubler.

— Charmé.

— Je suis l'amant de Jenny.

— Félicitations.

Le visage de Rinaldo changea soudain d'expression.

— Vous avez une dégaine de gigolo..., dit-il d'une voix dure.

Kostia se figea en une immobilité de pierre.

— Je me trompe?

Kostia lui tourna tranquillement le dos et s'éloigna.

En deux bonds, Rinaldo s'interposa pour lui barrer le passage.

— Vous croyez peut-être que vous avez décroché le gros lot? cracha Rinaldo. Des types comme vous, je lui en ai connu cent! Des Kleenex! Ils ne servent qu'une fois... Dès qu'elle a un peu forcé sur la farine, elle baise avec n'importe qui!

— Espèce de salaud! hurla Jenny.

Ils ne l'avaient pas entendue entrer. Elle avait des paquets plein les bras. Elle les jeta à terre avec fureur, fonça sur Rinaldo et essaya de lui labourer le visage à coups de griffes.

— Fous le camp! Fous le camp!

Elle écumait de rage. Rinaldo essayait de parer les coups.

— Jenny... Jenny!

Elle fit brusquement volte-face, s'empara d'un lourd cendrier de cristal et le projeta sur lui de toutes ses forces. Il l'évita de justesse. Le cendrier alla s'écraser contre un miroir qui se fracassa. Malgré sa frayeur, Rinaldo fit un ultime effort pour garder bonne contenance.

— Sept ans de malheur!

— Mais il est fou! cria-t-elle en ouvrant des yeux ronds sur un point situé derrière l'épaule de Rinaldo.

Avant qu'il ait pu esquisser le moindre geste, elle se rua sur *Psyché et l'Amour*, arracha le tableau du mur et le piétina avec fureur, déchirant à coups de talons le sourire niais de l'Amour, les seins rosâtres de Psyché. Puis elle saisit à pleines mains des lambeaux de la toile qui jonchaient le sol, les lacéra, s'empara du cadre, le brisa et en frappa le carrelage dans un éclatement de moulures d'or. Le saccage avait été trop rapide pour que Rinaldo, abasourdi, ait eu le temps de s'interposer. Il sembla sortir d'un cauchemar, se précipita sur Jenny et la gifla à toute volée.

Avec un soupir de contrariété, Kostia se mit en branle.

Personne ne le vit bouger. Et pourtant, mû par un phénomène de lévitation instantanée, il se retrouva tout contre Rinaldo alors que, dans le même dixième de seconde, il en était éloigné de trois ou quatre mètres. Comme il avait l'air d'être immobile, on ne vit pas non plus ce qu'il lui fit.

Simplement, Rinaldo s'affaissa comme une masse.

Kostia le chargea sur son dos sans effort, marcha jusqu'au vestibule, ouvrit la porte, déposa presque tendrement le corps inerte sur le paillasson, referma la porte, revint dans le salon, le traversa sans un regard pour Jenny et regagna sa chambre.

Jenny se mit à pleurer doucement.

20

– Bête et discipliné, dit Dick. La Star m'a dit de rouler, je roule.

Lee appuya ses pieds sur le tableau de bord, posa la tête sur ses genoux et maugréa :

– O.K. Réveille-moi quand on sera au Mexique.

La Pontiac filait sur Wilshire. Ils avaient dépassé San Vicente, La Cienega, Crescent Hights, Fairfax et arrivaient au croisement de Vine : depuis qu'il les avait fait déguerpir d'extrême urgence de Roxbury, O'Toole ne s'était toujours pas manifesté.

– Peut-être qu'il veut se débarrasser de nous ? suggéra Dick en faisant pivoter la visière de sa casquette d'avant en arrière.

– Chiche, dit Lee. Tant qu'on sera flics, on restera pauvres.

– En dehors d'arrêter les gens, qu'est-ce que tu sais faire ? ironisa Dick.

– Je me vois très bien gigolo.

– Avec ta gueule ?

– Elle plaît aux rombières, ma gueule. Je me dégotterais une petite veuve de Beverly Hills et je me la coulerais douce en me faisant payer des costars, des bagouzes et des pompes en croco...

– Faudrait que tu passes à la casserole.

– Et alors ? Ce sont les meilleures. Mal baisées toute leur vie et la trouille de passer à côté. Déchaînées!

Le feu passa au vert. Le Motorola crachota.

– Alpha Python..., dit Lee précipitamment.

– Alpha Cobra..., répondit O'Toole. Où êtes-vous ?

– Sur Wilshire. On se dirige vers le Mexique.

– Gros malin... Arrêtez-vous à l'angle de Poinsetta. Vous verrez passer un camion bleu se dirigeant vers Sunset. Sa raison sociale : « FFL », « Fresh Fruit Limited ». C'est peint en blanc sur la bâche. Même un miro pourrait pas le rater. Dix quatre.

– Cinq sur cinq, Boss. Qu'est-ce qu'on fait? On le mitraille?

– Contente-toi de ne pas le perdre. Quand il s'arrêtera, restez en planque et attendez les ordres. Rogers.

Il y eut un déclic. Lee fit mine de balancer le Motorola par la fenêtre.

– Non, mais tu te rends compte, protesta-t-il. Il nous raccroche à la gueule, maintenant!

Dick ne se donna même pas la peine de répondre. Il avait accéléré et louvoyait entre les voitures sur trois files. Sitôt qu'on lui désignait un objectif, il devenait sourd et aveugle à tout ce qui n'était pas sa proie.

Les régimes de bananes étaient entourés de papier d'emballage et rangés dans des caisses. Quatre hommes faisaient la chaîne pour les décharger du camion dans l'entrepôt sous l'œil vigilant d'un contremaître qui en tenait le décompte sur un carnet.

La lourde porte métallique de l'entrepôt était close.

Plusieurs projecteurs illuminaient le hangar. Il était de proportions si imposantes que, malgré sa masse, le camion avait l'air d'un jouet d'enfant. Ne filtrait de la lumière du jour qu'une vague lueur se répandant des soupentes à travers une verrière presque opaque à force de crasse et de poussière.

Debout dans un coin, cigarette au bec, deux hommes observaient en silence le déroulement du travail. Un brun trapu, la cinquantaine, et un jeunot blond filasse, chemise blanche froissée sur des jeans, pas plus de vingt-cinq ans.

– O.K., dit le contremaître.

Le camion était vide. La totalité des caisses, rangées contre le mur. Les six hommes s'alignèrent devant lui. Sans un mot, il leur remit quelques billets dans la main. Ils remercièrent, saluèrent et disparurent par une petite porte qui donnait sur l'arrière du bâtiment. Le contremaître attendit qu'elle fût refermée. Puis il alla jusqu'aux caisses et en dégagea deux de la pile. A première vue, elles ne différaient en rien des autres.

Le jeune type blond s'avança, s'empara de l'une d'elles. Le contremaître prit la seconde. Ils les chargèrent dans le coffre d'une Dodge noire. Le blond referma le coffre, s'installa au volant et lança le moteur. Le brun trapu, immobile jusque-là, écrasa son mégot d'un coup de talon et actionna un commutateur. La lumière du jour pénétra à flots dans l'entrepôt au fur et à mesure que la porte roulait sur ses gonds. La Dodge démarra doucement et sortit du hangar. La porte métallique se referma. De nouveau, l'entrepôt fut plongé dans la nuit artificielle.

Arthur Boswell referma la porte de son studio. Il posa son sac sur la moquette blanche, alla ouvrir en grand la baie vitrée et contempla, huit étages plus bas, la piscine de l'hôtel Sunset Marquis. Au loin, sur sa gauche, le mince filet bleuâtre de Santa Monica qui s'étirait vers l'ouest jusqu'au Pacifique. A droite, vu par fragments à travers les immeubles, Sunset Boulevard encombré d'une file ininterrompue de voitures. Il se détourna du spectacle, s'assit sur le lit qui n'avait pas été fait depuis son départ et composa un numéro de téléphone. Par chance, il reconnut immédiatement la voix de la personne à laquelle il voulait parler.

– Je viens d'arriver, dit-il. J'irai au club à 7 heures pour faire un peu de gym.

Il raccrocha.

– Un accident! maugréa Dick. Il est marrant, lui! Et si j'abîme ma voiture, qui va me rembourser les frais?

– Écrase, soupira Dick. Ta bagnole est pourrie. Même si elle se faisait passer dessus par un tank, on n'y verrait aucune différence.

Ils filaient une Dodge noire qui roulait vers le sud sur Poinsetta. Comme prévu, ils avaient intercepté le camion bleu à l'angle de Wilshire et de Poinsetta. Deux blocs plus loin, ils l'avaient vu s'engager sur la droite, entrer dans une cour intérieure et pénétrer dans un entrepôt dont la lourde porte s'était refermée sur lui. Ils avaient fait deux fois le tour de l'immeuble pour vérifier qu'il n'y avait aucune autre sortie de véhicules et s'étaient garés trente mètres plus loin pour attendre les nouvelles instructions de O'Toole. Elles les avaient sidérés :

– Quand vous verrez sortir une Dodge noire du hangar, suivez-la et provoquez un accrochage. Je vous donnerai le signal.

– Rogers. Et après?

– Après, rien. Il faut que l'accident ait l'air d'être naturel. Oubliez que vous êtes flics. Je m'occupe du reste.

Communication coupée.

– Gaffe, prévint Lee, il quitte Poinsetta...

La Dodge tourna à gauche au carrefour de la 3e Rue. Trente mètres derrière, Dick effectua la même manœuvre.

Bip-bip du Motorola. La voix de O'Toole.

– Alpha Cobra...

– Alpha Python..., répondit Lee.

– Maintenant! ordonna O'Toole.

– Rogers, fit Lee.

– Accroche ta ceinture, dit Dick.

Il laissa filer la Dodge devant lui et vira soudain à droite.

– Hé! cria Lee. T'es cinglé? On va le perdre!

– T'inquiète pas..., marmonna Dick.

Il accéléra sauvagement, s'engagea à gauche à l'angle du bloc et, maintenant toute la gomme, louvoya entre les poubelles de la petite allée parallèle à la 3e Rue. Trois blocs plus loin, il se rabattit une nouvelle fois à gauche, s'arrêta deux mètres avant le carrefour de la 3e et jeta un coup d'œil...

La Dodge arrivait tranquillement. Quand elle ne fut plus qu'à quelques pas, Dick s'engagea carrément sur la 3e Rue pour lui couper la route.

Il était désormais impossible à son conducteur d'éviter le choc.

– Gare à la casse! dit Dick.

La Dodge freina à mort. Toutes roues bloquées, son avant vint percuter l'arrière de la Pontiac dans un abominable grincement de tôles froissées.

– 1 000 dollars..., déplora Dick.

Lee sautait déjà du tas de ferraille et s'en prenait au passager de la Dodge.

– Connard! T'as pas de freins?

Le type descendit de sa bagnole amochée. Jeune. Les cheveux blond filasse. Furibard.

– Salaud! Tu traverses sans regarder!

Dick arriva à la rescousse, fit le tour de la Pontiac et poussa un gémissement en constatant les dégâts.

– Il est fou, ce mec! Il veut nous tuer!

Le regard menaçant, il s'avança vers le responsable.

– Regarde ce que tu as fait à ma tire!

Tous trois étaient plantés au beau milieu de la rue, gesticulant devant leurs carrosseries défoncées qui bloquaient la circulation dans les deux sens. Une sirène de police domina soudain la cacophonie des avertisseurs. Dick attrapa le blond filasse à la gorge. Une voiture de patrouille roulant sur le trottoir freina à hauteur du carambolage.

– Halte! cria l'un des flics.

L'un était asiatique. L'autre, de race noire. Tous deux braquaient sur les antagonistes un énorme Magnum. Comme s'il n'avait rien entendu, Dick fit mine d'étrangler un peu plus le type blond. Couvert par son collègue, le Noir lui crocheta le bras par-derrière, le tira violemment, lui cogna la tête contre la Pontiac et le plaqua sur la carrosserie. Presque instantanément, Lee et le type blond se retrouvèrent dans la même position. L'Asiatique les palpa tous les trois pour vérifier qu'ils ne portaient pas d'arme.

– Permis de conduire, dit-il en se redressant.

Du bout des doigts, Dick et Lee tirèrent le leur de leur poche pendant que le Noir appelait de sa Ford une voiture de patrouille. Ni l'un ni l'autre ne comprenait très bien ce qui se passait. O'Toole leur avait demandé de jouer les citoyens ordinaires mais sans prendre la peine de leur expliquer pourquoi. Or, leur qualité de policier était mentionnée sur leur permis. Impossible que le flic ne s'en rendît pas compte. Pourtant, au lieu de leur adresser la parole, il leur passa les menottes et, d'une bourrade, les poussa à l'arrière de la Ford dont il claqua la porte.

– Permis..., répéta l'Asiatique à l'adresse du blond pendant que le Noir fouinait dans la Pontiac.

– Dans ma bagnole, dit le blond.

Sur un signe, il se rendit à la Dodge et farfouilla dans la boîte à gants sous la menace du Magnum dont le canon, braqué dans ses reins, ne frémissait pas d'un millimètre. L'Asiatique l'observait sans mot dire. De son côté, le Noir ouvrait le coffre de la Pontiac et passait au peigne fin tous les objets qu'il contenait. Il le referma d'un air dégoûté et entreprit la même inspection de la Dodge.

– Alors? demanda l'Asiatique.

– Écoutez, officier, s'indigna le blond, je ne le trouve pas. J'ai

210

dû l'oublier... Mais tous les témoins vous le diront... Non seulement ces deux salauds m'ont débouché sous le nez, mais ils ont essayé de m'étrangler!

– Nom?

– Warren Risky.

– Profession?

– Barman.

– Hé, Paddy! intervint le flic noir. Amène-le-moi une seconde...

Après celui de la Pontiac, il venait d'ouvrir le coffre de la Dodge. L'Asiatique poussa Warren Risky du canon de son arme.

– C'est quoi ça? lui demanda le Noir.

– Vous voyez bien, dit le blond. Des bananes...

Débordant de deux caisses, elles envahissaient le coffre. Le flic dégagea quelques régimes en surface. Apparurent alors, empilés avec soin, des paquets enveloppés de plastique.

– Et ça?

Il regarda avec étonnement ce que lui montrait Paddy.

– Aucune idée..., bredouilla-t-il.

Le flic bouscula d'autres régimes, mettant à jour la multitude de paquets tapissant le fond des deux caisses.

– Je vous dis que je ne sais pas ce que c'est! cria Risky.

Le flic poussa un petit sifflement. D'un coup d'ongle, il éventra l'un des paquets, plongea son index dans la poudre et le porta à ses lèvres. Il fit une grimace, se tourna vers Risky et lui lança d'un ton sincèrement apitoyé :

– Mon pauvre vieux... Il y en a pour cent kilos... C'est pas demain que tu vas sortir du trou...

Après être passé sous la douche, Peter O'Toole, nu comme un ver, entra dans le bain de vapeur.

Quoi qu'il arrive, il s'imposait d'aller se dérouiller les muscles une fois par semaine au moins. Son club était niché au cœur de Century City, troisième niveau, face au Harry's Bar où il lui arrivait de dîner après avoir soulevé de la fonte et tapé pendant une heure dans un sac. Plus jeune, il avait boxé en amateur. Il en avait gardé une façon de se déplacer et de bouger qui ne trompait pas un œil averti. Il choisit une place près de la porte, installa sa serviette sur les dalles de marbre brûlantes et chercha à distinguer dans la vapeur s'il était seul. Il entrevit vaguement une silhouette allongée sur les gradins et commença à se détendre dans l'intense chaleur qui pénétrait chaque pore de sa peau. Il fréquentait le club depuis une dizaine d'années. Dans l'anonymat retrouvé de la nudité totale, les classes sociales s'estompaient. Lorsqu'on se retrouvait à six ou sept dans le jaccuzzi géant, on ne savait jamais si son voisin était un gros producteur ou un figurant minable. Vieux ou jeune, chacun abandonnait à l'entrée son identité, ses soucis et son carnet de chèques. Pendant une heure, d'autres valeurs avaient cours, la drôlerie, la musculature hypertrophiée des adeptes du body-building, la souplesse des joueurs de squash, la force pure des manieurs d'haltères. Il y avait aussi les frimeurs qui se tripotaient le phallus sous la douche afin que l'on prenne leur semi-érection pour la dimension naturelle de leur verge au repos...

— Salut, dit le type allongé.

Il se redressa et sortit en courant. La porte se referma. Peter se leva, fit le tour de la pièce pour s'assurer qu'il était seul désormais et revint à sa place.

Une minute s'écoula. La sueur lui inondait les yeux.

La porte se rouvrit. Entra un immense rouquin dégingandé. Il posa sa serviette à côté de celle de Peter et s'installa.

— Tu peux parler, dit O'Toole.

— Tu les as piqués ? demanda Arthur Boswell.

— C'est fait. Cent kilos.

— Bien, dit Boswell. Je repars demain.

— Ne t'inquiète pas. Impossible de savoir que ça vient de toi. Les choses se sont faites par hasard. Un accident de la circulation. Idiot, non ? Arthur. Je veux Botero ! Où en sommes-nous ?

— Un truc se mijote.

— Quoi ?

— Quelque chose de très gros.

— Sur quoi tu te bases ?

— Mon pif.

— Quel genre ?

— Je ne pourrai t'en parler qu'en fin de semaine.

— Ils se méfient de toi ?

— Botero se méfie de tout le monde.

Il hésita un instant.

212

— Ils me tiennent à distance... Ils s'arrangent pour que je ne voie pas tout... C'est assez nouveau pour m'avoir mis la puce à l'oreille...

La porte s'ouvrit.

— Reste où tu es..., lui glissa O'Toole.

Il se leva, sortit et, sans hésiter, alla piquer une tête dans le bain glacé. Il en rejaillit une seconde plus tard avec cette sensation d'apaisement extrême qui s'emparait de lui lorsqu'il passait sans transition de la chaleur intense à la glace. Il entra dans une cabine de douche, actionna alternativement les jets d'eau chauds et froids, s'assit sur une chaise et se plongea dans la lecture des faits divers d'un numéro trempé du *Los Angeles Times* sans perdre du coin de l'œil l'entrée du bain de vapeur.

Le gros type bedonnant qui y avait pénétré cinq minutes plus tôt en sortit rouge comme une écrevisse. Peter abandonna son journal. Il ne fallait pas que le rouquin se consume entièrement. Il poussa la porte du bain turc, reçut en plein visage une bouffée de chaleur suffocante et se rassit au même endroit.

— Dépêche-toi, dit Boswell, je suis à point.

— Tu retournes à Medellin ?

— Oui. Mais d'abord au Costa Rica. Ensuite, la jungle.

— Luz Botero ?

— Il ne m'indique ses destinations qu'à la dernière seconde.

— A combien de Medellin se trouvent le laboratoire et les entrepôts ?

— Quarante minutes de vol. La forêt est si dense que je ne vois la piste que lorsque je suis dessus. Et encore... Botero n'arrête pas de faire des va-et-vient... C'est la première fois que je le vois se déplacer autant en personne. Il y a une armée de types qui travaillent et un énorme hangar qu'ils ont construit récemment...

— Qu'est-ce qu'il y a dedans ?

— Impossible d'en approcher sans les alerter. Mais j'ai peut-être une idée...

— Tâche de ne pas faire le con ! dit Peter d'une voix inquiète. Si tu te sens grillé le moins du monde, tire-toi !

Arthur Boswell était l'un des as de sa brigade. Huit mois plus tôt, il avait réussi à s'infiltrer comme pilote privé dans le plus puissant des gangs colombiens, le clan Botero.

A lui tout seul, Luz Botero produisait et passait en fraude

soixante pour cent de la consommation annuelle des États-Unis en cocaïne. Soit soixante tonnes par an.

Des milliards et des milliards de dollars laissant très loin derrière la fabuleuse fortune additionnée des émirs et des rois du pétrole. Et les misérables moyens de la police et des gouvernements qui ne pouvaient ni l'extrader, ni ralentir son chiffre d'affaires.

– Si tout va bien, tu sauras tout dans quatre jours.

O'Toole allait répondre. La porte s'ouvrit avec fracas.

Deux jeunes types entrèrent en poussant des cris d'Indiens.

– Samedi, ici, même heure, lui cracha Boswell dans le creux de l'oreille.

Il se leva et sortit précipitamment. A la vue de sa grande carcasse devenue couleur tomate, Peter ne put s'empêcher de trembler pour lui. La vie d'un homme ne valait pas un pet de lapin lorsque la sécurité du clan était en jeu.

Lieutenant comme lui, Arthur Boswell avait préféré rester un homme de terrain plutôt que se complaire dans un bureau aux tâches administratives de la flicaille.

Certes, c'était plus marrant. A un détail près : chaque voyage était une espèce de suicide déguisé en mission.

Et, à chaque voyage, la gorge serrée, Peter se demandait s'il reverrait son copain vivant.

21

Kostia arrêta le robinet de la douche, s'empara à tâtons d'une serviette éponge, s'essuya les yeux et se frictionna le corps vigoureusement. Il n'avait toujours pas résolu ce dilemme : oui ou non, avait-il eu tort de mettre KO le petit trou du cul? Normalement, Jenny, qui venait d'être giflée sauvagement, aurait dû lui en être reconnaissante.

Après tout, il n'était intervenu que pour lui porter secours. En même temps, il s'en voulait que ses réflexes eussent joué plus vite que sa pensée. Peut-être n'aurait-il pas dû descendre l'agresseur d'une façon aussi professionnelle...

Il détestait parler de lui, dévoiler ses batteries, évoquer ou laisser supposer ses talents. Vieille habitude soviétique qui consistait à ne jamais laisser paraître ses capacités réelles.

Il se consola à la pensée que tout s'était déroulé si vite que ni Jenny ni encore moins sa victime n'avaient eu le temps de comprendre ce qui s'était passé. En tout cas, il allait revenir à une neutralité parfaite et ne pas faire la moindre allusion à la scène tant que Jenny ne lui en parlerait pas la première.

Il farfouillait dans le bouquet coloré des brosses à dents lorsque la porte de sa salle de bains s'ouvrit à la volée. Jenny s'encadra dans l'embrasure. Elle était en peignoir violet et tenait contre sa joue une poche de glace. Kostia n'eut pas le temps de recouvrir sa nudité d'une serviette. Il lui fit face.

— Ne prenez aucun engagement pour ce soir. Nous allons à un mariage, dit-elle d'une voix morne.

Il hocha la tête en signe d'approbation.

Un hurlement soudain lui explosa dans les oreilles, si aigu qu'il se demanda comment il pouvait être émis par une voix humaine. Et pourtant, c'était bien celle de Jenny qui lui vrillait le crâne :

– Espèce de salaud de brute! Je vous méprise!

Elle lui claqua la porte au nez de toutes ses forces.

Désormais, il savait à quoi s'en tenir. Quoique rien ne fût clair. D'un côté, elle lui demandait de l'escorter à une party. De l'autre, elle lui criait son dégoût au visage. L'hystérie n'était pas son fort : en d'autres circonstances et avec toute autre femme, il serait parti droit devant lui pour ne jamais revenir.

Malheureusement, pour certaines raisons, c'était la seule chose au monde qu'il ne pouvait pas se permettre.

Il ravala sa colère et entreprit de se brosser les dents.

Les proportions de la femme noire étaient si extravagantes que le chauffeur se demanda si elle parviendrait à s'extraire seule de son taxi ou s'il allait falloir découper la tôle au chalumeau pour lui livrer passage. Logiquement, si elle était parvenue à y pénétrer, il n'y avait aucune raison qu'elle ne puisse pas en sortir. Pourtant, vu dans le rétroviseur, son fantastique arrière-train semblait occuper toute la largeur de la banquette. Elle lui avait donné 10 dollars de pourboire, il décida de lui laisser une première chance sans intervenir.

– Merci, madame, et au revoir.

Elle avait un visage si doux que le sourire qu'elle lui adressa le fit fondre. Il quitta précipitamment son siège pour lui ouvrir la porte. Il n'était même pas à l'extérieur qu'elle était déjà debout sur le trottoir. Il s'en voulut d'avoir eu une seconde d'inattention : par quelle magie avait-elle réussi le tour de force? Perplexe, il remonta dans sa voiture et la regarda se diriger vers l'entrée du bâtiment. A Washington, tout le monde savait que le numéro 1000 de la Pennsylvania Avenue abritait le grand quartier général du FBI. Qu'allait donc y faire un tel éléphant? Comme si elle avait deviné ses pensées, la femme se retourna et lui adressa un petit signe de la main. Le chauffeur démarra, des questions plein la tête. Avec un soupir, Janis reprit sa marche. Elle était très consciente de l'effet provoqué par son gabarit sur des inconnus. Du bout des doigts, elle sortit de son sac quelques morceaux de sucre qu'elle se mit à croquer.

216

Chaque fois qu'elle était sur le point d'être confrontée à une situation délicate, c'était plus fort qu'elle : il fallait qu'elle mange du sucre.

Elle s'en voulut. Elle était déjà dans le champ des caméras du building qui filmaient automatiquement tout ce qui passait à leur portée. L'immeuble, doté de ses propres générateurs, de blocs opératoires et de réserves de nourriture permettant de soutenir un siège de plusieurs mois, était bourré de gadgets électroniques, hérissé de chausse-trapes, d'écoutes, de portes blindées, de vitres à l'épreuve des balles, de cloisons antifeu, antiexplosion, antiatomique, antitout. On y avait accès par quatre souterrains inviolables, deux pour les employés, deux pour les agents fédéraux. Même cinéma dans la succursale de New York au 26 de Federal Plazza, au cœur de Manhattan, ou à la filiale de Los Angeles, au 11000 de Wilshire Boulevard.

Janis connaissait aussi bien les secrets des unes et des autres que s'il s'était agi de ses résidences secondaires.

– Vous avez rendez-vous ? demanda l'un des gardes.

– Seamus O'Malley, dit Janis.

– Votre nom ?

– Janis.

– Nom de famille ?

– Dites simplement Janis, dit Janis.

Qu'il aille se faire voir ! O'Malley était le chef suprême du FBI. Son nom devait suffire. Malgré l'œil invisible des caméras braqué sur elle, elle enfourna par défi quelques morceaux de sucre supplémentaires pendant que les gardes s'agitaient et que grésillaient les téléphones. Elle avait mis une semaine pour obtenir cette entrevue...

On lui donna un badge magnétique destiné à contrôler sa trajectoire dans les méandres de la maison. Elle l'accrocha au revers de la veste de son tailleur. Bouffon : avec sa dégaine, qui donc aurait pu la perdre de vue ?

Ascenseurs, sas de sécurité, morceaux de couloir brusquement transformés en cages par des barreaux jaillis du mur, portes de verre et parois d'acier, elle arriva enfin devant le saint des saints.

Bien entendu, deux femmes soldats l'avaient passée à la fouille avant même qu'elle suive l'ange gardien en armes qui la précédait. Il s'immobilisa devant une porte ne comportant qu'une mince fente où il inséra une carte de plastique. La porte s'ouvrit sur une deuxième porte. Une lampe verte s'alluma. Le garde sortit dans le couloir et d'un signe, indiqua à Janis que la voie était libre.

Elle entra.

– Ne me dites pas que vous êtes venue sans Erwin, s'écria O'Malley avec bonhomie. Il est mort?

– Il a les oreillons.

– A son âge?

– Justement. Cela n'a plus beaucoup d'importance... Bonjour.

– Bonjour, Janis. Prenez place...

Pour lui éviter le risque de s'asseoir sur une chaise, O'Malley lui désigna un divan. Elle s'installa. Il se laissa choir dans un fauteuil et lui fit face.

– Les oreillons!... C'est incroyable... Comment allez-vous?

– Mal, dit Janis. Je suis au régime.

– Vraiment? Qu'avez-vous supprimé?

– La salade.

O'Malley gloussa discrètement. Il retira ses lunettes, en essuya les verres au mouchoir de soie qu'il fit sauter de sa poche et laissa tomber sa formule favorite :

– Racontez-moi, Janis...

– Vous vous souvenez du dissident soviétique que nous avons cuisiné pendant trois mois?

– Parfaitement bien. D'autant plus que c'était à ma demande personnelle. Il s'appelle?...

– Kostia Vlassov.

– Où est-il?

– A Los Angeles.

– Je le croyais à New York?

– Il est metteur en scène, reprit Janis. On lui a proposé un travail à Hollywood.

– Quel genre?

– Conseiller technique dans un film que devait tourner Alex Malachian.

– Mais il est mort?

– Exactement. D'une overdose.

O'Malley croisa les jambes.

– Janis, et si vous alliez au fait? Qu'est-ce qui ne va pas?

Janis se gratta pensivement l'oreille.

– Rien...

O'Malley la considéra d'un air étonné. Janis était l'un des as de ses services. Mieux que personne, elle savait qu'il était débordé. En outre, elle allait toujours droit au but...

– Je n'ai aucun fait précis, Seamus, se reprit Janis. Mais je sais...

– Vous savez quoi ?

– Je sais qu'un coup se prépare. Et que le Russe est au centre.

– Quel genre de coup ?

– Un gros.

O'Malley se leva, tourna le dos à Janis, fit quelques pas dans la pièce.

– Janis...

Elle surprit son expression embarrassée.

– D'accord... Vous vous demandez pourquoi je vous dérange.

– Mettez-vous à ma place, dit O'Malley avec une pointe d'agacement. Pour vous recevoir, j'ai dû retarder une convocation du président. Je pensais que vous alliez m'annoncer la Troisième Guerre mondiale. Enfin, Janis, soyez plus précise...

Il se rassit face à elle et lui dit sur un ton bienveillant.

– Vous avez passé trois mois avec ce type. Avez-vous découvert quelque chose qui ne soit pas clair ?

– Non.

– S'est-il coupé ?

– Non.

– Vous a-t-il menti ?

– Non.

– Alors ?

Elle se mordilla les lèvres.

– Qu'est-ce qui vous fait croire ? l'encouragea O'Malley.

Pour toute réponse, elle secoua la tête d'un air buté.

De nouveau, O'Malley se leva.

– Janis, depuis combien de temps n'avez-vous pas pris de vacances ?

Raté. La partie était perdue. Mais, le pire, c'est qu'elle ignorait en quoi elle consistait. Elle avait agi sur une impulsion dictée par une nécessité intérieure : il fallait qu'elle prévienne son chef de ses doutes. Mais rien ne les étayait. Absolument rien, sinon cette certitude absolue que quelque chose d'énorme se tramait sous son nez sans qu'elle puisse deviner quoi ni, à plus forte raison, l'empêcher.

Elle soupira profondément, s'ébroua...

– Vous avez raison, Seamus. J'ai probablement besoin de décrocher. Je vous prie de m'excuser.

Il la sentit si désemparée qu'il en éprouva de la gêne.

– Écoutez, Janis... Vous savez à quel point j'ai confiance en votre flair... Mais là... Vous avez vous-même vérifié ce type sous toutes les coutures... Nos agents ont fait le même travail à Moscou. Rien... Pas la plus petite zone d'ombre... Franchement, que voulez-vous qu'il fasse? Nous voler un satellite?

Janis ouvrit la bouche. Mais elle se sentit soudain si idiote qu'elle se tut. O'Malley perçut son hésitation.

– Parlez, Janis, insista-t-il.

Elle lui chiffonna un sourire.

– Je crois que je vais me mettre au vert pendant quelques jours... Merci de m'avoir reçue, dit-elle en lui tendant la main.

– Janis, sérieusement... Au moindre soupçon de votre part..., je veux dire *logique*..., prévenez-moi sur-le-champ : je vous laisserai carte blanche. O.K.?

Elle approuva de la tête. Il se dirigea vers son bureau pour actionner le mécanisme qui libérait les deux portes. Elle était sur le point de sortir. Elle se retourna.

– Je vous ai menti, Seamus.

O'Malley se figea.

– Sur le Russe?

– Sur Erwin. Il n'a jamais eu les oreillons.

Les commissures des lèvres de O'Malley se retroussèrent légèrement.

– Je le savais.

Elle lui sourit et disparut. Les portes se refermèrent. Dans le couloir, le garde l'attendait. Janis ouvrit son sac et proposa aimablement :

– Vous voulez un sucre?

– Jamais pendant le service, madame, dit le garde sans broncher.

– Dommage, fit Janis.

Elle en mit cinq ou six dans sa main et les happa comme s'il se fût agi de miettes de pain.

En sortant du club, Arthur Boswell se demanda s'il n'allait pas faire une brève escale au Harry's Bar situé juste en face sur le même niveau. Un ou deux scotches lui permettraient sans doute de reprendre les calories qu'il venait de perdre au sauna.

Il hésita un instant et décida qu'il était plus sage de remettre le cap sur La Cienega. Pour mieux fuir la tentation, il descendit quatre à quatre l'escalier mécanique et se propulsa au troisième sous-sol des parkings où il avait garé sa Chrysler dans la zone bleue. Un employé en uniforme juché sur sa petite voiture électrique orange passait entre les rangées composées sur plusieurs étages de milliers de véhicules. En fin d'après-midi, l'heure de stationnement étant nettement moins chère qu'une chambre de motel, il arrivait que des jeunes gens utilisent les cavernes souterraines de béton pour faire l'amour sur une banquette arrière. Arthur s'y était lui-même laissé prendre une fois. Il avait dû refiler 100 dollars au préposé pour qu'il consente à « ne pas donner suite ». Il rigola. En ce temps-là, il avait dix-sept ans et ne connaissait pas encore exactement le sens du mot « ennuis ». Il grimpa dans la Chrysler, mit le contact et démarra vers la sortie « Avenue of the Stars ».

Derrière lui, une Ford se faufila entre les pare-chocs et lui emboîta le train. Son chauffeur s'appelait Annibal.

Son patron lui avait juré que, s'il perdait Boswell de vue une seconde, il lui arracherait un œil de sa propre main pour le faire manger à ses chiens.

A la troisième sonnerie, Edith Grimberg décrocha. Un cil lui était entré dans l'œil. Miroir grossissant en main, elle essayait de le drainer le long de sa paupière à l'aide d'un coton-tige enduit de lotion calmante.

— J'écoute...

Elle pesta intérieurement d'être dérangée, tout en tentant de coincer le combiné entre son épaule et sa mâchoire afin de continuer l'opération.

— Quel nom dites-vous ?... Ne quittez pas... Je vais voir...

Elle posa l'appareil sur la table et passa dans la pièce à côté.

— Arnold...

Il était en robe de chambre, assis dans un fauteuil devant la télé. Il regardait un match de boxe. Il n'était que 8 heures. Ils avaient déjà dîné. Après dix-neuf ans de mariage, autant se coucher tôt. On n'a plus grand-chose à se dire.

— Il y a un type qui te demande...

— Qui ça?

— Rinaldo Bider... Binder?... Gruber?...

Son visage changea instantanément d'expression.

— Kubler? Rinaldo Kubler?

— Peut-être bien...

Il se leva. Le seul nom de Kubler lui donnait des boutons. Comment ce cinglé avait-il trouvé son numéro privé? Qu'est-ce qu'il lui voulait? Avec appréhension, il s'empara du téléphone.

— Arnold Grimberg, j'écoute.

— J'ai changé d'avis.

— Pardon?

— Je vous dis que j'ai changé d'avis!

— Qui êtes-vous?

— Votre femme vient de vous le dire. Arrêtez de faire l'idiot.

— Que puis-je faire pour vous?

— Vous allez immédiatement me ficher en l'air ces foutues affiches que vous m'avez collées sur Sunset!

— Je suppose que vous plaisantez?

— Je vous laisse jusqu'à demain midi.

Une onde de rage envahit Arnold : ce petit con lui avait versé intégralement les 200 000 dollars qu'il lui devait pour l'exposition des panneaux. Il n'avait donc plus aucune prise sur lui.

— D'abord, je vous interdis de me parler sur ce ton. Ensuite, il vous reste trois jours pleins d'affichage. Ne comptez pas sur moi pour changer quoi que ce soit à notre contrat!

— O.K.! Repassez-moi votre femme.

— Ma femme?... Qu'est-ce que vous lui voulez à ma femme?

— Lui parler de Maggy.

Le sang se retira du visage d'Arnold. Il cacha le combiné dans sa main et jeta un regard par-dessus son épaule. Edith était à deux mètres à peine. Il était impossible qu'elle n'entende pas ce que l'autre lui hurlait dans les oreilles.

– Je n'ai pas bien compris..., dit-il d'une voix chevrotante.

– Maggy! Votre salope d'assistante! Celle qui vous fait des pipes en voiture!

– Écoutez, monsieur Kubler.

– Votre femme!

– Qu'est-ce qu'il veut? demanda Edith en contemplant victorieusement le cil collé sur le bout de coton.

– Monsieur Kubler... Réfléchissez... Il s'agit des plus belles affiches jamais exposées sur Sunset... Un magnifique message d'amour...

– Mon cul!

– Monsieur Kubler, pouvez-vous passer demain matin à mon bureau pour que nous reconsidérions le problème?

– C'est vous qui avez des problèmes, Grimberg! Pas moi. Demain midi, je contrôlerai tous les emplacements. Si je vois encore une seule affiche sur Sunset, j'appelle Bobonne sur-le-champ! Compris?

– Oui, oui... Compris...

– Maintenant, une dernière chose... Votre Maggy, elle suce comme un pied!

La communication fut coupée.

– Qui c'est? interrogea Edith.

– Un client, bredouilla Arnold.

– Grossier personnage.

– Moi?

– Lui. Déranger les gens chez eux pour parler affaires, je trouve ça d'une muflerie...

– Tu as tout à fait raison, dit Arnold.

Pour cacher son désarroi, il retourna devant la télé.

Bien entendu, le match était terminé.

L'ennui, avec Tyson, c'est que ses adversaires duraient rarement plus de trois rounds.

Pendant qu'il passait la commande au maître d'hôtel, la main de Boswell caressait la cuisse de Pat sous la nappe. Elle avait voulu dîner tôt. D'ailleurs, elle avait placé sa vie sous le signe du « tôt » : elle se levait tôt, se couchait tôt, travaillait tôt, et du moment qu'elle en avait envie, s'allongeait tôt.

– Tu as une préférence pour le vin? demanda Arthur d'une

voix neutre pendant que son index se glissait sous la bordure du slip de Pat.

Debout devant la table, le maître d'hôtel attendait. Elle avait voulu dîner chinois. Ils avaient choisi le Monkey's, sur La Cienega.

— Comme ça, on pourra rentrer plus tôt, avait plaisanté Arthur.

— Tavel, dit Arthur.

Le maître d'hôtel s'inclina et disparut. L'espace d'une seconde, les yeux de Pat se révulsèrent : elle venait d'avoir son premier orgasme. Arthur se demanda s'il aurait la force d'âme d'attendre la fin du dîner pour aller la culbuter sauvagement.

— Tu as toujours été roux ? demanda Pat après un long soupir épanoui.

Maintenant, les deux mains d'Arthur étaient posées bien en vue sur la table.

— Non. Enfant, c'était différent.

— Sans blague ?

— Mes cheveux étaient verts.

Pat éclata de rire. Un garçon déposa sur la table les pâtés impériaux. De sa main gauche, Pat en saisit un et mordit dedans pendant que sa main droite allait se nicher directement sur le sexe d'Arthur.

— Tu es un drôle de type, toi...

— Ah, oui ? Qu'est-ce que j'ai de spécial ?

Elle aurait été bien incapable de le dire. Mais, intuitivement, elle sentait qu'il n'était pas ordinaire. Pilote, d'accord. Mais pilote de quoi ? Pour quelle compagnie ? A son avis, il se déplaçait trop souvent et dépensait trop d'argent pour ne pas être impliqué dans un trafic quelconque. En outre, quelque chose émanait de lui qu'elle n'avait connu chez aucun autre homme. Elle savait, sans pouvoir expliquer les raisons de cette certitude, qu'il était très dur sous des apparences insouciantes. Et pourtant fragile, comme les gens qui mettent leur vie en jeu. Elle savait aussi qu'il la prenait pour une gourde. Mais elle était assez intelligente pour n'avoir jamais cherché à le détromper. Sa main s'activa d'une façon plus précise.

— Sais pas..., dit-elle. Mais spécial, très spécial...

On leur servit du vin. La main de Pat revint sur la table.

— Tu restes en ville quelques jours ? demanda-t-elle.

224

Il leva son verre dans sa direction.
— Non, dit-il. Je repars demain matin.
Et il ajouta dans un sourire :
— Très tôt.

Peter O'Toole était fasciné par la tache rouge de Ketchup qui coulait doucement du hamburger sur le lit d'oignons répandus dans l'assiette. Son regard remonta jusqu'au visage d'Anna. Elle était assise en face de lui, le torse bien droit, les deux avant-bras posés sur la table, le regard vide.
— Anna...
Il lui désigna le plat, l'encouragea d'un sourire.
— Il faut que tu manges...
Bravement, elle détacha un morceau de viande du bout de sa fourchette. Peter en fit autant. Il avala une première bouchée. Cela lui parut absurde. Il n'avait pas faim, il mangeait. Il aurait pu être sur une plage du Mexique, dans un avion l'emportant vers Bangkok, ou sur un bateau, ou dans son lit. En fait, ils étaient au Hamburger Hamlet, sur Dohenny Road, à l'angle de Sunset Boulevard. Absurde. Les obsèques de Laura avaient eu lieu l'après-midi. En dehors du prêtre qui avait béni le cercueil, seuls Anna et lui y avaient participé. Mais puisqu'un enfant peut mourir, tout le reste n'est-il pas absurde ?
De nouveau, il regarda Anna. Sa fourchette était suspendue dans l'espace, quelque part entre sa bouche et son assiette, dans un mouvement qui semblait figé pour l'éternité. Sans que son visage eût changé d'expression, il s'aperçut que des larmes coulaient le long de ses pommettes, roulant le long des méplats de sa mâchoire.
Il maudit les salauds qui avaient transformé la femme qu'il aimait en cette statue inerte et douloureuse. Enrico, le nettoyeur de chiottes, avait parlé en échange d'une aléatoire immunité. Il avait donné le nom d'un dealer connu des services de Peter. Et ce dealer, il le savait très bien, n'était qu'un infime fragment d'une fantastique chaîne criminelle dont tous les maillons le ramenaient toujours à une source unique. Totalement hors de portée au cœur de la jungle colombienne : Luz Botero.
— Anna...
Elle sortit de son songe, leva la tête... Il avait cru bon de

225

l'arracher à l'atmosphère écrasante de sa maison et avait pensé naïvement qu'en lui faisant changer de lieu, il la contraindrait à changer d'idées... Foutaises...

– Veux-tu qu'on rentre?

Elle ne répondit rien. Il repoussa sa chaise, fit le tour de la table et l'aida à se lever avec les gestes doux et affectueux qu'on utilise pour les objets fragiles ou les grands malades, ceux dont on est certain qu'ils vont nous quitter bientôt. Il lui prit le bras, négligea la serveuse pimpante qui lui tendait l'addition et jeta un billet sur la table...

Absurde... Quand il passa la porte, il s'aperçut avec étonnement qu'un mot tournoyait dans son crâne comme une obsédante chanson malsaine : Botero... Botero... Botero...

22

Depuis qu'elle avait forcé la porte de sa salle de bains pour l'insulter, ils ne s'étaient plus adressé la parole. Kostia s'était juré de ne pas ouvrir la bouche le premier : quel genre de phrase prononcerait-elle pour rompre le silence ?

Trois mots. Un ordre :

– Ferme la fenêtre.

La voiture venait de quitter Sunset pour virer dans Benedict Canyon.

– Ferme d'abord ton coffret, répondit Kostia sans desserrer les dents.

Il contenait, calligraphiée en gothiques tarabiscotées, l'invitation pour la party qui allait mettre un point d'orgue à la cérémonie nuptiale unissant pour le meilleur et pour le pire Paulo et Bernard, le coiffeur des stars et le ferrailleur de la Caroline du Nord.

Jenny l'avait gardé grand ouvert sur ses genoux.

Estimant sans doute que cela faisait très chic, Paulo avait donné des ordres pour qu'on en inonde les parois internes d'un parfum coûteux irrespirable à haute dose : la Bentley puait le « Shalimar » de Guerlain.

Cent coffrets avaient été envoyés par messagers spéciaux à cent intimes. Pas un de plus, pas un de moins.

Paulo, qui croyait aux signes, avait en effet décidé de placer son mariage sous le patronage du chiffre cent. Il voyait dans le « un » et les deux zéros qui composaient ce « 100 » les éléments détachés d'un symbole phallique – pénis du « un » fièrement dressé en appui sur les deux testicules sphériques du « zéro ».

— Tu vois des bites partout..., lui avait tendrement reproché Bernard à qui il avait confié son fantasme.

Néanmoins, il s'était arrangé pour que le mariage ait lieu cent jours après la première rencontre. Pour ne pas être en reste, Bernard lui avait offert un diamant de cent mille dollars, la robe de mariée, cadeau de Jenny, avait demandé cent heures de retouches pour être à ses mesures, des orchidées décoreraient la résidence par bouquets de cent et chaque extra recevrait cent dollars pour ses services.

Jenny claqua sèchement le couvercle du coffret gravé à ses initiales.

Sans se presser, Kostia actionna la commande électrique de la vitre : donnant, donnant.

La route serpentait maintenant entre deux rangées de luxueuses demeures dont on apercevait parfois le miroitement des piscines ou un morceau du grillage des tennis derrière les haies vives qui les masquaient aux regards. Kostia aperçut soudain une longue file de voitures rangées en voltige sur le bas-côté par une armée de jeunes gens en pourpoint violet.

Comme s'il y était venu toute sa vie, il pénétra sans hésiter dans une résidence dont les grilles noires étaient largement ouvertes et s'engagea sur une allée de graviers aboutissant à un perron de marbre rose auquel on accédait par quatre marches. La Bentley s'arrêta dans un soupir. De nouveaux pourpoints violets se précipitèrent pour ouvrir la portière à Jenny. Les étudiants de UCLA ou de Pepperdine University se fichaient éperdument de se laisser déguiser en « valet-parking » d'opérette pour se faire un peu d'argent de poche. Tous reconnurent Jenny. Ils l'escortèrent. Elle gravit légèrement les quatre marches et disparut dans la maison.

Jusque-là, personne ne s'était occupé de Kostia.

Indécis, il alluma une cigarette et fit quelques pas sur le gravier. Le maître de maison qui avait organisé la réception en l'honneur de Paulo s'appelait Julius Bachman. Dans les milieux du spectacle, son nom était connu jusqu'en Union soviétique. En moins de dix ans, il avait produit deux ou trois triomphes sur Broadway, quelques films à Hollywood et, aidé par quelques coups de Bourse et d'investissements immobiliers inspirés, bâti au passage une colossale fortune.

Homosexuel notoire, il tenait table et lit ouverts pour une cour

228

de jeunes gens empressés, éphèbes bouclés, pique-assiette professionnels, candidats acteurs, maîtres nageurs, poètes et culturistes.

Vladimir Naritsa, que la puissance et la richesse éblouissaient, l'admirait beaucoup.

A New York, il avait raconté à Kostia une histoire légendaire qui courait sur son compte : Bachman, las de ressembler à un petit cochon obèse, s'était fait souder les mâchoires pour ne plus rien avaler. Incapable d'ouvrir la bouche pendant six mois, il ne s'était alimenté que de liquides à l'aide d'une paille. Son amitié avec Paulo – certains journaux parlaient « d'affection profonde » – datait de cette époque.

Bachman avait mis à profit la fonte de ses graisses superflues pour tenter de remédier à sa calvitie précoce.

A l'aide d'une mixture de son invention où se mêlaient des hormones femelles, de l'huile d'olive extra-vierge première pression à froid et de la fiente de chèvre fraîche, Paulo, à sa stupéfaction, avait réussi à faire naître sur son crâne une ombre de duvet.

Depuis ce jour, le génie capillaire exerçait sur le producteur une emprise intellectuelle sans limites.

– Puis-je vous aider ?

Kostia considéra avec méfiance l'athlète blond qui lui souriait avec des yeux gourmands.

– Non, dit-il.

– N'êtes-vous pas arrivé avec Miss Lewis ? insista l'athlète.

– Si.

– Elle doit vous chercher partout... Voulez-vous que je vous accompagne ?

Kostia écrasa le mégot de sa cigarette et le suivit.

Avant même de voir les gens qui le peuplaient, il fut frappé par les énormes statues de plâtre montant la garde dans le hall d'honneur. Certaines, de trois mètres de haut, avaient été repeintes en couleurs printanières, bleu ciel, rose bonbon, vert tendre. Toutes représentaient des académies masculines ne laissant rien ignorer de leurs attributs virils. Il se faufila dans l'immense salon d'honneur décoré dans tous les angles de fragments de dentelle blanche. Sur des tables s'amoncelaient des pyramides de dragées de mariage multicolores. Devant un immense buffet dressé, des maîtres d'hôtel noirs en gants blancs servaient du punch à la louche pour mettre de l'ambiance en attendant l'entrée solennelle de la jeune épouse. Des râles de bonheur s'échappèrent brusquement de plusieurs poitrines :

– La voilà!

Rose de confusion, sanglé dans une époustouflante robe de tulle neigeuse, virginal voile de dentelle cousu à même les cheveux, Paulo, amoureusement accroché à la main de son mari, descendait à petits pas majestueux l'escalier de marbre à double révolution qui menait aux étages supérieurs. Instantanément éclatèrent les premières notes de *La marche nuptiale* de Haendel reprise en chœur par l'assistance.

– Comme elle est belle!... soupira avec nostalgie un long jeune homme pâle qui applaudissait du bout de ses longs doigts aussi souples que des algues marines.

– C'est son premier mariage? demanda Kostia en se forçant à garder un visage impassible.

– Je m'appelle Albert, dit le jeune homme qui tripotait nerveusement le brin de dentelle blanche coincé entre son oreille et son abondante chevelure filasse. Vous avez déjà été marié?

– Albert, le coupa un petit homme boudiné sur un ton de reproche. Tu ne veux tout de même pas épouser monsieur!...

Puis, se tournant vers Kostia :

– Vous êtes l'ami de Jenny je suppose?... Julius Bachman. Bienvenue dans cette maison. Désormais, vous pouvez la considérer comme la vôtre. Vous a-t-on servi quelque chose à boire? Venez avec moi, je vais m'occuper de vous...

Il entraîna Kostia vers le buffet.

– A plus tard..., murmura Albert en le voyant partir.

– Kostia! cria Paulo en se jetant à son cou.

Il maintint retroussée sa traîne de tulle afin qu'un invité maladroit n'y marche dessus. Kostia eut juste le temps d'entrevoir sous les froufrous deux petits escarpins de chevreau rose et se retrouva dans les bras de Paulo qui l'enlaçait comme s'il retrouvait son plus vieil amant perdu.

Désignant sa robe dans une virevolte :

– J'ai été bouleversé que Jenny m'en fasse cadeau. Elle est divine! Elle la portait dans *Sur la terre comme au ciel*. Vous avez vu le film? De Niro la lui dégrafait bouton après bouton... Quelle scène! Je ne voulais pas accepter... Jenny la gardait comme fétiche... Elle m'avait toujours dit qu'elle la porterait elle-même le jour de son propre mariage...

– Je me demande où Jenny pourrait prendre le temps de se marier, intervint Bachman.

A la dérobée, il observait Kostia, ses petits yeux d'un bleu dur à l'affût derrière ses épaisses lunettes de myope. Il lui tendit un verre.

– Vodka, dit-il en riant. Pour ne pas vous dépayser...

– *Za vashe zdorovie*..., dit Kostia en avalant d'un trait.

– Ce qui veut dire? interrogea Julius.

– Santé! répondit Kostia en levant sa coupe vide en direction de la mariée.

– Merci, dit Paulo avec une confusion sincère. Je suis ravi que vous soyez parmi nous... Venez... Je voudrais vous présenter à quelques-uns de mes invités...

Il lui prit le bras.

– Mon mari d'abord... Bernard... Il adore la musique russe.

Du coin de l'œil, Kostia vit Jenny en grande conversation avec Rory Keane, mondialement connu pour ses talents de comédien, son physique de séducteur et les innombrables conquêtes qu'on lui prêtait : il fut surpris d'en ressentir un désagréable pincement au cœur. Mais déjà, Paulo, juché sur ses talons aiguilles, l'entraînait vers d'autres groupes jacassant.

Il le présenta au sénateur de l'Iowa, au gouverneur de l'Ohio, au maire de West Hollywood, au patron de la Morgan, à la présidente des Lesbiennes de la côte ouest, au vice-chairman des studios Paramount, à des agents, des acteurs, des masseurs, à un chef de secte religieuse drapé dans un sari orange...

– Il est incroyable..., murmura Paulo à l'oreille de Kostia. C'est un lama défroqué... Il a promis de nous faire un miracle avant la fin de la soirée...

Le punch commençait à faire son effet... Des gloussements fusaient, des rires perlés, des petits cris d'oiseaux... En hommage à Paulo, la plupart des participants s'étaient symboliquement coiffés de voiles de dentelle, de mantilles de tulle... Certains, déjà très éméchés, avaient déniché un rideau, un foulard ou une serviette-éponge dont ils s'enveloppaient comme d'une robe du soir. D'autres arboraient sur des jambes velues des bas résille agrémentés de jarretelles noires...

– Paulo, c'est affreux..., pleurnicha un géant blond au physique d'Apollon. Ton cadeau est resté dans ma voiture...

– Dick, t'ai-je déjà présenté à mon ami Kostia?

— Ravi de vous voir, fit Dick.

— N'est-il pas divin? s'inquiéta Paulo.

— Il fait l'unanimité, renchérit Dick. Il est encore plus beau que Rory Keane! J'ai fermé la porte, mes clés sont à l'intérieur... Je voudrais appeler un serrurier... Puis-je utiliser le téléphone?

— Mais bien sûr!

Kostia jeta un regard discret vers l'endroit où se trouvait Jenny peu de temps avant : évanouie. Devant les grandes portes-fenêtres, il n'y avait plus que Rory entouré d'admirateurs des trois sexes.

— Vous vous amusez? demanda Albert à Kostia.

— Trop. J'en ai la tête qui tourne...

— Venez avec moi... Je connais un coin tranquille...

Au passage, il rafla deux verres sur le plateau d'un maître d'hôtel chaloupant entre les groupes qui commençaient à danser et entraîna Kostia sur la terrasse.

Au fond, sur la droite, il y avait une tonnelle croulant sous les bougainvillées. Ils s'y installèrent. La nuit était tombée. Par une trouée entre les eucalyptus, on voyait clignoter les lumières de la ville. Le ciel était pourpre. Des bouffées de musique s'échappaient des dizaines de haut-parleurs disséminés dans les bosquets du parc. Kostia tira un paquet de cigarettes de sa poche.

— Vous en voulez une?

— Non, merci, protesta Albert.

Kostia alluma la sienne.

— Vous n'avez pas peur du cancer? demanda timidement Albert.

Kostia rejeta une longue bouffée de tabac et le regarda droit dans les yeux.

— Et vous, vous n'avez pas peur du SIDA?

— Si, dit Albert.

— Alors? Comment faites-vous?

— Rien, justement, soupira Albert.

— Vous voulez dire que les homos n'ont plus de vie sexuelle? l'encouragea Kostia avec un sourire.

— Vous en avez beaucoup en Russie... des homos?

— Ma foi... Ni plus ni moins qu'ailleurs, je suppose... En tout cas, c'est interdit par la loi.

— Ici, désormais, c'est interdit par la mort.

La phrase était partie du cœur. Elle trahissait une souffrance réelle. Kostia considéra le jeune homme avec plus d'attention.

– Si vous saviez... enchaîna Albert. On passe nos matinées à aller à des obsèques. Pas un jour sans qu'un de nos amis disparaisse... Chacun de nous ignore quel sera le prochain... J'aimais un garçon... Il est mort voici deux mois...

Kostia lui jeta un regard aigu. Albert s'en aperçut.

– Non, non... Mes analyses sont parfaites... Et je n'ai eu aucun rapport depuis plus de cinq ans.

Avec une ironie amère, il ajouta :

– Vous autres, les hétéros, vous ne comprenez pas qu'on puisse aimer d'une façon platonique...

– Vous n'avez eu aucune relation physique depuis cinq ans? s'étonna Kostia.

Albert hésita.

– A proprement parler, non... On s'arrange autrement...

– Autrement?

Albert le dévisagea pour vérifier si Kostia était digne de recevoir d'autres confidences.

– On se réunit entre copains du même bord. On regarde un film porno et on se masturbe en couronne. Mais chacun pour soi. Aucun de nous ne se risque plus à toucher personne. Le lendemain, on se retrouve à un enterrement.

Des hurlements de joie l'interrompirent. Une cavalcade d'invités passa devant eux au grand galop à la poursuite d'un colosse en guêpière rose serrant entre ses bras une énorme tarte à la crème.

– C'est Georges, sourit Albert. Elle est complètement folle...

Malgré lui, il se dressa comme un ressort, battit des mains et se lança sur la trace des autres.

– Je reviens! cria-t-il à Kostia d'une voix excitée.

Il y eut d'autres hurlements et une succession de plouf! dans la piscine. Kostia tourna les talons. En arrivant au bout de la terrasse, il aperçut Jenny qui sortait du couloir menant aux chambres d'amis et aux salles de bains. Elle avait l'œil brillant, les narines dilatées et riait très fort en se cramponnant au bras de Julius. Kostia devina d'instinct ce qui lui donnait cet excès d'énergie. Il se rencogna dans l'ombre lorsqu'elle le frôla pour s'éloigner vers la piscine. Dans le salon, un immense barbu en bleu de chauffe élevait le ton. Visiblement, il n'était ni ivre ni déguisé.

– Vous m'avez dérangé en urgence, il faut me payer! Où est la maîtresse de maison?

– Me voilà! répondit Paulo en écho.

Le type qui braillait s'arrêta net et regarda avec ahurissement le petit gros en robe de mariée et talons aiguilles qui prétendait être la maîtresse de maison.

– Qui êtes-vous? demanda la mariée.

– Le serrurier, dit le barbu.

– C'est Dick qui vous a appelé, Dick!... Où est Dick?...

Tout le monde rugit son nom. Il apparut.

– Ton serrurier..., précisa Paulo en lui désignant le barbu.

Il se tourna vers l'homme de l'art, lui tendit une coupe...

– Faites-moi le plaisir de boire un verre en l'honneur de mon mariage...

Mi-figue mi-raisin, le barbu s'exécuta.

– Comment vous appelez-vous?

– Bozacchi... Victor Bozacchi.

– Enchanté, Victor... Moi, c'est Paulo.

– Paulette, Paulette!... clamèrent les invités.

– Les clés de ma voiture sont restées à l'intérieur. Je ne peux plus ouvrir la porte, se plaignit Dick.

– On va arranger ça, dit Bozacchi. Où est la bagnole?

– Suivez-moi... Je vais vous montrer...

– Victor!

– Madame?

Bozacchi se mordit les lèvres : il venait de donner du Madame à quelqu'un qui, malgré ses oripeaux de dentelle, était visiblement du sexe fort. Mais ce tourbillon d'athlètes en bas résille, ces visages de garçons maquillés comme celui d'une diva avant d'entrer en scène...

Paulo comprit son trouble.

– Ne vous inquiétez pas, Victor...

Il lui colla dans les mains un billet de cent dollars et une poignée de dragées.

– Homme ou femme, je veux aujourd'hui que tout le monde soit heureux!

Le barbu remercia et s'esquiva sur les talons de Dick.

Kostia prit un couloir au hasard, poussa une porte.

Assises sur des fauteuils dans la pénombre, plusieurs personnes regardaient tranquillement un programme de télévision... Kostia

234

s'installa sur un divan auprès d'une jeune femme jambes haut croisées. Sur l'écran géant, un match de basket entre les Lakers, en maillot jaune, et les Celtic, tout de blanc vêtus.

— Je peux fumer? demanda Kostia à sa voisine.

Pas de réponse. Kostia alluma une cigarette, tira une profonde bouffée et se détendit.

En aucun cas, ne pas avoir l'air de poursuivre Jenny... La laisser venir à lui quand elle en aurait envie, si elle en avait envie...

Le match était passionnant... Il fuma encore deux autres cigarettes...

L'arbitre siffla la fin de la deuxième mi-temps.

Kostia se leva, avisa une porte au fond de la salle. Elle était entrouverte. Il la tira.

— Oh! pardon!

Pantalon baissé, un homme corpulent à l'expression rêveuse était confortablement installé sur la cuvette des cabinets. L'intrusion ne sembla pas le gêner : il resta aussi immobile qu'une bûche. Kostia referma vivement, battit en retraite et retourna s'asseoir.

Sans pouvoir en expliquer les raisons, il ressentait un étrange malaise... Personne n'avait bougé. Personne ne prononçait un mot... Il s'enhardit, se pencha vers sa voisine...

— Je vous prie de m'excuser...

Aucune réaction.

Il approcha son visage du sien pour la regarder sous le nez.

Elle ne cilla pas. Ses yeux, bizarrement fixes, restaient rivés à l'écran de télé. Kostia lui prit le bras. Alors, à ce contact, mais alors seulement, il comprit que la jeune femme n'était pas une vraie femme : un mannequin! Un mannequin de cire.

Il se redressa d'un bond, fit un tour complet des lieux, palpa les autres spectateurs, retourna dans les toilettes où le gros monsieur méditait toujours dans la même position et comprit que, dans la pièce, il était la seule personne vivante : tous les autres personnages, sans exception, étaient des statues hyperréalistes. Avec un petit rire nerveux, il se dirigea vers la porte.

Elle s'ouvrit à double battant.

— Seigneur, je vous cherche partout! lui lança Julius Bachman en appuyant sur un commutateur.

La lumière jaillit à flots.

— Elles sont belles, n'est-ce pas?

— Remarquables, approuva Kostia.

— Même en plein soleil, j'ai des amis qui s'y cassent le nez..., se rengorgea Bachman. Il ne leur manque que la parole...

— Ce n'est peut-être pas plus mal, dit Kostia.

— Vous avez raison! Elles ne diraient que des sottises! Venez vite, on apporte le gâteau de mariage!

Des cris retentirent dans le couloir... Julius fut happé par une meute de ses invités... Kostia fit un passage dans le salon. Cette fois, tout le monde semblait plongé au tréfonds du délire...

La sono était poussée à son maximum, les bouchons de bouteilles de champagne sautaient, des couples s'enlaçaient dans tous les coins, des hommes dansaient bouche contre bouche, des soucoupes remplies de cocaïne à ras bord circulaient de main en main... Affalé sur un canapé, saoul comme un clochard de Moscou, le serrurier barbu, un voile de dentelle rose sur la tête, avalait des dragées par poignées pendant que deux jeunes gens hilares, outrageusement fardés, lui enfilaient des bas écarlates.

Juché sur une table en faux Louis XV, un culturiste asiatique se livrait à un strip-tease devant un parterre de connaisseurs chauffés à incandescence.

Des yeux, Kostia fit le tour de la salle.

Il ne vit pas Jenny.

Mais accrocha le regard d'Albert qui le repéra au même instant et se précipita vers lui. Depuis leur dialogue sous la tonnelle, il avait passé un jupon rouge d'où s'échappaient ses mollets maigres, et ses cheveux filasse, enserrés dans une voilette noire de femme fatale des années trente, étaient piquetés d'orchidées. Kostia s'esquiva prestement dans le couloir qu'il avait quitté plus tôt, descendit un escalier en spirale, poussa une porte et se retrouva dans une cuisine aussi vaste qu'une salle de bal où s'activaient une multitude de marmitons en toque blanche.

Il entra.

Et se figea.

Aboyant des ordres aux fourneaux, impériale et monstrueuse, une énorme Noire dans une robe du soir cramoisie secouait son monde à grands coups de gueule...

Janis!

N'en croyant pas ses yeux, Kostia n'eut même pas le temps de se demander par quel miracle le cerveau du FBI avait échoué à

Beverly Hills dans les cuisines de Julius Bachman à l'heure de pointe d'un mariage d'homos.

— Rendez-vous un peu utile, dit Janis en lui flanquant dans les mains une énorme jarre pleine de crème fraîche.

Comme s'ils s'étaient quittés dix minutes plus tôt...

— Tous des empotés!... poursuivit-elle sur le ton d'une conversation normale sans même un regard pour Kostia. Tenez-moi ça... Tenez-la bien...

Elle plongea un soufflet dans la jarre et à l'aide de la crème ainsi aspirée entreprit de décorer d'arabesques savantes l'énorme gâteau de mariage déjà orné de cent boutons de roses thé.

— Alors, Hollywood, ça vous plaît?

— Oui, oui..., bredouilla Kostia.

— Il faut tout faire dans cette maison, bougonna-t-elle. Vous aimez ma robe?

— Superbe, dit Kostia.

— Menteur. Quand le Bon Dieu a créé les éléphants, il les a conçus en gris. Hé, vous!... Espèce d'idiot!... Allez m'éteindre ce foutu feu! Vous voulez incendier la baraque?...

Électrisé, le marmiton fonça vers les fourneaux. Janis plongea son doigt dans la jarre maintenue par Kostia, en retira cent grammes de crème, l'avala et jeta un ordre :

— Emportez!

Six marmitons entreprirent de soulever le gâteau qui pesait cent livres. La cuisine se vida en partie. Janis s'étala sur une banquette, s'épongea le front avec une serviette, poussa un profond soupir et, pour la première fois depuis qu'il était entré, dévisagea Kostia.

— Vous allez rester longtemps avec ce pot dans les bras?

Avec précaution, il déposa la jarre sur une table.

— Des incapables, lui dit confidentiellement Janis en lui désignant les cuisiniers encore à l'œuvre. Aucune initiative... Rien... Nuls... J'ai découvert un pot de rillettes françaises. Vous en voulez?

— Non merci, dit Kostia.

— J'ai un petit creux. J'en mangerais bien une tartine... Vous me les passez?

Kostia les lui tendit, ainsi que du pain dont il découpa une large tranche.

Janis se mit à grignoter délicatement.

– Vous commenciez à me manquer..., lui dit-elle entre deux bouchées. Glissez-moi la bouteille s'il vous plaît...

Il lui servit un verre de vin. Elle y trempa les lèvres...

– Et moi, je vous ai manqué ?

Elle avait l'art de le prendre de court. Il ouvrit la bouche pour répondre. Elle le coupa.

– Non, je sais que non... C'est mon drame... Je ne manque jamais à personne...

Elle repoussa son verre, s'essuya délicatement la commissure des lèvres, se leva...

– Il faut que je remonte, ils m'attendent... Je reste quelques jours dans le coin... A bientôt peut-être ?

Elle lui adressa un petit salut de la main, tourna les talons...

– Janis...

Elle se retourna. Elle vit qu'il hésitait, l'encouragea du regard...

– Vous avez des nouvelles de mon père ?

– Oui. Il est complètement rétabli.

Elle lui fit un clin d'œil, pivota... L'espace d'une seconde, les premières marches de l'escalier furent totalement obstruées par sa masse fantastique tandis que de la porte ouverte filtraient brusquement les cris et les chansons de ceux qui étaient là-haut.

Kostia resta immobile une minute, regardant sans le voir le ballet des marmitons qui continuaient à ouvrir des bouteilles que les extras leur arrachaient des mains. Il s'ébroua, sortit de la cuisine... Au pied de l'escalier, le couloir se prolongeait en formant un coude d'où s'échappaient des bouffées de musique.

Au lieu de remonter, il s'éloigna dans la direction d'où venaient les sons. Il poussa une porte et contempla avec stupéfaction le couple qui dansait, un Noir, un Blanc, dans une boîte de nuit privée assez vaste pour recueillir cinq cents personnes... Banquettes noires, bar, piste de danse et tout le bazar lumineux découpant la silhouette du couple au gré des jeux de la lumière stroboscopique fonctionnant pour eux tout seuls...

Kostia s'accouda au bar, se servit pensivement un verre de scotch et imagina Julius Bachman séduisant ses conquêtes dans cette caverne surréaliste.

Sur la piste, les deux danseurs n'avaient même pas remarqué sa présence. Il distingua aussi au fond de la salle un type en voilette de mariée affalé sur une table, bras en croix. Il n'avait devant lui ni verre ni bouteille.

Était-il ivre, drogué, mort?

Il acheva son whisky d'un trait et remonta vers le salon...

Juchée sur une échelle portative, une grosse femme brune de type sud-américain nettoyait furieusement les baies vitrées en chantant à tue-tête.

Autour d'elle, tout le monde se tordait de rire.

Il faut dire qu'elle était complètement nue.

— C'est Conception, la femme de chambre de Julius..., pouffa Dick en prenant Kostia par le bras. Elle s'est empiffrée de dragées et de brown-cookies!

— Quel rapport? demanda Kostia en se dégageant doucement.

— On les avait bourrés de H!... gloussa Dick... Pour rigoler!

Kostia apprécia de la tête.

— Mon Dieu..., jubila Dick. La jarretelle de la mariée!

Délaissant Kostia, il se rua vers le cercle qui s'était instantanément déplacé et reformé autour de Paulo, debout sur un piano, brandissant sa jarretelle au-dessus de la foule qui hurlait de joie...

Kostia s'éloigna dans le couloir. Arrivé devant les toilettes, il s'immobilisa un instant. Puis poussa la porte...

Jupe retroussée jusqu'aux épaules, les fesses calées contre le lavabo, Jenny se faisait enfourcher debout par Rory Keane.

Œil vide à la pupille dilatée, narines pincées, visage blême balayé par ses cheveux décoiffés qui tressautaient au rythme des mouvements de reins de son partenaire, elle ressemblait à une poupée de son secouée dans la gueule d'un bouledogue.

Kostia referma sans bruit.

Il se faufila dans la horde des invités camés à mort eux aussi, dégringola les marches du perron et demanda la Bentley à un pourpoint violet qui partit au galop.

Il glissa une cigarette entre ses lèvres, l'alluma, tourna la tête en direction d'un grésillement nasillard... Enroulé dans un rideau, les jambes recouvertes de bas rouges et voile de mariée sur le front, le serrurier gisait sur le capot de sa fourgonnette.

— Victor, m'entendez-vous?... Victor Bozacchi, répondez...

La radio de bord continuait à lancer ses appels.

Mais Bozacchi était dans l'incapacité absolue d'entendre quoi que ce soit.

Trop d'alcool. Trop de dragées au H...

Le pourpoint violet freina devant Kostia et lui tint la portière ouverte. Kostia lui glissa un billet de dix dollars, s'installa au volant et démarra.

Quoique une ambulance eût mieux convenu à son état qu'une limousine, Jenny avait assez d'admirateurs pour se faire raccompagner quand elle jugerait bon de partir.

Quant à lui, il décida de ne pas retourner chez elle.

Il irait dormir à l'hôtel.

Il avait besoin d'une douche.

23

Pat n'avait jamais remarqué à quel point le corps d'Arthur était long, dur, musclé. Blottie dans le lit, elle faisait semblant de dormir. Mais à travers l'entrebâillement de la porte de la salle de bains, elle ne perdait aucun mouvement de sa gigantesque silhouette surmontée par la flamme rouge de sa tignasse. Il sortait de la douche. Il était nu. Il se lavait les dents. La veille au soir, après le Monkey's, il l'avait exceptionnellement ramenée chez lui. Depuis trois ans qu'ils se connaissaient, c'était la première fois.

La veille, double surprise. Il lui avait d'abord dit :

– Allons chez moi.

Et ensuite, après lui avoir fait l'amour comme peut-être il ne le lui avait jamais fait :

– Si tu veux rester ici...

Jusqu'alors, ils n'avaient jamais passé une nuit entière ensemble. Quand elle s'éveillait, le lit était toujours vide.

Hier soir, elle s'était endormie dans ses bras...

Elle le vit enfiler un tee-shirt verdâtre, un pantalon kaki et de vieilles chaussures de tennis. Elle se demanda quel instinct la poussait à ne pas lui manifester sa présence. Il revint dans la chambre sur la pointe des pieds, s'immobilisa, la regarda longuement. Il s'empara d'un crayon, griffonna quelque chose sur une feuille de papier... Il plaça la feuille bien en vue sur la moquette, empoigna un sac de sport, la contempla une dernière fois, alla éteindre la lumière dans la salle de bains et sortit sans faire de bruit. Il faisait encore nuit. Elle s'aperçut qu'elle avait le cœur serré. Pendant quelques minutes, elle ne fit pas un mouvement.

Puis elle alluma la lampe de chevet et consulta sa montre. 5 heures du matin. Le jour se lèverait dans une demi-heure.

Pat se leva. Elle ramassa la feuille de papier et la lut... « Je reviens dans quatre jours. Pas la peine de remettre ta culotte. Tire la porte en sortant. Love. Arthur. » Il y avait un post-scriptum : « C'était bien cette nuit... »

Elle plia la feuille et la fourra dans la poche de sa robe. Ses vêtements étaient restés par terre dans le désordre même où ils avaient chuté lorsqu'il les lui avait arrachés. Elle les enfila rêveusement tout en examinant les lieux. Un simple studio, une kitchenette et la salle de bains. Elle alla à la fenêtre, écarta deux lamelles de la jalousie. Elle vit, huit étages plus bas, l'entrée de l'immeuble où elle avait laissé sa voiture au valet-parking. Au centre de la cour, il y avait un bassin rond où jouait un jet d'eau. Un sentiment indéfinissable la travaillait. En faisant un effort, elle l'identifia : c'était son appartement à lui, et pourtant, il ressemblait à une chambre d'hôtel. Aucun objet personnel. Rien qui pût livrer la moindre information sur celui qui l'habitait. Elle ouvrit une armoire. Elle ne contenait qu'une chemise de sport blanche froissée et un blue-jeans bleu ciel. Dans la cuisine, elle tira la porte du réfrigérateur : à l'exception d'une bouteille de vodka non débouchée dans le congélateur, il était entièrement vide.

Pat ramassa son sac à main, vérifia que ses clés étaient bien à l'intérieur, ouvrit la porte et sortit.

Elle commençait son travail dans une heure. Auparavant, il fallait encore qu'elle passe chez elle pour prendre une douche et se changer. En attendant l'ascenseur, elle sortit de sa poche le mot qu'il lui avait adressé, le relut... « Pas la peine de remettre ta culotte... »

C'était la première fois qu'il lui écrivait une lettre d'amour.

— Jenny... Jenny... On est arrivés...

Elle s'était endormie sur son épaule pendant le trajet. Elle ouvrit des yeux sans expression. Julius Bachman était penché sur elle et lui grattait gentiment la nuque.

— Veux-tu que je te ramène chez moi ?

Elle fit vigoureusement non de la tête. Sur un signe de Julius, le chauffeur ouvrit la portière et aida Jenny à sortir de la Rolls.

Sitôt debout, ses jambes se dérobèrent. Julius la retint par la taille.

– Tu es sûre que tu ne veux pas revenir? On te bichonnera bien... Je te laisserai ma chambre...

Nouvelles dénégations obstinées.

– Tu as tes clés?

Elle les sortit de son sac. Julius les lui prit des mains et les passa au chauffeur qui farfouilla dans la serrure. La porte s'ouvrit. Titubante, l'œil mort, Jenny se retourna vers lui.

– Il t'en reste encore un peu?

Il s'y attendait. Il lui tendit un petit sachet de poudre blanche. Le soleil se levait.

– Tu as vu l'heure? 6 heures... Tu ferais mieux de dormir...

Sans un mot, Jenny entra dans sa maison et claqua la porte. S'appuyant contre les murs, elle progressa péniblement vers la salle de bains, ouvrit la douche en grand et s'installa sous le jet tout habillée. Elle offrit son visage à l'eau tiède, essaya de dégrafer sa robe, n'y arriva pas et tira dessus de toutes ses forces. Des lambeaux de tissu lui restèrent entre les mains. Elle déchira aussi son slip. Nue enfin, elle s'appuya contre la paroi de marbre, s'y laissa glisser et se retrouva accroupie sur les débris de torchon détrempés de sa robe du soir, visage tourné vers le jet, bouche ouverte... Si crevée qu'elle faillit s'endormir... Coke et alcool, mauvais mélange... Elle s'agrippa au robinet d'eau chaude, l'ouvrit en grand jusqu'à ce que la brûlure sur sa peau devienne insupportable. Elle se remit debout en chancelant. Elle sortit de la douche sans prendre la peine de l'arrêter, enfila un peignoir de bain et jambes flageolantes, s'avança dans le couloir vers la chambre de Kostia...

La porte était entrouverte. Elle y balança un coup de pied rageur et donna de la lumière : le lit n'était pas défait, la chambre était vide.

Elle se mit à hurler :

– Salaud de Russe!... Kostia!... Kostia!...

Prise d'une angoisse subite, elle revint dans sa salle de bains, ramassa son sac, en sortit le sachet de poudre et l'étala maladroitement sur sa coiffeuse. En quelques coups de pince à épiler, elle la divisa en trois lignes. A l'aide d'une paille de bistro, elle les aspira l'une après l'autre d'un coup sec.

– Kostia! Kostia!

Les larmes aux yeux, elle décrocha un jean et un chemisier dans un placard.

– Salaud... Salaud... Salaud!...

Elle décrocha le téléphone et forma un numéro.

Le soleil se leva brusquement. En trois minutes, son disque pourpre apparut sur sa gauche, à l'est. Les couleurs chaudes qui avaient envahi le ciel laissèrent place à des teintes froides de lumière dure. Arthur alluma la radio et se brancha sur la chaîne « KKGO 105 » qui ne diffusait que du jazz vingt-quatre heures sur vingt-quatre. Il adorait. Il eut droit à *Laura* qu'il se mit à siffloter en contre-chant. Malgré l'heure matinale, le trafic était intense sur La Cienega. La ville vivait au rythme du soleil. La vie commençait tôt. Bien souvent, on dînait à 6 heures de l'après-midi. A 10 heures du soir, tout le monde dormait...

Il arriva à l'embranchement de La Tijera, tourna à droite, et un peu plus loin, à gauche, dans Aviation Avenue. Quand il fut en vue d'un petit bâtiment blanc tout en longueur, il s'engagea dans la contre-allée et freina devant un homme qui semblait le guetter. L'homme le vit, lui fit un signe et s'éclipsa.

Arthur descendit de voiture et ouvrit son coffre arrière pendant que l'homme, sortant d'un couloir, réapparaissait avec une caisse verte dans les bras.

– Salut, dit Arthur.

L'homme hocha la tête. Arthur s'empara de la caisse, la secoua, colla son oreille contre l'une des parois : il perçut très nettement à l'intérieur l'intense frémissement de quelque chose qui vivait. Il déposa la caisse dans son coffre, le referma, fit un clin d'œil à l'homme, se remit au volant et mit le cap sur l'aéroport. La radio était restée ouverte. Maintenant, c'était *Blue Moon*. Il se sentit plein d'allégresse et cette fois fredonna l'air accommodé à des milliers de sauces depuis cinquante ans.

Lorsque Arthur s'était arrêté, le type qui le suivait avait hésité un instant pour savoir s'il devait pénétrer derrière lui dans la minuscule allée : trop risqué. A toute allure, il avait fait le tour du bloc et était revenu sur La Cienega à vitesse réduite, passant devant le bâtiment au moment précis où le rouquin enfermait la caisse dans son coffre. Il n'avait plus qu'à attendre.

Il gara sa Ford un peu plus loin entre deux voitures, moteur tournant. Dans son rétroviseur, il vit jaillir la Pontiac de Boswell à l'angle de l'avenue. Il la laissa passer, compta jusqu'à dix, le temps que trois autres véhicules s'intercalent.

Puis il déboîta doucement et reprit sa filature.

— C'est Lee, lieutenant...

— Quelle heure est-il ?

— 6 heures.

— Je vous jure que, si vous m'avez réveillé pour rien, je vous fais virer de la police !

— Lieutenant, c'est Dick qui m'a dit...

— Et Dick aussi !

— C'est à propos du Russe..., ajouta Lee avec précipitation.

— A 6 heures du matin je me fous des Russes !... aboya Peter O'Toole.

— Comme vous voudrez, lieutenant, je vous prie de m'excuser...

— Tu vas parler, bougre d'âne !

— Il n'est pas retourné chez Jennifer Lewis.

— Il est où ?

— Au Beverly Hills Hotel.

— Depuis quand ?

— Une heure.

— Et tu ne pouvais pas me le dire plus tôt !

— J'attendais qu'il soit 6 heures, lieutenant.

— Ne fais pas le malin ! Raconte !

— Une fiesta d'enfer toute la nuit chez Julius Bachman... Deux pédés qui se mariaient... Faut voir dans quel état ils étaient tous en sortant. Camés, bourrés...

— Le Russe ?

— Il est arrivé avec Jenny. Il est reparti seul.

— Pourquoi ?

— Allez savoir... Ils se sont peut-être bagarrés...

— Et elle ?

— Bachman vient de la déposer sur Roxbury

— Comment tu le sais ?

— J'ai suivi le Russe. Dick a attendu Jenny. Une loque !... De la schnouf plein le pif... Ils ont dû la distribuer à seaux toute la nuit !

245

— Sous quel nom s'est inscrit le moujik?

— Le sien.

— Tu as vérifié?

— Oui.

— Avec quoi a-t-il payé?

— En liquide.

— Combien de nuits?

— Cinq.

— En gros, mille dollars. Où est-ce qu'il les a pris?

— Ça...

— A qui a-t-il parlé à l'hôtel?

— Les deux employés de la réception.

— C'est tout?

— Oui.

— Et au téléphone?

— Ils me feront un premier rapport à midi. Eh bien, voilà... Maintenant, je vais rentrer...

— Où?

— Lieutenant, je n'ai pas vu mon lit depuis huit jours...

— Pas question! Je veux qu'un de vous deux reste sur place.

— Mais lieutenant, se révolta Lee, même le Russe va ronfler!

— Je répète, pas question!

— Bien, lieutenant... Lieutenant?...

— Oui?

— Vous me réintégrez?

O'Toole raccrocha avec violence. C'était cuit, il ne pourrait plus se rendormir. Anna avait préféré rentrer chez elle. Il ne pouvait pas se faire à l'idée de réveiller ses domestiques. C'était bouffon : lui, un flic qui gagnait à peine trente mille dollars par an, vivait dans une résidence de trois millions où tous les frais étaient payés par la fondation du type qu'il avait jadis sauvé d'un chantage... Chauffeur, majordome, cuisinière, électricité... Tout le bazar... Ridicule... Dans son dos, tous les flics de Los Angeles en faisaient des gorges chaudes. Et merde!

Pieds nus pour ne réveiller aucun de ses employés, il se rendit dans la cuisine... D'abord, un café. Il alluma le gaz.

Il pensa à Anna, à Laura, à Botero.

Puis à Arthur. Normalement, il devait s'apprêter à décoller.

– Tu crois réellement qu'il va pouvoir s'envoler?

Le mécano tapota les flancs du vieux DC-3 avec un grand sourire...

– Je te souhaite d'être en aussi bonne forme que lui à son âge!

Arthur s'esclaffa. Il se tourna vers Rudy et le prenant à témoin, lui demanda :

– Tu crois que je dois lui foutre mon poing sur la gueule?

Comme toujours, l'officier des Douanes se tordit à son tour. Arthur avait ce pouvoir sur lui : dès qu'il ouvrait la bouche, avant même qu'il n'eût pu finir sa phrase, il éclatait de rire. Le chargement de matériel de maçonnerie était arrimé dans l'appareil. Ne restait plus sur le sol que cette caisse verte.

– Tu la mets où? demanda Rudy.

– Sous mes fesses.

Rudy Disler pouffa.

– Sérieusement?

– Avec moi.

– Tu veux un coup de main?

– Pas la peine. Merci. C'est léger.

Arthur grimpa les marches d'accès au poste de pilotage.

Il s'installa sur le siège et vérifia le contact pendant que ses doigts effleuraient les boutons de commande du tableau de bord.

– Hé, Arthur!...

Boswell abaissa sa vitre et pencha la tête à l'extérieur.

– Qu'est-ce que tu as dans ta caisse? demanda Rudy.

Arthur lui fit un grand clin d'œil.

– Devine!...

L'officier eut un geste en signe d'ignorance.

– Des bananes, se gondola Arthur. Toujours des bananes, à l'aller comme au retour... Hé, Rudy!...

Il tourna à fond le bouton de contact. L'un après l'autre, les moteurs hésitèrent et se mirent à ronfler.

– Tu sais où tu peux te les carrer?...

Rudy fut pris d'une quinte de rire.

L'appareil prit la piste.

Kostia était sur la place Rouge et contemplait la parade de l'infanterie soviétique. Perdu dans la foule qui applaudissait, il ne vit les deux gorilles du KGB que lorsqu'ils lui mirent la main au collet.

— Pourquoi portez-vous le drapeau américain?

— Mais pas du tout!

Il était sûr de ce qu'il disait, mais en même temps, sans qu'il pût comprendre pourquoi, il s'aperçut qu'il brandissait la bannière étoilée au-dessus de sa tête.

On l'emmena. Les gorilles le plaquèrent contre le mur du Kremlin. Il connaissait bien l'endroit. Quand il était enfant, son père lui avait fait longuement visiter le mausolée de Lénine. Les badauds firent cercle autour de lui. Des soldats apparurent, arme à la main... Un peloton d'exécution... « Ils ne vont pas me flinguer pour si peu!... » s'indigna Kostia.

— Voulez-vous qu'on vous bande les yeux? demanda un officier.

Sans attendre sa réponse, il donna un ordre...

— En joue... Feu!...

Les détonations ébranlèrent la place Rouge. Kostia vit très nettement sortir des fusils les flammèches écarlates porteuses de mort.

Il s'éveilla.

La porte était secouée par des coups rageurs.

On venait l'arrêter...

Mais quelle porte? Dans quel pays se trouvait-il? Dans quelle ville? Leningrad? Tokyo? New York? Los Angeles? Moscou? Il jeta un regard sur le papier peint rassurant de la chambre aux rideaux tirés: tout lui revint. Beverly Hills Hotel... Il sauta du lit... Les coups redoublaient... Il agrippa au passage une serviette-éponge, s'en ceignit les reins, ouvrit, fut renversé par une tornade: Jenny. Il se releva, eut le temps de voir, avant de repousser la porte, le regard impuissant du groom navré en uniforme, et entendit siffler à ses oreilles un cendrier qui s'écrasa sur le mur.

— Salaud! Comment oses-tu? Pour qui te prends-tu, qui crois-tu être?

Il vérifia qu'aucun objet lourd ne se trouvait à sa portée et lui tourna le dos. Elle lui sauta dessus par-derrière, s'agrippa à son cou et s'y suspendit de tout son poids pour l'étrangler. Doucement, il lui saisit les deux poignets d'une seule main, les retourna, pivota dans un mouvement rotatif pour se dégager de l'arceau ainsi formé et la regarda droit dans les yeux:

248

– Tu as besoin d'une douche.

Il relâcha sa prise une seconde. Avec la souplesse d'un chat, elle libéra son bras droit et lui balafra le visage de quatre sillons sanglants. Lèvres durcies, Kostia la bâillonna de la main pour étouffer ses cris, la souleva, l'emporta comme un fagot de bois vers la salle de bains, ouvrit en grand la douche glacée et la maintint dessous. Le jet la fouettait durement. Elle envoyait des coups de pied désespérés qui se perdaient dans le vide, se tordait, essayait de l'atteindre de ses griffes, de ses dents... Soudain, tous ses muscles se relâchèrent. La sentant inerte entre ses bras, Kostia la remit sur ses jambes. Elle ne bougeait pas. Avec précaution, il retira sa main qui la réduisait au silence.

Elle le considéra avec des yeux incrédules. Hébétée.

Elle frissonna.

– Aide-moi..., dit-elle. J'ai froid.

Elle enleva son chemisier. En la voyant poitrine nue, cheveux plaqués, sa pâleur même faisant ressortir la beauté de son visage sublime, Kostia comprit pourquoi tant d'hommes se seraient damnés pour la tenir dans leurs bras. Il l'enveloppa d'un peignoir. Elle dégrafa la fermeture de son blue-jean détrempé. Il lui collait tellement à la peau qu'elle fut incapable de l'enlever. Elle s'allongea sur le dallage. Kostia en saisit les extrémités, les tira. Elle était nue. Elle se releva péniblement, retourna sous la douche, ouvrit le robinet d'eau chaude et se laissa caresser pendant plusieurs secondes dans des nuages de vapeur. Kostia revint dans la chambre. Un instant plus tard, elle arriva.

– Je voudrais boire quelque chose...

Il prit sur le bar une bouteille de gin, lui en versa un verre et le lui tendit. Elle l'avala d'un trait, marcha jusqu'à la fenêtre, s'empara du paquet de cigarettes qu'il avait laissé sur la table de nuit et s'en alluma une. Puis elle écarta légèrement le rideau, jeta un coup d'œil sur la piscine autour de laquelle s'activait une équipe de Mexicains revêtus de blanc. Le soleil était déjà haut.

Le rideau retomba.

Elle s'approcha du lit, s'y étendit.

– On ne m'a jamais fait ça, dit-elle d'une voix calme.

Kostia la regarda sans répondre. Elle fumait en contemplant le plafond.

– Jamais un homme ne m'a accompagnée à une soirée et est reparti sans m'attendre.

Kostia s'étendit à ses côtés.

– Dans le fond, continua-t-elle du même ton posé, tu n'es qu'un petit gigolo sans éducation. Tu m'entends ?

– Oui.

– On a dû t'élever dans une ferme, avec des cochons. Un minable petit bouseux soviétique.

– Oui.

– Autant dire une merde... Une vraie merde.

Il la dévisagea avec froideur et laissa tomber tranquillement :

– Et toi une putain.

Elle se dressa à demi.

– Qu'est-ce que tu dis ?

Il répéta :

– Une putain.

– Explique-toi ou je te tue, gronda-t-elle la voix vibrante de colère.

– Inutile. Tu le sais.

– Je te jure que je te tuerai...

– Une femme qui se fait baiser dans les toilettes par le premier venu est une putain.

Elle ouvrit des yeux ronds et le défia d'un rire sardonique.

– J'ai fait pire ! Dix fois ! Et alors ?

– Tu es une putain.

– Pas une putain, salaud ! Une droguée ! Tu veux que je te fasse une liste ? Tu crois que c'est une performance de baiser Jennifer Lewis ? Quand je suis camée, n'importe qui peut m'avoir ! Quelle importance ? Tu t'imagines peut-être que je m'en souviens ?

Kostia se leva.

– Je rentre à New York.

– C'est ça, vas-y, fous le camp ! Rentre à Moscou, ce sera encore mieux ! Et ne reviens plus jamais !

Elle bondit hors du lit. Il passa sa chemise, enfila son pantalon et ses chaussures et se dirigea vers la porte sans un mot.

– Sale Russe !

Il actionna la poignée...

– Kostia !

Elle fut sur lui, s'accrocha, lui immobilisa les bras...

– Ne pars pas, Kostia... Pas tout de suite.

Il se dégagea.

– Ne t'en va pas!

Il ouvrit la porte.

– Je t'aime! hurla-t-elle.

Elle se cramponna à ses épaules, l'enlaça...

– Viens... Viens... J'ai envie de toi...

Son peignoir s'était ouvert dans la bagarre. Ses seins en jaillissaient et il ne put s'empêcher de voir, entre les deux pans entrouverts, le triangle pubien d'un noir absolu. Il rencontra ses yeux, un regard qu'il ne lui connaissait pas... Vrai... Implorant... Elle l'entraînait vers le lit : il n'eut pas la force de résister, s'allongea, fut submergé par une tempête chaude et douce. Elle lui mordillait le visage en prononçant à voix basse, comme une grondante litanie : « Je te veux... je te veux... je te veux... »

Un don total de soi. Parfait. Absolu.

Enroulés l'un à l'autre en une identique masse de chair soyeuse, ils tanguaient sur le lit devenu navire en folie...

– Attends-moi!... criait-elle. Attends-moi...

Il l'attendit longtemps. Elle était penchée au-dessus de lui, les yeux démesurément ouverts, le visage déformé par une expression de demande pathétique, de détresse éperdue, quelque chose d'avide, de désespéré, pendant qu'elle intensifiait jusqu'au paroxysme la violence de ses soubresauts.

– Emmène-moi, Kostia... Emmène-moi!... Je t'aime!

Pour pouvoir décrire la jouissance, il faudrait, après coup, pouvoir décrire la mort. Mais personne n'en est jamais revenu pour la dire. Pourtant, Kostia se sentit mourir. Les couleurs disparurent, les formes mêmes s'évanouirent dans un halo blanchâtre, les sons s'atténuèrent jusqu'à ce qu'il n'entendît plus rien et l'univers entier, soudain aveugle et sourd, privé de durée, se métamorphosa en une intensité continue, indicible, intolérable...

Quand il revint à lui, elle lui tournait le dos. Avec douceur, il prit son visage entre ses mains et le fit pivoter vers lui. Ses yeux étaient grands ouverts. Ils ne voyaient rien. Elle pleurait.

– Jenny...

Elle détourna la tête.

– Jenny..., insista-t-il.

Elle éclata en sanglots. Profonds... Déchirants... Tout son corps tremblait de larmes.

– Je ne peux pas te suivre..., dit-elle. Je ne peux pas partager...

Il l'attira contre lui, la serra dans ses bras. Il sentit ses pleurs mouiller sa poitrine. Elle se cacha le visage dans les mains et souffla avec un désespoir déchirant :

– Je ne sens rien, j'en suis malade... Je ne peux pas jouir... Je n'ai jamais joui...

24

Midi. Dick intercepta le garçon qui sortait d'une suite avec un plateau portant les reliefs d'un petit déjeuner.

– Pstt... Gonzalez...

Dick appelait systématiquement « Gonzalez » tous ceux qui n'avaient pas l'œil bleu, le teint clair et les cheveux blonds.

En bon Italien de Naples, « Gonzalez » – qui s'appelait Gianni – ne jugea pas utile de le détromper. Ce type hirsute au bandeau rouge l'inquiétait. Et sa carte de flic avait l'air réelle : dans tout Los Angeles, y avait-il un seul ressortissant de nationalité latine qui fût en règle avec la législation du travail ?

– Oui, Monsieur..., fit-il en marquant le pas.

Distraitement, Dick s'empara sur son plateau d'un morceau de croissant, l'enduisit de beurre, piocha un reste de confiture de la pointe d'un couteau et avala le mélange.

– Puis-je vous aider, monsieur ?

Dick souleva le couvercle d'argent qui avait abrité des œufs sur le plat.

– Merde. Ils n'ont même pas laissé un petit morceau de saucisse grillée. Dis-moi, Gonzalez, vous autres, le personnel, on vous nourrit comme les clients ?

– Certainement pas, monsieur.

– Côté diva, on ne t'a toujours pas sonné ?

– Pas encore, monsieur.

– Tu me préviens, hein ?

– Absolument.

N'y tenant plus, Dick trempa une mie de pain dans un résidu de jaune d'œuf et la porta à sa bouche.

– C'est froid.

– Voulez-vous que je vous apporte des œufs frais?

– Tu es gentil, Gonzalez, mais j'ai pas les moyens.

– Monsieur! protesta Gianni, tout à fait gracieusement.

Dick lui jeta un regard sévère.

– Tu cherches à me corrompre?

Gianni nia vigoureusement de la tête.

– Allez, file, dit Dick. Pour cette fois, je passe l'éponge.

Le garçon d'étage tourna les talons. Il allait atteindre l'angle du couloir.

– Gonzalez!

– Monsieur?

– Trois œufs seulement. Saucisses et bacon.

– Bien, monsieur.

– Et s'il te restait par hasard un fond de bouteille de vin rouge.

– Certainement, monsieur.

Dick alluma pensivement un joint. Il se demanda pendant combien de temps encore le Russe et la star allaient en écraser.

Annibal poussa la porte du Tap-Cap. Il lui fallut quelques secondes pour que ses yeux passent de la lumière intense de midi à la nuit artificielle qui régnait en permanence dans le bar. Il était situé sur National, une transversale de Motor, presque à l'angle du petit édifice blanc où opéraient les chiropracteurs de l'équipe olympique américaine. Tout en longueur, l'endroit n'était guère plus grand qu'un mouchoir. Sur la droite en entrant, le comptoir d'acajou devant lequel s'alignaient une dizaine de tabourets occupés par des buveurs de bière désœuvrés regardant vaguement trois écrans de télé diffusant chacun un programme différent. Au fond, illuminé par un projecteur, un billard où s'exerçaient des parieurs en tricot de corps.

Annibal commanda une Budweiser, fit mine de s'absorber dans la contemplation d'une course de chevaux à Santa Anita et jeta un regard furtif sur le téléphone à jetons : il était libre.

Il suffisait d'alimenter la machine en *quarters* pour appeler Tokyo, Hong Kong, Le Cap ou Rome sans risquer d'être intercepté par quiconque.

Il sirota sa bière le temps de se fondre dans le paysage. De sa main droite, il tripotait les pièces de monnaie qui alourdissaient ses poches. Parfois, son employeur lui raccrochait au nez sitôt qu'il estimait avoir appris l'essentiel. Il arrivait aussi qu'il souhaitât poser d'autres questions. Ces jours-là, Annibal avait intérêt à ne pas manquer de monnaie : le grand patron ne supportait pas d'être coupé.

Annibal s'essuya la bouche d'un revers de la main et se dirigea avec nonchalance vers l'appareil. Dans le brouhaha des télés et des conversations croisées, nul ne fit attention à lui.

Il fit disparaître une poignée de quarters dans la machine, forma le 011 pour avoir l'étranger, puis le 57 pour la Colombie, et enfin, composa un numéro que les polices du monde entier se seraient damnées pour obtenir.

La sonnerie retentit deux fois.

Là-bas, à Medellin, quelqu'un décrocha.

D'instinct, Annibal rectifia sa position et se racla la gorge.

– Annibal, dit-il. M. Luz Botero attend mon appel.

Le téléphone sonnait sans discontinuer. Sans y prêter attention, Kostia se leva, alla à la fenêtre et écarta les rideaux. Autour de la piscine, des prix de beauté en tenue de bain faisaient des passages aguicheurs devant les tables dressées pour le lunch où s'installaient déjà des athlètes sexagénaires de la finance internationale. Kostia laissa retomber le rideau, revint auprès du lit. Strictement immobile, Jenny avait les yeux grands ouverts. Il lui caressa les cheveux. Elle lui prit la main, la tint serrée contre ses lèvres.

– Tu réponds ou on laisse exploser le standard ?

Jenny s'étira.

– Laisse.

– Il y a peut-être le feu ?

Il décrocha et lui passa le combiné avec un sourire.

– Je vous emmerde, dit Jenny d'une voix suave à l'interlocuteur inconnu.

Elle raccrocha.

– Tu as faim ? demanda-t-elle.

– A mourir.

– Steak, caviar, melon, anchois, glace à la vanille, crevettes ?

Elle tâtonna à la tête du lit, trouva le bouton adéquat et sonna le service.

– Café, dit Kostia.

– Approche.

Elle écarta les pans de son peignoir et pointa son doigt sur un minuscule grain de beauté dans la région de l'aine.

– Tu en as parlé à ta mère? dit-elle.

De nouveau, la stridence du téléphone. Jenny le souleva, chercha en vain à en arracher les fils, y renonça, décrocha et n'eut même pas le temps de proférer une insulte.

– Jenny, Julius! Mais qu'est-ce qu'il se passe? La ville entière te croit morte! Dix reporters sont sur tes traces! Tu es bien?

Jenny était toute nue. Elle chaussa ses lunettes de soleil.

– Salaud, qu'est-ce que tu m'as fait boire hier soir?

– Du vitriol. Écoute-moi, chérie, j'ai eu une idée magnifique ce matin. Tu sais chanter?

– Pas du tout.

– Aucune importance! Tu as envie de faire de la scène à Broadway?

– Jamais.

– Excellent! Que dirais-tu de la vie de Garbo en comédie musicale?

– A chier.

– Bravo! Écoute d'abord mon titre!

Jenny raccrocha. On sonna. Le garçon entra.

– Nous mourons de faim, dit Jenny.

– Bien, madame. Que désirez-vous?

Jenny consulta Kostia du regard. Lui non plus ne savait pas.

– Vous avez une carte?

– La voilà, madame, dit Gianni-Gonzalez.

Il la lui tendit. Jenny la repoussa.

– Apportez-moi la carte.

– Vous l'avez déjà en main, madame..., dit Gianni qui ne comprenait pas.

– Toute la carte. Apportez-nous tout ce qui est écrit dessus.

– A vos ordres, madame... Madame... Vraiment tout?

– Tout!

– Et comme boisson? demanda Gianni d'un ton pincé.

– Une carafe d'eau.

Il s'inclina et sortit. Téléphone. Jenny le porta à son oreille, fronça les sourcils, écouta trois secondes. Puis elle dit :

– A chier!

Et raccrocha.

– Tu as oublié le café, dit Kostia.

Qu'est-ce qui était le plus agréable? Être au lit avec une femme ou piloter un zinc en plein ciel?

Arthur n'avait jamais pu résoudre la question.

Et comme il n'avait encore jamais fait l'amour en pilotant...

Le temps était superbe. Il jeta un coup d'œil au-dessous de lui. Six mille mètres plus bas, l'océan déroulait ses rouleaux frangés d'écume le long des plages et des falaises du Pacifique.

Il connaissait son itinéraire par cœur.

Il suivait d'abord la côte californienne au large de Long Beach et de San Diego, survolait Tijuana et Ensenada au sud du Mexique, longeait sur mille cinq cents kilomètres la mer de Cortez séparée du Pacifique par l'isthme de Baja California, passait au-dessus de Cabos San Lucas, Michoacan, le désert de la Sierra Madre, Guerrero, Oaxaca, traversait ensuite l'espace aérien du Guatemala, du Salvador, du Honduras, du Nicaragua, du Costa Rica et de Panama avant d'entrer en Colombie, cap sur Antioquia, et atterrir à Medellin.

Une balade de sept heures où il était maître à bord.

Ensuite les choses devenaient plus compliquées.

Botero ne prenait jamais la peine de lui indiquer le moindre plan. Arthur décollait sans savoir où il allait et, sur ordre, devait poser son avion sur des pistes impraticables perdues dans la jungle. Invisibles avant d'y avoir le nez dessus, elles disparaissaient en outre d'un voyage à l'autre, dévorées par la végétation tropicale.

Heureusement, Enrique était là.

Botero l'emmenait toujours avec lui.

Un mystère.

Sans boussole ni instrument, armé de son seul instinct et d'un prodigieux sixième sens de l'orientation, ce type, qui n'ouvrait jamais la bouche et ne savait probablement ni lire ni écrire, était capable de se repérer de nuit à travers la plus épaisse couche de nuages. Après l'avoir vu à l'œuvre cent fois, Arthur avait compris qu'il devait se borner à tenir les manettes : même s'il ne voyait rien, il descendait lorsque Enrique lui disait de descendre. Immanquablement, la piste était là.

Dans la forêt inextricable, il y en avait plus de neuf cents, séparées les unes des autres par des dizaines de kilomètres.

Comment savait-il?

Encore une question sans réponse.

Arthur glissait maintenant au-dessus de Cabos San Luca, le paradis mondial des amateurs de pêche au gros. Il y avait séjourné plusieurs fois.

Il se promit d'y emmener Pat, et dans la même seconde, fut surpris et irrité d'avoir eu une idée pareille.

Il caressa de la main la caisse verte qui encombrait le poste de pilotage et s'alluma un joint.

— Je suis en vacances, lieutenant. Ma visite n'a rien d'officiel. Et si j'osais vous le demander, je souhaiterais qu'elle reste confidentielle.

La première surprise passée, O'Toole avait senti d'instinct que la fabuleuse hippopotame femelle était dotée d'une intelligence hors du commun.

— Puis-je vous proposer quelque chose à boire?

— Auriez-vous une tasse de thé?

Elle avait fait irruption chez lui alors qu'il sortait de la piscine.

— Je m'appelle Janis. J'appartiens au Centre Edgard Hoover de Washington. J'ai beaucoup entendu parler de vous.

Janis. Lui aussi avait entendu parler d'elle.

— Pourriez-vous m'accorder un entretien de quelques minutes?

Le thé était sur la table. Il lui proposa du sucre.

— Hélas, non. Je viens de commencer un régime.

Il n'osa pas lui demander depuis quand. Ni pourquoi : sur cette fantastique carcasse, on aurait pu ajouter ou supprimer trente kilos sans que l'aspect général de la silhouette eût été changé.

Elle lui avait d'abord fait compliment de sa maison, évoqué le scandale de certains services du FBI qui avaient acheté des voitures de fonction japonaises, vanté le climat si doux de la Californie, les palmiers, l'océan et tout le bazar de carte postale.

Puis elle avait fait allusion à la mort de Laura.

Peter était alors devenu très attentif.

En quelques phrases, il s'aperçut que les moindres détails du drame lui étaient familiers.

258

– Je partage votre chagrin, lieutenant. La drogue est la honte de l'Amérique.

Elle acheva sa tasse à petites gorgées.

– Pas plus tard qu'hier soir, j'étais invitée à un mariage. Scandaleux! La cocaïne circulait à flots, ouvertement!

– Pourquoi ne pas m'avoir prévenu? demanda froidement Peter.

S'était-elle dérangée pour lui retirer son enquête et la refiler à des huiles du FBI?

– Vous êtes sur place, lieutenant, dans votre fief. Que pourrais-je vous dire que vous ne sachiez déjà? Ces stars sont tellement impressionnantes.

Peter faillit sourire.

– Qui, par exemple?

– Jennifer Lewis.

De nouveau, il fut en alerte.

– Quelle beauté! Vous la connaissez?

– De nom.

Elle se reversa du thé, laissa flotter un long silence.

– Elle était accompagnée d'un garçon très séduisant... Un étranger... Un Russe, je crois... Oui, c'est ça... Un dissident russe.

Elle feignit la confusion, eut un sourire désarmant de franchise.

– Mais je débarque. Vous connaissez ces trucs dix fois mieux que moi.

Un autre silence.

– On raconte que Jennifer Lewis en prend beaucoup?

– Ce n'est un secret pour personne.

– Quelle tragédie. Une jeune femme aussi rayonnante.

En général, au jeu du chat et de la souris, l'emploi de Peter était celui du chat. Brusquement, il en eut marre.

– Écoutez, madame.

– Janis... Appelez-moi Janis...

– Ce ne serait pas plus simple de me dire exactement ce que vous voulez plutôt que de tourner autour du pot?

– Si, dit Janis avec candeur.

– Alors, allez-y.

– Ne m'en veuillez pas, lieutenant. Je voulais savoir à qui j'avais affaire.

– J'en ai autant à votre service.

Elle eut un sourire si irrésistible de douceur qu'il dut se retenir pour ne pas fondre.

– Vous avez parfaitement raison, lieutenant. Je vais vous le dire.

Des dizaines de milliers de voitures tournaient pare-chocs contre pare-chocs autour du Coliseum en attendant que se dégorgent les entrées de parking.

Il avait plu. Le concert était en plein air. La soirée était fraîche. Dans la Bentley, Kostia avait allumé le chauffage.

Pourtant, l'incroyable multitude de garçons et de filles qui convergeaient vers le stade n'avaient pour la plupart qu'un tee-shirt sur le dos. Apparemment, ils s'en foutaient.

Ils marchaient par groupes silencieux de trois ou quatre avec l'expression concentrée et béate des premiers chrétiens allant recueillir la parole du Christ.

Pas d'exclamations, pas d'échanges, pas de désordre.

– Comment font-ils pour ne pas geler ? se demanda Jenny à voix haute.

– Ils ont la foi, dit Kostia.

– Ça tient chaud ?

– A vingt ans, oui.

– A vingt ans, j'avais déjà froid.

Il lui passa la main derrière la nuque.

– Toi, c'est différent. Tu es célèbre.

– Quel rapport ?

– La gloire... La gloire donne froid.

– Là ! s'exclama-t-elle. Tourne ! Tu peux.

Kostia engagea le capot de la voiture dans une trouée du grillage qui cernait le stade. Ils venaient de tomber par hasard dans l'enceinte privée réservée aux *happy few*. Ils avaient à peine mis le pied à terre que, malgré ses lunettes noires, ses jeans et sa vareuse de marin, on reconnut Jenny. Deux garçons arborant les brassards rouges du service d'ordre les escortèrent à travers une succession de chicanes gardées par des gorilles débonnaires de cent kilos.

A la suite de leurs guides, ils s'engagèrent dans un passage de béton donnant accès à l'arène habituellement réservée aux grandes finales de football. Et soudain, ils furent dans un autre monde : la planète des vingt ans venus célébrer la grande messe du rock. Anonymes, portés par la foule, engloutis par le néant collectif où l'existence de chacun ne prenait corps que par la présence des autres, ils piétinèrent dans le tunnel, si agglutinés les uns aux autres que leurs pieds ne touchaient pratiquement plus terre.

Pressés de tous côtés, perdus dans la masse, ils débouchèrent brusquement à ciel ouvert sur l'une des travées du stade : Kostia reçut le choc d'une nef inouïe dont le dôme aurait été formé par les étoiles.

A l'intérieur de l'œuf, ils étaient peut-être déjà plus de cent mille, respirant d'un même poumon, au même rythme, avec un seul cœur pour tous.

La nuit était trouée par des myriades de points lumineux provenant de briquets aussitôt éteints qu'allumés. Chacune de ces lueurs fugaces portait le même message : je suis là, tu n'es plus seul, on n'a plus peur, on a chaud ensemble. Des dizaines de ballons de couleur jaillirent du stade pour fuser vers le ciel et monter à l'assaut des lourds nuages chargés de pluie.

Des ouvreuses conduisirent Jenny et Kostia jusqu'à leurs places. En dehors de la musique qui allait naître, plus rien n'existait dans ce recueillement d'attente ardente. Tous repères disparus. Toutes différences sociales abolies. Tous vêtus de la même façon, garçons et filles, baskets, jeans, tee-shirt.

Qui était riche ? Qui était pauvre ? Qui était quelque chose ou quelqu'un ? Ils se fondaient tous dans le point évanescent qu'ils avaient en commun, leur jeunesse.

Pour la première fois depuis des années, Jenny se sentit libérée d'elle-même. Plus personne ne lui prêtait la moindre attention. Coincée à droite, à gauche, devant, derrière, elle percevait la vibration puissante de la foule.

Délicieux.

Apportées par le vent, des bouffées de marihuana se mêlaient aux volutes de tabac blond. Un fumeur sur deux grillait un joint.

Tout à coup, un long mouvement de houle parcourut le stade. Loin sur la gauche, un pinceau lumineux isolait cinq garçons qui semblaient courir sur la lumière : les « U 2 » entraient en scène.

– C'est lequel, ton ami ? demanda Kostia.

– Le guitariste.

Dévorés par l'immensité de l'espace scénique et du ciel, les musiciens semblaient aussi minuscules que des fourmis.

La rumeur devint grondement. Un long râle de bonheur retentit. Cent mille personnes se dressèrent.

Et tout se tut : dans la cathédrale de plein air, les voix du groupe s'élevèrent, aussi haut que l'immense torche du Memorial qui flambait dans le ciel. La chanson parlait d'amour, d'harmonie, de justice et de paix.

La veille même à Moscou, Egor Ligatchev, doctrinaire pur et dur de l'orthodoxie marxiste, dénonçait avec passion devant ses pairs du Politburo les méfaits du « rock pourrisseur de la jeunesse soviétique ». Kostia eut un sourire triste.

Et bizarrement, seul sans doute dans la multitude, il se sentit envahi par des images sans rapport apparent avec la scène qu'il vivait, venues d'un autre temps et d'un autre univers.

La torche peut-être. Les flammes de la torche.

Il vit les crématoires des camps nazis où flambaient les cadavres. Il vit les champs de bataille du monde entier où des enfants soldats sautaient sur des grenades. Il vit la guerre, les barbelés, les blessures et le sang. Il pensa à ceux qui s'éteignaient dans les goulags ou mouraient dans les prisons. Il pensa à sa mère, à son père. Il pensa au sens du mot « Liberté », pendant que lui montaient aux lèvres, sans qu'il sût pourquoi, les vers de Verlaine :

> *Les sanglots longs*
> *Des violons*
> *De l'automne.*

Dans la même fraction de seconde, il perçut le mouvement de bascule des générations, les invisibles et profonds changements de la planète, la translation de l'individu, de la famille ou de la tribu vers des masses toujours plus grandes : telle qu'il l'aimait, la poésie, qui avait vécu trente siècles, n'était faite que pour un seul. Le rock, lui, ne pouvait s'adresser qu'au plus grand nombre. Et il comprit le sens de cette gigantesque fête barbare : on venait en groupe idolâtrer des groupes parce que, désormais, chacun sentait confusément que son destin était un destin collectif, avec des bonheurs et des drames collectifs ou, comme à Nagasaki ou à Hiroshima, une mort atomique collective.

Il se demanda ce que deviendraient ses voisins, dans dix ans, dans vingt ans. Ils étaient sains, costauds, neufs. Ils étaient le cœur de l'Amérique. Ils étaient le troisième millénaire. Et ils ne savaient pas. On ne leur avait rien dit. Ils étaient seuls devant le vide.

L'espace d'une nuit, leur masse leur donnait le vertige d'une identité commune. Le groupe les soudait. Et leur nombre, tout entier contenu dans les cinq silhouettes qui s'agitaient en scène, masturbant leur guitare dressée comme un dérisoire phallus de plastique.

— A quoi penses-tu? lui souffla Jenny en lui pressant la main.

— A la chanson.

— Vous avez du feu?

Kostia dévisagea brièvement le métis chinois qui était à sa gauche, sortit son briquet de sa poche et lui alluma sa cigarette.

— Merci, dit le Chinois.

Il exhala une longue bouffée de fumée et demanda à Kostia sans le regarder :

— Vous êtes de Kiev?

Kostia lui jeta un regard aigu.

— Pas du tout. Je suis de Leningrad.

Le Chinois eut un vague mouvement approbateur.

Jenny n'avait rien remarqué. La chanson touchait à sa fin.

Les spectateurs étaient debout pour une ovation délirante.

Quand le morceau suivant commença, Kostia risqua un coup d'œil sur la gauche : le Chinois avait disparu.

LIVRE IV

MORT D'UN PAPILLON

25

Le paysage était stupéfiant de beauté sauvage.

Dans les lointains, les pics neigeux de la Cordillère des Andes scintillaient sur un ciel d'un bleu dur déchiré par endroits de lourds nuages gris. A leurs pieds, des collines dont les couleurs s'étageaient du mauve au vert tendre, brisées soudain par des avancées de rocs aux teintes ivoire.

Et alentour, sur des centaines d'hectares de vallonnements émeraude, les frondaisons frissonnantes d'une plantation de café décoiffées par le vent.

– Quel est ton nom? demanda Luz Botero.

– Jorge Rodriguez Gachito.

– On me dit que tu refuses de gagner beaucoup d'argent?

Le visage du vieux fermier se plissa en un sourire.

– Ce n'est pas une question d'argent, *Señor*. Mais dans ma famille, on cultive le café de père en fils.

Devant la *finca* de pisé, quelques chèvres broutaient en liberté. Plus loin, une dizaine de zébus à la bosse d'un blanc sale faisaient le tour de leur enclos.

– *Va cingar tu mujer!*

Les six hommes revêtus de treillis kaki qui entouraient Botero s'esclaffèrent en découvrant un perroquet aux teintes flamboyantes. Une chaînette à la patte, il était perché sur une branche de bois fixée dans le mur devant l'entrée de la ferme.

– *Parate, pendenco!* cria l'un des deux adolescents plantés devant le porche en bombardant l'oiseau de l'écorce d'une tranche de pastèque.

– *Maricon!* se révolta le perroquet en faisant un bond effarouché pour éviter le projectile.

Les types en treillis hurlèrent de rire. Un simple regard de Botero ramena un silence instantané.

— Ce sont tes fils? demanda-t-il au fermier en désignant les deux jeunes garçons.

— *Si, Señor.*

— Et elle?

— Ma femme.

Voyant qu'on parlait d'elle, la vieille qui se tenait sur le seuil disparut dans la finca.

Tête baissée, Botero raclait distraitement le sol du bout d'un bâton qu'il avait ramassé.

— Pourquoi ne pas diversifier une partie de tes récoltes? dit-il. Tu pourrais garder un peu de café et planter le reste en cocas?

— Je regrette, *Señor.* Je préfère le café.

Une ombre de contrariété passa sur le visage de Botero.

Il ne pensait qu'à faire le bien et ne comprenait pas qu'on le contredise. Il distribuait chaque année des millions de dollars en œuvres sociales, finançait des hôpitaux, des écoles, des logements pour les sans-abri, et Dieu sait que le pays en comptait! Mais les hommes ne savaient pas reconnaître leurs bienfaiteurs.

— Combien gagnes-tu avec ta plantation?

— Cinq millions de pesos par an, *Señor,* se rengorgea le fermier.

L'équivalent de huit mille dollars. Pour un paysan de Colombie, une fortune colossale.

— Tu arraches ta saloperie de café, tu plantes des cocas, nous restons bons amis et je t'offre quatre fois plus d'argent, vingt millions de pesos!

Sur un signe, l'un de ses hommes lui remit un sac de sport. Il était bourré de liasses. Botero les jeta au pied du fermier.

— Un acompte, dit-il. Dix millions de pesos.

Le fermier se mordilla les lèvres avec embarras : il n'avait jamais vu une telle somme en liquide.

— Je ne peux pas accepter, *Señor.*

— C'est ton dernier mot?

— Oui, murmura le fermier en baissant la tête.

— Pendez-les, dit Botero.

— Tous? demanda le chef de sa bande.

— Tous.

Botero tourna les talons et s'éloigna vers l'hélicoptère.

Deux de ses hommes de main s'emparèrent du fermier et le traînèrent jusqu'à un arbre. Les quatre autres s'engouffrèrent dans la maison dans laquelle venaient de disparaître les deux fils.

– Je suis triste, Fabio, très triste..., dit Botero à son pilote. Nous sommes tous frères de sang, nous sommes tous colombiens. Je ne comprends pas qu'un Colombien puisse refuser un service à un autre Colombien.

– Moi non plus, Luz... Moi non plus...

Des hurlements s'élevèrent de la finca. La vieille femme se débattait. Un de ses fils, qui avait voulu défendre son père, gisait dans une mare de sang, la tête fracassée d'un coup de crosse de fusil.

Une corde de moins.

En un instant, les trois autres s'enroulèrent sur les plus basses branches de l'arbre.

– *Maricon!* hurla le perroquet... *Hijo de puta!*

Une minute plus tard, trois corps désarticulés se balançaient devant la finca. Le chef des gardes du corps reflua vers l'hélicoptère pour venir aux ordres.

– Demain, envoie une équipe. Brûlez tout, arrachez le café et faites venir des paysans.

– Bien, Luz.

Il siffla dans ses doigts. Les types en treillis accoururent.

Fabio lança le moteur de l'hélicoptère.

– Une seconde, dit Botero.

Pendant que les hommes grimpaient dans l'appareil, il retourna vers la finca. Au passage, comme il l'eût fait d'une ramure gênante, il écarta le cadavre pendu de la vieille femme et foudroya le perroquet d'une balle à bout portant.

Les treillis, qui buvaient ses mouvements, éclatèrent de rire. Une lueur d'amusement dans l'œil, Luz Botero s'installa à côté du pilote et prononça la brève oraison funèbre du perroquet :

– Encore un témoin qui ne parlera pas.

Il était si connu à Los Angeles qu'on ne lui demandait jamais d'ouvrir ses bagages. Mais à l'aéroport de Medellin, le roi Arthur aurait pu décharger ouvertement cent cinquante tonnes d'armes sans être inquiété. Le nez sur les roquettes, la police et les douanes auraient juré qu'il s'agissait de produits alimentaires. On le savait proche de Botero.

Passeport absolu. Il était intouchable.

Qui aurait été assez fou pour jouer les héros?

En guise d'avertissement, les fonctionnaires trop zélés recevaient au courrier des cercueils miniatures contenant la photo de leurs enfants à la sortie de l'école. Leur visage encadré par les trois cercles rouges d'une cible. Ou alors, pour raffiner, une cassette vidéo où était filmée en direct par ses propres bourreaux l'exécution d'un de leurs collègues.

Il ne s'agissait pas de menaces en l'air.

La Colombie détenait le record mondial des morts violentes. Statistiquement, on y décédait quatre fois plus qu'ailleurs. Et très jeune : soixante pour cent des défunts n'avaient pas quarante ans. Assassinat.

Nul n'était à l'abri. Au fil des jours, une accablante litanie de meurtres avait fait passer de vie à trépas Rodrigo Lara, le ministre de la Justice, le procureur général Carlos Mauro Hoyos, Guillermo Cano, directeur du quotidien *El Espectador*, le leader d'un parti de gauche, une cinquantaine de juges, une multitude de journalistes trop curieux et quatre-vingt-un chefs de l'antigang qui s'étaient succédé à la direction de la police. Sans parler des milliers de victimes anonymes criblées de balles dans les terrains vagues de Medellin où des équipes de nettoyeurs les ramassaient chaque matin en même temps que les ordures.

Pris en otage par la mafia, le pays n'était plus qu'un ring sanglant où s'affrontaient un gang de cinq familles et une démocratie de trente millions de citoyens.

On ne trouvait plus de juges pour juger, de journalistes pour écrire, de procureurs pour sanctionner. Conjonction de hasards, Medellin était devenue en moins de dix ans la capitale mondiale de la drogue et de l'industrie du meurtre. Sa position stratégique au nord-ouest du pays et ses innombrables aéroports privés lui permettaient d'établir un pont aérien clandestin avec la Floride. Ses collines alentour offraient d'inviolables cachettes aux laboratoires secrets.

Autre facteur d'ordre économique, les industries traditionnelles implantées dans ses murs justifiaient l'achat massif des produits chimiques nécessaires à la transformation de la « pasta base » en cocaïne pure.

Quant à la main-d'œuvre, elle se ramassait par wagons entiers. Quelques années auparavant, la fermeture des usines textiles avait jeté à la rue des milliers de chômeurs qui s'étaient jetés dans les bras des trafiquants pour devenir des « mules » ou des « gâchettes ».

Désormais, la corruption et la terreur pouvaient régner sans partage à tous les niveaux de l'échelle sociale.

– Bienvenue, *Señor* Boswell. Comment allez-vous?

Arthur rendit son sourire au capitaine Ortega.

– J'ai du matériel dans mon zinc. On viendra le chercher tout à l'heure.

– Mais certainement, *Señor* Arthur!

Il avait cadenassé la caisse verte à l'arrière de son appareil dans un logement connu de lui seul.

Il sortit. Bien entendu, au cours de ses allées et venues, il n'avait jamais produit aucun document d'aucune sorte, pas davantage pour lui qu'à l'égard du fret transporté. Au-dehors, une longue limousine noire l'attendait. Outre le salaire qu'il percevait, Botero mettait à sa disposition une voiture, un chauffeur et un appartement entretenu par deux domestiques.

En Amérique, en tant qu'officier de police, Arthur gagnait trois mille dollars par mois.

En Colombie, dans le même temps, il en touchait quarante mille. Embarrassé par ce pactole illégal, il s'en était ouvert à O'Toole.

– Verse-le à un compte secret comme s'il t'appartenait.

– Tu sais bien qu'il n'est pas à moi!

– Pourquoi pas? lui avait répondu froidement O'Toole. C'est ta peau que tu risques. Tu ne le voles pas.

Et comme Arthur ouvrait des yeux ronds, il avait biaisé.

– Tu veux éveiller les soupçons? Démerde-toi, dépense-le, fais comme si tu étais vraiment riche.

– Et quand on me demandera des comptes?

– Les comptes, c'est à moi que tu les dois. On les refera quand j'aurai coffré Botero.

Les déplacements n'étaient pas de tout repos.

Pour éviter les radars, il fallait voler de nuit, sans feux de signalisation, en rase-mottes au-dessus de la mer, dans des zones infestées de garde-côtes prêts à vous descendre au bazooka sans la moindre sommation. Pour ce genre de vol qui le menait sur des îles à un jet de pierre des rivages de Floride, Arthur utilisait des lunettes spéciales qui amplifiaient mille fois la lumière. Pendant des heures, aux commandes de son Swearingen Merlin III, il percevait le monde extérieur à travers un étrange halo verdâtre qui le dégoûtait depuis longtemps de la salade. Mais il pouvait distinguer chaque détail du paysage aussi bien qu'en plein soleil.

Outre le garde du corps qui l'accompagnait obligatoirement – beaucoup plus pour le dissuader de disparaître avec le chargement que pour protéger sa personne –, il pouvait transporter jusqu'à une tonne de cocaïne pure. Qui en donnerait cinq au moment de la revente sur le marché américain, après les habituels coupages de procaïne, lactose et mannitol.

Depuis quatre ans qu'il faisait le trajet, il avait appris des choses inouïes sur l'ampleur du trafic et les gens qui y participaient.

Botero, qui était incapable de se servir d'une fourchette, empochait la somme effarante de trois milliards de dollars par an.

Il partageait le pouvoir avec quatre autres familles.

Carlos Lehder Rivas, surnommé « el Loquito », « le petit fou », momentanément détenu dans une prison américaine d'où il continuait à diriger ses affaires. Jorge Luis Ochoa Vasquez, Pablo Escobar et un nouveau venu qui avait fait ses preuves, Gonzalo Rodriguez Gacho.

Une puissance financière écrasante.

Si impressionnante qu'elle leur avait permis de neutraliser la seule arme qui aurait pu les détruire, l'accord d'extradition des trafiquants entre la Colombie et les États-Unis.

Signé par les deux gouvernements.

Mais pratiquement jamais appliqué sous peine de terrifiantes représailles.

Fort de leur impunité, couverts par la police et les politiciens qu'ils arrosaient d'or, les chefs de gang s'attachaient simultanément à donner d'eux-mêmes une image de philanthropes patriotes. Ils construisaient des villages pour les sans-abri, créaient des zoos, des musées, des institutions scolaires, des hôpitaux, des œuvres charitables.

272

En réalité, une goutte d'eau dans l'immensité de leurs fabuleux revenus.

Le 10 mars 1984, une opération de commando héliporté mise au point par les services spéciaux américains et les brigades antidrogue colombiennes provoquait l'anéantissement du plus important de leur repaire : « Tranquilandia ». Un laboratoire de transformation de la coke aussi performant que les usines Ford de Detroit. Perdus dans « Los Llanos », les immenses plaines du Sud-Est, une vingtaine d'ateliers répartis sur plusieurs hectares, mille ouvriers, des cités-dortoirs, des cantines, des pistes d'atterrissage, des chimistes, des ingénieurs, des laborantins. Le plus incroyable complexe industriel jamais mis au point dans l'histoire de la drogue. Une production mensuelle de vingt-cinq tonnes de cocaïne.

Ce jour-là, les « Narc » en avaient balancé quinze mille kilos dans la rivière Yari.

Depuis, les rumeurs couraient. Une autre usine géante aurait été reconstituée quelque part dans la jungle.

Mais où ?

Le soir-même, Arthur avait rendez-vous avec un de ses « copains », Zizi Mac Cormick. Américain bon teint, commandant de bord dévoyé, il mettait ses talents au service des gangs tout en continuant à piloter les vols réguliers de la Panam.

A ses yeux, Arthur était un trafiquant comme les autres.

Il s'était pris d'amitié pour lui. Il connaissait la terre entière, était au courant des derniers tuyaux et buvait sec.

– Monsieur, nous y sommes.

Le chauffeur se précipita pour ouvrir la portière et arracher servilement le sac des mains d'Arthur.

L'endroit où il devait rencontrer Zizi était à deux pas de son immeuble.

Le phare intellectuel de la ville : le bordel de Medellin.

La propriété dressait sa masse au pied d'une colline sur les contreforts de Medellin. Jour et nuit, elle était gardée militairement. Au-dehors, des fidèles faisaient des rondes incessantes avec des chiens policiers. A l'intérieur, des hommes campaient dans les innombrables pièces où vivaient deux ans plus tôt l'ambassadeur du Brésil et sa famille.

– Bonsoir, Luz.

La garde personnelle de Botero couchait en travers de sa porte. Une fois entré dans sa chambre, il la refermait et nul n'avait plus le droit d'y pénétrer tant qu'il n'en sortait pas. Il possédait une flottille de soixante-dix avions, des cargos, des vedettes rapides. Avec des miettes dérisoires de sa fortune, il aurait pu acheter tous les Ritz de la planète ou s'offrir l'Empire State Building. Pourtant, il n'avait jamais utilisé un lit. Il ne pouvait dormir que par terre.

Curieusement, depuis quelques mois, il ne tenait pas à ce qu'on le sache.

Il se mit torse nu, entra dans la somptueuse salle de bains, ouvrit en grand le robinet du lavabo et s'aspergea le visage d'eau froide. Il retourna dans la chambre. Sur l'oreiller, ses domestiques avaient posé une rose rouge. Il arracha une couverture du lit, s'en enveloppa et s'étendit sur le sol.

Il savait qu'il pourrait s'endormir à la seconde même où il déciderait de fermer les yeux.

– Comme un animal..., lui avait dit un flic qu'il avait tué d'un coup de couteau quand il avait douze ans.

Il pensa aux informations que lui avait transmises Annibal. Triste. Boswell venait d'arriver en ville. Ils décolleraient à 5 heures du matin.

On l'avait prévenu que tout était prêt. Mais il s'agissait de la plus énorme opération qui eût jamais été effectuée depuis les temps immémoriaux où les hommes avaient découvert les vertus de la drogue. Il voulait vérifier par lui-même.

Il décida de fermer les yeux.

Une seconde plus tard, il dormait.

Dans toute l'Amérique du Sud, les bordels n'étaient jamais bien loin des églises. Ainsi, pour se laver des orgies de la nuit, le pécheur repentant pouvait passer directement des bras d'une prostituée à la ferveur de la première messe. La « Casa Mercedes » ne faisait pas exception à la règle. Aménagé dans les locaux d'un ancien couvent vendu à la mafia par la hiérarchie catholique, l'arrière du bordel était attenant aux locaux de la sacristie. L'ancienne chapelle avait fait place à un salon tendu de velours rouge. A gauche, le bar, tenu par des filles en bas noirs et aux seins nus. Courant le long des murs à trois mètres du sol, une galerie s'ouvrant sur des alvéoles qui étaient autant de chambres. Elles surplombaient le salon où deux cents personnes pouvaient tenir à l'aise.

– C'est épatant, dit Zizi.

Comme à l'ordinaire, la Casa Mercedes était bourrée de clients. Importées des Caraïbes voisines, d'Europe ou des États-Unis, les filles présentaient un éventail complet de tous les fantasmes sexuels. Leur âge s'étageait entre seize et cinquante ans. Grasses Flamandes roses et blondes, mulâtresses au corps nerveux, petites Françaises rigolardes, Américaines longues et minces, elles évoluaient entre les tables entourées de divans pelucheux, la croupe flattée au passage par des mains peloteuses. Nul mouvement ne pouvait s'effectuer vers les chambres sans échapper aux regards de tous.

– Tu vois, Arthur, c'est ce qui nous manque en Amérique... Un bon bordel à l'ancienne.

De nouveau, il composa dans son verre le redoutable mélange auquel il carburait : vodka, une giclée de citron et du poivre noir. En moins de vingt minutes, Arthur l'avait déjà vu vider le tiers de la bouteille de « Finlandia ». Les confidences n'allaient pas tarder.

– Un jour, ma femme m'a demandé si je la trompais au cours de mes voyages.

– Qu'est-ce que tu as dit ?

– La vérité. Qu'à Medellin, j'allais au bordel.

– Comment elle a pris ça ?

– Je te le donne en mille ! Elle m'a fait jurer de l'emmener !

Il resservit un whisky à Arthur, choqua son verre contre le sien.

– Comment tu expliques ça ?

– C'est inexplicable, renchérit Arthur.

– C'est pourtant une honnête femme.

– J'en suis sûr.

Zizi repoussa gentiment deux filles qui essayaient de l'entraîner.

– Plus tard, s'excusa-t-il.

Il dévisagea Arthur.

– Qu'est-ce que tu fais ce soir ? Tu montes ?

– Non, dit Arthur. J'ai déjà donné la nuit dernière. J'ai dormi deux heures. Je dois me réveiller à l'aube.

– Moi aussi. Ça ne m'empêchera pas d'en baiser une.

– Tu vas où?

Zizi eut un geste évasif.

– On me le dira en route. Je sais que je dois piloter un avion-cargo.

– « Fat Lady »?

– Oui. Un « C 123 K ». Ils me flanquent la trouille. Ils les chargent tellement que c'est à peine si je peux arracher le zinc. Quand j'essaie de le leur dire, ils se marrent!

Arthur fit pensivement tourner le scotch dans son verre.

– Ça sent mauvais, Zizi. Entre l'armée, les flics, les Fed et les Narc, on va bien finir par se faire canarder. Tu as vu les dégâts en six mois? Quatre cents camions bousillés, cent bateaux arraisonnés ou coulés, quatre-vingts appareils saisis, trente-deux abattus en plein vol. J'aime bien le pognon, mais je n'ai qu'une peau.

Zizi poussa un profond soupir.

– En face aussi, ils s'organisent. J'ai vu débarquer des caisses entières de missiles à têtes chercheuses antihélicoptères. Avec ça, tu crois que les Narc vont se hasarder à survoler la forêt?

– Tu pilotes ou tu fais la guerre?

Zizi éclata de rire.

– Je prépare mes vieux jours! Santé!

– Santé!

– Bonjour, Arthur...

Ils se retournèrent. Debout devant la table, une très jeune femme moulée dans une robe rouge qui lui collait à la peau.

– Bonjour, Carmen..., dit Arthur. Je t'attendais...

– Je peux m'asseoir?

– Bien sûr... Tu connais Zizi?

– Bonjour, Carmen, dit Zizi. Que veux-tu boire?

– Rien, merci.

– J'ai quelque chose pour toi, lui glissa Arthur.

Il sortit de sa poche un petit paquet et le lui fit passer sous la table.

– Qu'est-ce que c'est?

– Regarde...

Elle ouvrit le paquet. Il contenait deux boucles d'oreilles.

Un sourire illumina son visage. Elle se jeta au cou d'Arthur et l'embrassa fougueusement. Après quoi, elle passa les boucles à ses oreilles. Zizi eut un sifflement admiratif.

276

Carmen prit la main d'Arthur.

– Viens avec moi..., chuchota-t-elle. Je voudrais tellement te dire merci...

Arthur se dégagea en riant.

– Pas ce soir.

– Demain?

– Oui, demain.

– Juré?

Arthur acquiesça.

– Vous permettez?... Je voudrais aller les admirer dans un miroir...

– Va...

Ils la regardèrent s'éloigner et louvoyer entre les groupes vers les toilettes.

– Dis donc, fit Zizi. Elle en pince pour toi... Je crois même qu'en insistant, tu pourrais la sauter à l'œil...

– Bof!... grogna Arthur.

– Tu sais t'y prendre, toi, avec les femmes.

Arthur le regarda en face.

– Tu veux que je te refile mon truc? Traite toujours les putes comme des duchesses et les duchesses comme des putes.

– Et ça marche?

– Zizi... Ça ne rate jamais!

Un peu plus tard, il quittait la Casa Mercedes. Zizi s'était laissé convaincre. A son retour à New York, il aurait une nouvelle histoire à raconter à sa femme.

En passant devant l'église, Arthur fut alerté par une espèce de froissement. Il détourna vivement la tête et aperçut une dizaine de gosses de dix à treize ans qui avaient jailli du porche en silence. Une « gallada »... C'est-à-dire une bande. En dehors de leur âge, ils n'avaient plus rien de commun avec des enfants.

Chassés des campagnes par la misère, ils échouaient à Bogota ou à Medellin où ils vivaient de vols et d'agressions. Ils se droguaient au « pipo », une mixture d'alcool, d'essence, de limonade et de lait. Quand ce n'était pas au « basuco », un mélange bon marché dérivé de résidus de cocaïne dont ils bourraient parfois une cigarette de marihuana.

Pathétiques. Mais plus dangereux que des serpents lorsqu'on en ignorait le mode d'emploi.

277

Arthur le connaissait très bien. Avec un grand sourire, il sortit un colt Magnum de sa ceinture et le pointa vers le ciel comme s'il tirait sur des nuages.

Les gosses disparurent en courant.

Arthur rangea son arme. Il n'avait que cinquante mètres à parcourir pour rentrer chez lui.

– Arthur!

Les talons hauts de Carmen claquaient sur les dalles de pierre. Il l'attendit.

– Tu es parti sans me dire au revoir...

Elle s'accrocha à son bras.

– Tu ne veux pas me garder cette nuit avec toi?

– Écoute, Carmen... Je suis crevé.

– Pour dormir... Simplement pour dormir...

Il la détailla avec un regard sceptique.

– J'ai envie de te regarder dormir.

Il n'avait pas l'air convaincu.

– Je te le jure sur la Vierge! insista-t-elle.

Nul gentleman n'aurait pu mettre en doute un serment solennel.

L'ennui, c'est qu'il avait oublié de se munir de préservatifs.

26

– Vole sud-est, dit Botero.

Arthur, qui avait tourné deux fois au-dessus de la piste, prit immédiatement le cap.

– Je connais déjà ? demanda-t-il.

– Non.

Le jour se levait. La veille, à sa surprise, Carmen s'était contentée de se lover contre lui, la tête dans le creux de son épaule. Elle s'était endormie comme une enfant, un sourire sur les lèvres, les mains accrochées à ses hanches. Il avait dû la réveiller à cinq heures. Elle s'était précipitée dans la cuisine pour lui faire un café et lui presser deux pamplemousses.

Au moment où il lui dit au revoir sur le seuil de l'immeuble, elle écarta le flot de ses cheveux noirs, caressa les boucles d'oreilles qu'il lui avait offertes et lui dit avec une expression de gravité enfantine :

– Je ne les quitterai jamais.

Quand la limousine avait démarré, il s'était retourné. Elle était debout, immobile. Toujours sans bouger, elle avait levé le bras pour un dernier adieu.

– San José del Guaviare ? hasarda-t-il.

Derrière eux, Enrique gardait une immobilité de Sphinx.

– T'occupe, répondit Botero sans le regarder. Vole.

Arthur prit de l'altitude et l'observa à la dérobée.

Il avait un visage fait de méplats, barré par une longue mèche. Trente ans peut-être. A l'affût derrière deux minces bourrelets graisseux, ses yeux intenses de houille noire ne laissaient aucune illusion en cas de litige, cette boule de nerfs pouvait tuer.

Petit, musclé, à vif, il n'élevait jamais la voix pour se faire entendre. Inutile, on l'écoutait. Un magnétisme animal qui créait un malaise. A plusieurs reprises, Arthur avait été témoin de ses explosions de rage froide. Affreux sitôt que les phrases lui manquaient, il exprimait à coups de mitraillette ou de couteau ce qu'il ne pouvait dire avec des mots.

Il avait grandi dans les faubourgs de Bogota, dans des bidonvilles sordides, attaquant dès l'âge de huit ans des adultes qui faisaient le double de sa taille et de son poids.

Arthur était l'un des rares à connaître l'abominable mutilation qu'il avait subie : quand Luz Botero était bébé, des rats lui avaient dévoré les organes génitaux.

– Un peu plus au sud, dit Enrique.

Arthur pratiquait la forêt depuis trop longtemps pour ne pas voir certaines pistes. Une longue droite poudreuse traçant sa trajectoire rectiligne entre les arbres.

Le laboratoire clandestin n'était pas loin.

Les feuilles de coca arrivaient sous forme de « pasta base » du Pérou ou de Bolivie avant que des chimistes payés à prix d'or – beaucoup d'anciens Français de la French Connection – ne les transforment en cocaïne. Les Colombiens avaient bien essayé de se mettre à la culture du coca, mais le résultat avait été décevant. La cocaïne produite n'était pas d'une assez grande qualité pour le marché américain. Qu'à cela ne tienne : à l'aide de traficotages, ils avaient inondé leur propre pays d'un ersatz dangereux, le *basuco*.

Dans la jungle, les « Narc » américains avaient dénombré sur quinze cents kilomètres de long plus de huit cents pistes clandestines, perdues dans les coins inaccessibles d'un territoire couvrant des millions de kilomètres carrés. Un quart d'heure pour les détruire à coups de bombes, quinze jours pour les reconstruire cent kilomètres plus loin, camouflées dès le matin à l'aide de branchages pour échapper aux avions de reconnaissance. Il était évident que le choix de leur tracé n'avait pu être effectué que par des techniciens. Quant aux pilotes capturés par les forces de l'ordre, ils étaient dans leur immense majorité des vétérans du Viêt-nam trop secoués pour se réadapter aux fades certitudes de leur bled du Missouri.

– Je continue sud-sud-est? demanda Arthur.

Il volait à trois mille mètres. Le ciel devant lui s'était soudain transformé en lourd tampon de ouate grise. Pas de réponse. Il se retourna vers Enrique qui acquiesça d'un mouvement de tête distrait. Au jugé, Arthur estima qu'il était à dix minutes de San José del Guaviare. Il maintint solidement le manche pendant que l'appareil entrait dans la zone des nuages.

Côté visibilité, terminé. La Cordilière des Andes était loin derrière, mais il détestait piloter en aveugle alors qu'aucune tour de contrôle ne lui fournissait la moindre indication.

Il jeta un regard vers Botero. Il semblait somnoler.

Ces types étaient cinglés. Pour peu qu'il continue dans la même direction, ils allaient se retrouver au Brésil.

Il sursauta violemment. Enrique lui tapotait l'épaule.

– Plein nord, dit l'Indien.

Arthur serra les dents et exécuta la manœuvre.

L'avion était secoué par des courants ascendants. Inutile de poser des questions, il n'obtiendrait pas de réponse.

Trente secondes plus tard, nouvelles tapes d'Enrique.

– Descends.

– Tu es malade? s'étrangla Arthur.

– Descends.

Pas à dire : les pilotes à la solde des gangs ne volaient pas leur argent. Il amorça la descente et garda le cap pendant plusieurs minutes.

– Plus, dit Enrique.

Arthur poussa le manche en avant. Et merde! Ils mourraient tous ensemble. La mer de nuages ne semblait jamais devoir finir. L'altimètre marquait trois cents mètres.

La moindre rocaille jaillie du noir, ils y passaient.

Deux cents mètres.

– Un peu plus à droite, dit Enrique avec le flegme d'un aiguilleur du ciel confortablement installé devant ses radars.

Arthur essuya la sueur qui perlait sur son front et obéit.

Cent cinquante mètres.

Soudain, le ciel se déchira. Il aperçut le dôme vert de la jungle troué de loin en loin par des zones marécageuses au miroitement de plomb. Et aussi, droit devant lui, dans l'alignement exact de l'appareil, le ruban blanchâtre de la piste.

Il poussa un profond soupir. Certes, il avait eu peur.

Mais ce qui lui flanquait encore plus la trouille, c'était les talents de sorcier de son navigateur analphabète.

Les hangars au toit de tôle ondulée étaient entièrement à couvert sous les arbres. Quand il avait atterri, même à trente mètres du sol, Arthur ne les avait pas vus. Sous le ciel lourd, la chaleur était suffocante. Un Indien torse nu lui apporta une bière tiède. Des hommes coiffés de larges chapeaux de paille s'activaient dans le camp empuanti par l'âcre odeur des produits chimiques. Partout, des bidons métalliques. Et sur de vastes claies, des masses de feuilles de coca qui, après traitement, allaient devenir la pasta base.

Arthur n'était jamais venu dans ce camp. Sitôt pied à terre, Botero, escorté par une milice d'accueil en haillons, avait disparu dans un baraquement. Arthur ignorait combien de temps durerait leur étape. Il jeta sa boîte de bière vide et suivit l'Indien qui le guida à travers le camp jusqu'à un baraquement en planches.

A l'intérieur, sur le sol de terre battue, un lit de camp recouvert d'une paillasse, un bidon d'eau et des mouches. Arthur leva le bidon au-dessus de sa tête et s'aspergea le crâne d'eau tiède.

Il enleva sa chemise trempée de sueur, se coiffa d'un chapeau de brousse et ressortit.

Dans le camp, personne ne fit attention à lui.

Il chaussa ses Ray-Ban et se dirigea vers la piste où refroidissait le moteur de son zinc. Volontairement, il avait omis de prendre son sac afin d'avoir un prétexte pour retourner d'où il venait. Dissimulés par ses lunettes noires, ses yeux enregistraient le moindre détail du camp.

Il fut frappé par un bâtiment tout en longueur construit en dur dont les lourdes portes de bois étaient verrouillées par des barres de fer. C'était la première fois qu'il voyait quelque chose de semblable dans la jungle. En général, les murs n'existaient pas. Les activités se passaient sous un toit de branches sèches en équilibre sur quatre pilotis. Hormis les chimistes qui avaient droit à un traitement spécial, les ouvriers et les gardes dormaient dans des hamacs suspendus à des arbres.

Il n'était qu'à quelques mètres de la piste quand un éclat de lumière attira son regard. Sans ralentir le pas, il aperçut à travers les feuillages le museau d'un Cessna.

Qui l'avait piloté jusqu'ici ?

Il arriva sur la piste, grimpa dans son zinc qu'il avait camouflé sous des manguiers, s'installa sur son siège et feignit de tripoter le tableau de bord. Du coin de l'œil, il vérifia que personne ne l'observait. Il se leva, alla jusqu'au fond du fuselage, sortit une clé de sa poche et ouvrit le logement dans lequel il avait enfermé la caisse verte. Il la dégagea, la porta jusqu'à la passerelle et se rassit en grimaçant un sourire : si Peter O'Toole avait pu le voir, il l'aurait tué.

Car ce qu'il allait faire, il l'accomplissait à titre personnel.

Contre les intérêts de sa propre mission. Par sport, par bravade. Et pour faire plaisir au copain de la Drug Enforcement Administration qui brûlait d'en voir les résultats.

Il souleva délicatement le couvercle de la caisse, plongea la main à l'intérieur et la referma sur quelque chose de soyeux, qui frémissait. Il ramena sa main, l'ouvrit avec précaution.

Une dizaine de minuscules papillons blancs palpitaient sur sa paume. Quelques-uns s'envolèrent par la portière grande ouverte, semblèrent s'orienter et disparurent dans le ciel.

Il s'agissait de « malumbias » plus voraces que des piranhas.

Mais contrairement aux poissons carnassiers du bassin amazonien, les malumbias étaient végétariens. En fait, un seul et unique végétal leur convenait pour apaiser leur faim insatiable : les feuilles de coca. Au Pérou, ils venaient de faire perdre cinquante millions de dollars aux trafiquants en dévorant trente mille hectares de plantations à la vitesse du vent. Leur appétit sexuel était aussi féroce que leur fringale alimentaire. Chaque femelle pondait des milliers d'œufs qui devenaient, en quelques jours, des milliers de papillons affamés.

Au FBI, des équipes d'entomologistes s'étaient plongés dans l'étude de cette nouvelle arme absolue : un dérisoire papillon blanc d'un gramme à peine, plus efficace et meurtrier que les hélicoptères lourds, l'armée, les défoliants et les lance-flammes.

Toujours personne en vue.

– Bon appétit, les mecs, murmura Arthur entre ses dents.

Avec le geste régulier du semeur, il entreprit de libérer les malumbias par poignées.

L'après-midi, Arthur fit la sieste. Il était vanné. Quand il s'éveilla, le ciel était complètement dégagé. Le soleil amorçait sa courbe descendante vers le couchant. Botero le ferait-il voler de nuit ou attendraient-ils le lendemain pour repartir? Avec lui, on ne savait jamais. Il ne l'avait pas revu depuis le matin. Il décida d'aller se dégourdir les jambes. Il remarqua que les portes du grand hangar étaient entrouvertes. Des hommes faisaient la chaîne pour y empiler des caisses.

Sifflotant *Laura*, il se rapprocha avec nonchalance et aperçut ce qu'elles contenaient : des sacs de plastique bourrés de cocaïne.

A près de cent dollars le gramme lorsqu'elle arriverait dans le circuit américain, il fit le calcul.

Effarant! Chacun de ces clochards dépenaillés portait dans ses bras deux millions de dollars.

Cinquante ans de salaire d'un flic de base.

Préparée par un cuistot d'occasion, une infâme tambouille fumait dans un chaudron de fonte posé sur des tréteaux. Pas de surprise. En dehors du maïs bouilli, on ne se nourrissait dans la forêt que de féculents. Haricots rouges. Et pour varier, haricots noirs. On pouvait toujours se consoler avec des pastèques et des bananes arrosées d'eau. Comme à l'ordinaire, Luz Botero était entouré par ses deux gardes du corps personnels. Il y avait aussi un troisième homme aux cheveux gris qu'Arthur avait déjà rencontré à Medellin.

La nuit était tombée depuis une heure. Les visages se creusaient à la lueur des lampes à pétrole. L'inlassable va-et-vient continuait dans les parages du hangar.

– On dort ici? demanda Arthur.

– Oui, dit Botero.

Curieux. Il suffisait qu'il ouvre la bouche pour qu'apparaisse dans les yeux de son entourage une lueur de crainte et de respect. Sa propre vie ne lui importait pas plus que celle des autres. Sa légendaire indifférence à la douleur physique faisait peur.

En prison, il s'était jeté tête en avant sur les murs pour se faire éclater le crâne. Une autre fois, devant ses gardiens, il s'était froidement mutilé le corps à l'aide d'un tesson de bouteille. Il avait avalé des fourchettes, des éclats de verre, de l'essence et même la montre de son avocat qui l'avait irrité. Le lendemain, on avait retrouvé dans un terrain vague le cadavre

284

de l'homme de loi criblé de balles. Dans l'univers carcéral, ces choses-là circulent vite. Même par quarante-cinq à l'ombre, Botero gardait toujours sur lui une chemise à manches longues. On savait pourquoi : ceux qui avaient pu voir son corps juraient qu'ils n'avaient jamais rien contemplé d'aussi impressionnant. Couvert de tatouages, d'entailles, de bourrelets cicatriciels. Une mappemonde en relief où s'inscrivait la carte de la misère, de la révolte et de l'orgueil...

– Luz, tu veux repartir demain matin?
– A 6 heures.
– On va loin?
– Non.
– O.K. Je m'occupe du plein.

Le nerf d'un laboratoire clandestin, c'était l'essence.

Il arrivait que les hélicoptères de la police découvrent une cachette. Pendant que la bataille faisait rage, les sans grade évacuaient la drogue à dos d'homme sous le couvert des arbres. Parfois, les flics étaient décimés par les armes automatiques du gang. Ou alors, les laboratoires brûlaient sous les bombes incendiaires. Dans les deux cas, il fallait créer un pont aérien pour évacuer les survivants et reconstruire le camp un peu plus loin. Botero avait à sa disposition une flotte aérienne s'élevant à cinquante-huit appareils.

Par un jeu subtil de holdings s'articulant selon le principe des poupées gigognes dans les républiques bananières avec relais financiers au Liechtenstein, Zurich ou Panama, une brigade d'avocats internationaux lui avait constitué l'imparable couverture d'une compagnie de charters, la « Caribbean Sun ».

Botero, totalement inculte mais d'une acuité intellectuelle foudroyante, avait instantanément compris le parti qu'il pouvait en tirer. Sous le prétexte d'institutions philanthropiques, ses fidèles ratissaient les asiles de vieillards de la côte est des États-Unis afin de leur offrir huit jours de vacances gratuites en Floride dans les hôtels contrôlés par la mafia de la coke.

Sans le savoir, chacun de ces sémillants octogénaires se transformait en passeur clandestin : qui aurait pu soupçonner un honorable retraité de se livrer au trafic? Botero but une dernière gorgée d'eau et se leva brusquement. Ses gardes du corps l'encadrèrent. L'homme aux cheveux gris se mit debout. Le boss quittait la table : le repas était fini.

Ostensiblement, Arthur s'éloigna sous les bananiers. Ils servaient de toilettes. Il faisait noir. Mais d'où il était, il pouvait observer le hangar sans crainte d'être vu.

La porte en était toujours entrebâillée. De l'intérieur lui arrivait une vague lumière. Apparemment, personne devant. Il se rapprocha, sifflant la médodie de *Blue Sky*. Chaque fois qu'il pilotait Botero quelque part, il était libre de se déplacer dans le camp. Après tout, si on le surprenait, il pourrait parfaitement prétendre qu'il le cherchait. Quand il fut à trois mètres du double vantail que ne bloquaient plus les barres de fer, il appela doucement.

– Luz... Hé, Luz...

Il s'avança encore et entra dans la zone de lumière que dispensaient deux lampes-tempête abandonnées sur le sol...

– Luz... Luz...

Il passa le seuil.

Et ce fut comme un coup de marteau. Incrédule, il regarda la fabuleuse quantité de sacs de cocaïne s'amoncelant dans l'entrepôt. Quelque chose d'extravagant. Les caissettes, contenant chacune une dizaine de kilos, grimpaient jusqu'au toit pour se perdre dans les immenses zones d'ombre au fond du local. Beaucoup plus que ce que pouvait produire la Colombie en plusieurs années. Sous le choc, il essaya vainement d'en faire un grossier décompte. Ce n'était pas possible. Il y en avait peut-être entre cinq cents et mille tonnes.

Du jamais vu. Il comprit qu'un coup monstrueux se préparait à l'échelle planétaire. Quarante milliards de dollars? Soixante?

Un coup trop colossal pour que Botero ou ses pairs, malgré leur puissance financière illimitée, aient pu le monter seuls.

Mais alors, qui?

Une telle envergure supposait l'engagement total d'une nation entière. La Bolivie? Le Pérou? Cuba? Trop modestes.

Et soudain, il trouva!

Abasourdi par l'énormité de sa découverte, il sortit du hangar les jambes flageolantes.

Tout était calme dans le camp. Il aurait donné n'importe quoi pour avoir un téléphone à sa disposition et prévenir au plus vite O'Toole. Avertir du danger mortel le président des États-Unis, les médias, l'Amérique entière.

A Medellin peut-être.

Demain.

Complètement sonné, il se dirigea vers sa cabane en sifflotant machinalement *Laura*.

En jazz, il avait une oreille parfaite.

A sa stupéfaction, il s'aperçut que, pour la première fois de sa vie, il sifflait faux.

27

L'homme aux cheveux gris était français. D'ailleurs, tout était gris chez lui. La peau de son visage, sa chemise, ses pantalons et jusqu'à ses chaussures. Il n'avait pas ouvert la bouche depuis la veille. Quand on lui posait une question, il répondait par un sourire ou un hochement de tête qui signifiait « oui » ou « non » selon qu'il était vertical ou horizontal. Tout ce qu'Arthur avait pu savoir, c'est qu'il s'appelait Jeannot.

Il puait la « French Connection » à plein nez.

Arthur aurait mis sa main au feu qu'il était chimiste.

Dans toute l'Amérique du Sud, les Français étaient tenus en haute estime par les trafiquants. Ils n'avaient pas leur égal pour raffiner à un degré de pureté qui atteignait parfois 93 p. 100.

Dérision... En Europe, les laboratoires de la police avaient fait acheter de la coke par des flics qui jouaient les clients en manque. D'Amsterdam à Munich, de Rome à Paris et de Londres à Madrid, ils avaient écumé les différents points chauds où venaient s'approvisionner les drogués. Les analyses réalisées après coup avaient été surprenantes : la poudre revendue dans la rue par les dealers ne contenait en fait que 4 p. 100 de cocaïne.

Au passage, à tous les niveaux de la distribution, les maillons de la chaîne faisaient leurs petits coupages en réalisant des bénéfices fantastiques qui leur permettaient d'abord de payer leurs propres doses et d'en offrir quelques-unes à des gogos qui allaient devenir de nouveaux adeptes et clients.

Jeannot s'était installé sur le siège à côté d'Arthur. Luz Botero et Enrique étaient derrière. Accroupis au fond de l'appareil, les deux gardes du corps attitrés de Botero et quatre hommes

armés jusqu'aux dents de mitraillettes soviétiques dernier cri, les
« AK-47 ».

Le temps était clair. On pouvait survoler n'importe quelle
région de la Colombie, on ne voyait pratiquement jamais de
routes.

Pour une raison très simple : il n'y en avait pas.

Malgré leurs fracassantes déclarations de guerre officielles aux
trafiquants, les ministres successifs de la Défense avaient toujours
résisté à la pression des autorités américaines prêtes à les leur
construire pour rien. « Pour quoi faire ? » avait déclaré l'un d'eux
avec un clin d'œil cynique à un journaliste espagnol. « Vous
trouvez que les gringos ne sabotent pas déjà assez notre économie ? » Étant bien entendu que, par « économie », il faisait allusion
à la principale ressource de la nation, la transformation de la
pasta base en cocaïne pure.

Petit tapotement d'Enrique sur l'épaule d'Arthur.

D'un geste de la main, il lui fit signe d'obliquer très légèrement
vers le sud. Arthur savait à peu près où il était.

Ils avaient laissé San José del Guaviare sur leur gauche.

– Commence à descendre, dit Enrique.

Arthur poussa le manche en avant. Cinq minutes plus tard,
rectiligne dans un infranchissable océan d'arbustes, il aperçut la
piste.

Il n'était même pas 7 heures du matin. Arthur descendit de
l'avion le dernier. Le comité d'accueil était formé de plusieurs
Indiens, de quelques mules, et d'un grand type blond en
combinaison kaki. Un peu plus loin, à couvert dans l'ombre des
arbres, Arthur vit un hélicoptère. Botero mit une liasse de dollars
dans la main de celui qui semblait être le chef des Indiens. Puis il
se tourna vers le type blond.

– On y va ?

Le blond acquiesça et se dirigea vers l'hélicoptère.

Suivi par ses deux gardes, Botero lui emboîta le pas.

Ne sachant que faire, Arthur se demanda s'il devait les
accompagner ou rester auprès de son zinc en compagnie des
mules, des Indiens et des hommes en armes. Botero s'arrêta soudain.

– Tu connais les chutes du Niagara ?

– Oui, dit Arthur.

– Tu les trouves belles?

– Oui.

Botero éclata de rire.

– Tu as tort. C'est de la merde. On a mieux en Colombie. Viens avec nous!

Ils s'entassèrent dans l'hélicoptère.

Le type en combinaison lança les rotors.

On aurait dit que la rivière était pleine de sang. Elle filait à une vitesse vertigineuse entre des gorges étroites de rochers qui la surplombaient parfois de plus de cinq cents mètres. Les eaux pourpres pénétraient avec furie dans leur lit de granit qu'elles avaient mordu depuis des millénaires pour s'y frayer passage. Parfois, elles disparaissaient complètement, masquées par des à-pics grandioses.

Stupéfait par tant de beauté, Arthur jeta un regard interrogateur à Enrique. Enrique se tourna vers Botero pour chercher une approbation. Elle lui fut accordée sous forme d'un clin d'œil amusé.

– Rio Guavabero, dit-il.

– Pourquoi rouge?

– Les algues, fit Enrique. Les algues rouges.

Le pilote descendit jusqu'à frôler les deux murailles du canyon. Arthur fit des prières pour qu'il n'y ait pas de vent. La moindre rafale les jetterait contre les parois.

– Descends encore, dit Botero.

Le pilote piqua carrément. Arthur serra les dents. Ils entrèrent dans une zone d'ombre bleu marine où ne devait jamais parvenir la lumière du soleil. Les murs se refermèrent au-dessus de l'appareil soudain emprisonné dans une écrasante prison de roches.

A certains endroits, la gorge était si encaissée qu'il n'y avait qu'un mètre d'espace libre de chaque côté des pales du rotor. Le pilote semblait s'amuser comme un fou. Pour prendre des risques aussi inouïs, il fallait qu'il soit bourré de coke. Ou fou. Ou les deux. D'instinct, Arthur chercha la réponse sur le visage de Botero. Il sut que lui aussi était cinglé. Il avait l'expression tendue et lointaine de ceux qui trouvent leur jouissance en défiant la mort.

Brusquement, les parois de granit s'écartèrent à toute allure. Leur crête, si haute un instant plus tôt, avait dégringolé jusqu'au niveau de la rivière qui s'élargissait maintenant entre d'énormes plaques grises de granit.

Alors, Arthur vit la chute.

Et c'était si magnifique qu'il regretta de n'avoir avec lui personne qu'il aimait pour pouvoir partager cette seconde d'éblouissement. Des millions de mètres cubes de masses liquides pourpres se jetaient dans le vide pour y former le plus extravagant des arcs-en-ciel d'écume bouillonnante qui s'écrasait deux cents mètres plus bas dans un mugissement de fin du monde.

– « Raudal Numero Dos », dit Enrique.

Le pilote maintenait l'hélicoptère immobile au-dessus de la cataracte. Botero adressa un sourire narquois à Arthur, bouche bée. Puis il donna un ordre.

– *Vamos.*

L'hélicoptère piqua droit sur le ciel, prit de la hauteur et refit le trajet en sens inverse en suivant le cours du Guavabero. Deux minutes plus tard, les gorges sauvages semblèrent s'apaiser. La rivière courait toujours aussi vite entre des berges de roches plates qui la canalisaient dans un siphon d'une incroyable puissance. Le pilote vira brutalement à droite, laissa chuter l'appareil comme une pierre, le rattrapa dans un frémissement qui leur fit monter le sang à la tête et se posa en douceur sur la place d'un village formé d'une cinquantaine de huttes.

Au centre du village, incongru, impossible presque, il y avait un billard. Un billard à poches d'un vert fané qui semblait sorti du décor d'un western américain du siècle dernier.

Autour du billard, une masse d'Indiens recueillis, debout et silencieux, dont aucun ne prit la peine de détourner la tête malgré le vacarme et le nuage de poussière provoqués par l'atterrissage de l'hélicoptère.

Simultanément, Arthur vit aussi ce qu'il y avait sur le billard.

Un homme mort.

– Alors, mec, c'est toi le roi Arthur ?
– C'est moi.
– On m'a beaucoup parlé de toi. Je m'appelle Marvin.

Le type blond lui tendit la main avec un sourire qui lui chiffonna le visage.

— Bienvenue dans mon fief!

— Merci, dit Arthur.

— C'est la première fois que tu viens dans le coin?

— Oui.

— Ne m'en veux pas pour tout à l'heure. Je t'ai pas salué. Mais tu connais Botero. Il a toujours l'impression que tout le monde conspire contre lui. Alors, deux Ricains ensemble, tu te rends compte. Un vrai coup d'État!

A leur arrivée, un Indien s'était détaché du groupe et était entré dans une hutte avec Botero suivi comme son ombre par ses gardes du corps. Arthur avait allumé une cigarette et s'était assis à l'écart sur un tronc d'arbre. Marvin l'avait rejoint.

— Tu m'as foutu les jetons avec tes acrobaties dans le canyon.

Marvin éclata de rire.

— On voit que t'étais pas au Viêt-nam!

— On peut pas être partout, dit sobrement Arthur en guise d'excuse.

Puis, désignant les Indiens qui psalmodiaient:

— A quoi ils jouent?

— Ils enterrent un des leurs.

— De quoi il est mort?

— Dans la tribu, ils meurent tous de la même chose. Ils se noient.

Arthur lui jeta un regard perplexe.

— T'es pas au courant? Leur job, c'est de faire passer la coke de l'autre côté du torrent. Tous les mois, il y en a au moins deux qui y laissent leur peau.

— Il n'y a pas d'autre passage?

— Rien. Pas de pistes, pas de routes, et la montagne qui bouche tout.

— Et le billard, d'où il vient?

— Crois-le ou pas, personne ne l'a jamais su. Il était peut-être déjà là il y a cent ans.

— Mais comment a-t-on pu l'amener?

— Va savoir. Depuis toujours, ils l'utilisent comme autel pour leurs cérémonies funéraires. Il y a un tas de trucs marrants ici.

— Par exemple?

– Cet endroit n'a pas de nom. On sait qu'il s'agit d'un village près du « Raudal Numero Dos », mais personne ne serait fichu de te dire comment il s'appelle. Et pourtant, regarde.

Entre deux cases, il désigna l'enfilade des claies qui s'étendaient à perte de vue sous des auvents recouverts de feuilles de bananier.

– ... il s'agit pourtant du plus grand centre mondial de pasta base.

Les feuilles de coca transitaient par milliers de tonnes du Pérou, de la Bolivie, du Paraguay, du Nicaragua. On les laissait sécher au soleil avant de les brûler. Après quoi, on étalait les cendres sur des claies de cent cinquante mètres de long soutenues par une infinité de tréteaux. On les recouvrait alors de feuilles d'aluminium avant d'allumer au-dessous un feu qui allait hâter le séchage.

– Tu es d'où ? demanda Arthur.

– Minnesota.

– Tu y vas souvent ?

Marvin le regarda avec un étonnement amusé.

– Tu rigoles ? Je suis tricard !

– Ça te manque ?

– On s'y fait. Le seul emmerdement, c'est que je sais pas comment dépenser mon pognon.

Arthur ne put s'empêcher de sourire.

– T'as raison. C'est un sacré problème.

– Tu crois que je blague ? J'ai travaillé pour un caïd, Sanchez. Il pourrait se payer la Maison-Blanche chaque matin rien qu'avec ce qu'il gagne avant le petit déjeuner. Un jour, il reçoit une carte postale de France, les sports d'hiver. Ça représentait un hôtel... « le Mont d'Arbois ». Ça lui a tellement plu qu'il s'est fait envoyer les plans et construire le même bazar en pleine jungle ! Dans son parking, des Rolls à ne plus savoir qu'en faire, une vingtaine de Ferrari. Et comme il aime les bateaux, il a une dizaine de « Cigarettes » avec des moteurs de 1 000 chevaux. L'ennui, c'est que là où il est, il n'y a pas d'eau.

Arthur éclata de rire.

– Et tu sais quoi ? reprit Marvin. Devant sa propriété, pour servir de porche aux deux piliers de son portail, il a fait couler dans le béton un Cessna tout neuf d'un million et demi de dollars ! Pour faire joli !

— Tu imagines Botero s'amusant à des conneries pareilles! dit Arthur.

— Ah, pardon! Botero, c'est pas pareil. Sa tête est mise à prix, d'accord. Mais ça ne l'a jamais empêché d'entrer et de sortir des États-Unis comme il veut et quand il veut!

Arthur tressaillit.

— Gaffe, souffla-t-il, le voilà.

Pas étonnant qu'ils se noient. Dans un courant d'une violence aussi terrifiante, tout objet à la dérive était happé par les tourbillons fous pour exploser irrésistiblement contre les falaises.

Impressionnant.

Arthur regarda avec incrédulité les pirogues dans lesquelles les Indiens se préparaient à affronter le courant.

De vulgaires troncs d'arbre longs de quatre mètres, évidés à l'intérieur pour laisser place à un homme et un chargement de coke de 50 à 60 kilos.

— Faut pas s'endormir sur les pagaies, commenta Marvin du bout des lèvres.

Sur la berge, la pile de sacs ne cessait d'augmenter.

La pasta base était d'abord enveloppée dans du papier d'emballage recouvert lui-même d'une pellicule de plastique transparent. L'ensemble, enroulé dans du nylon, était ficelé avec des cordes.

Sur l'ordre de leur chef, les Indiens commencèrent à charger les pirogues. Elles étaient solidement maintenues à flot à bout de bras, dans une zone morte relativement épargnée par la rage des eaux.

Un cri guttural. La première pirogue disparut dans une gerbe d'écume à une vitesse démente. Arthur vit s'arc-bouter l'Indien qui la pilotait. Il reparut trente mètres plus loin, manœuvrant à la force des pagaies pour ne pas être broyé par le courant.

Mais déjà, d'autres esquifs se lançaient dans la fureur du torrent.

— Allez, salut, dit Marvin.

— Salut? s'étonna Arthur.

— Faut que je remonte. On doit me livrer une pièce pour l'hélico demain matin.

Arthur le regarda sans comprendre.

Sans hélicoptère, comment allaient-ils passer sur l'autre berge?

Il n'eut pas à se poser la question longtemps.

– *Vamos!* hurla Botero.

Il désigna à Arthur un Indien complètement édenté qui se marrait en s'accrochant à son tronc d'arbre.

– Vas-y, c'est le tien.

En passant auprès de lui, il lui donna une petite tape sur l'épaule. Il dégringola le talus, sauta dans la pirogue qui s'enfonça sous son poids et lui fit un signe impatient.

Arthur avala sa salive. En un instantané, il enregistra une dernière fois le paysage. Le vieil Indien sans dents, les pirogues aussi rassurantes que des brins de paille, le regard attentif de Botero, le torrent fou, la silhouette de Marvin qui escaladait la pente pour remonter vers le village, le bleu du ciel et le couple de condors tournoyant très haut au-dessus de cette scène dingue. Il fit comme s'il n'avait pas peur : il se lova dans la pirogue. Elle tangua dangereusement. Trop tard pour essayer d'allonger ses immenses jambes, de les caler au fond de l'esquif comme deux ventouses.

D'une violente poussée, l'Indien venait de propulser l'esquif dans l'effrayant vacarme d'écume rouge.

Arthur reçut un coup fantastique dans les reins, gicla comme une flèche au sommet d'une vague, eut la certitude que sa tête se décrochait de son corps, son corps du tronc d'arbre, le tronc d'arbre du torrent.

La berge s'éloignait à une vitesse de cauchemar.

Il savait qu'il allait mourir. Il avait toujours cru qu'il mourrait dans l'air. Marrant. Ce serait sous l'eau.

Dans son dos, l'Indien psalmodiait des trucs à voix haute tout en se battant à grands coups de pagaie. Le torrent défilait en rugissant à ras bord de la coque qui voltigeait à la rencontre de rochers acérés évités par miracle à la dernière seconde.

Des murs liquides de couleur pourpre se précipitaient sur eux en vagues folles. Un instant, Arthur aperçut Botero.

Il avait pris la pagaie de l'Indien et menait tout seul son combat contre le Guavabero. Au corps à corps. Lui et sa pirogue disparurent, happés par les remous.

Arthur osa un regard sur l'Indien. Il n'était pas complètement édenté. Il lui restait un chicot noirâtre, un seul, au fond de la gencive, en haut. Puisqu'il pouvait le voir, Arthur en conclut qu'il souriait. Peut-être sentait-il sa peur, la sueur glacée qui lui collait la chemise à la peau tandis qu'il s'agrippait désespérément pour faire corps avec la pirogue, ses doigts enfoncés comme des serres dans le bois tendre.

Il ferma les yeux et s'abandonna.

— *Señor.*

La pirogue était immobile.

Probablement les effets de la noyade.

— Hombre!

Cette fois, la voix de Botero. Il rouvrit les yeux.

Sur les dalles de granit, les Indiens qu'il avait vus de l'autre côté de l'enfer déchargeaient tranquillement les sacs de coke. Ils étaient donc de l'autre côté! Il faillit embrasser son pilote, lui dire qu'il le respectait, qu'il l'admirait, lui faire une déclaration d'amour.

— *Adios,* dit le vieil Indien.

— *Adios,* répondit Arthur.

Botero était déjà en selle. Arthur se hissa sur une mule.

Non seulement ses membres étaient brisés, mais il avait l'impression d'être ivre mort. Plus tôt, en hélicoptère, il avait repéré que les berges du torrent rouge étaient à une dizaine de kilomètres de la piste où il avait laissé son avion.

A dos de mulet, une heure ou deux de route, selon la configuration du terrain. Devant eux, deux guides indiens loueurs de mules. Derrière, la caravane qui s'était formée, le dos des bêtes ployant sous le poids des sacs de plastique.

— *Vamos,* dit Botero.

La caravane s'ébranla.

28

De nouveau, les portes du hangar étaient fermées avec leurs deux barres de fer. Il était à peine une 1 de l'après-midi. Mais la matinée avait été si riche qu'Arthur avait la sensation d'avoir vécu six mois en quelques heures. Botero se leva de table. Arthur repoussa sa gamelle de haricots rouges. Botero lui avait précisé qu'ils retourneraient à Medellin avant la tombée du jour. Il s'apprêtait à regagner sa case pour y faire une sieste d'une heure ou deux quand Botero l'appela.

– Oui, Luz?
– Tu as vu le Cessna?
– Oui.
– On vient de me le livrer. Je veux l'essayer.
– O.K... Tout de suite?
– Oui. Maintenant.
Arthur se dirigea vers le bout de la piste.
Il aurait tout le temps de dormir, ce soir, à Medellin.

A quel âge cesse-t-on d'être un enfant?
Chaque fois qu'il était aux commandes d'un zinc tout neuf, Arthur retrouvait ses sensations de gosse à la rentrée des classes, le cartable neuf, les cahiers, les livres non ouverts, tout le fourbi.
– Il est épatant, dit-il.
Le tableau de bord avait encore cette odeur particulière de métal et de cuir qui s'évanouirait au bout de quelques semaines... Sur le siège voisin, Botero approuva. Pour une fois, Enrique n'était pas de la balade. A quoi bon? Le ciel était clair et quelles

que soient les évolutions auxquelles il se livrait, Arthur ne perdait jamais la piste de vue.

— Vas-y... Grimpe!

Arthur mit l'appareil en chandelle. Ils se retrouvèrent tête en bas, le dos collé au siège.

Arthur jeta un regard en coin à Botero.

— Encore?

— Vas-y! Plus haut!

Arthur maintint le manche solidement calé contre son ventre. A ce rythme-là, ils arriveraient bien vite au plafond de l'appareil.

— Maintenant, pique!

Il piqua.

— Redresse!

Botero semblait s'amuser comme un fou à donner ses ordres. Toute la gamme des figures de voltige y passa... Le Cessna se comportait magnifiquement, obéissant à Arthur qui le pilotait comme un jouet...

— Va jusqu'au lac...

Botero désignait une plaque de mercure sombre qui miroitait sourdement sous le soleil en direction du nord, à une vingtaine de kilomètres... Arthur prit son cap... Il y eut quelques secondes de silence, puis Botero laissa tomber.

— Tu es un bon pilote.

— Merci, dit le rouquin.

— Dommage...

Quelque chose dans le ton alerta Arthur. D'abord, « dommage » : pourquoi dommage? Il se demanda s'il avait bien entendu.

— Quoi, dommage?

Botero le considérait avec une espèce de tristesse. Depuis quatre ans qu'il le pilotait, Arthur ne lui avait jamais vu cette expression.

— Que tu sois un flic... dit, doucement Botero.

Arthur se sentit traversé par une décharge électrique à haut voltage. Mais aucun des muscles de son visage ne frémit.

— Qu'est-ce qui te fait dire ça? demanda-t-il.

Botero regardait maintenant vers le lointain, comme si rien ne venait de se passer.

— C'est vraiment important que tu le saches?

— Mets-toi à ma place..., dit Arthur sans forcer la voix, sur un ton très naturel.

Botero poussa un profond soupir.

– Puisque tu y tiens... En arrivant l'autre jour à Los Angeles, tu as d'abord téléphoné de chez toi au lieutenant Peter O'Toole, le patron des Stups. Tu vois, même en Colombie, on le connaît... Je continue?

– Oui, Luz, continue...

– Tu es son adjoint. Tu as le grade de lieutenant comme lui. Vous vous êtes rencontrés dans le sauna de Century City.

– Tu connais Century City, Luz?

– Très bien.

Le soleil tapait dur sur le cockpit. Ils volaient à quinze cents mètres. Bordé par les pics neigeux de la Cordillère, le paysage proposait la palette complète de toutes les couleurs créées par le Seigneur...

– Ensuite?... murmura Arthur.

– Tu as dîné avec une fille, Pat. Elle travaille dans une agence de spectacles. Tu l'as ramenée chez toi pour la sauter.

Arthur secoua la tête en poussant un petit rire silencieux!

– Un sacré coup!

– Elle est morte, dit Botero.

Arthur se cabra, serra les mâchoires et banda toute sa volonté pour continuer à s'accrocher au manche.

– En sortant de chez toi, elle a eu un accident, continua Botero avec une insupportable douceur. Un cinglé l'a écrasée quand elle se rendait dans le parking de ton immeuble.

Botero tira pensivement de sa poche une boîte d'allumettes carrée. Il l'ouvrit. Il glissa le pouce et l'index dans la boîte et ramena à la lumière un minuscule papillon blanc.

– Et ça, tu connais?

Arthur ne prit même pas la peine de détourner les yeux.

– Malumbia, dit Luz. C'est tout blanc, c'est ravissant.

Il examina le papillon sous toutes les coutures.

– Malheureusement, c'est pire que les sauterelles. En une nuit, ils vous bouffent des milliers d'hectares de feuilles de coca... Une perte sèche de plusieurs centaines de millions de dollars... On ne peut pas les laisser vivre...

Délicatement, il posa le malumbia sur l'ongle de son pouce et le broya du bout du doigt jusqu'à ce qu'il n'en reste qu'un dérisoire tas de poussière blanche.

299

– Ce n'est pas gentil, *hombre*, d'avoir importé une pleine caisse de ces saloperies pour les lâcher chez nous.

– Quoi d'autre, Luz?

– Le bouquet final. Hier soir, tu t'es introduit dans le hangar. Tu as vu ce que tu ne devais pas voir.

– Cinq cents tonnes?... Mille?

– Huit cents. Mille bientôt. Trois, quatre mois...

Ils survolaient le lac. Sans que Botero ne lui eût rien dit, Arthur entreprit d'en faire le tour.

– Impossible. Tu n'arriveras jamais à les faire passer!

Une étincelle alluma l'œil de Botero.

– Oh si! En une seule livraison, le même jour.

– Pourquoi tu me racontes tout ça?

– Parce que tu ne pourras jamais le répéter.

– Tu es fou.

– Pas fou. Triste. J'avais fini par te considérer comme un ami. C'est toujours triste de devoir tuer un ami.

– Tu veux me tuer?

– Je n'ai pas le choix.

Arthur se retourna vers lui et le considéra avec gravité.

– J'ai une meilleure idée, Luz. Je vais filer plein nord jusqu'au Costa Rica. Nous avons une base militaire près de Guabito. On va s'y poser. Ensuite, je te ramènerai personnellement aux États-Unis pour y être jugé.

Botero éclata de rire.

Arthur sourit sans le quitter des yeux.

– C'est ta seule chance, Luz. Si tu me flingues, le zinc s'écrase et tu meurs avec moi.

Botero cessa de rire et lâcha d'une voix désabusée :

– Ce qui est décourageant avec vous, les « gringos », c'est le mépris dans lequel vous tenez le reste de l'humanité...

Il sortit un revolver de la ceinture de son pantalon et tira à bout portant. Malgré le bruit des moteurs, Arthur entendit la détonation, vit la petite flamme rouge qui sortait de l'arme juste au-dessus de son cœur et fut surpris de ne ressentir aucune douleur.

Il constata simplement que le ciel, si bleu une seconde plus tôt, devenait soudain tout noir. Autre chose curieuse, ses mains devenaient douces, molles et sans force. Il comprit alors qu'il allait mourir. Mais pas seul! Pas seul!... En un ultime soubresaut, il poussa le manche en avant... L'appareil amorça une vrille folle...

Les yeux vitreux déjà, il grimaça un sourire dans la direction de Botero qu'il savait tout près bien qu'il ne perçût plus de lui qu'une masse confuse...

— Dis-moi, assassin, c'est vrai que les rats t'ont bouffé les couilles?

Pour l'éternité, la question resterait sans réponse.

Une étoile rouge s'inscrivit sur son front, là où la deuxième balle lui faisait sauter la cervelle.

Horriblement secoué, l'appareil piquait toujours.

Botero se cramponna, déboucla la ceinture de sécurité d'Arthur, cala son pied droit sur sa poitrine et de toutes ses forces, donna une poussée violente...

Le cadavre d'Arthur roula à bas du siège.

En deux coups de reins, Botero se glissa à sa place et s'empara des commandes avec la calme maîtrise d'un professionnel. Un instant lui suffit pour redresser le Cessna à la dérive.

Il descendit, frôla les eaux du lac noir, maintint l'avion à l'horizontale, jeta un regard sur le corps d'Arthur et manœuvra la poignée de la porte. Elle s'ouvrit, battue par le vent qui la faisait vibrer comme une feuille de papier.

Il posa son pied sous le ventre d'Arthur et donna une secousse furieuse.

Le corps bascula dans le vide.

— Des couilles, j'en ai plus que tous les gringos réunis! hurla Botero à pleins poumons.

Il claqua la porte, tira sur le manche.

Le Cessna se cabra et monta comme une flèche dans le ciel pur.

LIVRE V

« SUNSET »

29

– Bon, dit O'Toole. Je vois que t'as toujours rien pigé. On recommence!

Il se leva. Concentré, le visage tendu, il fit craquer les jointures de ses deux mains et amorça quelques pas dans le bureau. Il fallait absolument qu'il fasse comprendre à ce connard qu'il était prêt à lui laisser une chance s'il arrêtait de faire le malin. Mais l'autre mourait de peur pour sa peau. Comment s'y prendre? Il revint vers lui. La cinquantaine, costaud, buté.

Assis sur une chaise, l'œil lointain, il tétait sa cigarette et semblait indifférent à tout.

Au point où il en était, il n'avait pourtant pas grand-chose à perdre. O'Toole le considéra pensivement, aspira une grande bouffée d'air et repartit à la bagarre.

– Écoute-moi bien, Zizi. Je résume. Tu as cinquante balais. Tu t'appelles Zizi Mac Cormick. Tu es commandant de bord à la Panam et on vient de te piquer en train de faire des heures supplémentaires. Tu pilotais une « Fat Lady » qui a atterri en Floride en provenance de Colombie avec mille deux cents kilos de cocaïne... Si je me goure, tu m'arrêtes... C'est bien ça?

– C'est ça, dit Zizi en rejetant une bouffée de fumée.

– Ça fait combien de temps qu'on t'a coffré?

– Un mois.

– Exact. Et d'après toi, tu risques d'en prendre pour combien?

– Sais pas. Je suis innocent.

De rage, O'Toole s'empara d'une chaise et la fracassa sur le sol. La porte s'ouvrit à la volée. Harry passa la tête.

– Quelque chose qui ne va pas, lieutenant ?

– Dehors !

Le sergent referma la porte avec précipitation.

O'Toole fit un effort désespéré pour se maîtriser. A la moindre fausse manœuvre, l'autre bourrique n'ouvrirait plus la bouche. Et ce pourri de pilote était sa dernière chance d'obtenir des informations sur la disparition d'Arthur : aucun signe de vie depuis trois mois. Peter en était malade...

Il alluma une cigarette et vint s'installer à califourchon face à Zizi.

– Quand tu bois un coup, à quoi tu carbures ?

Étonné par la question, Zizi grimaça un sourire goguenard.

– Vodka Finlandia. Sur la glace. Une pincée de poivre noir, une giclée de citron.

– Harry ! cria O'Toole.

La porte se rouvrit.

– Envoie quelqu'un au Liquor Locker. Je veux une bouteille de Finlandia, du poivre noir en grains, de la glace en branche et du citron.

– Bien, lieutenant.

– C'est une blague ? demanda Zizi.

O'Toole haussa les épaules.

– Tu me fatigues. Je me demande pourquoi on laisse voler des types aussi cons que toi...

– Probable qu'ils n'ont personne d'autre.

– T'as combien de mômes ?

– Trois. Des grands.

– Je les plains !

– T'inquiète pas pour eux.

– C'est pour toi que je m'inquiète... T'as pas remarqué un truc ?

Zizi lui jeta un regard torve.

– Depuis que tu t'es fait alpaguer, tu as déjà vu un juge ?

Zizi réfléchit...

– Non.

– Tu t'es pas demandé pourquoi ?

– Non.

– Tu vois bien que t'es un crétin... Je vais te le dire... Tu t'es fait coffrer par mes gars... On t'a amené directement ici. Régime de faveur. Personne n'est au courant. Sauf moi. Je vais même te confier un secret : c'est illégal. Normalement, tu devrais être en taule. Mort.

– Pourquoi mort ?

– Parce que les gangs colombiens t'auraient fait descendre dans ta cellule. De peur que tu l'ouvres.

– Pas de danger.

O'Toole s'esclaffa et se tapa sur les cuisses.

– C'est pas vrai ! Il est vraiment trop con !

Avec une expression de rage, il empoigna durement Zizi par le plastron de sa chemise.

– Tu n'es qu'un pion minable ! Ils en ont des centaines comme toi ! Ils gagnent des milliards de dollars ! Tu crois que ta vie les intéresse ?

Mac Cormick lui tenait tête depuis quatre semaines. Pour ne pas ébruiter l'affaire, O'Toole avait fait dire à sa famille par un des pontes de la Panam que la compagnie l'avait envoyé en mission.

– Écoute-moi, Zizi... Cartes sur table... Pas que ta gueule me passionne ou que j'aie de la sympathie pour toi. Les trafiquants, je les vomis !

Il fit quelques pas pour se calmer, revint vers lui.

– Ce que tu as fait, je m'en fous. C'est pas toi que je veux... Alors, écoute-moi bien parce que je vais te donner ta dernière chance...

– Depuis combien de temps tu n'as plus marché sur une plage ?

– Cent ans. J'avais même oublié que j'avais des jambes.

– On continue jusqu'à la pointe ?

– D'accord.

– Pas trop crevée ?

– Ça va.

Il l'enlaça par la taille. L'océan formait une plaque métallique réfléchissant l'étrange lumière dorée que filtraient les nuages. Ils marchaient pieds nus dans la frange de sable où venaient expirer des rouleaux paresseux. De minuscules bécasseaux gris tricotaient des triangles dans le sable derrière la vague qui se retirait.

– C'est marrant, dit Kostia. A Los Angeles, vous avez la mer à domicile et personne ne s'en sert jamais.

– On n'a pas encore réussi à la pasteuriser..., ironisa Jenny.

Sans maquillage, les mèches courtes de ses cheveux collées contre son front par les embruns, elle avait l'air d'avoir seize ans. Jour après jour, Kostia avait découvert avec stupeur sa fragilité, la fracture entre l'image de la star et les réactions à l'emporte-pièce de l'adolescente révoltée. Quand le conflit devenait trop aigu, elle s'en évadait par la cocaïne.

– Tu as faim?

– Non. Oui. Beaucoup. Pas du tout.

– Sérieusement?

– Sais pas.

– Demi-tour, gauche!

Ils étaient à hauteur de Carbon Beach. Ils tournèrent le dos à Malibu et repartirent en sens inverse. Ils pouvaient apercevoir le restaurant, juché à l'extrémité d'une avancée sur pilotis. Des joggers haletants les éclaboussaient d'écume... Des chiens couraient sur la plage.

– Excuse-moi..., dit Kostia.

Il se laissa tomber sur le sable, se débarrassa de ses baskets et de son jean, ôta son chandail, fonça vers la mer à longues enjambées puissantes et fusa dans la vague tête la première.

Pendant près d'une minute, Jenny ne le vit plus.

Elle retroussa ses bas de pantalon, entra dans l'eau jusqu'aux mollets et cria quand il lui saisit la cheville. Il se redressa, la prit dans ses bras et courut pour la ramener sur le sable où ils s'écroulèrent.

– Tu es fou! C'est glacé!

– Tu devrais essayer la mer Noire!

– Quelle horreur! Pourquoi pas la Sibérie? Même aux Caraïbes, je trouve l'eau trop froide!

– C'est bien?

– Quoi?

– Les Caraïbes?

Elle le dévisagea comme on regarde un arriéré.

– Tu n'y es jamais allé?

– Où? Quand?

– Je ne te crois pas!

– Tu oublies que je débarque.

Kostia s'essuyait à son chandail. Elle avait l'air sincèrement stupéfaite.

– Tu n'as jamais vu une île?

– Jamais.

– L'eau à trente degrés?

Il secoua la tête en riant.

– Connais pas.

Jenny le considéra soudain avec une expression rêveuse.

– Tu aimerais aller au Mexique?

– D'après toi?

– On n'est même pas à deux heures d'avion! Je connais un coin génial! On part demain!

Kostia l'attira contre lui et lova son visage contre son épaule...

– Tu rêves.

Elle se raidit.

– Pourquoi?

Il se mit à rouler les « r » et à prendre l'accent russe :

– Moi, dangereux espion soviet. Moi, apatride. Pas passeport. Assigné résidence.

Elle eut l'air ahuri.

– Tu veux dire que tu ne peux pas sortir des États-Unis?

– Interdit!

– Mais c'est monstrueux! Ça dépend de qui?

– Moi, minuscule poussière. Pas savoir. Pas connaître.

– Le président?

Kostia approuva gravement de la tête.

– Lui, tout pouvoir.

– Tu ne pouvais pas le dire plus tôt? C'est un copain. Attends... Encore mieux!... J'appelle Paulo.

Sur le coup de la surprise, Kostia reprit un ton normal.

– Ton coiffeur?

– Quand la femme du président a besoin d'un coup de peigne, elle lui envoie l'avion spécial de la Maison-Blanche.

Kostia achevait de nouer ses lacets : il s'interrompit pour pouffer.

– Jenny... Ça ne marche pas... Il s'agit de politique, pas de frisettes...

– Ah! tu crois?

– Je te dis que c'est impossible.

– Et moi je te parie que tu auras tes papiers demain!

Il lui caressa le crâne d'un air navré.

– Jenny... Jenny... Tu n'as pas le sens des réalités.

Elle lui déposa un baiser protecteur sur le bout du nez.

– Pauvre petit moujik ignare... Les femmes savent bien mieux que les politiciens comment fonctionne la politique.

Il éclata de rire. Elle lui passa le bras autour du cou. Ils se dirigèrent vers le restaurant.

– Je vous sers, lieutenant?

– Non, merci, Harry, amène le plateau.

Il le lui prit des mains, le posa sur l'angle du bureau, décapsula la bouteille et la passa à Zizi.

– Vas-y, fais comme chez toi... Et pour moi, même chose...

Zizi versa de la vodka dans leurs verres, y ajouta du poivre, du jus de citron et touilla le tout à l'aide d'un crayon.

– A la chance! dit O'Toole.

Ils burent. Peter guignait Zizi du coin de l'œil. Sous l'effet de l'alcool, la vie semblait revenir sur son visage. La vodka était-elle plus efficace que le passage à tabac?

– La situation est simple, Zizi... Professionnellement, sociale-ment, tu es cuit... Lessivé! Je me doute que tu as mis du fric de côté... A quoi il va te servir?... Si je te défère devant les juges, tu en prends pour cinquante ans et tu n'auras même pas une semaine de vie : ils te bousilleront en prison. C'est leur truc à eux... Si tu veux la liste.

Il trempa ses lèvres dans son verre, laissa planer un silence et ajouta d'une voix calme :

– Ou alors tu m'aides. Je te refais une virginité. Rien ne sera plus comme avant, mais tu auras un nouveau passeport, une nouvelle gueule et tu pourras recommencer ailleurs. Même peut-être, plus tard, te faire rejoindre par ta famille.

– Tu veux dire que j'irais pas en taule?

– Si... Un an... Deux ans maximum... Le temps que ça se tasse.

– Et les miens?

– Je m'en suis occupé. Ils sont déjà protégés. Ils n'en savent rien.

Zizi leur reversa une rasade généreuse. Puis il regarda O'Toole droit dans les yeux.

310

– Qu'est-ce que tu veux savoir?

– Arthur Boswell?

Zizi secoua la tête d'un air embarrassé. O'Toole vint à son secours.

– Tu donnes personne, Zizi. Arthur est mon meilleur copain. C'est sur ma demande qu'il a infiltré le clan Botero.

Zizi le dévisagea bouche bée...

– Le roi Arthur? Un flic?

– Exact.

– Merde, alors!

– Je suis sans nouvelles depuis trois mois. J'ai la trouille... Tu le connaissais?

– Tu parles!

– Où l'as-tu vu pour la dernière fois?

– A Medellin.

– Où?

– Au bordel.

– Quand?

– Justement, il y a trois mois.

– Et pendant les deux mois suivants, plus de nouvelles?

– Aucune. On se croisait depuis trois ou quatre ans. Je croyais qu'il faisait le même job que moi.

– Le bordel, raconte...

– On a passé la soirée. On a picolé...

– Il t'a dit ce qu'il allait faire le lendemain?

Zizi fronça les sourcils. Finalement, il lâcha :

– Il devait se lever tôt pour piloter Botero je sais pas où. Même qu'il n'a rien voulu entendre quand la gonzesse lui a fait du gringue...

– Quelle gonzesse?

– Une pute du claque... Attends... Carmen! Elle avait l'air d'en pincer salement pour lui... Et tiens, je m'en souviens... Quand il s'est barré, elle lui a couru derrière...

– Et toi?

– Je suis resté encore un peu. Je suis monté avec sa copine.

– Et Carmen, elle est revenue?

– Non. Elle a dû le persuader de l'emballer chez lui. Elle avait l'air raide d'amour. Il lui avait offert des boucles d'oreilles.

O'Toole ouvrit des yeux ronds.

– Des boucles d'oreilles? Arthur? A une pute?

311

Zizi rigola doucement.

– Tu sais ce qu'il m'a dit, ton copain? Ça m'est resté dans le crâne. Je lui ai demandé comment il faisait pour avoir toujours toutes les nanas au cul. Il m'a expliqué. Il m'a dit : Zizi, traite toujours les putes comme des duchesses et les duchesses comme des putes.

Peter se détendit légèrement.

– Et t'as essayé?

– Oui. A Miami. Avec la chef d'escale de la Panam. Une grande dame.

– Et alors?

– Je lui ai dit qu'elle avait l'air d'une grosse salope et je lui ai foutu carrément la main au cul.

– Qu'est-ce que ça a donné?

– Six jours d'arrêt de travail. L'œil droit à moitié crevé.

– Bien fait! Maintenant, suis-moi bien.

Il se pencha en avant pour mieux vriller ses yeux dans ceux de Zizi.

– Tout ce que je t'ai dit, ça tient. Mais à deux conditions.

Zizi soutint son regard sans ciller.

– Un, je veux retrouver Arthur, dit O'Toole d'une voix vibrante. Et deux, je veux Botero!

– Merde..., dit Dick. J'espérais qu'elle se foutrait en maillot...

– Et quoi encore?... grogna Lee.

Une expression de découragement sur le visage, son éternel bandeau écarlate sur le front, il remit ses jumelles à Dick. Ils avaient arrêté leur ignoble voiture sur le terre-plein de Pacific Coast Highway qui dominait l'immense plage s'étalant sur des kilomètres entre Venice et Malibu.

Lee fit sauter l'anneau d'une boîte de bière.

– Ils entrent au resto... Ils vont bouffer, eux... J'ai la dent! Qu'est-ce qu'on fait?

Depuis 11 heures du matin, ils pistaient Kostia et Jenny.

– On attend.

– Pourquoi ne pas aller se taper quelque chose?

– Tu vieillis, dit Dick.

– Quoi?

– Tu deviens gâteux.

Lee ouvrit la bouche pour demander des explications. Dick le fit taire d'un geste.

– Je me demandais si tu avais vu ce que j'ai vu. Non, tu n'as rien vu. Tu baisses, Lee, tu baisses.

Dick lui fourra les jumelles dans les mains.

– Un peu sur la droite... Tu vois la cabane du maître nageur ?

– Ouais.

Du bout du doigt, Lee réglait délicatement la molette de visée.

– Devant, la grosse femme en rouge et le clébard noir ?

– Ouais.

– Tu y es...

Il rafla la bière que Lee venait d'ouvrir et en but une longue rasade...

– Tu vois le type torse nu, en jean et baskets... Il est assis sur le sable...

– Je le vois.

– Je l'ai repéré sitôt qu'ils ont quitté leur voiture. Il leur a collé au cul tout le temps de leurs mamours...

– Qui est-ce ?

Dick ajusta le téléobjectif de son Nikon et prit une rafale de clichés.

– On le saura tout à l'heure, dit-il.

Les surfeurs montaient sur la crête des vagues, giclaient dans l'écume bouillonnante des rouleaux et piquaient sous le ponton au risque de se fracasser contre les pilotis. Kostia les voyait réapparaître de l'autre côté, miraculeusement intacts, pour s'échouer sur le sable en une ultime glissade.

– Tu as déjà essayé ? dit Jenny.

– Non.

– Tu sais skier ?

– Oui.

Ils venaient de commander un loup grillé et une bouteille de Chenin blanc. De leur table, ils voyaient à l'infini la plage grise que longeait Pacific Coast Highway au pied de la falaise. Des pélicans se laissaient tomber comme des flèches à la surface des flots. Dans la salle, la plupart des tables étaient occupées par des convives jeunes, rieurs, bronzés. Sur fond de musique douce, des rayons de soleil jouaient sur les nappes blanches, les lattes dorées du plancher, et les fruits et les fleurs répandus dans des corbeilles.

– Ça te plaît? dit Jenny.

Elle lui fit un clin d'œil, serra sa main en une brève pression et se leva.

– Je reviens...

Il la regarda se diriger vers les toilettes.

Il savait ce qu'elle allait y faire.

Depuis plusieurs semaines, ils ne se quittaient pratiquement jamais. Il était donc très bien placé pour savoir qu'aucun dealer ne lui livrait de la drogue.

Et pourtant, Jenny se droguait. Non plus à la façon d'un ivrogne qui s'abîme dans l'excès, mais comme une alcoolique, régulièrement, sournoisement, en solitaire.

Il avait appris à le déceler à travers d'imperceptibles changements de rythme, un ton de voix; un simple frémissement du visage. Beaucoup de gens de métier défilaient dans la maison, acteurs, producteurs, agents, attachés de presse, metteurs en scène, tous venus la consulter pour tirer quelque chose d'elle. Parfois, elle n'entendait même pas ce qu'ils lui disaient. Elle restait figée sur sa chaise, absente, silencieuse, l'œil dans le vague. Jusqu'au moment où elle s'excusait et quittait la pièce. Elle réapparaissait quelques minutes plus tard : une autre femme. Gaie, enjouée, vive.

Où se procurait-elle la coke?

On apporta le vin. La serveuse le déboucha. Kostia la remercia d'un sourire et le goûta.

– Je ne vous ai jamais vu dans le coin..., dit-elle. Je m'appelle Candy. Je finis mon service à 6 heures.

Kostia leva les yeux sur elle. Elle était brune, longue, mince, avec un magnifique regard bleu clair.

– Êtes-vous actrice? demanda-t-il avec le plus grand sérieux.

– Oui!

– Moi aussi, dit Jenny en reprenant sa place.

Et pour qu'il n'y ait aucun doute sur son identité, elle abaissa légèrement ses lunettes noires.

Candy la reconnut instantanément, se mordit les lèvres, bredouilla...

– Je suis désolée... Excusez-moi...

Rouge de confusion, elle tourna les talons et s'éloigna entre les
tables.

– Toutes des salopes, dit Jenny.

Elle coula un long regard soupçonneux à Kostia.

– Tu me sers à boire?

30

Le type devait bien faire dans les cent cinquante kilos. Des bourrelets de chair velue dépassaient de ses jarretelles roses où s'accrochaient ses bas résille noirs. Il avait sur la tête un chapeau fleuri de diva des années trente. Mais le plus étonnant, c'était ses ailes d'ange d'un rose acidulé qui battaient au-dessus de ses épaules. L'écriteau qu'il tenait dans ses mains fantastiques précisait : « Malgré la mort qui nous guette, je ne crois qu'à l'amour. »

Crunch bien calé dans le creux de ses bras, Vladimir Naritsa dégagea ses mains pour applaudir.

– Quel courage! souffla-t-il à sa voisine.

– Ils ont bien du mérite, soupira-t-elle.

Bien qu'elle ne fît pas partie du défilé, sa tenue aurait pu laisser croire qu'elle en était l'un des clous.

De race noire, elle portait une robe de coton bleu ciel moulant ses formes aux volumes inouïs. Un bouquet de fleurs artificielles blanches fermait le haut du corsage de sa robe. Elle arborait également une invraisemblable capeline violette qui protégeait son visage des rayons du soleil. Ne lui manquait plus qu'une profession de foi brandie à bout de bras pour qu'on lui propose de prendre la tête du cortège.

Survint une limousine d'apparat entièrement recouverte de gazon vert tendre. Nues sous leur blouse blanche de nurses, des femmes entre deux âges, juchées sur le toit de la voiture surmonté d'un plancher, s'agitaient au son d'un orchestre Nouvelle-Orléans formé d'octogénaires guillerets déguisés en boy-scouts. Une banderole précisait leur raison sociale : « Les infirmières lesbiennes de Santa Monica ».

Entre la limousine et les vieillards qui la précédaient au pas cadencé, un petit garçon de huit ans, vêtu comme un page, serrait sur son cœur une proclamation brodée en lettres de soie rouge sur fond de dentelle blanche : « Mon frère est gay. Maman est lesbienne. Papa est homo. Je suis fier d'eux et je les aime. »

— Quel amour! minauda Vladimir.

Vinrent ensuite les « Culturistes Pédérastes de Venice » glissant avec un ensemble parfait sur patins à roulettes, leur ballet scandé par les coups de sifflet d'un Pierrot plâtreux... Des vaches trônant sur des charrettes fleuries tirées par « Les agriculteurs homosexuels de San Bernardino »... « Les hommes... préfèrent les hommes. » Et des éphèbes, à demi nus, enroulés dans d'étourdissantes fourrures mauves, les jambes gainées de strass, entraînés par des policiers homos en uniformes caracolant sur leurs pur-sang dans un tourbillonnant défilé d'estafettes, de chars fleuris, de camionnettes camouflées en groins de cochon, d'orchestres d'harmonicas, de groupes de danseurs déguisés en dindes, en ampoules électriques, en Dracula, en fers à repasser...

La parade durait depuis trois heures.

Elle regroupait toutes les minorités sexuelles de la Californie qui se donnaient rendez-vous une fois par an sur Santa Monica, dans la portion comprise entre Crescent Heights et La Dohenny. Enfoncé, le carnaval de Rio! Les trouvailles vestimentaires étaient dingues. Et les « gays » des deux sexes avaient eu un an pour préparer leur défilé devenu célèbre par le délire de ses inventions époustouflantes.

Soudain, une trompette domina le tumulte et lança les huit premières notes de *L'hymne à la joie* de Beethoven.

Comme par magie, le défilé entier se figea instantanément.

Un silence écrasant tomba sur l'avenue.

On pouvait entendre maintenant la rumeur de la ville. Et presque, en tendant bien l'oreille, les battements de cœur de la foule statufiée. Au bout d'un temps infini retentirent les sept autres mesures de la symphonie qui amenaient la note résolutoire.

Alors, des centaines de ballons s'échappèrent des mains pour filer droit vers le ciel.

Sur chacun d'eux, le nom d'un homo mort du SIDA dans l'année écoulée.

Figés, les yeux rivés sur les ballons qui se perdaient dans les nuages, participants et spectateurs tentaient d'étouffer leurs larmes.

Naritsa serra très fort le bras de sa voisine.

Il pleurait.

— Excusez-moi, chuchota-t-il.

Sans mot dire, elle lui enveloppa les épaules en un geste affectueux.

Coup de sifflet : la minute de silence était finie.

Le défilé redémarra. Le vacarme reprit possession de l'avenue.

— Venez, dit Vladimir. Mon agent doit nous attendre.

— Vous êtes vraiment sûr de ce que vous faites ?

— Je n'ai jamais été aussi sûr de quoi que ce soit !

Elle eut une petite grimace résignée.

Il lui prit galamment le bras et l'entraîna dans la rue transversale où il avait garé sa voiture.

— Où est le rendez-vous ?

— Chez moi.

— Vous résidez aussi au Beverly Hills ?

— Pas du tout. J'habite chez une de mes anciennes élèves, dit Naritsa en se rengorgeant.

Il laissa négligemment tomber le nom magique :

— Jennifer Lewis.

— L'actrice ?

— C'est ma meilleure amie.

— Je vais mourir de honte car elle est réellement merveilleuse ! Comme vous avez de la chance...

Les photos étaient encore toutes luisantes d'humidité. Dick les tendit à Lee avec un clin d'œil.

— Je sais tout.

Lee considéra avec attention les clichés que Dick avait pris à Malibu deux heures plus tôt. Un jeune homme torse nu, mince et musclé, assis sur le sable, le visage tourné vers l'entrée d'*Alice's Restaurant*.

— Il s'appelle Rinaldo Kubler. Ça ne te dit rien ? Avant le Russe, il était l'un des amants de Jennifer Lewis.

— Ce n'est pas le petit trou du cul qui avait loué tous les emplacements publicitaires de Sunset ?

— Lui-même.

Lee passa un doigt sous son bandeau écarlate et se gratta délicatement la tête.

— Combien ça avait coûté, cette connerie?

— Deux cent mille dollars. Et tu te demandes...

— Exactement.

— C'est déjà fait. Je viens d'alerter les copains. « Big Boss » est déjà en marche.

« Big Boss » était le nom donné par les spécialistes de l'Internal Revenue Service du Treasury Department au grand ordinateur central de l'État du Maine. Branché sur tous les autres États, il dévoilait instantanément, à partir du moindre indice sur n'importe quel citoyen, le numéro de son permis de conduire, son code de sécurité sociale, ses antécédents médicaux, son passé judiciaire et ses mouvements bancaires dans tous les organismes financiers.

Dick résuma la situation d'une phrase.

— Je suis drôlement curieux de savoir d'où ce rat tire tout ce fric.

— J'ai leur accord! D'un côté, Newman. De l'autre, De Niro. Entre les deux, toi! Le deal le plus gigantesque de l'histoire du cinéma!

Jenny reposa avec lassitude son verre d'eau minérale.

— Bo, tu nous fatigues.

Après la plage, elle s'était enfermée une demi-heure dans son caisson d'isolation.

— Vous l'entendez? Je vais lui faire gagner des millions de dollars et elle prétend que je la fatigue!

Bo Schneiderman donnait en permanence la déprimante sensation d'être une grosse cylindrée tournant à vide sur une prise de 220. La cinquantaine agressive, de grosses lunettes d'écaille, l'air d'une fouine à l'affût, toujours agité, des projets mirifiques plein les poches, un faux rictus de bonne humeur éternellement accroché aux lèvres, n'entendant rien de ce qu'on lui disait mais l'oreille ailleurs pour capter ce qu'il n'était pas supposé entendre, il se nourrissait du bruit de sa propre voix qu'il déversait simultanément, vingt-quatre heures sur vingt-quatre, dans trois téléphones. Émotions, chagrins, colères, bonheurs, tout le reste était mimé sans être ressenti.

Du faux-semblant. Du plaqué.

Kostia connaissait le numéro par cœur. Il étouffa un bâillement.

— Avant de me faire prendre tes millions, dit Jenny avec froideur, tu pourrais peut-être me rembourser les six cent mille dollars que tu me dois.

Depuis qu'Alex Malachian l'avait découverte, Bo Schneiderman était son agent.

— Arrête de t'agiter. Tu vas avoir une crise cardiaque!

— Si je suis riche, je m'en fous! jubila Bo.

Elle haussa les épaules.

— Quand tu seras mort, qu'est-ce que tu en feras de ton pognon? Tu as déjà vu un coffre-fort suivre un corbillard?

Pour une fois, Bo resta sans réponse. Trahissant son intense effort de réflexion, ses petits yeux tournaient à la vitesse de billes en folie derrière les verres massifs de ses prothèses oculaires. Finalement, il lâcha :

— Pas de problème! Je mettrai mon coffre dans mon corbillard!

On sonna. Adjibi fit un bref passage et disparut dans le vestibule. Une seconde plus tard, hurlement de Schneiderman :

— Vladimir!

Rugissement en écho de Naritsa :

— Bo!

Ils éprouvaient l'un pour l'autre une aversion profonde, mais leur puissance se contrebalançait.

Ils s'enlacèrent comme deux amis perdus pour une accolade qui n'en finissait pas. Naritsa se dégagea le premier, braqua ses yeux dans ceux de Schneiderman et lui dit d'une voix vibrante.

— Bo, je ne t'aurai pas fait déranger pour rien!

Puis, prenant Jenny et Kostia à témoin :

— Je viens de découvrir le nouveau phénomène du cinéma mondial...

Il tendit la main à Schneiderman :

— N'oublie pas, Bo. Toi et moi, moitié-moitié! Nous la lançons ensemble!

Il fit demi-tour vers le vestibule. Un instant plus tard, il faisait une entrée solennelle, tenant triomphalement par la main une matrone noire aux formes fantastiques drapées dans une robe de coton bleu, une extravagante capeline violette sur la tête.

320

Kostia sentit le sang se retirer de son visage : la découverte de Vladimir, c'était Janis!

Il arrivait qu'Ernst Loring entre de plain-pied dans la folie de Rinaldo Kubler. Il oubliait alors l'absurde de la démarche pour ne voir que le défi technique qui lui était posé.

Il n'était pas évident en effet de travestir l'œuvre la plus énigmatique de Rembrandt, *L'homme au casque d'or*, où le vieux maître s'était représenté malade et les traits ravagés, en portrait d'un jeune homme de vingt-cinq ans.

– A quoi tu penses? demanda Rinaldo.

Loring était abîmé dans la contemplation d'une reproduction grandeur nature de l'original placée devant son chevalet. Drapé dans une espèce de péplum brunâtre, Rinaldo lui faisait face et gardait rigoureusement la pose.

– Ça ne colle pas, soupira Loring.

– Explique.

– Regarde la toile, Rinaldo. Les ors, les bruns, la patine. Tout n'est là que pour servir de cadre à la désillusion du visage. Un visage brisé, vieilli, amer. Il s'agit d'un homme que la vie a blessé et qui n'en attend plus rien. Regarde-toi. Tu es jeune, tu es triomphant. Si je te représente tel que tu es, tout le reste autour s'écroule et ce n'est plus *L'homme au casque d'or*. Si maintenant je te vieillis, ce n'est plus toi, Rinaldo. C'est Rembrandt.

Il essuya mélancoliquement son pinceau de martre sur son pantalon gris.

– Insoluble, Rinaldo. Pendant quelques jours, j'ai cru pouvoir. Aujourd'hui, je ne sais plus.

Rinaldo se courba pour s'emparer d'un paquet de Camel posé entre ses baskets.

– Ernst, cherches-tu à me dire que, ce que Rembrandt a fait, tu es incapable de le faire?

– Techniquement, je le peux.

Intérieurement, il se maudit qu'on le contraigne à se comparer à Rembrandt. Le mot de La Rochefoucauld lui revint : « C'est une grande folie de vouloir être sage tout seul. » Dans cette ville, tout le monde semblait être aspiré dans une spirale de folie. Le paradoxe, c'est qu'il en vivait.

– Mais il manquera toujours l'âme. L'âme du chef-d'œuvre.

Rinaldo tira tranquillement une bouffée de sa cigarette.

– Ernst, je te paie combien?

– Deux cent mille dollars par an.

– Ta voiture, c'est quoi?

– Une Rolls.

– Qui te l'a offerte?

– Toi.

– Qui règle les factures de ta maison?

– Toi.

Il reprit la pose et lui jeta un regard courroucé.

– Alors, ferme-la et peins ce que je te demande!

Abasourdis, Lee et Dick prenaient connaissance de ce qui s'inscrivait mot à mot sur leur ordinateur.

– Je rêve! s'exclama Dick.

Répartis sur deux banques locales et un établissement financier national, les mouvements bancaires de Rinaldo Kubler s'étaient élevés dans l'année à la somme inouïe de quatre cent vingt-deux millions de dollars!

– Quel âge il a? demanda Lee, la bouche sèche.

– Vingt-six ans.

Arrivèrent ensuite les informations concernant les quatre années écoulées. Le plus petit mouvement totalisait trois cent onze millions.

– On voit bien qu'il est pas dans la police, gémit Dick.

– D'après toi, il est dans quoi?

L'ordinateur leur fournit la réponse:

« Est à l'origine de la découverte d'un système de guidage électronique de missiles intéressant directement la Défense nationale. »

– Mon cul! gronda Lee. Tu as vu le relevé de compte d'il y a quatre ans?

– Qu'est-ce qu'il a de spécial?

– La banque?

– La Crocker's. Et alors?

– Tu sais pourquoi elle a sauté?

– Je ne savais même pas qu'elle existait.

– Les types du Trésor ont découvert qu'elle avait un excédent non déclaré de six cent cinquante millions de dollars.

– Pas à moi que ça arriverait. D'où venait le fric?
– De la drogue, dit Lee. Pour être blanchi.

Jenny longea le corridor, se retourna deux fois pour vérifier qu'elle était bien seule et fit jouer la serrure de la pièce climatisée dans laquelle elle entassait ses inutiles fourrures. Elle alluma la lumière, referma la porte derrière elle et se mit à farfouiller dans une armoire bourrée d'un bric-à-brac de boîtes enrubannées gravées au nom de couturiers illustres.

Elles contenaient de vieilles robes, des perruques de soirée, des chaussures jamais mises et des accessoires abandonnés, ceintures, fleurs artificielles, corsages...

En bas, dans le salon, Bo et Vladimir partageaient déjà les pourcentages qu'ils tireraient de leur phénomène de cirque sitôt qu'ils l'auraient lancé. Les lubies de Naritsa étaient totalement étranges et imprévisibles. Arrivé de New York il y a trois jours, il n'en avait eu que pour Kostia... La carrière de Kostia, l'intelligence de Kostia, les succès de Kostia à Leningrad et les espoirs qu'il mettait en son talent pour son avenir en Amérique.

Jenny en éprouvait un pincement au cœur. Non qu'elle fût jalouse du peu d'attention que Vladimir lui portait, mais qu'il fût amoureux de l'homme qu'elle aimait.

Car Naritsa était amoureux de Kostia. C'était aussi visible que le nez dans le milieu de la figure. Et bien qu'elle n'eût rien à craindre de lui, elle le ressentait comme un rival.

Un sentiment nouveau. Elle n'avait jamais eu l'instinct de propriété. Jusqu'à présent, elle s'était moquée éperdument qu'on puisse convoiter les hommes qui avaient traversé sa vie.

Aujourd'hui, tout ce qui concernait Kostia la concernait.

Elle se demanda s'il partageait ce qu'elle éprouvait. Peu de chances : c'était tellement fort qu'elle avait parfois la tentation morbide de provoquer une rupture pour en subir une souffrance connue plutôt que de vivre dans l'angoisse permanente de le perdre.

Comme si elle eût désiré se suicider par peur de mourir.

Elle dégagea des emballages le carton à chapeaux où étaient déposées les cendres de Malachian, en ôta le couvercle et déplia le papier de soie qui les enveloppait.

Elle n'aurait pas voulu y toucher, mais le coup de téléphone qu'elle devait donner à Paulo était capital.

Elle se vit sur une plage perdue du Mexique, à l'abri de Hollywood, n'ayant rien d'autre à faire que regarder Kostia, le toucher, profiter de lui comme d'un présent éphémère que chaque instant risquait de lui enlever.

Paulo aurait-il assez de poids pour que « Numéro 2 », – ainsi appelaient-ils la présidente – leur accorde la grâce d'une intervention ?

En tout cas, elle allait mettre toute sa puissance de persuasion pour convaincre son coiffeur qu'elle n'oublierait jamais le service rendu.

Elle plongea les doigts dans la poudre, colla son nez dans la paume de sa main et d'un coup sec, renifla très fort.

Elle se redressa, s'appuya contre le mur, resta quelques instants immobile.

En bas, ils devaient toujours discuter.

Ce qui l'avait frappée, c'était la réserve de Kostia. Malgré l'insistance de Bo et Vladimir qui, tour à tour, le prenaient à témoin, il n'avait participé à aucun moment à la discussion.

Quant à la colossale éléphante, elle se contentait de résister en riant. Elle faisait des affaires immobilières, détestait jouer la comédie, n'avait aucune envie de devenir actrice et ne comprenait pas leur acharnement à la traîner devant les caméras. Mais plus elle protestait, plus ils lui promettaient une grande carrière. Pourquoi pas ? Certaines stars avaient bien débuté dans la vie comme pompistes.

Jenny respira un grand coup, remballa le carton à chapeaux, le masqua derrière d'autres boîtes.

Désormais, elle pouvait se passer de dealer. Deux mois plus tôt, elle s'était fait apporter trois cent mille dollars de coke en une seule livraison. Triple avantage : en cas d'épreuve, elle en avait toujours sous la main. Elle ne dépendait plus de personne quand le besoin s'en faisait sentir. Et Kostia ne pouvait s'apercevoir de rien.

La cocaïne commençait à produire son effet.

Tout lui parut soudain facile. Il était impossible que Paulo lui résiste. Impossible aussi que « Numéro 2 » n'obtienne pour Kostia le sauf-conduit qui allait leur ouvrir les portes de leur brève évasion. Prête à renverser des montagnes, elle sortit de la réserve aux fourrures garde-robe, referma la porte à clé et se dirigea vers sa chambre pour téléphoner.

Curieusement, elle ne se sentait pas du tout coupable du sort qu'elle avait réservé aux cendres de Malachian : le jour où on lui avait livré son stock de coke, elle les avait jetées dans un bidet.

Moralement, Alex Malachian avait vécu dans un cloaque.

Il était mort dans un jaccuzzi.

Il était donc dans la logique des choses que les poussières de sa dépouille disparaissent au tout-à-l'égout.

– Elle est géniale! rugit Vladimir. Elle n'a rien à apprendre! Elle a une présence physique colossale!

Comme il s'y attendait, Janis avait tellement ébloui Bo Schneiderman qu'il l'avait embarquée cinq minutes plus tôt pour dîner au Dôme en tête à tête.

– Et crois-moi, ajouta Naritsa, quand on connaît l'avarice sordide de Schneiderman, on comprend à quel point elle peut mettre n'importe qui dans sa poche!

Kostia s'abstint de dire qu'il était payé pour le savoir.

Le premier choc passé, il avait été surpris que Janis, contrairement au jour où il l'avait rencontrée lors du mariage de Paulo et de Bernard, feigne de ne pas le connaître.

« Bonjour, comment allez-vous ? »

La phrase la plus banale du monde. Mais qui avait une double connotation selon qui l'entendait; pour Kostia, elle signifiait : « A quoi bon les mettre au courant de notre relation ? Ils n'ont rien à voir dans nos histoires de famille. »

Pour les autres, de simples mots passe-partout entre individus qui se rencontrent pour la première fois.

Ne croyant ni au hasard ni aux miracles, Kostia savait d'instinct que Janis n'était venue que pour lui.

Il se demanda par quel tour de force elle avait pu débarquer au cœur de la place sans avoir l'air de forcer la porte.

– Tu l'as réellement découverte?

– J'ai l'œil!

– Raconte-moi.

– J'avais rendez-vous au Polo Lounge avec Jeff Parks... tu connais?... Acteur, cinglé, camé. Il fait mon siège pour que je m'occupe de lui. Pas question, il est nul! Mais quelle beauté!

— Tu arrivais d'où?

— D'ici.

— De la maison?

Vladimir le regarda avec étonnement.

— Évidemment, de la maison. Je suis allé directement de ma salle de bains au Beverly Hills.

— Et alors?

— Elle est entrée dans le bar.

— Tu l'as vue tout de suite?

— Non. J'étais en grande conversation avec l'autre idiot. C'est en sortant...

— Tu l'as repérée.

— On ne voyait qu'elle!

— Tu es gonflé! Comment l'as-tu abordée?

— Je n'ai même pas eu à le faire. C'est elle qui m'a demandé si j'occupais le bungalow numéro 7.

Kostia sentit un goût de métal lui envahir la bouche.

— Ah bon! C'est donc elle qui t'a dragué?

— Laisse-moi parler! Elle a le 11, à côté. Toute la nuit, il y a eu une musique d'enfer au 7. Je lui ai demandé si elle était actrice. Et voilà, on s'est retrouvés sur Santa Monica à la parade des gays. Bouleversant.

— Tu la revois quand?

— Demain. Elle vient me prendre ici. Nous allons tous les trois chez mon ami Julius Bachman. Je lui donne la préférence. C'est lui qui produira le film!

De nouveau, le goût de métal.

— Quel film?

— Celui dont Janis sera la vedette.

— Qui va l'écrire?

— Je n'ai que l'embarras du choix!

— Et le mettre en scène?

— Toi!

— Veinard! dit Jenny en entrant dans le salon.

Elle était merveilleusement détendue.

Paulo lui avait juré qu'il appelait « Numéro 2 » sur-le-champ et confirmé que, par le biais de ses shampooings, il avait tout pouvoir sur la présidente.

— Tu peux le dire, s'exclama Vladimir. D'abord, il m'a dans sa vie. Toi ensuite. Et maintenant, Janis! Comment la trouves-tu?

– Divine!

Au seul ton de sa voix, Kostia sut instantanément qu'elle venait de se faire une ligne.

– Cette nuit, elle nous accompagnera peut-être au rodéo.

– Quel rodéo? dit Jenny.

Vladimir mima le type qui lâche un secret d'État.

– Sur Mulholland. 4 heures du matin. Ils font la course. Des paris énormes.

– Qui t'a dit ça?

– Jeff Parks.

– C'est un con, dit suavement Jenny.

– Pire, il est bête! A défaut de l'applaudir sur une scène, il veut que je le voie mourir au volant. Avec un peu de chance, il aura un accident. Vous voulez venir?

– Si tu me le garantis, pourquoi pas? dit Jenny.

31

A la mort de Laura, il lui avait proposé de venir habiter chez lui. Mais Anna avait refusé.

En fait, rien n'était changé entre eux, sinon ce vide, cet espace de silence créé par la disparition de la petite fille et où, par un accord tacite, ni l'un ni l'autre n'osait s'aventurer.

Pendant plusieurs semaines, Anna, si prompte à s'émouvoir physiquement, avait agi comme si ses sens étaient endormis. Peter n'avait rien voulu brusquer. Puis petit à petit, elle avait semblé se réveiller à ses étreintes. Et ce matin, pour la première fois depuis si longtemps, il avait eu la surprise de la voir en maillot au bord de la piscine. Il en avait déduit que le corps reprenait ses droits. Quant au reste, il savait que des siècles entiers ne suffiraient pas à cicatriser la blessure.

– Tu n'aimerais pas qu'on parte quelque part tous les deux?

Elle leva la tête de son assiette et le regarda comme s'il avait dit quelque chose de bizarre.

– Où?

– En Europe, en Asie... Où tu as envie... Toi et moi.

Elle esquissa un sourire, posa sa main sur la sienne.

– On n'est pas bien ici?

Le dîner leur avait été servi par John, comme d'habitude.

Peter avait beau vivre dans sa maison depuis sept ans, il n'arrivait pas à s'y faire. Certains jours, il avait presque envie de s'excuser d'être là auprès de ses propres domestiques.

Le type qui lui avait légué la résidence en état de marche, Don Merrill, était un fabricant de pneumatiques. Des voyous faisaient des entailles au rasoir dans les pneus sortis de ses usines et chaussant les voitures en stationnement. Plusieurs accidents mortels avaient été enregistrés. Le chiffre d'affaires de la firme avait chuté en quelques mois de soixante pour cent... En coffrant les malfrats, Peter n'avait fait que son boulot de flic. Mieux : il n'avait même jamais rencontré Don Merrill en personne.

Pourtant, un matin, il avait été convoqué dans un célèbre cabinet d'avocats...

– Si maintenant tu as envie de partir, dit Anna, je serais heureuse de t'accompagner.

Peter lui sourit.

– On va le faire.

Et il ajouta :

– Bientôt...

John se pencha au-dessus de lui pour lui murmurer quelque chose à l'oreille.

– Excuse-moi une minute, dit Peter à Anna.

Il posa sa serviette sur la table, se leva, passa dans la pièce à côté et s'empara du téléphone que John avait laissé décroché.

– J'écoute...

– Excusez-moi, lieutenant. C'est Picitelli.

– Salut, Marc.

– J'ai du nouveau, lieutenant. Ça nous a pris trois mois, mais on y est arrivés.

– De quoi tu me parles ?

– D'Arthur Boswell, lieutenant. En dehors de Rudy Disler, l'officier des douanes, je sais qui sont les deux dernières personnes à l'avoir vu vivant à Los Angeles.

Peter sentit très nettement l'onde de chaleur intense qui le traversait.

– Accouche !

– La veille de son départ, il a dîné sur La Cienega avec une jeune femme. Au Monkey's.

– Quelle femme ?

– Patricia Rose, vingt-cinq ans. Employée dans une agence de spectacles de Century City. Ils ont passé la nuit ensemble. Chez Boswell.

– Où est-ce qu'elle est ?

Il perçut l'hésitation de Picitelli.

– Elle est morte, lieutenant. Elle a été écrasée à 6 heures du matin en sortant de chez Arthur.

– Qui a causé l'accident?

– Ce n'est pas un accident, lieutenant. C'est un meurtre. J'ai retrouvé un témoin. La voiture lui a foncé dessus.

– Merde! ragea Peter.

– Quant à l'autre personne, il s'agit d'un manutentionnaire employé dans un entrepôt. Juste avant d'arriver à l'aéroport, Boswell s'est arrêté chez lui pour y prendre une caisse.

– Qu'est-ce qu'elle contenait?

– Je l'ignore, lieutenant.

– Quoi? Tu n'as pas été foutu de le savoir?

– Impossible, lieutenant. L'entrepôt a complètement brûlé. Les assurances ont conclu à un incendie criminel.

– Et l'employé?

– Il a été carbonisé vivant.

– Hé, les gars... Vous vous trompez de porte, dit Tony en caressant machinalement le manche de sa matraque.

Il fallait être gonflé pour pouvoir espérer entrer à l'Orangerie avec une dégaine pareille. L'un d'eux arborait sur la tête un bandeau écarlate. L'autre portait une casquette à visière de joueur de base-ball vissée jusqu'aux oreilles. Deux clodos.

– Barrez-vous, les mecs... Les clients commencent à sortir. Vous faites désordre.

Étant donné sa carrure de catcheur, Tony n'avait jamais à répéter ce genre d'injonction. Il se détourna.

– Tu veux que je te fasse bouffer ta matraque, péquenot?

En même temps, une force étonnante le contraignait à pivoter tandis que les deux doigts du bandeau rouge s'enfonçaient douloureusement au centre de son plexus. Avant qu'il eût pu réagir, la casquette à visière lui collait sous le nez une carte de police.

– Pouviez-pas le dire plus tôt, maugréa Tony.

– Où est la caisse dans cette taule? demanda Lee.

Ils planquaient depuis deux heures dans leur tas de ferraille. Ils crevaient de faim et mieux valait ne pas les bousculer.

– A gauche en entrant, dit Tony. Qu'est-ce que vous cherchez?

– On te l'écrira, bouffi..., cracha Dick.

330

Ils entrèrent. Le bar était à gauche. La caissière au fond.

– Police, lui souffla Lee en exhibant sa carte.

Le premier étonnement passé, elle grimaça un sourire.

– Que puis-je faire pour vous?

– Vous avez dans la salle un client qui s'appelle...

– Rinaldo Kubler, le coupa Dick.

– M. Kubler, oui, c'est exact.

– Qu'est-ce qu'il mange? demanda Lee.

– Je ne comprends pas, dit la caissière en ouvrant des yeux ronds.

– Montrez-nous sa facture, corrigea Dick. Combien sont-ils à table?

Elle tendit son bon de caisse. Lee le rafla et se plongea dans sa lecture.

– Ce soir, M. Kubler a dix invités.

Lee releva la tête.

– Qu'est-ce que c'est que ça, un saint-estèphe? gronda-t-il.

– Un vin de Bordeaux, monsieur.

– Et ça coûte deux mille cent dollars la bouteille?... Vous vous foutez de moi?

– Il s'agit d'un Lafite-Rothschild, monsieur, d'une très grande année... 1945.

Dick donna un coup de coude à Lee.

– Regarde donc la carte, c'est écrit dessus...

– Combien de bouteilles ils ont bues?

Elle reprit la note, y promena son index...

– Sept.

Dick et Lee échangèrent un regard incrédule.

– Faites-moi le total de tout ça...

Elle prit sa machine à calculer...

– Pour le moment, nous en sommes à... avec le vin... les Beluga... La Belle Salade de Homard aux Prunes de Jardin et de Gingembre... attendez...

La somme tomba de sa bouche enfantine avec la force d'impact d'un météore :

– Seize mille neuf cents dollars...

Bonne fille, elle leur laissa reprendre souffle avant de leur assener le coup de grâce.

– A quoi il faudra ajouter les vieux armagnacs que je n'ai pas encore facturés et les quinze pour cent de service...

– Kubler, coassa Lee, il dîne souvent ici?

– Très régulièrement, Monsieur. Deux ou trois fois par semaine.

– Messieurs, puis-je vous aider?

Ils se retournèrent d'un bloc vers Gilles, le directeur de salle qui les dévisageait d'un air inquiet.

– Oui, dit Dick. Préparez-nous un sandwich au fromage. Un seul pour deux. C'est pour emporter...

Paulo avait juré de la rappeler sitôt qu'il aurait parlé à « Numéro 2 ». Quatre heures s'étaient écoulées.

Toujours pas de nouvelles. Il ne lui venait pas une seconde à l'esprit qu'il ne s'agissait pas d'une cliente ordinaire, ou qu'il avait pu ne pas la trouver. Elle n'avait parlé de sa démarche à personne. Avec Kostia et Vladimir, ils avaient grignoté quelques toasts et de la salade que leur avait préparés Adjibi. Vladimir et Kostia avaient entamé une partie d'échecs dans le salon. Et Jenny, allongée sur son lit, se rongeait dans l'attente.

Deux coups discrets à la porte...

– Oui...

Kostia entra. Il vint s'asseoir sur le lit et lui passa doucement la main dans les cheveux.

– Ton Schneiderman m'a épuisé, dit-il. Je suis vidé.

Elle ferma les yeux sous la caresse.

– Pas tant que moi...

– Vladimir m'en a dit pis que pendre.

– Jalousie. Bo n'a que des qualités. Il est menteur, opportuniste, sans parole et ingrat.

Kostia éclata de rire.

– C'est vrai qu'il a des espions dans les studios?

– Une secrétaire dans chaque grande compagnie de production. Il les paie au mois. Elles lui racontent tout ce qui se mijote. Ça lui coûte cent mille dollars par an, mais le moindre tuyau lui rapporte un million ou plus.

– Et l'histoire des micros?

– Légendaire... Chaque année, après la cérémonie des Oscars, il invite le Tout-Hollywood à une party somptueuse.

– Je le croyais radin?

– Tout est sponsorisé! S'il y a du riz au menu, il fait un accord avec Uncle's Ben qui prend tous les frais en charge. Et comme il vend les photos de la soirée à la presse... Ses micros, il les planque dans les pots de fleurs. Quand tout le monde est parti, il écoute les commentaires. Gratiné!

Le téléphone sonna. Elle eut un soubresaut.

– Oui, je t'écoute... Oui... Dis-moi...

Elle avait une expression tendue, passionnée...

– Oui... Oui... Et alors?

Elle serrait les poings, frappait son lit d'enthousiasme, se mordait les lèvres.

– Oui, oui... Continue!

Finalement, elle ferma les yeux comme si elle était en prières.

– Je n'oublierai jamais ce que tu as fait pour moi, Paulo... Tu peux me demander n'importe quoi... Tu m'entends?... N'importe quoi! Je suis trop heureuse... Je te rappellerai longuement demain!... Merci!... Merci!...

Elle reposa le combiné, prit le visage de Kostia à deux mains et lui dit d'une voix rauque :

– Tu as tes papiers!

– Je ne te crois pas, dit Kostia.

Il était secoué.

– « Numéro 2 » a arrangé le coup en quelques secondes. J'avais raison. Le véritable maître de l'Amérique, c'est mon coiffeur!

– Jenny, tu es sûre?

– Un sauf-conduit de la Maison-Blanche, ça ne te suffit pas?... Et tu sais avec quelle mention?... « Chargé de mission »!...

– Je voudrais bien savoir laquelle?... pouffa Kostia.

Elle roula sur lui de tout son poids et lui couvrit le visage de baisers.

– Ne pas me quitter, dit-elle.

Bo Schneiderman avait redouté que Janis lui coûte une fortune. Bonne surprise : elle n'avait commandé qu'une salade. Côté boisson, elle avait eu la délicatesse de ne pas céder aux pressions du maître d'hôtel qui l'orientait vers une bouteille à vingt dollars pour se contenter d'un peu de vin blanc vendu au verre.

Bo la regardait manger sa laitue : la grande classe.

Il se demanda comment elle s'y prenait pour n'avoir sur sa fourchette jamais plus de salade que n'en pouvait contenir sa bouche. Personnellement, il n'avait jamais réussi ce tour de force. Troublé, il attaqua son foie gras.

– Vous prenez de la coke?

La phrase avait jailli malgré lui, inexplicablement, aussi incongrue que s'il lui avait demandé la marque de ses slips.

Il fut si abasourdi de l'avoir prononcée qu'il masqua le bas de son visage de sa serviette.

Il regarda Janis.

– Vraiment, je suis désolé... Je ne sais absolument pas pourquoi je vous pose cette question.

Le sourire angélique de Janis lui mit du baume au cœur.

– Ce n'est pas plus idiot que de me demander si je fais du ski, dit-elle. Et vous, vous en prenez?

Elle avait le visage rassurant de la maman sublime, indulgente, à qui l'on pouvait tout dire, qui comprenait tout et ne jugeait jamais.

– Parfois, oui... Comme tout le monde...

– Mon truc à moi, c'est les sucreries.

Elle grignota un croûton de pain.

– Évidemment, ça coûte moins cher, mais regardez le résultat.

Elle se tapota les hanches avec bonne humeur.

– Je suppose que, lorsqu'on fait vos métiers, on a besoin d'un remontant...

Bo lui jeta un regard chargé de reconnaissance.

– Si vous saviez ce que c'est dur.

– Je m'en doute. Le stress, la compétition... Le drame, c'est que certains ne savent pas se limiter.

Elle lui enlevait de la bouche ce qu'il s'apprêtait à lui dire!

– Je me tue à le répéter à mes acteurs!

– Il faut se mettre à leur place. Ils sont si fragiles.

– Et être agent, vous croyez que c'est facile?

– Oui, mais vous, vous savez vous dominer.

– Exactement! C'est ce qui me différencie d'un drogué. Je me fais une ligne comme d'autres ont besoin d'un café. A un détail près : je reste totalement maître. Je domine la coke.

– Je m'en doute. Puis-je commander un autre verre de vin?

– Mais bien sûr.

Le garçon passait auprès de lui. Il lui désigna leurs verres vides et forma le chiffre deux à l'aide de son index et de son majeur.

334

– Dans cette foutue ville, qui pourrait se vanter de survivre sans en prendre un peu?

– Où est-ce qu'on en trouve?

Il la regarda avec surprise.

– Partout! Vous en voulez? N'importe quel barman vous en vendra une dose. Dans la rue... Au supermarché... A l'école...

– A un moment, je crois que Jenny avait cherché à se faire désintoxiquer?

Il eut un haussement d'épaules agacé.

– Malheureusement pas. Vous vous rendez compte... Quand elle doit être maquillée et prête à tourner à 6 heures du matin...

– Quelle bêtise...

– Une tragédie... Encore heureux que, pour l'instant, ça ne se voie pas à la photo.

– Oui, mais à la longue..., hasarda Janis.

– Vous avez raison. Tôt ou tard, elle fichera sa carrière en l'air. Elle a déjà eu des ennuis... Même les sportifs! Les boxeurs, les nageurs, les basketteurs.

– Le Russe?

– S'il vit avec Jenny, je me demande comment il peut résister.

Il se sentait bien. Comme si, pour la première fois de sa vie, il avait eu une amie. Il éprouvait le désir bizarre et irrésistible de s'épancher.

– Voyez-vous, Janis, je trouve tout à fait naturel d'en prendre un peu... normalement... Mais moi, je contrôle!

Était-ce d'en avoir parlé?

– Je vous prie de m'excuser une seconde, dit-il. Choisissez-vous un dessert.

Il descendit dans les toilettes.

Si Kubler était rentré chez lui après l'Orangerie, il est probable que Lee et Dick auraient cessé la filature. Mais ils ignoraient que la soirée commençait à peine. Rinaldo et sa troupe de parasites des deux sexes avaient commencé par « Tramp's », sur Melrose, une tournée des bars et des boîtes qui s'était achevée Downtown, chez Elena. Partout, Kubler avait réglé des additions royales – il ne buvait que du Dom Pérignon – et laissé des pourboires fastueux au dernier des employés qui lui soulevait sa casquette. A 2 h 30 du matin, la bande remonta dans les voitures et reprit le chemin de Beverly Hills. Kubler, une étourdissante fille blonde à ses côtés, ouvrait la marche dans une Bugatti décapotable de collection.

Le convoi arriva devant la résidence de Rinaldo. Il y eut des embrassades, des serrements de main. Tous repartirent... Les grilles de fer forgé s'ouvrirent sur la Bugatti et se refermèrent.

— Cette fois, on va ronfler, grogna Dick avec un bâillement.

Ils avaient garé leur tas de boue hors de vue, à l'angle d'Alpine et de Lexington.

— Une seconde..., dit Lee.

Dick le dévisagea avec inquiétude.

— Qu'est-ce qui te prend ?

— Laisse... Mon pif...

— Tu as vu la fille avec qui il est ? protesta Dick. Tu crois qu'il va la laisser refroidir ?

— On en grille une et on s'en va, O.K. ? dit Lee avec irritation.

Vexé, Dick se rencogna sur son siège et alluma un joint. Trois minutes plus tard, les grilles se rouvraient pour livrer passage à une Porsche noire.

Rinaldo Kubler était seul au volant.

— Merde, souffla Dick. Tu es sorcier ou quoi ?

— Oui, dit Lee avec simplicité.

Rinaldo Kubler avait une écurie d'une vingtaine de voitures sur laquelle veillaient deux mécanos de génie appointés par ses soins. Le parc contenait plusieurs bolides, Ferrari, Lamborghini, Maserati, Porsche. Des limousines de prestige, Bentley, Rolls Corniche, Mercedes 600 et leur hautaine ancêtre, une Rolls 1932 qui avait appartenu à la reine mère d'Angleterre. Suivaient une séquelle de jouets utilitaires, Jeep, Cadillac, Honda, plusieurs fourgonnettes et les dernières motos sorties des usines japonaises.

Mais cette nuit, pour Mulholland, il avait choisi une Porsche Turbo gonflée au point d'atteindre trois cent quarante à l'heure. Course spéciale. Quatre kilomètres de virages en épingle à cheveux sur une route étroite et non balisée, bordée d'un côté par la roche, de l'autre, par des ravins vertigineux. Trois éléments concouraient à la victoire : la puissance des freins, l'accélération et le désir de mort des pilotes. Le vainqueur était celui qui écrasait le frein le dernier.

Bien entendu, les épreuves se jouaient à deux bolides lâchés en même temps et occupant toute la largeur de la route.

Si par malheur un véhicule arrivait en face, c'était l'explosion. Mais à 3 heures du matin, quel automobiliste normal aurait eu l'idée de s'aventurer sur Mulholland ?

Rinaldo parcourut les derniers lacets de Coldwater Canyon au ralenti et déboucha sur le terre-plein d'où étaient donnés les départs. Il y avait déjà pas mal de monde. Tant mieux. Le bruit se répandrait très vite qu'il avait gagné.

Car il avait décidé que, cette nuit, personne ne lui passerait devant.

A 2 heures du matin, Peter O'Toole se réveilla en sursaut. Il prêta l'oreille. En dehors de la respiration régulière d'Anna qui dormait à côté de lui, il n'y avait aucun bruit dans la maison plongée dans l'obscurité. Peter se leva doucement, passa dans la salle de bains, en referma la porte et alluma la lumière. Machinalement, presque malgré lui, il enfila un jean, chaussa des baskets et jeta un blouson sur son tee-shirt. Il éteignit, traversa la chambre à pas de loup, descendit l'escalier et sortit dans le jardin.

C'est en tournant la clé de contact de sa Ford qu'il comprit ce qu'il était en train de faire : il allait réveiller Zizi Mac Cormick dans sa cellule et le cuisiner jusqu'à ce qu'il crache son dernier mot. Les révélations de Picitelli lui avaient flanqué la frousse. Si Arthur était encore en vie, il fallait tout essayer pour lui laisser une chance.

Y compris l'envoi de plusieurs bataillons de marines en Colombie pour écraser le repaire de Botero.

— Tu as vu qui est là ?...

Parmi la petite foule rassemblée, Dick venait d'apercevoir Jennifer Lewis et Kostia Vlassov.

— Et regarde les autres...

Ils repérèrent quatre ou cinq dealers qui allaient d'un groupe à l'autre. Tous avaient déjà eu affaire à eux.

Ils en avaient coffré trois quelques mois plus tôt.

– Dis donc... le Russe, la camée, Kubler, les malfrats, et l'autre, le grand con... l'acteur...

– Jeff Parks, précisa Dick.

– Ça fait beaucoup de monde, non ?...

– Tu as pigé ce qui se passe ? Ils vont se tirer la bourre dans les lacets...

– Qu'est-ce qu'on fait ? On leur rentre dans le chou ?

Dick réfléchit une seconde.

– C'est trop gros, Lee. Faut réveiller la star...

– A 3 heures du matin ?... Fais-le toi-même !

– D'accord, dit Dick.

Il rentra dans la voiture garée parmi d'autres sur le talus, décrocha le téléphone et composa le numéro de O'Toole. Il laissa la sonnerie retentir cinq fois, le temps d'observer deux types qui passaient de groupe en groupe pour rafler l'enjeu des paris. Il raccrocha.

– Ça répond pas.

– On prévient la brigade de boucler la colline ?

Dick se passa la langue sur ses lèvres sèches.

– On fait rien, dit-il. On est là pour apprendre.

– Ils sont pleins de coke ! Ils vont se massacrer !

– Tant mieux, lança Dick en se frottant les mains.

32

– C'est quelle heure? demanda Zizi.

– 3 heures du matin.

Il fourragea vigoureusement dans sa poitrine velue.

– Qu'est-ce qui se passe?

Peter O'Toole attira à lui l'unique tabouret de la cellule et s'installa face à l'ex-pilote assis sur son lit.

– On repart de zéro.

Il fit craquer ses jointures.

– J'ai du nouveau, Zizi. La veille du jour où tu l'as rencontré à Medellin, Arthur avait passé la nuit avec une femme.

– Je ne sais même plus comment c'est fait..., déplora Zizi.

– A qui la faute? Elle s'appelle Pat. Est-ce qu'Arthur t'avait parlé d'elle?

Sous l'effort de concentration, Mac Cormick fronça les sourcils.

– Pat?... Pat?... Non, je ne lui ai jamais entendu prononcer ce nom.

– Cherche!

– Vraiment, je vois pas... Je t'assure... Qu'est-ce qu'elle a de si important?

– Elle est l'avant-dernière personne à avoir vu Arthur vivant.

– Qui est la dernière?

– Un manutentionnaire. Avant d'arriver à l'aéroport, Arthur s'est arrêté chez lui pour prendre une caisse. Tu sais ce qu'elle contenait?

– Aucune idée...

– Réfléchis, Zizi...

– Comment veux-tu que je le sache? Pourquoi tu le demandes pas à ce type?

– Il est mort. Ils l'ont fait cramer dans son entrepôt.

– Et la fille?

– Écrasée en sortant de chez Arthur. Tu comprends pourquoi je te bichonne? A la moindre faute d'inattention de ma part, c'est ton tour. Tu y passes.

Zizi avala sa salive.

– Organisés comme ils sont, qu'est-ce qu'on peut faire?

– Les démolir.

– Démolir qui? La Colombie?

– La tête.

– La tête, c'est Botero, dit Zizi en haussant les épaules. Et là où il est, il est intouchable. Même si les États-Unis lui déclaraient la guerre.

– Est-ce qu'il s'est déjà pointé en Amérique?

– Évidemment.

– Tu en es certain?

– Comme il veut, quand il veut.

– Comment le sais-tu?

Zizi se racla la gorge avec embarras.

– Personnellement, je l'ai fait entrer quatre ou cinq fois.

– Comment?

– Entre autres sociétés, il a une compagnie de charters. Ils ratissent les maisons du troisième âge et invitent les vieillards américains à passer huit ou dix jours en Amérique du Sud. Il les baladent un peu au Venezuela, au Paraguay, à Panama. Ils leur paient le séjour dans les meilleurs hôtels de Medellin ou de Bogota.

– Avantage?

– Malgré eux, les petits vieux se transforment en passeurs. Au retour, on bourre leurs bagages de coke. Les douanes n'y voient que du feu. Les petits vieux encore moins.

– Et Botero?

– Dans mon cas, il était accompagnateur de groupe.

– Quel genre de passeport?

– Il en a vingt, avec des noms différents. Tous parfaitement en règle.

– A Medellin, où vit-il?

– Dans une *finca* des environs de la ville... L'ancienne résidence de l'ambassadeur du Brésil, je crois.

– Protégée?

– Comme Fort Knox. Sa garde ne le quitte jamais, où qu'il aille. Non pas qu'il craigne les Américains. Mais il se méfie de ses pairs... Ochoa... Carlos Ledher... Pablo Escobar...

– Pourquoi?

– Il fait bande à part. Ses revenus s'élèvent à plus de trois milliards de dollars par an. Il peut acheter qui il veut. Et ceux qui ne sont pas à vendre, il les élimine.

Il claqua des doigts...

– Comme ça... Au moment du traité d'extradition, pas un juge colombien n'est resté vivant plus de trois jours. Une hécatombe.

– D'après toi, quel genre de raison aurait-il pu avoir de descendre Arthur?

– Il a un extraordinaire réseau d'informateurs en Amérique. Un jour, pour rigoler, il m'a bluffé... Il m'a dit tout ce que j'avais fait au cours d'un week-end à San Diego. Alors, s'il a eu vent qu'Arthur bouffait aux deux râteliers...

– Au feeling... Arthur a-t-il encore une chance d'être en vie?

– Tu peux me filer une cigarette?

O'Toole lui en offrit une et la lui alluma. Zizi en aspira une profonde bouffée.

– Oui, dit-il. S'il t'a trahi.

– Explique...

– Suppose que Botero l'ait retourné...

O'Toole eut un rire nerveux.

– Arthur? Tu plaisantes!

– Tu connais beaucoup de gens qui résistent à cinq ou dix millions de dollars?

– Oui. Arthur.

– Alors, c'est qu'il est mort.

Il y eut un long silence. Peter sentait que Zizi avait quelque chose à dire, mais que ça ne sortait pas.

– Dis-moi?

– Non, c'est idiot...

– Parle!

– Ton copain, tu le préfères en héros mort ou toujours vivant et pourri?

341

– Continue...

– Rien, des rumeurs... Mais qui pourraient accréditer ma thèse... On raconte qu'un énorme coup se prépare.

– Quel genre?

– Des fuites, dans la jungle... Malgré la terreur, il y a toujours des types qui laissent échapper des trucs quand ils sont bourrés...

Les yeux de Peter étaient devenus deux fentes.

– J'ai entendu dire, lâcha Zizi, qu'il y avait une usine secrète où l'on stockait depuis des mois des quantités de drogue invraisemblables.

– Combien?

– Certains parlaient de centaines de tonnes.

– Tu es cinglé? Des centaines de tonnes!... A qui?...

Zizi tira sur sa cigarette.

– Je me borne simplement à te répéter ce que j'ai cru comprendre.

– Et elles seraient où, ces centaines de tonnes?

– Va savoir... Dans la forêt, il y a peut-être un bon millier de laboratoires... Et autant de pistes camouflées...

– Qu'est-ce qu'Arthur a à voir là-dedans?

– Suis-moi bien..., dit Zizi avec hésitation... Si ce qu'on raconte est vrai... Ces stocks, il va bien falloir les livrer...

– A qui?

– Devine... Quel est le pays où l'on consomme la plus grande quantité de cocaïne?

– C'est absurde. Comment veux-tu livrer un chargement pareil?

– Justement... C'est là où interviennent des types comme moi... ou comme Arthur...

– Merde! s'énerva Peter. Dans quel but? Ça ne marche pas, ton truc! Même avec un pont aérien, on n'y arriverait pas!

Zizi écrasa son mégot sur le montant métallique de son lit.

– Je ne suis pas dans la tête de Botero. Je l'ignore. J'essaie simplement d'évaluer si ton copain a encore une chance d'être en vie.

Jeff Parks était appuyé sur la carrosserie de sa Corvette. Il fumait. Il avait déjà tenu un rôle secondaire dans un film dont

Jenny avait la vedette. Il désigna Vladimir en grande conversation un peu plus loin avec Kostia.

– Naritsa habite toujours chez toi?

– Oui, dit Jenny.

– Il me court après. Il veut absolument s'occuper de moi. J'hésite...

– Tu tournes quelque chose en ce moment?

– On me propose trop de trucs. Je ne sais pas que choisir.

A quelques mètres d'elle, Jenny vit soudain s'arrêter une Porsche noire. Avec malaise, elle vit Rinaldo Kubler en descendre. Elle se tassa légèrement dans l'espoir qu'il ne la verrait pas.

Un type en jean et blouson de cuir s'approcha d'eux furtivement.

– Salut, Jeff...

Jenny reconnut l'un des dealers qui la livrait régulièrement trois mois plus tôt. Il prétendait s'appeler Carlo.

Jeff sortit une liasse de billets de sa poche et la lui glissa dans la main. En échange, Carlo lui remit plusieurs sachets de poudre.

– Tu en veux? demanda Jeff à Jenny.

Elle coula un regard en direction de Kostia qui lui tournait le dos, marqua un temps d'hésitation.

– Non, merci...

Jeff, qui n'était probablement pas à jeun, la prit par la main.

– Viens avec moi...

Il l'entraîna derrière un buisson, creva du bout de l'ongle l'un des sachets et en répandit le contenu dans sa paume.

– Vas-y... C'est de la bonne...

Jenny se mordit les lèvres. Ce fut plus fort qu'elle : avec le mouvement d'un agneau mangeant dans la main d'un maquignon, elle plongea le nez dans la poudre et aspira très fort, longuement...

Jeff approuva de la tête. Il creva deux autres sachets.

– Ne bouge pas, dit-il à Jenny.

Les yeux brillants, il lui versa la coke dans le creux de la main. Mais il ne la renifla pas. Il en prit une lourde pincée, ouvrit la bouche et, du bout du doigt, s'en badigeonna vigoureusement la zone supérieure des gencives, au-dessus de la racine des dents.

Après quoi, il abaissa alternativement ses paupières inférieures

343

et en introduisit dans la cavité comprise entre la peau et la sclérotique du globe oculaire.

Jenny le regardait faire, immobile, fascinée.

Alors, comme si elle n'était pas là, il ouvrit la braguette de son pantalon, mit à jour son membre viril, tira sur le prépuce et se poudra soigneusement la base du gland avec ce qui restait de cocaïne.

La sonnerie du téléphone tira Janis d'un rêve exquis : elle dévorait des crêpes à la confiture, et plus elle en mangeait, plus elle devenait mince. Dans sa hâte à décrocher, elle renversa un carton de chocolats qu'elle gardait en permanence sur sa table de nuit.

Elle tâtonna pour trouver le commutateur, donna de la lumière...

– Allô!

– Janis? C'est Erwin...

Les yeux bouffis de sommeil, elle regarda sa montre.

– Tu es cinglé ou quoi? C'est 3 heures du matin!

– Je sais...

– Qu'est-ce qu'il y a?

– O'Malley.

– Qu'est-ce qu'il veut?

– Il est furieux!

– Sa sciatique?

– Non, toi. Il vient de m'appeler.

– Tu es où?

– New York.

– Et O'Malley t'appelle à 6 heures du matin?

– Il t'a cherché partout. Il veut te parler.

– Tu lui as dit que j'étais à Los Angeles?

– Mets-toi à ma place...

– Gros malin!

– Je ne lui ai pas précisé où...

– Il t'a dit ce qu'il voulait?

– Un truc pour toi... Extrême urgence!

– Bon, salut.

– Hé, Janis... Pas la peine de t'en prendre à moi... Je n'ai fait que transmettre.

344

– Merci. Je t'appelle au réveil.

Elle raccrocha.

Deux choses la contrariaient.

D'abord, l'interruption brutale de son songe exquis...

Machinalement, elle enfourna une poignée de chocolats.

Ensuite, la certitude qu'elle allait se faire sonner les cloches : à Washington, le grand patron du FBI lui avait déjà interdit de ne plus perdre son temps à s'occuper du Russe.

La règle du jeu était simple. On tirait au sort le nom de deux concurrents, ils s'alignaient de front sur toute la largeur de la route et on leur donnait le signal du départ d'est en ouest. Le gagnant était celui qui arrivait le premier à la hauteur de l'embranchement de Beverly Glen. En partant de Coldwater Canyon, même pas cinq kilomètres. A dix à l'heure et en plein jour, une promenade magnifique.

La route de Mulholland serpentait au sommet de l'éperon rocheux coupant en deux la ville de Los Angeles, au nord, « la vallée » et Ventura, au sud, Sunset Boulevard. On y accédait par une multitude de corridors rocheux creusés dans le flanc de la montagne, les canyons. La nuit, des cerfs, des biches et des coyotes se prenaient dans le pinceau des phares. De jour, à droite ou à gauche, le spectacle sur la ville ou sur la vallée était d'une beauté à couper le souffle. Encore fallait-il, pour le contempler, s'arrêter sur le bas-côté, dans l'un des rares refuges que les amoureux de minuit jonchaient de préservatifs.

Car la route était extraordinairement dangereuse.

Hérissée d'épingles à cheveux, non balisée, pleine de creux et de bosses, au moindre écart, elle envoyait le conducteur maladroit dans le ravin. C'est à cause de ces difficultés et de son isolement que la jeunesse dorée californienne en mal de sensations fortes venait s'y donner le frisson avant le lever du soleil.

Los Angeles présentait ce paradoxe d'abriter le plus grand nombre de voitures de sport au mètre carré, alors que la vitesse y était strictement limitée à soixante à l'heure : au volant d'une Ferrari, même pas de quoi passer en seconde.

Sauf de nuit. En pleine défonce. Sur Mulholland.

Chaque amateur connaissait par cœur la moindre boucle du parcours, le moindre de ses pièges.

Bien entendu, en conduite normale, pas question de doubler. Sur toute sa longueur, le centre de la route de Mulholland était coupé par une ligne jaune continue formant de part et d'autre un étroit couloir où il n'y avait place que pour une voiture arrivant dans chaque sens.

En course, la seule chance d'un concurrent était d'avoir un démarrage assez foudroyant pour arriver en tête au bout de la seule longue ligne droite.

Elle s'étendait sur quatre cents mètres entre Coldwater Canyon et le premier virage où s'abritait, derrière des grilles noires, un immense terrain acheté en commun par Marlon Brando et Jack Nicholson. Chacun y avait fait construire sa propre maison, mais leur seul tennis était propriété commune.

Un immense drapeau américain flottant au vent au bout de son mât annonçait le virage...

Après, à la grâce de Dieu... Benedict Canyon, Deep Canyon, Dixie Canyon, Sumatra, Donington Place, Java Drive, Canyon Drive, autant de carrefours d'où pouvait jaillir la mort si par malheur une voiture égarée débouchait sur le passage des bolides.

Sans parler de celles qui auraient pu arriver de face.

Parieurs et initiés s'installaient en toute sécurité dans la rocaille du talus avec l'espoir qu'un accident viendrait les dédommager de leur nuit blanche : il y en avait déjà eu de superbes.

Impossible de dormir : il lui fallait une femme. Bo Schneiderman se rhabilla, monta dans sa voiture, quitta sa maison de Robin Drive et descendit sur Drive Sunset par Dohenny. Entre Crescents Heights et La Brea.

Il savait qu'il n'aurait aucun mal à trouver une pute... Malgré la terreur du sida, les plus belles d'entre elles arrivaient toujours à gagner leur vie. Il s'agissait simplement de prendre quelques précautions élémentaires.

Il conduisait très doucement.

La nuit, hormis les flics qui guettaient tout ce qui bouge, Sunset était totalement désert. Sitôt passé Fairfax, il aperçut une somptueuse Noire qui arpentait le trottoir en balançant son sac à bout de bras. Il ralentit. Elle lui jeta un bref regard et continua son chemin, l'air hautain. Il freina, baissa sa vitre et l'attendit.

D'un pas égal, sans se presser, sans le regarder, elle arriva à sa hauteur.

— Salut, dit Schneiderman.

— Salut.

— On se promène?

— Ouais...

— Vous voulez monter?

— Pour quoi faire?

Elle en avait de bonnes...

— On pourrait aller prendre un café...

— Si vous voulez, dit-elle sans enthousiasme.

Elle grimpa dans la voiture et referma la porte. Bo redémarra.

— Où est-ce qu'on peut aller? demanda-t-il.

— Où vous voulez.

— C'est combien?

Elle lui coula un regard soupçonneux.

— De quoi vous voulez parler?

Bo s'énerva.

— Merde, ton prix...

— Je n'ai pas de prix. Qu'est-ce qui me dit que tu n'es pas un flic?

Il se tordit de rire : dans sa vie, on l'avait traité de menteur, de salaud, de vendu et de bien d'autres choses, mais de flic, jamais!

— Tu rigoles ou quoi? Est-ce que j'ai la tronche d'un flic?

— Prouve-moi que t'en es pas un.

Son rire s'arrêta net.

— Comment veux-tu que je te le prouve?

Elle le regarda droit dans les yeux.

— Montre-moi ta bite.

— Ma bite? Pourquoi tu veux voir ma bite?

— Parce que si t'es flic, expliqua-t-elle avec patience, t'as pas le droit légal de me montrer ta bite.

— C'est ridicule, protesta Schneiderman.

Il sentait ses ardeurs diminuer. Par ailleurs, il n'osait pas la vider de sa voiture.

— Alors, dit-elle, j'attends.

Si ses relations avaient pu le voir dans cette situation, il serait mort de honte!

Lui, le grand Schneiderman, sommé par une prostituée noire d'exhiber son phallus à 3 heures du matin au cœur de Sunset alors que tous les espoirs en jupon du cinéma se battaient pour avoir l'insigne honneur de lui faire une faveur sous la table de son bureau!

— Je ne te la montrerai pas.

— O.K., dit-elle d'une voix dure. Arrête-moi. Je descends. C'était trop con!

Le rouge au front, il s'exécuta.

33

Après de multiples conciliabules entre les différents groupes qui s'agitaient sur le terre-plein, il y eut un remue-ménage de voiture à voiture. Certains se mirent au volant et démarrèrent en direction de Beverly Glen.

– Ils vont se poser à l'arrivée, commenta Naritsa. Tu veux qu'on y aille?

Kostia l'écoutait sans l'entendre. Depuis une minute, Jenny avait disparu dans un bosquet avec Jeff Parks. Sitôt qu'elle avait sniffé une ligne, elle était capable de n'importe quoi. Il se souvint avec amertume du mariage de Paulo où il l'avait retrouvée totalement droguée dans une salle de bains en compagnie de Rory Keane. Pourtant, il en aurait mis sa main au feu, elle n'avait rien pris de la soirée.

Que faire? Aller la chercher et essuyer une rebuffade, ou prendre le risque de lui laisser la bride sur le cou?

– Ça y est! exulta Naritsa.

Une Lamborghini et une Pontiac s'alignaient sur la ligne de départ...

Au même instant, Jenny réapparut et voulut traverser la route. On l'en empêcha.

Un homme en casquette rouge se plaça entre le capot des deux voitures et abaissa un morceau d'étoffe Les roues patinèrent follement dans l'âcre odeur du caoutchouc arraché par l'asphalte et les deux bolides s'envolèrent dans un rugissement prodigieux. En un instant, leurs feux rouges s'évanouirent dans la nuit tandis que la stridence des moteurs s'élevait vers les aigus jusqu'à l'insupportable.

Naritsa commençait à comprendre à quel genre de divertissement il avait été convié. Il se tordit nerveusement les mains.

– Je ne peux pas le supporter!... Je vais l'en empêcher!

Il courut de l'autre côté de la route. Kostia s'élança à ses trousses. Simultanément, il aperçut Jeff Parks qui rejoignait Jenny et Rinaldo Kubler sortant d'une Porsche noire. Deux organisateurs se précipitèrent vers lui pour parlementer...

– Kostia, tu connais Jeff Parks?... demanda Vladimir.

L'acteur ne daigna même pas détourner la tête.

Un simple regard suffit à Kostia pour constater qu'il était camé à mort.

– N'y va pas, Jeff..., implora Naritsa en le prenant par la manche. Ne fais pas l'idiot!...

Comme s'il ne l'avait jamais vu, Jeff le repoussa d'un lourd revers de main.

– C'est à toi, Jeff..., haletèrent les deux garçons qui venaient de parler à Kubler. Il est prêt...

La Porsche noire de Rinaldo roulait doucement vers la ligne de départ. Jeff la considéra avec un mépris infini.

– Vous ne pouviez pas me trouver quelqu'un d'autre que ce petit con?

– Jenny..., murmura Kostia.

– Hé, Jenny, dit Jeff, ton petit minet de merde, je vais le balancer dans le ravin!

Il éclata d'un rire de cinglé.

– Tu viens?... Tu veux voir?...

– Jenny..., répéta Kostia.

Elle tourna vers lui un regard vitreux.

– Kostia, fais quelque chose, supplia Naritsa...

– Jenny, insista Kostia... On rentre.

Il la prit par le bras. Elle tressaillit comme s'il l'avait frappée, le dévisagea sans le voir, se dégagea brutalement et se mit à courir.

– Alors, tu montes?... cria Jeff.

Avec horreur, Naritsa vit qu'elle sautait dans la Corvette.

– Jenny, tu es folle!

Avant que quiconque ait pu réagir, Jeff se glissa au volant, emballa le moteur et se propulsa sur la ligne de départ.

– Hé, pédé, déclara-t-il à Kubler, regarde qui est avec moi... Qu'est-ce que tu en dis?

Rinaldo le haïssait parce qu'il le soupçonnait d'avoir eu une aventure avec Jenny. Quant à Jeff, qui n'avait jamais pu la séduire, il était vexé à mort qu'elle ait pu lui préférer ce petit crétin prétentieux.

– Tu ne vas pas laisser faire ça! gémit Vladimir.

– Non, dit Kostia.

Il s'élança sur la Corvette, s'accrocha à la poignée de Jenny : bloquée. En deux bonds, il fit le tour de la voiture et secoua l'autre poignée. Bloquée aussi. La vitre s'abaissa... Il faillit hurler sous la douleur : d'un coup d'une lourde clé anglaise, Jeff venait de tenter de lui casser le bras.

– Fous le camp! hurla Jenny.

– Écartez-vous, espèce d'idiot! cria le type à la casquette rouge en écartant Kostia d'une bourrade.

Il leva son chiffon pour donner le départ.

Kostia se ramassa pour se jeter sur le capot.

– Hé, Popov!

Dents serrées, grimaçant de douleur, Kostia se retourna : Kubler venait de lui ouvrir toute grande la porte de sa Porsche.

Tête en avant, Kostia se propulsa dans la voiture, claqua la porte de son bras valide et se sentit écrasé sur son siège par une accélération d'une sauvagerie extravagante. Comme si on les avait projetées avec une fronde géante, il vit fondre sur lui les parois rocheuses bordant la ligne droite des deux côtés... Il jeta un regard à gauche... La Corvette fusait à leur hauteur, le flanc droit de sa carrosserie frôlant le côté gauche de la Porsche...

Déjà, au bout des phares, à l'endroit précis où elle se cassait en un virage à angle droit, la route semblait se diluer dans l'espace. Trop tard pour freiner. Ils allaient mourir. Les bolides prirent encore de la vitesse. Bref coup d'œil à Kubler. Lèvres retroussées par un rictus, mains soudées au volant, expression hallucinée de jouissance : drogué lui aussi!

– Tu as peur? demanda-t-il sans détourner les yeux de la route.

Les pensées de Kostia se bousculaient dans sa tête en un rythme d'explosions continues aussi violentes que l'éclatement des graviers giclant sous les pneus des bolides.

Peut-être y avait-il une chance sur un million que l'un des deux passe l'épingle à cheveux... Mais lequel?

A sa stupeur, il souhaita que ce fût Jeff Parks.

Et, dans le même millième de seconde, il comprit pourquoi : Jenny.

Il fut projeté sur le tableau de bord... Visage de pierre, Kubler écrasait férocement le frein, de tout son poids... La Porsche chassait, zigzaguait...

Il y eut un horrible grincement de tôles...

Accrochées subitement l'une à l'autre, les deux voitures fonçaient irrésistiblement vers un néant commun...

Et l'invraisemblable se produisit : au moment où le pied de Rinaldo se décollait de l'accélérateur, Kostia vit non seulement que la Corvette les doublait en leur coupant la route, mais que Jeff Parks leur faisait un bras d'honneur... Comme si toutes les tôles qui la constituaient allaient se disloquer, l'arrière de la Corvette tangua en une vibration monstrueuse tandis qu'elle glissait perpendiculairement à la route dans un hurlement de pneus martyrisés... La nuit l'avala : ils étaient passés !

Habité par la rage, Rinaldo rétrograda plusieurs vitesses en une demi-seconde, piqua à mort sur la gauche, bloqua l'accélérateur... Kostia sentit que la Porsche flottait dans l'espace, reçut un choc violent dans la colonne vertébrale quand elle toucha terre de nouveau, vit des arbustes jaillir sur lui pour lui arracher le visage, s'aperçut qu'ils n'étaient plus sur la route et, pourtant, que ses roues la retrouvaient soudain par miracle tandis que leur capot semblait aspiré par les feux rouges de la Corvette scintillant à moins d'un mètre devant eux...

– Le salaud ! éructa Rinaldo.

Mourir pour mourir...

– Kubler..., prononça Kostia d'une voix très calme.

Le regard que lui jeta Rinaldo ne dura que le temps d'un éclair. Kostia projeta son pied gauche entre les jambes de Kubler, s'arc-bouta de toutes ses forces contre le tableau de bord et broya la pédale de frein...

La Porsche se mit en travers, exécuta deux tonneaux... Kostia tint bon... Les yeux fermés, il attendit l'écrasement... Mais ce fut brusquement l'immobilité et le silence de la nuit.

Il rouvrit les yeux. Kubler, mâchoire inférieure pendante, était toujours accroché à son volant, le regard dans le vide...

– Descends, connard..., dit-il sur un ton sans timbre.

Hébété, Kostia s'exécuta.

La course était finie.

352

Une seule idée tournoyait dans sa tête : si Jenny n'était pas arrivée entière sur le terre-plein de Beverly Glen, il était foutu.

– J'ai perdu trois livres, dit Janis en minaudant. J'arrête mon régime. C'est trop dur. Vous ne m'en voulez pas si je reprends un peu de sucre ?

– Je vous en prie, dit Peter.

Avec effarement, il la vit vider méthodiquement le sucrier et combler sa tasse de thé avec tant de morceaux qu'ils asséchèrent le liquide comme le ciment des polders boit l'eau de la mer.

Il était 8 heures du matin. Elle l'avait appelée trente minutes plus tôt pour le voir avant son départ.

Dans une heure, elle prendrait l'avion pour Washington.

– Mon boss estime que je perds mon temps avec ce pauvre exilé soviétique persécuté. Il paraît qu'il a besoin de moi à la maison mère. J'obéis.

– De toute façon, dit O'Toole, j'allais vous téléphoner...

– Vraiment ?... Vous n'auriez pas quelques toasts, je vous prie ?

– John...

– Avec du beurre et un peu de confiture, précisa-t-elle... Je suis folle de l'abricot...

– A votre service, madame...

– Merci...

Le maître d'hôtel inclina la tête et disparut aussi vite qu'il était arrivé.

– Beaucoup de choses se sont passées cette nuit... Je n'ai pas beaucoup dormi.

– Confidence pour confidence, moi non plus lieutenant.

– D'abord, des informations de dernière minute... On vient de coffrer Jennifer Lewis.

– Non !

– Totalement camée.

– Elle est en cabane ?

– Elle y est restée vingt minutes. Puis, Ralph Nadelman est arrivé.

– L'avocat ?

– Il a payé toutes les cautions.

353

— Les cautions de qui?

— Attendez que je vous explique... Vous savez où est Mulholland?

— Oui.

— Une ou deux fois par semaine, vers 3, 4 heures du matin, de jeunes crétins font la course. Les bolides carburent au kérosène, les pilotes à la coke. Mortellement dangereux...

— Le Russe?

Peter confirma sa présence d'un mouvement de menton.

— Vous voulez me dire que le Russe s'est fourré dans ce truc? dit Janis en roulant des yeux effarés.

— Oui. Mais à jeun. Suivez-moi bien, Janis... Deux voitures en lice...

— Qui les conduisait?

— La Corvette, Jeff Parks, un acteur ringard. A ses côtés, Jenny.

— Et dans l'autre?

— Le Russe. Une Porsche. Au volant, Rinaldo Kubler. Pourquoi ensemble? Ils ont toutes les raisons de se haïr.

— Kubler?...

Peter alluma une cigarette, laissa passer deux secondes...

— L'ancien amant de Jenny.

— Seigneur!...

— Intéressant à plus d'un titre. Vingt-cinq ans à peine et un revenu annuel s'élevant entre trois et sept cents millions de dollars.

— Quel chiffre avez-vous dit?

— Vous avez bien entendu.

— D'où vient cet argent?

— Il paraît qu'il a un brevet pour un système électronique de détection de missiles. Défense nationale.

— Vous avez vérifié?

— On est en train. Un détail : il avait près de deux grammes de coke dans le sang.

— Connu de vos services?

— Pas jusque-là.

— En ce moment, qui est en prison?

— Personne. Tout le monde a été instantanément libéré sous caution.

— Qui les avait arrêtés?

– Lee et Dick. Deux de mes hommes.

– Sur votre ordre ?

– Non. Le hasard... Ils suivaient Kubler.

– Pourquoi ?

– Deux jours plus tôt, ils l'avaient repéré sur la plage de Malibu. Il filait le train à Jenny et au Russe.

Janis arrosa de quelques gouttes de thé la masse de sucre fondu agglutiné dans sa tasse.

– Jalousie ?

– Pas évident... Toujours est-il que Lee et Dick ont préféré arrêter le massacre. Jenny s'est jetée sur eux. Elle a essayé de les défigurer. Le Russe est intervenu. Jeff Parks s'est battu avec Kubler... Mes hommes ont sorti leurs armes... Manque de pot, un journaliste était là. Le scandale va s'étaler à la une de tous les médias.

– Mauvais. J'aurais tellement préféré que le Russe reste dans l'ombre.

Elle se passa brusquement la langue sur les lèvres et regarda un point situé derrière l'épaule de Peter : John arrivait avec un plateau.

– Madame, dit-il, je me suis permis de vous préparer des œufs au bacon. J'ai également ajouté quelques variétés de fromages...

Il installa devant elle assiettes et couverts.

– Auriez-vous un peu de vin ? dit Janis, dont les yeux brillaient.

– Blanc ou rouge, madame ?

– Blanc, peut-être...

– Bordeaux ou bourgogne ?

– Je goûterais bien aux deux, répondit-elle en coulant vers Peter un regard contrit.

– Tout de suite, madame...

Elle démarra par les œufs qu'elle touilla avec une délicatesse infinie. En gentleman, Peter observa quelques instants de silence qu'il eut la courtoisie de ne briser qu'après les premières bouchées.

– Vous ne trouvez pas que ces faits accumulés constituent beaucoup de coïncidences ?

– Lieutenant, dit Janis en s'essuyant la bouche du coin de sa serviette brodée, je ne crois pas aux coïncidences.

– Moi non plus. A propos de Boswell et de Botero, j'ai eu des nouvelles...

Janis releva vivement la tête.

– Mauvaises?

– Pour Arthur, aucune, dit sombrement Peter. En revanche, j'ai appris hier soir que les deux dernières personnes à l'avoir vu vivant en Amérique avaient été assassinées.

Janis repoussa son assiette.

– Impossible de dormir cette nuit. Je me suis rendu dans la cellule de Zizi Mac Cormick. Il m'a confirmé ce que recoupent toutes mes informations... Janis, quelque chose d'énorme se prépare actuellement en Colombie... Du jamais vu... Il paraît que dans la jungle, depuis des mois, on stocke de colossales quantités de cocaïne.

– Quelles quantités?

Peter eut une brève hésitation.

– Vous allez me prendre pour un jobard...

– Dites toujours...

– Des centaines de tonnes.

Janis le dévisagea avec intensité.

– Répondez-moi par oui ou par non, lieutenant...

Elle vrilla ses yeux dans les siens.

Vous y croyez?

– Je ne sais pas...

– Oui ou non?

– Oui.

– Pouvez-vous me dire pourquoi?

– Mon nez.

– Des centaines de tonnes..., répéta-t-elle d'un air songeur.

Chacun s'absorba dans ses pensées.

– D'où il tient ses tuyaux, votre Zizi Mac Cormick?

– Sur place. La rumeur...

– D'après vous, lieutenant..., à supposer qu'elle soit fondée... mais après tout, pourquoi ne pas la prendre comme pure hypothèse... quelle serait l'utilité de ces stocks?

Peter eut un geste d'ignorance.

– Est-ce que dans les dix années écoulées, la production de drogue a connu la moindre baisse?

– Jamais.

– Est-ce que le marché a toujours été normalement alimenté?

– Sans problème.

– Par conséquent, voyez-vous une seule raison pour que le consortium prenne le risque de constituer des réserves aussi démentes ?

– Logiquement, aucune.

– Et pourtant, d'après vous, c'est ce qui a été réalisé ?

– Exact.

Elle rafla machinalement quelques morceaux de sucre sur le plateau et les croqua.

– Dites-moi, Peter... Avez-vous réfléchi à la somme d'argent que représenterait une telle quantité de cocaïne ?

– Entre cinquante et cent milliards de dollars.

– Toujours d'après vous... A supposer que l'ensemble du Cartel se soit ligué pour mettre sur pied une opération exception-nelle, pensez-vous que ses ressources soient suffisantes pour lui permettre d'immobiliser un tel capital ?

– Non...

– Et financer une opération aussi énorme ?

– Trop lourd.

Janis poussa un profond soupir.

– Vous avez parfaitement raison. Il faut donc en conclure, toujours dans l'hypothèse de la réalité de ces stocks, qu'ils ont été amassés à la demande d'un acheteur inconnu ?...

– Qui ?

Elle eut un sourire amusé.

– C'est la première question que je vous pose.

– Je ne vois pas.

– C'est pourtant simple... Qui donc peut mener à bien ce que des particuliers sont trop démunis pour accomplir ?

C'était à la fois délicieux et irritant : elle le ramenait sur les bancs des amphis universitaires ! Pour la première fois depuis des années lui revint en mémoire le nom de ce vieux mec qui avait l'art de faire accoucher les esprits...

Socrate...

Malheureusement, son cerveau surchauffé n'enfantait aucune réponse.

Janis la lui fournit.

– Un ensemble de particuliers, Peter.

– C'est-à-dire ?

– Une nation.

Elle ajouta avec une moue :

— Je suppose que vous devinez laquelle.

— Cuba ?

— Trop petit. Vous brûlez...

— Les Soviétiques!

— Si ce qu'on vous a raconté est vrai, eux seuls en ont le pouvoir!

Les mains en appui sur la table, elle se pencha vers lui et lui dit avec véhémence, d'une voix sourde qu'il ne lui connaissait pas :

— Comprenez-vous mieux maintenant pourquoi je m'intéresse tellement à Kostia Vlassov?

— Quelle est votre seconde question? demanda Peter.

— Si les Colombiens ont réellement constitué ces stocks à la demande des communistes, ce n'est certainement pas pour les ventiler au détail...

Elle reprit son souffle pour donner plus de poids à ce qui allait suivre.

— C'est parce que les soviets ont trouvé le moyen de les faire entrer sur notre territoire en une livraison unique!

Elle allait trop vite... Trop loin... Peter se sentit soudain très fatigué. Elle pointa son doigt sur lui.

— Ma question, la voici : comment?

Il la considéra avec découragement.

— C'est impossible, Janis... Tout simplement impossible...

— Je ne vous le fais pas dire! Mais dans ces conditions, tout ce qu'on vient d'échafauder ne tient pas debout.

Elle sursauta, regarda sa montre, se leva...

— Seigneur, mon avion!

Elle fouilla dans son sac, en tira une carte sur laquelle elle griffonna quelque chose et la lui donna.

— Vous pouvez me joindre jour et nuit à ces deux numéros... Je dis bien jour et nuit...

Elle lui tendit la main.

— N'oubliez pas notre pacte, Peter... Vous et moi, on joue franc jeu sur toute la ligne. Vous me communiquez toutes vos informations, je vous livre le moindre de mes tuyaux!... Juré?

— Parole.

Elle s'ébroua.

— Janis...

Tête baissée, il tripotait pensivement la carte.

– Moi aussi j'ai une question... Des dissidents russes, il y en a des centaines aux États-Unis... Pourtant, vous n'en avez qu'un seul dans la tête : Kostia Vlassov. Pourquoi ?

Elle lui renvoya la réponse qu'il lui avait faite lorsqu'elle lui avait demandé ce qui le faisait croire à l'existence des stocks :

– Mon nez.

34

Le samedi soir, c'était la fête.

Nul ne travaillait le lendemain. Les bars étaient envahis par les servantes de la « Machine à faire rêver » : dactylos, secrétaires, assistantes, toutes s'étaient programmées pendant les six autres jours pour la rencontre du Prince Charmant.

Peu importait son identité ou ses antécédents.

Il s'agissait d'un « Homme ».

Car à Los Angeles, une fois par semaine, l' « Objet-Homme » était aussi nécessaire à une hygiène de vie féminine bien comprise que la carotte râpée, le jus de légumes, la nourriture diététique, l'aérobic ou le régime sans alcool.

Les hommes le savaient. Le samedi soir, ils jouaient les proies consentantes et sortaient de leur trou.

Il était 23 heures. Sunset grouillait de voitures d'où s'échappaient des flots de musique. On s'interpellait de l'une à l'autre, on échangeait des numéros de téléphone et les rendez-vous s'organisaient dans une ambiance électrisée faite de rires, d'excitation, d'attente nerveuse et de désir.

Glissant dans le flot, une immense limousine noire aux vitres teintées dépassa le carrefour de La Brea pour se diriger vers l'est. Juste derrière, une Chrysler bleu nuit lui collait au pare-chocs.

Le feu passa au rouge à l'angle d'Orange. Se faufilant dans la circulation, une bande de motards arriva à sa hauteur. Vêtus de jeans et de sandales, ils étaient torse nu sous des gilets de cuir, la tête coiffée de bandeaux de pirates, arborant fièrement leurs tatouages, leurs bracelets de force et les chaînes d'acier qui leur ceignaient le cou. Très vite, ils entourèrent la limo comme un essaim de guêpes.

Un énorme barbu, qui chevauchait une Harley-Davidson disparaissant sous les chromes, cogna gentiment sur l'une des vitres arrière de la limo.

— Hé, les mecs, dit-il en prenant ses copains à témoin, c'est peut-être une belle fille à poil qui va m'ouvrir!

Des rires fusèrent.

— Si elle voit ta tronche, aucune chance!

Le barbu s'esclaffa. De nouveau, il frappa au carreau.

— Ouvre-moi, beauté, sinon, je perds la face!

Le feu passa au vert. La limo démarra. Plusieurs motards vinrent caracoler devant son capot.

— T'as pas la manière, Johnny!... Regarde...

La moto de celui qui avait parlé était deux fois plus volumineuse que lui. Moulé dans un pantalon de femme blanc à gros pois violets, coiffé d'un invraisemblable chapeau à fleurs, il ressemblait à un jockey fou grimpé sur un éléphant.

Il frappa sur la carrosserie.

— Alors, salope, tu ouvres? Je suis beau, moi!

Tornades de rires...

Très doucement, une vitre s'abaissa, dégageant quelques centimètres à travers lesquels s'infiltra une main d'homme chargée de bagues. La main eut un petit mouvement nonchalant dont la signification était claire : barrez-vous.

Le barbu hurla de joie.

— T'as l'air malin, Freddy!

La limo arrivait à l'intersection de Highlands.

A droite, le Motel 405, illuminé de néons criards. A gauche, la façade en brique de la Hollywood High School.

Visage contracté de colère, le garçon au chapeau à fleurs enfila un poing américain et, à coups rageurs, essaya de faire exploser la vitre. Blindée : rien à faire.

Il était 23 h 5, l'avenue était bourrée de monde.

Le reste se passa en dix secondes, devant cent témoins.

Dans un hurlement de pneus, la Chrysler fit un bond en avant, renversa trois motards, doubla la limousine et, d'une queue de poisson, envoya valser Johnny et Freddy sur le trottoir. Il y eut un coup de frein violent. Les deux portes arrière s'ouvrirent. Deux hommes en jaillirent. Ils étaient très élégamment vêtus d'un costume sombre, chemise blanche et cravate foncée. On les abreuva d'insultes et de menaces. Sans se presser, ils s'avancèrent sur les deux motards gisant sur la chaussée en essayant de se dégager de leur machine.

On s'aperçut alors qu'ils tenaient à bout de bras des fusils à canon scié.

Quand Johnny et Freddy comprirent, il était déjà trop tard.

— Hé, les gars, dit Johnny, faites pas les cons... C'était pour chahuter...

Les deux hommes continuèrent à marcher sur eux.

— On voulait juste rigoler un peu..., chevrota Freddy.

Avec son visage blême tordu par la peur, son chapeau à fleurs et son pantalon blanc à pois violets inondé par l'huile de vidange qui s'écoulait de son carter crevé, il était pathétique.

Sans un mot, les hommes levèrent simultanément leur arme pendant que la limo démarrait en trombe et se fondait dans l'intense circulation de Highlands.

— Non! hurla Freddy en levant les bras dans un geste de protection dérisoire.

La décharge lui fit éclater la tête. A sa place, à la manière d'un cauchemar surréaliste, il n'y eut plus que ce grotesque chapeau semblant vissé directement sur le tronçon sectionné de son cou.

A la même fraction de seconde, le crâne de Johnny explosait.

Toujours sans se presser, les deux hommes remontèrent dans la Chrysler. Elle démarra sur les chapeaux de roues et vira sur Highlands où roulait la limo cinq cents mètres plus loin.

A l'intérieur, séparés du chauffeur par une vitre opaque, il y avait trois hommes. L'un d'eux s'excusa d'un air navré.

— Dans cette ville, c'est comme ça tous les samedis soirs.

— Je sais, dit Luz Botero. Les Américains ne se complaisent que dans la violence.

Au cours de la même nuit, bien plus tard, aux approches de l'aube, Jenny entra dans la chambre de Kostia et se glissa dans son lit. Elle était nue. Le contact de sa peau le réveilla. Dans le noir total, elle frôla le coin de ses lèvres de sa bouche. Quand elle se blottit contre lui, très vite, son corps répondit à la douce chaleur qui se dégageait du ventre de Jenny.

362

Il voulut la caresser. Elle lui immobilisa la main.

Avec une lenteur infinie qui le porta à incandescence, elle entreprit de balayer chaque centimètre carré de sa peau de la masse de sa chevelure. Il fit plusieurs tentatives pour reprendre le contrôle du jeu subtil qu'elle lui imposait : en vain. Il se laissa aller... Quand la tension de ses sens fut intolérable, il roula sur elle. A son tour, elle roula sur lui, tous deux enlacés au point que Kostia ne savait plus où finissait sa peau, où commençait la sienne. Alors, il ouvrit les yeux.

Une faible lueur pénétrait dans la chambre. Le soleil se levait.

Et ce qu'il vit le glaça...

Elle ne se doutait pas qu'il pouvait la voir. S'agitant au-dessus de lui d'une façon mécanique, paupières closes, visage crispé sur un gouffre intérieur où elle s'abîmait, Jenny avait une expression de souffrance et d'amertume : son corps et son cœur faisaient bande à part.

Il s'en était déjà rendu compte au Beverly Hills Hotel, après le mariage de Paulo. Elle le lui avait avoué.

Mais cela faisait partie des choses que l'orgueil d'un mâle refuse d'admettre.

Il avait eu le tort de l'oublier.

Il comprit alors qu'elle était venue dans ses bras parce qu'elle avait peur. Qu'elle n'avait jamais subi l'amour d'un homme que pour briser sa solitude. Et que, pourtant, c'est par amour qu'elle se donnait à lui : pour lui faire plaisir.

Uniquement.

Il était 10 heures. Tout le monde dormait encore. Adjibi jeta un regard méfiant par l'œilleton pour voir qui avait sonné. Debout sur le seuil, un paquet à la main, elle aperçut un grand Noir en salopette bleue qui portait au niveau de la hanche une arme rangée dans son holster.

– Qu'est-ce que c'est ? cria-t-elle.
– Une livraison.
– C'est dimanche, protesta-t-elle.

Le type éclata de rire.

– Pas de dimanche pour les bonnes nouvelles!

A regret, elle entrouvrit la porte.

– Miss Jennifer Lewis...

– Elle n'est pas là, dit Adjibi. Laissez-moi le paquet, je le lui donnerai.

– Je ne peux le remettre qu'en main propre. A quelle heure puis-je revenir?

Adjibi eut un geste vague.

– Bon, je retenterai ma chance dans une heure. Pouvez-vous la prévenir que je suis passé?

– Si je la vois, dit Adjibi.

Elle referma.

– Ne bouge pas, Rinaldo... Ne bouge pas...

Ernst Loring n'avait jamais vu Kubler aussi nerveux. Son travail s'en ressentait. *L'homme au casque d'or* ressemblait de plus en plus à un mauvais chromo de fête foraine.

– Excuse-moi, dit Rinaldo en se levant. J'ai un truc à faire.

Il sortit de l'atelier, gagna le parking, jeta son dévolu sur une Ford banale et démarra. Il prit Sunset vers l'est et roula une demi-heure jusqu'à ce qu'il laisse les tours de Downtown sur sa gauche. Alameda Street, Coronado, Rampart, Alvarado, Laverda... Boutiques, enseignes, noms de rues, brusquement, il n'était plus aux États-Unis mais en Amérique centrale.

Ensuite, ce fut China Street, les pagodes et les restaurants du quartier chinois... Un autre monde encore.

Il repiqua sur Broadway, tourna au hasard des rues et passa sous le Pasadena Freeway. Maintenant, il en était sûr, personne ne l'avait suivi. Il prit Manitou Avenue, repéra la pagode blanche, Rose Eye, qui était en fait une clinique ophtalmologique, et vira à gauche dans Saint Thomas Street : la rue grimpait d'une façon si invraisemblable qu'il eut l'impression d'être en face d'un mur.

Il rétrograda en première, se gara à mi-pente devant une petite maison ocre rouge et sonna.

Il perçut des bruits furtifs derrière la porte. Elle s'ouvrit.

Deux types basanés le dévisagèrent d'un regard dur.

– Je suis Rinaldo, dit Kubler... Felipe Sanchez m'attend.

Kostia se réveilla peu avant midi. Les yeux mi-clos, il entra dans la douche et offrit ses muscles fatigués à des jets alternativement bouillants et glacés.

Il se sécha, enfila une robe de chambre et passa dans le salon. Il faisait une journée radieuse. Il alla s'asseoir sur le tabouret du piano et égrena maladroitement les premières notes de *The man I love*.

– Non, pas ça! C'est une torture!

Il se retourna : visage fermé, Vladimir était posé avec raideur dans un fauteuil et caressait Crunch en lisant la dernière édition du *Los Angeles Times*.

– J'ai bien réfléchi. Je fais mes bagages.

– Tu vas où?

Naritsa bondit.

– Tu as lu les journaux? Je suis connu, moi! J'ai une réputation à défendre! Mon nom est cité partout! Je ne veux plus prendre le risque de me retrouver dans un poste de police! On m'a humilié! J'ai dû donner mes urines!

– Et alors? dit Kostia avec philosophie. Tu ne vas pas nous jouer Othello chaque fois que tu pisses...

– Je n'ai pas fui le communisme pour pisser à Los Angeles dans l'éprouvette d'un flic!

– Vladimir... Qui a eu l'idée de nous traîner sur Mulholland?

– La coke, c'est moi peut-être?

– A New York, tu ne crachais pas dessus.

Naritsa se dressa hors de son fauteuil, traversa la pièce et lui vociféra sous le nez :

– Jamais au volant! Est-ce que tu te rends compte que tu es fiché à la police? Quant à Jenny, elle est foutue!

– C'est vrai, dit Jenny. Depuis le jour de ma naissance.

Ils ne l'avaient pas entendue entrer.

Adjibi déposa un plateau sur une table basse. Jenny flaira un croissant, le rejeta.

– Madame, un homme s'est déjà présenté deux fois pour vous livrer un paquet.

– S'il revient, flanquez-le à la poubelle, dit Jenny d'une voix morne.

– Bien, madame.

On sonna.

– Kostia... On s'en va?

– Où?

– Au Mexique. Tu as tes papiers maintenant...

– Quand?

– Aujourd'hui.

– D'accord.

– Vous auriez pu me prévenir, dit Vladimir d'un ton sec.

Jenny haussa les épaules.

– Qu'est-ce qui t'empêche de venir avec nous?

Des éclats de voix leur parvinrent de l'antichambre.

– Je vous dis qu'il n'y a personne! protestait Adjibi.

– Vous m'avez déjà fait le coup, s'esclaffa un grand Noir.

Il tendit à Jenny un bloc et un crayon.

– Désolé, miss... C'est la troisième fois que je viens... Juste une petite signature...

– Signe, souffla Vladimir à Jenny. Ça ira plus vite...

Il s'empara de sa main et l'obligea à apposer son paraphe.

– Merci, dit le livreur.

Le paquet atterrit sur un sofa. Le regard de Kostia glissa machinalement sur l'emballage. Il portait la mention Van Cleef et Arpels.

– Jenny...

Elle déchira le papier.

– Qu'est-ce que c'est que ce truc? dit-elle avec ébahissement.

Elle dégagea d'un écrin un éblouissant bracelet.

Vladimir le lui prit doucement des mains, le fit tourner dans la lumière avec des gestes tendres de professionnel et rendit son verdict.

– Saphirs et diamants sertis dans une couronne de diamants et de saphirs... Pièce magnifique...

– Qui se permet de m'envoyer ça? demanda Jenny d'une voix agressive.

– Je l'ignore, miss, dit le livreur.

Kostia sortit une carte de l'emballage.

– Je peux?

Il lut :

– « Avec les compliments d'un admirateur. »

– Quel admirateur? aboya Jenny.

Elle arracha le bracelet des mains de Vladimir et le lança vers le livreur.

– Dites-lui de reprendre sa camelote!

– Elle est folle!... s'indigna Naritsa. Elle jette un joyau de cent trente mille dollars!

Un peu avant midi, le livreur revint avec un autre paquet. Depuis sa première visite, Jenny était partie s'enfermer dans son caisson d'isolation. Vladimir signa la fiche, déplia l'emballage, ouvrit l'écrin Boucheron et resta suffoqué par la beauté de la pierre qu'il venait de mettre au jour.

Elle reposait sur un fond de velours améthyste.

Pour mieux l'admirer, il la prit délicatement entre le pouce et l'index et alla se placer devant la baie vitrée.

– C'est quoi? demanda Kostia.

– Un diamant jaune d'une eau exceptionnelle... A vue de nez, plus de soixante-dix carats...

Toujours pas de nom d'expéditeur sur la carte.

En revanche, un fade compliment.

– Ça vaut cher?

– Au minimum, deux cent mille dollars, dit Naritsa.

A une heure d'intervalle, il y eut encore trois nouveaux écrins : deux Boucheron, un Bulgari. Une parure d'émeraudes, une tiare en rubis, un collier de saphirs. Sur le dernier envoi figurait enfin le nom du donateur : « Felipe Sanchez ».

– Mais pourquoi?... s'exclama Vladimir. Pourquoi?...

– Devine, ironisa Kostia.

Vladimir lui jeta un regard de commisération.

– Le tout dépasse largement le million de dollars! Aucune femme ne vaut ça!

L'après-midi touchait à sa fin. Comme à l'ordinaire, toutes les télés de la maison étaient allumées. Les mêmes images. Et les mêmes mots. Deux, entre autres, qui revenaient sans cesse : « cocaïne » et « Jennifer Lewis ».

Désormais, toute la planète était au courant.

– Je ne peux plus supporter de voir ma gueule sur ces écrans, avait dit Jenny avant de quitter la pièce.

– Veux-tu que je les éteigne? lui avait suggéré Naritsa.

Avant de disparaître, elle avait eu cette réponse étrange :

– Il y en a trop.

Adjibi apparut.

– Un monsieur... Pour Madame... Il dit qu'il repart ce soir, que c'est très important...

– Elle n'est pas là, trancha Vladimir.

– Comment s'appelle-t-il ? demanda Kostia.

– Felipe Sanchez.

Tous les téléphones avaient été débranchés depuis la veille, sauf celui de la cuisine.

Vladimir s'y précipita.

A travers l'étoffe de sa chemise, Kostia caressa subrepticement pour la centième fois le sauf-conduit délivré par la Maison-Blanche. Il le gardait contre son cœur. A ses yeux, il valait davantage que toutes les richesses du monde...

– Kostia! Felipe Sanchez sera là dans un quart d'heure.

– Tu es cinglé? Jenny va lui jeter ses cailloux à la figure et le virer!

– On n'éconduit pas Crésus, dit Naritsa avec dignité.

– Débrouille-toi avec elle.

– Je prends tout sur moi!

Silencieuse comme un chat, Jenny fit son entrée.

Elle avait revêtu un pantalon blanc bouffant et un pull de marin bleu marine. Elle semblait avoir seize ans. Vladimir fonça sur elle.

– Jenny... Je suis ton ami, ton frère, ton mentor, ton tuteur... Tu me fais confiance?... Alors écoute-moi sans t'énerver... J'ai quelque chose de très important à te dire...

35

Une longue limousine couleur acier s'arrêta devant la propriété. Un chauffeur en livrée quitta le volant pour ouvrir la porte arrière. Un type jeune en sortit. Tout en noir.

Dick mordit dans un sandwich.

– Tu en veux?

– Non, dit Lee. Ce qu'il me faudrait, c'est un steak grillé épais comme ma cuisse.

Avec ces planques qui n'en finissaient plus, leur infâme voiture leur servait de résidence secondaire. Leurs collègues avaient fait évacuer les journalistes en vertu d'une loi très simple : à Beverly Hills, il est interdit de stationner. Le nouvel arrivant dit un mot aux flics de garde. On lui ouvrit le passage. Il franchit les grilles, traversa le jardin et sonna.

– Qui c'est, ce macaque? grogna Dick.

– Le nouveau jardinier.

– Tu l'as regardé? Pas assez de classe.

Scène absurde : dans un luxueux salon, des joyaux épars sur une table basse. Deux sacs de voyage posés au pied d'un divan.

Deux hommes, une femme.

Aucun d'eux n'ayant quoi que ce soit à dire au paysan endimanché debout devant le piano, mal à l'aise dans son costume noir de confection, aussi déplacé dans l'ambiance qu'une mouche dans du lait.

Muet lui aussi.

Au premier coup d'œil, on lui aurait donné volontiers deux dollars pour qu'il s'en aille.

Jenny, Kostia et Vladimir le regardaient avec gêne, sans comprendre quel lien pouvait rattacher ce bouseux au visage dur aux bijoux qui scintillaient dans la lumière du crépuscule.

Et pourtant, c'était bien lui qui les avait envoyés.

Finalement, il dit :

— Je vous remercie de m'avoir reçu.

Son accent était atroce. Mais les mots débloquèrent la situation.

— Bienvenue, monsieur Sanchez, dit Vladimir... Kostia Vlassov... Miss Jennifer Lewis... Felipe Sanchez...

Sourcils froncés, Jenny fonça droit sur lui.

— Pourquoi ?

Comme il restait silencieux, elle rafla les bijoux en vrac et, les deux mains en coupe, les lui tendit.

— J'ai été très touchée par vos cadeaux. Mais vous comprendrez que je ne puis les accepter.

L'inconnu ne fit pas un mouvement pour les prendre.

— On dit, dans mon pays, « ce qui est donné est donné »..., se justifia-t-il avec un sourire timide.

Vladimir saisit la balle au bond.

— Quel pays, monsieur Sanchez ?

— Costa Rica.

Brusquement, Jenny ne savait plus quelle contenance adopter.

Au nom de « Sanchez », elle s'était attendue au classique quinquagénaire milliardaire d'Amérique du Sud, arrogant et dominateur, cigare au bec, gourmette au poignet et la certitude que son argent pouvait tout acheter. Elle avait l'habitude.

Or, ce type ne semblait même pas avoir trente ans. Rien d'agressif, malgré cette puissante vibration animale qui émanait de lui.

Kostia vint à son secours.

Il la débarrassa des joyaux, les déposa sur un guéridon, adressa un sourire à Felipe Sanchez et lui dit en espagnol :

— Voulez-vous vous asseoir un instant ?

— Merci, répondit Sanchez dans la même langue.

Il s'installa du bout des fesses. Chacun l'imita.

— Monsieur Sanchez, dit Kostia d'une voix douce, que voulez-vous exactement ?

Sanchez considéra Jenny avec gravité.

– Plus rien. Je suis comblé.

– Vous auriez envoyé des fleurs, continua Kostia avec la même douceur, miss Lewis les aurait sans doute acceptées avec plaisir. Mais il s'agit d'un cadeau... disproportionné... sans commune mesure avec ce que peut accepter d'un inconnu une femme qui se respecte. J'espère que vous le comprenez, monsieur Sanchez ?

– Parfaitement bien.

Il se redressa, s'inclina devant Jenny et dit dans son anglais approximatif :

– Je suis désolé si j'ai pu vous offenser. Dans mon pays, vous êtes un mythe..., et c'est avec le plus grand respect...

Il désigna les bijoux..., chercha ses mots...

– Comparé à votre talent et à votre beauté, ce n'est rien... Quelques simples pierres... Je n'oublierai jamais que vous m'avez reçu... Merci...

Il salua et se dirigea vers la sortie. Jenny adressa à Kostia et Vladimir un regard de détresse.

– Monsieur Sanchez.

Ce type était fou : elle ne savait même pas qui il était... On n'allait pas le laisser repartir en abandonnant sans raison plus d'un million de dollars sur un guéridon !

Elle désigna les deux sacs.

– Nous partons en voyage... Je n'ai pas beaucoup de temps. Je vous remercie pour vos pierres, mais je n'en veux pas.

– Vous allez loin ?

– Sur la côte mexicaine.

– Vous avez vos billets ?

– Pas encore. Nous sommes très en retard.

– Pourquoi vous presser ? Prenez mon avion.

– Pardon ? dit Kostia.

– Il est à votre disposition. Je vous envoie sur-le-champ une hôtesse et un steward.

Une inclination de la tête. Il tourna les talons. A longues enjambées, Kostia le rejoignit au moment où il allait passer la porte.

– Monsieur Sanchez...

Il lui tendit les joyaux. Il ne fit pas un geste pour les prendre.

– N'oubliez pas. « Ce qui est donné est donné. »
Puis, le regardant droit dans les yeux :
– Monsieur Vlassov, vous êtes de Kiev ?
Kostia tressaillit.
– Pas du tout. Je suis de Leningrad.
Luz Botero lui adressa un regard pénétrant et sortit.

Le salon de massage appartenait en sous-main au FBI. Situé à l'est de la ville dans un quartier calme et provincial, il était fréquenté par les hommes d'affaires et les politiciens de Washington qui venaient s'y accorder deux heures de détente.

Discrétion totale. Janis soupçonnait certaines des employées de pratiquer des massages très spéciaux.

Sinon, pourquoi les clients auraient-ils eu cet air béat lorsqu'ils en sortaient ?

Mais les hommes étant ce qu'ils sont – « des cochons », comme elle aimait à le répéter à Erwin – elle ne pouvait que le déplorer tout en s'inclinant devant les nécessités du service.

Elle avait revêtu une blouse blanche d'où s'échappaient ses avant-bras de lutteur de sumo. Dans la cabine, une couchette où s'allongeait le patient, divers tubes de crème et d'onguents, un tabouret, une salle de douche et des rideaux que l'on tirait pour maintenir la pièce dans la pénombre. Elle imagina le travail de ces filles qui pétrissaient une dizaine de corps par jour : pas marrant.

Il y eut deux petits coups à la porte.
– Entrez, dit-elle.
Un grand type blond et bronzé poussa la porte.
– Bonjour, Marvin.
– Bonjour, Janis.
– Installez-vous...
Éclatant de rire, Marvin fit mine d'enlever sa chemise.
– Chiche ?
Janis leva les yeux au ciel.
– Vous en seriez capable !
Elle lui tapota l'épaule affectueusement. Elle avait le plus grand respect pour les types qui risquaient leur peau pour que le monde soit seulement un peu moins dégueulasse. Marvin Cummings en faisait partie. Chaque fois qu'il y avait eu de la castagne

sur la planète, il avait donné pour la bonne cause autant de gnons qu'il en avait reçus. Ce qui n'était pas peu dire.

Il dévisagea Janis avec un air faussement douloureux et laissa tomber d'une voix lugubre :

– Janis... Vous avez maigri!

– Fermez-la, idiot, ou je vous masse réellement!

– Mon rêve...

Il avait rang d'officier. Il dépendait d'elle. Ils étaient toujours enchantés de se voir. Lui, parce qu'il la trouvait géniale. Elle, pour d'autres raisons : ce qu'il accomplissait quotidiennement, sans avoir l'air d'y attacher d'importance, était si dangereux qu'elle craignait que chaque rendez-vous fût le dernier.

– Comment va votre crapule d'employeur?

– Luz Botero? Il prospère. Assassinats en tout genre, subornation de témoins, menaces de mort et une industrie florissante. On raconte que son chiffre d'affaires annuel est en hausse : entre quatre et cinq milliards de dollars au lieu de trois.

– Excellent... On ferait bien de lui envoyer nos chefs d'entreprise en stage! Pourquoi ne donne-t-on pas la General Motors à un type comme ça?

– S'il veut l'acheter, il n'a besoin de personne.

Janis redevint sérieuse.

– Marvin... Avez-vous connu par hasard en Colombie un type du nom d'Arthur Boswell?

– Le roi Arthur?... Et comment!

– Où?

– Je lui ai flanqué une frousse bleue en le pilotant dans mon hélico au-dessus de la rivière Rouge.

– Quand?

– Trois, quatre mois.

– C'était un de vos copains?

– Non. Dans la jungle, on m'avait beaucoup parlé de lui, mais c'était la première fois que je le rencontrais. Il venait d'atterrir avec Botero à Raudal Numéro Deux. Au retour, il a fallu qu'il traverse le torrent en pirogue... Un rouquin immense. Plus de deux mètres...

– Quel genre de type?

– Un dur...

– Vous ne l'avez plus revu?

– Jamais.

Janis se mordilla les lèvres.

– Il a disparu.

– Aïe...

– J'ai des amis qui s'inquiètent. D'après vous, qu'est-ce qui a pu lui arriver?

– Pilote privé de Botero, rien. Tabou. Cherchez plutôt du côté des Narc américains.

Il se méprit sur le sourire de Janis.

– Vous savez, ils gagnent mille fois plus d'argent que s'ils étaient restés ici... Gonflés, mais pourris.

– Boswell n'est pas un pourri.

Marvin tiqua.

– Faut pas pousser... Sympa, je vous l'accorde... Mais il s'agit tout de même d'un traître à son pays qui s'est vendu aux gangs de la drogue.

– Qu'est-ce que vous faites d'autre?

Il la regarda sans comprendre.

– Janis, quel rapport?... Je suis flic, moi.

– Lui aussi, dit Janis.

Il eut l'impression que le plafond lui dégringolait sur la tête.

– Flic? Le roi Arthur?

– Drug Enforcement Administration... Avec grade de lieutenant. Il dépend du lieutenant Peter O'Toole, de la Wilcox Division, à Hollywood...

– Vous êtes sûre?

Janis confirma d'un mouvement de menton.

– Merde...

Comme entre la Navy et l'armée de terre, il y avait des rivalités féroces entre les différents services de sécurité américains. Aveuglément, chacun tirait la couverture à lui et ne travaillait que pour son petit drapeau. Les flics détestaient les agents du FBI, qui ne pouvaient pas voir en peinture leurs collègues de la CIA. Ceux de la CIA haïssaient les agents de la Delta Force, dont chaque membre vomissait les militaires de la National Security Agency dépendant du Pentagone... Où l'on détestait en bloc la planète entière.

– Janis...

Elle fut frappée par son expression inquiète. Il hésita un instant, mais il fallait que ça sorte...

– Est-ce qu'O'Toole connaît mon existence ?

Janis décoda instantanément : « Avez-vous parlé de moi à O'Toole ? »

Elle eut un haussement d'épaules dédaigneux.

– Marvin, Marvin... La Colombie vous ramollit...

Le Jet-Lear piqua droit sur l'océan, vira sur la gauche et continua sa route plein sud à la verticale de la mer.

Les lumières de la ville leur explosèrent au visage.

Elles tissaient l'espace de milliers de soleils jaunes et semblaient s'étendre jusqu'à l'infini.

Vladimir caressa le cuir du divan du bout de l'index.

– Hermès, dit-il.

Il ne se trompait pas. Les aménagements intérieurs avaient été réalisés par le sellier français. Luz Botero, qui n'avait jamais pu coucher dans un lit, pratiquait avec ses invités de marque un mépris subtil. Plus ils étaient haut placés, plus ils se laissaient corrompre par le parfum suprême de la richesse. Chefs d'État, grands patrons de la police, militaires de haut rang ou politiciens en exercice, aucun ne résistait bien longtemps au raffinement d'un luxe discret.

– Vous pouvez détacher vos ceintures, dit l'hôtesse.

La cabine entière avait été transformée en salon. Posé sur l'épaisse moquette, un très antique tapis persan. Au milieu, une table en marqueterie. Calés entre les parois du fuselage, deux lourds divans et trois fauteuils. A l'arrière, deux chambres et leur salle de douche.

Lorsque le steward et l'hôtesse s'étaient présentés sur Roxbury, Kostia avait renâclé. Mais Jenny renonçait difficilement à un caprice.

– Pourquoi pas ? On ne vit qu'une fois.

Même pas le temps de réfléchir. Ils s'étaient retrouvés sur le Hollywood Freeway dans la limousine noire où, la veille, les gardes du corps de Botero avaient donné l'ordre aux tueurs de la Chrysler d'abattre les motards.

Mais, cela, ils l'ignoraient.

Sitôt à l'aéroport, embarquement et décollage immédiats.

– Avez-vous une préférence pour la marque et l'année de votre champagne ? demanda le steward.

– De l'eau, dit Jenny.

– Whisky, lança Kostia.

– Vodka, précisa Vladimir.

– Souhaitez-vous regarder un film? suggéra l'hôtesse.

Jenny lui lança un regard noir.

– Je me demande si Crunch a réussi à s'endormir..., s'inquiéta Naritsa à voix haute.

Il avait accablé Adjibi de recommandations avant de consentir à lui confier le yorkshire. Quand Kostia lui avait demandé d'être du voyage, il s'était fait prier comme une vieille cocotte.

– Impossible. J'ai rendez-vous avec Schneiderman demain matin.

– Ça ne peut pas attendre trois jours?

– Non. Nous avons convoqué trois écrivains pour Janis.

Kostia s'était détourné pour ne pas craquer.

Une heure et demie de vol à peine... L'avion glissait dans la nuit. On apporta les boissons. En russe, Vladimir glissa à l'oreille de Kostia:

– Tu aurais imaginé ça, à Leningrad?

– Arrêtez de parler en même temps, je n'entends rien! Lee d'abord!...

– Quand on a vu ce paysan remonter dans ce palace roulant, j'ai décidé de le suivre.

– Pourquoi?

Lee eut un geste vague.

– Un bouseux à l'arrière d'une limo, il y a quelque chose qui cloche... On a appelé la brigade pour qu'on envoie une autre bagnole pour Dick. Il est resté sur place.

– Continue...

– Très simple. Il est entré dans l'aéroport. On l'a escorté en voiture dans la zone des embarquements privés, il est monté dans un Jet-Lear et il a décollé.

– Pour où?

– Montréal.

– Son nom?

– Felipe Sanchez.

– Nationalité?

– Costa Rica.

– A qui appartient l'appareil?

– Une compagnie de charters, la Caribbean Sun.

– Basée?

– A Miami.

O'Toole jeta pensivement un sucre dans son gobelet de café et le fit fondre à l'aide du capuchon d'une pointe Bic.

– Dick...

– On m'a amené la bagnole au moment où Jenny, le Russe et Naritsa montaient tous les trois dans une autre limo venue les chercher.

– Après?

– Je leur ai filé le train jusqu'à l'aéroport.

– C'est ce qu'on essayait de vous dire, lieutenant, intervint Lee.

Peter le foudroya du regard.

– Tu le laisses parler?

– Ils se sont embarqués dans un Jet-Lear et ont décollé immédiatement.

– Pour où?

– Cabos San Luca.

Peter afficha une expression incrédule.

– Tu te fous de moi? Le Russe n'a pas le droit de quitter le territoire!

– Il était parfaitement en règle.

– Qu'est-ce que tu racontes?... C'est un dissident! Il n'a même pas de passeport!

– Pour quoi faire? Il a montré un document de la Maison-Blanche.

O'Toole s'étrangla.

– De la Maison-Blanche?... Répète-moi ça?

– Tout ce qu'il y a de plus officiel. « Chargé de mission »!

O'Toole arracha le téléphone de son support.

– Harry... Vérifie si Kostia Vlassov a un laissez-passer de la Maison-Blanche portant la mention « Chargé de mission ». Et si oui, tâche de savoir qui le lui a donné et pourquoi!

Il raccrocha d'un geste furibard, avala ce qui restait de café, broya le gobelet et le jeta à la corbeille.

– Enchaîne!

– Le jet appartient à la même compagnie que le premier, la Caribbean Sun.

377

O'Toole se tourna vers Lee.

— La limo de Sanchez ?

— Louée à Hertz.

Il s'adressa à Dick.

— Et l'autre ?

— Idem, lieutenant. Hertz.

— Louées par qui ?

— Un cabinet d'avocats. Ralph Nadelman.

O'Toole le dévisagea sans le voir : après l'histoire de Mulholland, c'est Nadelman en personne qui s'était déplacé pour payer les cautions. Y compris celle de Rinaldo Kubler...

Des horizons s'ouvraient... Il se leva.

— Appelez Montréal. Je veux savoir à quelle heure arrivera l'avion de Sanchez. Je veux qu'on le mette sous surveillance...

Des fragments d'idées s'entrechoquaient confusément dans sa tête. Aussi fugaces que des étincelles... S'évanouissant dès qu'il voulait les immobiliser...

— Lieutenant, on peut aller manger quelque chose ? demanda Lee d'une voix innocente.

— Qui vous en empêche ?

— Dick, tu as entendu le lieutenant ? Il vient de nous donner l'autorisation de nous restaurer !...

— Oh, merci, lieutenant, chevrota Lee, merci...

O'Toole sortit brusquement le colt enfoui dans la poche de son blouson.

— Sortez ou je tire !

Le type appartenait à la race floue des témoins anonymes. Pas assez courageux pour se mettre en avant. Mais suffisamment délateur pour signaler une atrocité.

Il habitait une petite maison sur Marmont Avenue, au-dessus de l'hôtel Château Marmont. Quelques heures plus tôt, lisant dans le *Herald Examiner* le récit de la scène où il avait failli laisser sa peau, il avait décidé de faire son devoir de citoyen. En sortant du Liquor Locker, il déposa à ses pieds son carton de bières, fouilla dans sa poche, en tira un *quarter*, l'introduisit dans la fente du taxiphone et composa un numéro.

— Police, j'écoute..., lui répondit une voix d'homme.

— J'ai une déclaration à faire. Voulez-vous prendre note ?

– Mais certainement... Quel est votre nom?

– Vous n'avez pas à savoir mon nom! Vous voulez écrire ou pas?

– J'écris...

– C'est à propos de la fusillade de samedi soir, sur Sunset... C'est dans tous les journaux, vous êtes au courant?

– Oui.

– J'étais là.

– Je vous écoute.

– Le tueur qui a massacré les motards couvrait une limo noire. Quand il est descendu de sa bagnole pour tirer, la limo a filé en douce. Vous voulez son numéro?

– Je note...

– LU 36238, Californie.

– Bien reçu...

– Salut.

– Monsieur! s'égosilla le flic... Monsieur!...

L'homme raccrocha. Il ramassa son carton de bières et grimpa dans sa Jeep. Qu'est-ce qu'il pouvait faire de plus? Aller expliquer aux flics qu'il arpentait Sunset pour trouver une pute alors qu'il avait raconté à sa femme qu'il allait faire un billard?

La conscience tranquille, il mit le contact et embraya.

36

Le pilote, le copilote, le steward et l'hôtesse de l'avion les escortèrent jusqu'à la douane. A la surprise de Kostia, les hommes en uniforme s'inclinèrent bien bas sans même leur demander leur passeport.

– Je serai à l'hôtel pour vous servir, dit le pilote. L'appareil et l'équipage sont à votre disposition aussi longtemps que vous le souhaiterez. J'attends vos ordres.

On leur ouvrit la porte d'une Cadillac. Ils furent bientôt sur une petite route en montagnes russes qui serpentait en haut d'une crête.

En dehors de la zone éclairée par les phares, l'obscurité était totale. Parfois, des maisons de torchis blanchies à la chaux surgissaient dans la flaque de lumière, dévoilant de maigres chiens noirs, des enfants immobiles, quelques touffes de bananiers. La nuit reprenait ses droits jusqu'à une pompe à essence ou une épicerie, cruellement éclairées par des arcs au néon. Vingt minutes plus tard, ils quittaient la route et dévalaient sur la gauche un chemin poussiéreux bordé de cactus.

– Twin Dolphin, leur dit leur chauffeur avec un grand sourire.

Ils étaient arrivés. Ils aperçurent un immense patio bordé de colonnades. Les initiés venaient du monde entier à Cabos San Luca. Paradis de la pêche au gros, il suffisait d'être milliardaire pour y faire en toutes saisons des prises miraculeuses.

La plupart descendaient au Twin Dolphin.

Pendant que le chauffeur s'occupait des formalités d'enregistrement, on leur prit leurs bagages et on les conduisit dans leurs bungalows à travers un sentier balisé çà et là au ras du sol par de discrets lumignons. La pente était sèche.

Jenny s'immobilisa et prit le bras de Kostia.

— Écoute, dit-elle.

Le bruit léger des vagues montait de la mer qu'ils devinaient dans la nuit à son parfum. Kostia leva la tête.

Des milliers d'étoiles se percutaient dans un ciel d'une pureté absolue.

— Je connais un type..., le père d'une de mes amies, dit Jenny. Un industriel. Il y a trente ans, il est venu ici pour un week-end de pêche...

— Et il y est toujours, conclut Kostia.

— Comment le sais-tu?

Il la prit par la taille et l'entraîna.

— Pas sorcier. J'aurais fait la même chose.

Zizi Mac Cormick eut un regard gourmand pour la bouteille de Finlandia que lui avait apportée O'Toole. Il se frotta les yeux.

— C'est pas Noël?

— Disons que c'est mon jour de bonté.

Zizi s'en empara pour la déboucher.

— Non, pas maintenant, dit Peter... Je voudrais vérifier un truc...

— Tu boiras bien un coup avec moi?

— D'accord, si tu veux...

Zizi déchira le papier d'emballage de la pile de gobelets joints à la bouteille, en dégagea deux et les remplit.

— A la tienne!

— A la tienne, dit Peter.

Il le laissa déguster sa première lampée en silence.

— Tu m'as bien dit l'autre soir que Botero avait une compagnie de charters?

— Oui. Pour balader les vieillards.

— Où est le siège social?

— En Floride. Miami.

— Tu te souviens du nom de la compagnie?

— Caribbean Sun.

O'Toole dut faire un effort pour garder un visage impassible.

Pour se donner contenance, il but une autre gorgée de vodka.

– Pourquoi ? demanda Zizi.

Peter haussa négligemment les épaules.

– Routine...

Il acheva son gobelet cul sec. Zizi en fit autant. Peter lui en reversa une généreuse rasade.

– Tu en reprends pas ?

– Non. Il faut que j'y aille.

Ce qu'il venait d'apprendre lui donnait des fourmis dans tout le corps : trop dingue pour ne pas être vrai... Il fallait qu'il voie Lee et Dick, vite !... Mais, auparavant, un ultime contrôle...

Malgré son excitation, il réussit à garder une voix normale.

– Merci pour le tuyau, Zizi.

Il rafla la bouteille et se dirigea vers la porte.

– Hé, protesta le pilote... Tu pourrais au moins me la laisser !

Peter le toisa d'un air sévère.

– Où tu te crois, Zizi ? T'es pas au Ritz, ici, t'es en taule !

Janis hésitait depuis cinq minutes entre s'endormir, la lecture du livre de cuisine des frères Troisgros ou *L'Éthique* de Spinoza.

Le téléphone la tira de ce choix qui la torturait.

– J'écoute...

– Votre massage m'a sauvé la vie !

Une voix rigolarde. Elle gloussa : Marvin.

– Je vous croyais reparti ?

– Demain. J'ai des nouvelles.

– Bonnes ?

– Mauvaises.

– De qui ?

– De la personne que recherchent vos amis.

– Allez-y...

– La dernière fois qu'on l'a vu vivant, le roi Arthur est parti pour un vol de reconnaissance avec l'Indien...

« L'Indien », c'était le nom de code qu'ils avaient donné entre eux à Botero.

– Quarante minutes plus tard, l'Indien est retourné au camp. Seul.

– Seul dans l'avion?

– Seul.

– Comment a-t-il pu atterrir?

– Il faut croire qu'il pilote.

Janis réfléchissait à toute allure.

– Ça ne prouve pas que l'ami de nos amis soit mort.

– Non. Mais il y a autre chose. Il y a trois jours, des types qui pêchaient dans un lac ont ramené dans leurs filets le cadavre d'un homme blanc. Enfin... ce qu'il en restait...

– A quelle distance du camp?

– Quinze, vingt miles...

– Qu'est-ce qui vous fait croire...

– Une raison très simple : dans le coin, les rouquins de plus de deux mètres ne courent pas les rues.

– Alors? dit Peter.

– Aucun Jet-Lear n'a atterri à Montréal aujourd'hui.

– Sûr?

– Certain, affirma Lee.

– Est-ce qu'il y a eu un accident, un avion disparu, ou en difficulté, ou détourné pour raisons météo, quelque chose dans ce genre?

– Non, lieutenant, fit Dick. On a fait contrôler tous les aéroports. Rien n'a été signalé.

– Parfait. Un appareil a décollé de Los Angeles. Et d'après vous, il n'a atterri nulle part?

– Exactement.

– On a même pris la peine d'envoyer des télex dans toutes les bases aériennes. Rien.

– C'était bon? ironisa O'Toole.

– Quoi, lieutenant?

– Votre dîner?

– Un des meilleurs sandwichs au fromage de ma vie, hein, Dick?

– Et le Coca! renchérit Lee... Le goût du Coca!...

Peter leur mit brusquement sous le nez une photo qu'il tira d'une enveloppe de cellophane.

– Ça vous dit quelque chose?

Dick l'examina avec stupéfaction.

— Merde! s'exclama-t-il. Felipe Sanchez!

Lee confirma. Bouche bée, il dévisagea Peter comme s'il était Dieu le Père.

— Comment vous avez fait?

— Très simple, dit O'Toole. Je suis allé au fichier et j'ai demandé la photo de Luz Botero.

Sidérés, Lee et Dick se dévisagèrent.

Peter balança un énorme coup de pied dans son bureau.

— Sanchez, c'était Botero! Botero était en ville, et on l'a laissé filer comme des cons!

— Lieutenant..., bégaya Lee.

— Comme des cons! explosa O'Toole avec rage. Sur le territoire américain!... Là... Sous la main!...

La porte s'ouvrit.

— Lieutenant, dit Harry Bloch... Un truc marrant.

O'Toole le foudroya.

— Vas-y, Harry, fais-moi marrer!... Ce sera ma dernière bonne chose avant que je me tire une balle dans la tête!

— C'est pour le meurtre de Sunset... Les motards flingués..., bredouilla-t-il sur sa lancée.

Il aurait donné n'importe quoi pour être ailleurs.

Il passa une main embarrassée dans sa crinière de cheveux blancs, désigna vaguement la feuille de papier qu'il tenait à la main et bredouilla:

— Ça ne fait rien, lieutenant... Ça peut attendre...

Il s'apprêtait à rebrousser chemin.

— Harry! dit O'Toole d'une voix subitement glaciale. Je veux la suite.

Lee et Dick ne savaient plus où se fourrer.

Harry avala sa salive.

— D'abord, les motards... Pas de chance... Des Hell's Angels. Deux morts, ils ne vont pas laisser passer ça...

— Lee... Dick...

— Bien, lieutenant...

Ils échangèrent un regard résigné: les Hell's Angels!... Pas encore demain qu'ils feraient relâche...

— Et tout à l'heure, appel anonyme. Un témoin... On savait que le tueur était descendu d'une Chrysler. Mais ce qu'on ignorait, c'est qu'il n'était là que pour protéger une limo noire.

— Quelle limo noire?

– Elle a disparu dès le début de la bagarre..

– Tu as son numéro?

Harry confirma d'un battement de paupières.

– Il s'agit d'une voiture Hertz. Les formalités de location ont été faites par le secrétariat d'un cabinet d'avocat...

– Ralph Nadelman? demanda doucement O'Toole.

Harry ouvrit des yeux ronds.

O'Toole lui prit son papier des mains...

– LU 36238... C'est ça?

Lee avait déjà décroché un téléphone.

– Donne-moi l'immatriculation de la limo louée par Nadelman pour Felipe Sanchez...

Tous les regards étaient maintenant braqués sur lui.

Il attendit la réponse quelques secondes, hocha la tête, raccrocha sans un mot et dit à O'Toole d'une voix blanche :

– Lu 36238, lieutenant. C'est la même.

Ils furent réveillés par des coups violents frappés dans l'entrée.

– Kostia!... Kostia!...

Vladimir... Jenny se dressa en sursaut et regarda Kostia avec inquiétude.

– J'y vais, dit-il.

Il enfila un slip de bain. A peine avait-il entrebâillé la porte qu'il dut fermer les yeux sous la brûlure du soleil.

Naritsa le secouait par le bras.

– Je veux qu'on quitte cet endroit immédiatement!

– Vladimir, je te supplie de parler moins fort.

– On est coupés du monde, Kostia! Isolés! Perdus!

– Qu'est-ce qu'on t'a fait?

Il reçut l'horrible vérité en plein visage :

– Ils n'ont pas le téléphone!

Kostia se laissa mollement glisser par terre et se prit la tête entre les mains.

– Vladimir, tu es cinglé... Jenny a cru qu'il y avait un tremblement de terre...

– Je ne peux pas vivre coupé des miens comme au Moyen Age!

– Qui ça, les tiens? dit Kostia en étouffant un bâillement.

– Crunch!

– Señor... La voiture est prête... On vous emmène en ville... *Teléfono!*...

Vladimir s'accrocha à la main de l'employé tout de blanc vêtu qui lui avait couru derrière. Ils repartirent au galop.

Kostia écouta décroître le bruit de leurs pas.

Puis, rien.

Le silence... La chaleur... Le léger clapotis des vagues quand l'écume venait mourir sur le sable.

Il risqua un œil... Le paysage était dévoré par l'intense lumière... Le ciel, le sable, l'eau... A droite, une cascade de roches brunes formait un éperon qui suivait la ligne de l'océan d'un bleu velouté, profond...

Des criques... Le vent chaud du désert...

Personne.

L'univers était vierge.

Kostia se leva, descendit le sentier de roche et de sable qui dévalait jusqu'à la plage entre des cactus géants.

Le sable crissait sous ses pieds nus.

Lentement, avec volupté, il se laissa glisser dans la mer.

– Tu ne fais réellement jamais d'exercice?

– Jamais.

– Je ne comprends pas comment tu peux garder un corps pareil...

– Si tu m'avais connu adolescente... A quinze ans, j'étais énorme.

– Grosse comment?

Jenny écarta les bras comme si le volume de son corps avait décuplé. Elle était assise dans le sable, le dos en appui contre un éperon de lave. La tête de Kostia reposant dans le creux de son ventre et de ses cuisses.

Depuis qu'ils se connaissaient, c'était la première fois qu'ils étaient vraiment seuls. Délicieux... Depuis deux heures, ils n'avaient fait qu'entrer dans l'eau, se sécher sur le sable et nager de nouveau.

– Qu'est-ce qui t'a fait maigrir?

Elle eut une petite grimace d'amertume.

– Mon beau-père.

386

– Ça mange les calories, un beau-père ?

– Le mien, oui.

Elle se leva. Elle avait une façon très personnelle de marcher. Elle attaquait le sol par la pointe des pieds, comme si elle dansait. Elle piqua une tête dans la mer, disparut de la surface... Sa tête émergea. Ses cheveux brillant d'eau de mer étaient plaqués en arrière, dégageant son front immense surmontant l'ovale irritant de perfection de son visage.

Toutes les femmes se seraient damnées pour avoir une partie de sa beauté. Mais sa beauté ne profitait qu'aux autres : elle ne s'aimait pas.

Elle s'étendit sur le dos pour s'offrir au soleil.

Des gouttelettes d'eau s'accrochaient à ses cils et saupoudraient sa peau de minuscules boules de lumière.

Elle fit un mouvement pour dégrafer son soutien-gorge.

– Tu crois que je peux ?

– Il n'y a personne. Qui t'en empêche ?

Le minuscule morceau d'étoffe blanche atterrit sur le sable. Kostia entreprit de lui caresser le lobe de l'oreille.

– C'est marrant, ce malentendu...

– Lequel ?

– Entre toi et toi.

– Comprends pas...

– Tu fais rêver tous les hommes de la planète...

– Et alors ?

– Et toi, tu te détestes.

Elle haussa les épaules.

– Ce n'est pas moi qu'ils désirent. C'est l'image que je représente. Si j'étais crémière, personne ne me regarderait.

– Tu es sérieuse ?

– Je suis moche. J'ai toujours su que j'étais moche. Je le sais depuis l'enfance. Molle, incertaine, bigleuse...

Kostia éclata de rire.

– Ça ne t'est jamais venu à l'idée que tu aies pu changer ?

– Pas dans ma tête.

– On te donne des millions pour apparaître sur un écran, ça ne te rassure pas ?

– J'en crève.

Il fallait qu'il la pousse, qu'il l'oblige à aller plus loin.

– Depuis quand ?

— Toujours. Je suis le contraire de cette image. Ce n'est pas moi.

— Toi, c'est qui ?

— Rien.

Il se tapa sur les cuisses.

— Moche et nulle, reprit-elle d'une voix morne. Je ne comprends pas qu'on puisse s'intéresser à moi.

Kostia laissa tomber négligemment :

— Ce n'était pas l'avis de ton beau-père.

Elle se cabra, ouvrit les yeux, les protégea de la main et le dévisagea avec gravité.

— J'avais treize ans.

Voilà...

Il leur avait fallu cinq mois pour que naisse l'instant où l'on ne triche plus.

— Tu aimes les histoires de boniches ?

La phrase n'avait rien d'agressif. Elle l'avait prononcée sur un simple ton de défi tranquille.

— Est-ce parce qu'il t'aimait que tu ne t'aimes pas ?

— Quand tu te fais violer à treize ans par le mari de ta mère, où est l'amour ?

Du bout de l'index, Kostia traça dans le sable un entrelacs de cercles parfaits. Un peu plus loin, crevant la surface de l'eau avec un choc sourd, deux pélicans tombèrent du ciel pour chercher leur pâture.

— La coke... C'est pour ça ?

— Rien à voir.

— Alors, pourquoi ?

— Parce que lorsque j'en prends, je suis une autre. Je m'oublie. On n'en sort pas, Kostia. Quand je n'en prends pas, je n'arrive plus à me supporter. Et sitôt que j'en prends, je me hais.

— Comment tu as commencé ?

— Malachian.

Elle eut un petit rire amer.

— Il prétendait que ça fait maigrir. Pour une fois, il ne mentait pas. C'est radical, la cocaïne. On n'a jamais faim.

— Comment es-tu devenue actrice ?

— Aucune idée.

— Tu voulais ?

— Jamais. C'est Malachian.

388

– Où l'as-tu connu?

– Je vendais des chaussures sur Wilshire. C'est tout ce que je m'imaginais comme destin. Un jour, il est entré dans la boutique. Je ne savais même pas qui il était. Le soir, j'ai eu mon premier flash...

Kostia entoura ses cercles d'un carré parfait.

– Il te plaisait?

Elle eut un petit rire amer.

– A jeun ou pas? Dès qu'on y a goûté, ceux qui t'en fournissent deviennent plus beaux que des dieux... Balade-toi sur Sunset avec un paquet de poudre. Même si tu es bancal avec une gueule de singe, en dix minutes, tu auras un convoi de filles derrière toi. Prêtes à tout pour oublier qu'elles existent. J'étais comme elles. Le soir, je rentrais seule. La sensation que tout te glisse entre les mains. Quand tu ne sais pas quoi en faire, la vie te paraît mortellement longue.

Il voulut l'attirer. Elle le repoussa doucement.

– C'est toi qui as commencé, Kostia. Pourquoi ne pas aller jusqu'au bout?...

Elle lui prit la main.

– Tu t'es déjà drogué, Kostia?

– Non.

– Est-ce que tu juges ceux qui se droguent?

– Pas du tout.

– Et ce qu'ils font quand ils sont drogués?

Il hésita...

– S'ils me concernent affectivement, peut-être...

– Au début, on se drogue pour combler un vide... On se drogue parce qu'on n'a personne à aimer...

– Tu n'as jamais aimé personne?

– Tu es le premier.

Il savait qu'elle n'avait jamais confié cela à quiconque.

Il sentit aussi qu'elle avait peur d'en dire plus.

Elle affronta son regard.

– Tu veux que je continue?

– Oui.

– Il y a eu tellement d'autres Rory Keane dans ma vie, Kostia... Je ne connais ni leur visage, ni leur nom. Quand j'en ai pris, je ne me souviens de rien ni de personne... Je ne t'en parle que par honnêteté, pour que tu saches qui je suis à travers ce que j'ai été. Et que tu apprennes de ma bouche ce que n'importe qui pourrait te révéler. C'est le moins que je puisse faire.

Il la considéra longuement.

— A propos de ton beau-père, Jenny... Il y a une chose que tu dois savoir.

— Laquelle?

— Tout ce qui est subi n'existe pas.

Le soir, étourdis de soleil, ils s'attablèrent pour le dîner. En dehors d'un couple de tantes qui jetaient des regards tendres aux garçons mexicains, d'un quarteron d'industriels américains qui s'étaient fait la tête de Hemingway lorsqu'il ne pouvait plus écrire et de l'équipage de leur propre avion, l'immense salle ouverte à la brise était vide.

Ils espéraient du poisson frais : on leur servit une soupe de pois cassés, une salade et des melons.

— Tu as pu téléphoner? demanda Kostia.

Vladimir garda le nez obstinément plongé dans son potage.

— J'ai fait la queue pendant deux heures dans un bureau de poste plein de marmaille qui piaillait, marmonna-t-il. Et quand mon tour est enfin venu, la communication a été coupée... Le Moyen Age...

Kostia et Jenny échangèrent un regard complice...

Plus tard, lorsqu'ils furent allongés sur le lit de leur bungalow, Kostia commença à la caresser doucement. Elle répondit, embrassa sa peau chaude et se donna avec une intensité qu'il ne lui avait jamais connue.

Quand il s'écroula à ses côtés, elle éclata en sanglots. Elle se mordit les poings, se leva, frappa les murs et alla s'enfermer dans la salle de bains d'où ses pleurs déchirants lui parvinrent...

Une fois de plus, c'était raté.

Et probablement sans espoir.

37

Il ne serait jamais venu à un flic l'idée de communiquer des informations au FBI ou à la CIA.

Chacun gardait jalousement pour lui ce qu'il avait appris pour mieux tirer les marrons du feu en cas de succès.

Mais un pacte est un pacte. Et à cause surtout du roi Arthur, O'Toole devait le respecter : il avait besoin de Janis...

Il composa son numéro...

– Janis?... Peter.

– Où êtes-vous?

– Votre ligne est sûre?

– Pour qui me prenez-vous?

– Ça bouge... Ça bouge!... Ça va trop vite...

Il se racla la gorge. Ce qu'il avait à lui dire allait avoir beaucoup de mal à passer...

– Luz Botero était en ville.

Au profond silence qui suivit, il imagina son expression stupéfaite.

– Vous le tenez?... articula-t-elle d'une voix blanche.

– Non.

– Vous l'avez laissé filer?

– J'en suis malade. Quand j'ai réussi à faire la coupure, il était déjà parti.

– Vous voulez me faire croire que Botero est venu à Los Angeles et qu'il en est reparti librement?

– Il avait un passeport au nom de Felipe Sanchez.

Le cri d'indignation qu'elle poussa lui vrilla les oreilles :

– Mais c'est abominable!

– Je sais... Maintenant, accrochez-vous... Il est allé chez Jenny...

– Quoi?... Il a vu le Russe?

– Non seulement il l'a vu, mais le Russe, Jenny et Naritsa sont partis au Mexique dans son avion privé!

– Vous dites n'importe quoi! s'emporta-t-elle. Il est assigné à résidence! Pas de passeport! Avec quoi pourrait-il sortir des États-Unis?

– Un sauf-conduit de la Maison-Blanche...

– Vous délirez!

– Avec qualité de « Chargé de mission ».

– Grotesque! Qui aurait pu le lui fournir?

– C'est la question que je vous pose.

– Raccrochez! J'appelle immédiatement!

– Une seconde, ce n'est pas tout...

– Où ça, au Mexique? le coupa-t-elle.

– Cabo San Lucas.

– Qui lui colle au train?

– Je m'en suis occupé.

– Ne le lâchez plus, Peter! Au nom du ciel, ne me perdez pas le Russe, je vous en supplie! Ma main à couper : il est encore plus gros que Botero!

– Un autre truc, Janis... Au départ de Los Angeles, le plan de vol de Sanchez-Botero était Montréal. Or, aucun appareil de ce type n'a jamais atterri à Montréal.

– Alors, où?

– C'est la deuxième question que je vous pose. Il a bien décollé, il n'est arrivé nulle part et aucun accident n'a été signalé.

– Quel genre d'appareil?

– Jet-Lear.

– Un autre?

– Légalement, il n'en a que cinquante-huit. Il contrôle une compagnie de charters bidon basée à Miami, la Caribbean Sun.

– Seigneur!...

– Un dernier mot... Pour Arthur Boswell... Vous avez pu savoir quelque chose?

La réponse fusa, instantanée :

– Rigoureusement rien, Peter. Je vous rappelle...

La communication fut coupée.

O'Toole reposa distraitement le combiné sur sa fourche.

Sans qu'il pût s'expliquer pourquoi ni que ce fût le moins du monde justifié, il ne pouvait s'empêcher d'éprouver une sensation de malaise.

Un peu comme s'il s'était mis nu devant une femme et qu'elle-même eût refusé de quitter quoi que ce soit.

Il n'y avait pas de service dans les chambres. Après avoir nagé très loin au large, Kostia se rendit au bar de plein air construit à l'une des extrémités de la piscine.

Vladimir, en bermuda violet, y était déjà installé.

— Salut, dit Naritsa du bout des lèvres.

— Tu fais toujours la gueule?

Le garçon interrompit la lecture de son journal et demanda nonchalamment à Kostia ce qu'il désirait boire.

— Café, s'il vous plaît.

— Crunch est malade, lâcha Vladimir d'un air sombre.

— Qu'est-ce qu'il a?

— Intoxication alimentaire. Adjibi lui a donné trop de saumon. Je pourrais la tuer!

— Quelle idiote! dit Kostia avec compassion. Est-ce qu'il va mieux?

— J'ai été coupé. J'ai fait un scandale pour qu'on me redonne la ligne. Impossible. Ils ne comprennent rien! Rien ne marche dans ce pays!... Je ne peux pas laisser cette bête souffrir loin de moi. Tu n'es pas fâché si je rentre?

— Je ferais la même chose à ta place, Vladimir. Quoique...

Il but une gorgée de café...

— C'est tellement ridicule... On aurait pu passer des vacances de rêve...

Il embrassa la baie d'un geste large...

— Si le paradis existe, à quoi d'autre peut-il ressembler?

Une autre gorgée...

— Mais sans téléphone...

— Quelle connerie!

— Foutons le camp!

— Pour aller où?

— On est libres comme l'air... On a un avion... Guatemala, Salvador, Honduras, Belize, Nicaragua, Costa Rica, Venezuela, ce ne sont pas les plages qui manquent... Irina, ça te dit quelque chose?...

Vladimir fronça les sourcils.

— Irina?

— Tu l'avais dans ton cours... A Leningrad...

— Brillante. Je l'adorais! Pourquoi?

— La porte à côté... Elle est à Panama. Elle a épousé un type bourré de fric.

— Sa mère vendait des légumes...

— Écoute, Vladimir, appelle encore... Si tu as la ligne, dis à Adjibi de contacter la clinique...

— Ils viendront le chercher?

— En limo! S'il est rétabli, on reste. Ou alors on va ailleurs..., il y a des téléphones partout... Tu n'as pas envie de voir les Andes?... La Jamaïque?...

Il commanda un autre café et des jus de fruits. Le garçon les lui déposa sur un plateau.

— Je vais réveiller la Star... Dis-moi ce que tu décides...

Il se dirigea vers son bungalow...

Très doucement, il en poussa la porte. Jenny dormait. Elle était nue. Il s'avança dans la pénombre fraîche, déposa son plateau sur le lit et la contempla. Avec lenteur, il lui caressa du bout des doigts la pointe des seins. Elle ouvrit les yeux et, d'un élan spontané, se lova contre lui. Il plaça sa bouche contre son oreille et lui chuchota :

— 10 heures du matin. Mercredi. Journée superbe. Température uniforme de l'eau et de l'air, 28 degrés. Nous sommes au Mexique, à Cabos San Luca, à la pointe extrême du cap qui sépare le Pacifique de la mer de Cortez. Café express, toasts et jus de pamplemousses frais. A votre service. Bonjour...

Elle se cacha le visage sous le drap et murmura :

— Pour cette nuit... Tu m'en veux?...

Il rabattit le drap, lui sourit et, pour la faire taire, lui posa son index sur les lèvres.

— Kostia... Je suis tellement bien... Je voudrais ne plus jamais retourner à Hollywood... Pourquoi ne pas acheter une sublime maison et rester ici?

Perdue dans son rêve, elle ne vit pas sa légère grimace : pour certaines raisons, rester à Cabos était ce qu'il désirait le moins au monde.

En fin de matinée, Lee et Dick montèrent dans le vol régulier d'Aeromexico qui desservait quotidiennement Cabos San Luca. Leur méfiance pour tout ce qui n'était pas américain les avait poussés à se composer une trousse médicale de premier secours.

Y voisinaient les pilules pour combattre les amibes de l'eau polluée mexicaine qui provoquaient la dysenterie, des sérums contre les piqûres de scorpions et de mygales, des vaporisateurs pour tenir à distance les redoutables moustiques porteurs de malaria, des onguents contre les brûlures, des crèmes, divers vaccins et, très curieusement, un stéthoscope.

La seule chose qu'ils n'avaient pu se procurer était malheureusement absente des rayons des pharmacies : une ampoule miracle qui les aurait protégés de la promiscuité des Mexicains eux-mêmes.

Ils avaient constaté à regret que l'appareil était flambant neuf mais craignaient que l'équipage fût composé de natifs.

Ils gagnèrent leurs sièges avec réticence.

Deux minutes plus tard, ils échangeaient un regard consterné : l'hôtesse venait de les prier d'attacher leurs ceintures.

En espagnol!

Kostia descendit le sentier jusqu'à la mer et, sautant de rocher en rocher, se rendit dans un endroit à l'écart qu'il avait repéré la veille.

Il se retrouva au pied d'une muraille haute de dix mètres, bâtie pour soutenir les tonnes de terre plantées de massifs de fleurs qui frémissaient dans le vent au-dessus de sa tête...

Personne ne pouvait le voir.

Il se courba, longea la base de la muraille et entreprit de soulever l'un après l'autre des morceaux de caillasse brûlante, examinant avec minutie les anfractuosités qu'elles avaient creusées dans le sol.

Patiemment, il déplaçait les pierres, explorait le trou du regard et les rejetait.

Cinq minutes plus tard, il trouva ce qu'il cherchait : dans une cavité, un scorpion noir long de cinq centimètres dressait son aiguillon venimeux pour menacer l'intrus.

Kostia sortit de sa poche une boîte d'allumettes, la déposa par terre et coinça solidement le scorpion à l'aide d'une petite branche fourchue. De la main gauche, il ouvrit la boîte à demi et l'enfonça dans le sable, sous le scorpion. Il referma le couvercle. Le scorpion était prisonnier. Il porta la boîte à son oreille et écouta les crissements furieux qu'il faisait en se débattant contre les parois.

Il fourra la boîte dans la poche de sa chemise et remonta vers son bungalow d'un pas tranquille de flâneur.

Au cours de la fouille, la femme soldat laissa échapper le portefeuille. Il s'étala sur le sol. Des photos s'en échappèrent. La femme soldat se baissa pour les ramasser.

Elle eut un regard machinal pour le cliché du dessus de la pile. Il représentait une petite fille maigre dont les yeux lui mangeaient le visage.

— Votre fille? demanda-t-elle en guise d'excuse.

— Non, dit Janis. Moi.

Elle était sûre de son effet : à la voir aujourd'hui, qui aurait pu imaginer qu'enfant elle était squelettique?

On lui avait dit que les gènes sautaient toujours une génération. Sa grand-mère était obèse. Peut-être était-ce la clé?

— Vous pouvez y aller, dit la femme soldat.

Elle fourra dans un sac en plastique les objets personnels qu'elle avait tirés des poches de Janis.

— Je vous les garde. Vous les récupérerez à la sortie.

— Vous permettez? suggéra Janis.

Elle s'empara d'un sachet, en tira une demi-douzaine de sucres et les avala. Vieille habitude... Sitôt qu'une épreuve l'attendait, elle enrichissait son corps de quelques calories supplémentaires. Elle pointa un doigt sévère vers la femme soldat :

— Ne touchez pas au reste, je les ai comptés!

Escortée par deux gardes en armes, elle suivit les couloirs de la centrale. L'un de ses anges gardiens introduisit une carte en plastique dans une fente d'acier...

La première porte s'ouvrit sur une deuxième.

Une lampe verte clignota.

Janis pénétra dans le saint des saints.

Plongé dans la lecture d'un dossier, Seamus O'Malley ne releva même pas la tête.

Mauvais...

Elle avait dû l'appeler six fois pour qu'il consente à la recevoir. Il était déjà en train de lui faire payer son insistance.

– Bonjour, Seamus...

Il leva les sourcils comme s'il découvrait sa présence.

– Je ne peux vous accorder qu'une minute, Janis, dit-il d'une voix froide. Je vous écoute.

Elle semblait si embarrassée par son corps qu'il ajouta, plus par réflexe que par courtoisie :

– Asseyez-vous.

Elle prit place sur le divan. D'ordinaire, lorsqu'ils étaient ensemble dans cette pièce, il s'installait dans un fauteuil.

Cette fois, il resta vissé derrière son bureau.

– C'est à propos du Russe...

– Quel Russe ?

– Kostia Vlassov.

Il la dévisagea avec agacement.

– Encore ! Je croyais vous avoir déjà expliqué que vous perdiez votre temps.

– Écoutez d'abord ce que j'ai à vous dire...

Elle prit une profonde inspiration et se lança.

Elle lui raconta ce qu'elle avait appris de la bouche de Peter O'Toole : Botero, le Mexique, la drogue, Jennifer Lewis, le départ inattendu du Russe, son sauf-conduit de la Maison-Blanche...

– Pouvez-vous me dire comment il l'a obtenu ? demanda-t-elle.

O'Malley repoussa son dossier.

– Et vous, pouvez-vous me dire d'où vous tenez vos tuyaux ?

Elle ne disposait que d'un dixième de seconde pour fournir une réponse sans compromettre O'Toole.

– Marvin, dit-elle. Marvin Cummings.

– Janis, lorsque, par mes soins, vous avez été mise au courant de cette affaire, que vous ai-je demandé ?

– De vérifier si le Russe était clair.

– Après seize semaines d'investigations où vous ne l'avez pas quitté d'une semelle, que m'avez-vous répondu ?

– Qu'il était clair. Mais...

Seamus O'Malley tapa du plat de la main sur son bureau.

– Ah non ! Je vous en prie ! Épargnez-moi vos états d'âme ! Je vous parle de faits. Oui ou non, m'avez-vous dit que vous n'aviez rien trouvé ?

– Je vous l'ai dit.

– J'en prends acte. Et je note au passage que la mission que je vous avais confiée était achevée. Vous avais-je chargé d'autre chose?

– Non.

– Alors pourquoi tout ce zèle?

Janis se mordilla les lèvres avec embarras.

– Pourquoi cet acharnement obsessionnel?

– Un faisceau de présomptions, Seamus.

– Vraiment? Jusqu'à présent, avez-vous constaté le moindre délit?

– Non...

– Autre chose. Vous avez mentionné le nom de Marvin Cummings. Depuis cinq ans, il infiltre les gangs de Colombie. A l'époque, qui en a eu l'idée?

– Vous.

– Qui l'a mis en place?

– Vous.

– A supposer qu'il ait des informations à transmettre, à qui doit-il en référer?

– A vous.

– Ce n'est pourtant pas ce que vous venez de me dire. A vous entendre, Marvin Cummings vous aurait rendu compte de la mission que je lui ai confiée avant même de m'en parler?

Piégée!

– Je n'ai pas dit ça... Il y a d'autres sources...

Seamus O'Malley eut un sourire cruel.

– Quelles sources, Janis?

– Des rumeurs...

Exaspéré, il leva les bras au ciel.

– Elle recommence!

Il se dressa comme un ressort.

– Janis, vous me faites sortir de mes gonds! Où sont-elles vos tonnes de drogue?

– Dans la jungle...

– C'est grand, la jungle! Précisez!

Elle se tut.

– Qui les a vues? Citez-moi le nom d'une personne!

Il laissa planer un silence.

Janis se leva.

– Dans votre histoire, tout est du même tonneau!... On dit, on croit, on estime, la rumeur!... Vous me prenez pour un idiot?... Je suis mieux placé que vous pour savoir ce qui se passe dans mes services!

– Au revoir, Seamus.

Elle tourna les talons.

– Faites-moi plaisir, Janis. Votre rôle est terminé. Ne vous en mêlez plus.

– Bien, Seamus.

Il la salua sèchement.

– C'est un ordre.

Ell fit quelques pas, arriva devant la porte, fit soudain volte-face et cracha d'une traite ce qu'elle avait sur le cœur.

– On stocke des tonnes de cocaïne en Colombie, le plus grand trafiquant de la planète franchit nos frontières comme une passoire pour rendre visite sous un nom d'emprunt à une droguée qui héberge un dissident douteux et tout cela vous paraît normal!

Il était debout, immobile, froid comme un iceberg.

– N'en faites pas trop, Janis. Je serais navré d'avoir à me séparer de vous.

Un sourire glacial flotta sur ses lèvres.

– Même si vous vous sentez un peu grisée parce que Hollywood vous fait les yeux doux.

Cette fois, c'était le K.O.

– Qui vous a dit ça?

– La rumeur, Janis. La rumeur...

Kostia et Jenny remontaient de la plage pour se rincer à l'eau douce dans leur bungalow.

– Tu me frottes le dos? dit Kostia.

Ils entrèrent en riant dans la douche. Il ouvrit en grand les robinets d'eau glacée. Poussant de petits cris, elle le rejoignit et l'enlaça. Leurs deux maillots tombèrent en même temps.

Jenny s'empara du savon et frotta vigoureusement les épaules de Kostia.

– A toi maintenant...

– Tourne-toi...

Hypocritement, il avança la main qui tenait le savon bien plus bas que les reins de Jenny et la frotta doucement à l'endroit le plus tendre de son corps.

– Je vais me sécher au soleil, dit-il.

Elle ouvrit en grand le robinet d'eau chaude.

Il quitta la salle de bains et passa dans la chambre...

– Kostia!...

– Oui!

Ses gestes devinrent soudain vifs et précis...

– Tu es bien?...

Il sortit de la poche de sa chemise la boîte d'allumettes et la secoua au-dessus du lit.

– Non! cria-t-il. Je veux rentrer à Moscou!

Le scorpion chuta sur le drap blanc. D'un léger coup de chaussure, Kostia l'étourdit à moitié.

– D'accord, dit Jenny... Du moment que tu m'emmènes, je m'en fous!

Le scorpion blessé tournait follement sur lui-même.

Kostia poussa la porte du bungalow, sortit sur la terrasse et s'installa en plein soleil sans le quitter des yeux. De sa chaise longue, il le voyait accomplir ses cercles concentriques, dard dressé.

Il n'y avait plus qu'à attendre...

Ce ne fut pas long : un épouvantable hurlement déchira l'air tiède. Il bondit de sa chaise, entra dans la chambre : figée de terreur, incapable de parler, Jenny, bouche ouverte, lui désignait le lit. Kostia se baissa, ramassa son mocassin, envoya valser le scorpion sur le carrelage et l'écrasa tranquillement.

– Ce n'est rien, dit-il.

Debout dans l'embrasure de la porte, Jenny, horrifiée, ne pouvait détacher son regard de l'insecte venimeux.

– Un simple scorpion...

Elle tremblait, ses dents s'entrechoquaient.

– Jenny..., dit-il d'une voix gentiment railleuse.

Elle était livide. Il lui prit le bras.

Elle eut un soubresaut d'épouvante.

– Jenny!

– Je veux partir! Tout de suite!

Elle éclata en larmes et courut se réfugier sur la terrasse.

Au moment de franchir la porte d'embarquement, Kostia s'effaça pour laisser passer Jenny et Vladimir. Il prit à part le commandant de bord de leur avion et lui glissa quelques mots à voix basse.

– Parfaitement, monsieur. J'y vais.

Pendant que Kostia rejoignait les autres, il alla trouver les policiers mexicains qui les avaient salués avec considération.

– Miss Jennifer Lewis ne veut pas être importunée. Elle a des journalistes qui lui collent aux talons. Des paparazzi...

– Comment les reconnaître, commandant ?

– Facile. Si n'importe qui prononce son nom, coffrez-le.

– Avec plaisir, señor !

Le jet était garé à deux pas du bâtiment principal.

Le commandant y entra et dit avec un sourire :

– Il ne me reste plus qu'à vous demander où vous souhaitez aller.

Jenny regarda Kostia : visiblement, elle n'en savait rien.

– La Jamaïque ? hasarda Kostia.

– Pourquoi pas ? lâcha Jenny en écho.

– Une seconde, intervint Naritsa... La Jamaïque, on a le temps... Je voudrais qu'on aille à Panama.

– Pourquoi Panama ? interrogea Jenny d'une voix indifférente.

– J'ai une amie qui y habite. Je ne l'ai pas vue depuis des années.

Jenny fronça les sourcils.

– Il y a des scorpions à Panama ?

– Ils n'ont même pas de mouches ! jura Vladimir.

– Panama ? demanda le commandant.

– Panama, dit Jenny.

– Parfait, miss... En route ! Décollage immédiat.

Le steward déboucha des bouteilles.

L'hôtesse verrouilla la porte de l'appareil.

Éclata le sifflement des réacteurs.

Jenny se blottit contre Kostia.

– Tu m'aimes ?

Il lui lança un regard railleur.

– Tu as déjà vu des hommes ne pas aimer une femme et la suivre jusqu'à Panama ?

Elle le serra avec fougue dans ses bras.

— Moi, je te suivrai jusqu'en enfer!

S'ils l'avaient osé, Lee et Dick auraient mis leurs mouchoirs devant leur bouche pour éviter les miasmes de la contagion.

A leur grande surprise, le hall de l'aéroport était immaculé. Tout le monde riait. Personne n'avait l'air malade.

Ils tendirent leurs passeports à un douanier qui leur souhaita la bienvenue.

— Pourquoi pas lui? grogna Lee.

Pendant le trajet, ils étaient convenus d'aller droit au but.

Le Russe avait sur eux l'énorme avantage d'un avion privé.

Par ailleurs, en tant que policiers américains, il leur était impossible d'enquêter sur un territoire étranger.

Ils avaient eu une idée épatante : se faire passer pour des journalistes afin d'avoir une couverture justifiant leurs recherches.

— Dis donc, demanda Dick au douanier, tu as entendu parler de Jennifer Lewis?

— Au Mexique, nous la considérons comme une idole nationale, dit le fonctionnaire sans se compromettre.

— Tu peux me dire où elle crèche dans ce bled?

— Mes collègues vont vous renseigner...

D'un geste, il appela trois flics moustachus en uniforme qui déambulaient avec nonchalance dans le hall central.

Ils saluèrent.

— Ces messieurs cherchent à joindre Jennifer Lewis, dit le douanier.

— Nous sommes journalistes..., glissa Lee avec un clin d'œil complice.

Le visage des flics se ferma instantanément.

— Journalistes? Pour quel journal?

— *People*, dit Dick.

— Embarquez-les! dit le plus gradé.

38

Le hall de l'aéroport était plein de soldats en armes. Vladimir se précipita sur un téléphone. Pendant qu'il appelait Irina, Jenny s'absorba dans la contemplation de l'étalage du *duty free shop*.

Kostia parcourut un *New York Times* acheté au kiosque à journaux et fit la grimace : en ce moment précis, Panama n'était pas exactement l'endroit où il convenait de passer des vacances, surtout si l'on était citoyen américain. La veille au matin, la limousine d'Arthur Davis, ambassadeur des États-Unis, avait été prise en chasse sur l'avenue Balboa par des inconnus qui voulaient la bloquer. Davis n'avait dû son salut qu'à la maîtrise de son chauffeur qui avait réussi, après une folle poursuite, à le déposer sain et sauf dans l'enceinte de l'ambassade.

– Qu'est-ce que tu lis? demanda Jenny en lui prenant le bras.

Une grève générale paralysait la ville depuis plus de deux semaines. Barricadés dans leur camp retranché de la zone du canal, dix mille hommes de troupe américains attendaient l'ordre d'intervenir pendant que Washington tenait sous pression mille trois cents marines prêts à débarquer...

Kostia haussa négligemment les épaules.

– Rien de spécial, dit-il.

– Quoi?

– Un type qui a tué sa femme...

– Pourquoi?

Kostia lui embrassa le bout du nez.

– Elle lui reprochait de garder des photos de toi dans sa table de nuit.

Un sourire radieux sur les lèvres, Naritsa leur fonça dessus.

— Irina nous invite tous chez elle! lança-t-il avec excitation. En route!

— Vas-y sans moi, dit Jenny.

— Quoi? Elle a la plus belle maison de Panama!...

Jenny secoua obstinément la tête.

— Mais elle est formidable! Kostia, dis-le-lui! C'est mon ancienne élève!

— Excuse-moi, Vladimir. Je préfère l'hôtel.

— Jenny, tu ne peux pas me faire ça! On n'a fait le crochet par Panama que pour passer une soirée avec elle!

Une demi-heure plus tard, le chauffeur qu'avait prévenu le steward aux ordres de Felipe Sanchez le déposait chez Irina.

Irina Davidov, de Leningrad, devenue par son mariage Irina Gonzalez, de Panama...

— Elle était la plus belle du cours, commenta rêveusement Kostia pendant que la voiture roulait vers leur hôtel. Elle n'était faite ni pour l'hiver, ni pour l'Union soviétique...

Jenny lui prit amoureusement la main.

— Et l'autre idiot qui s'imaginait que j'allais laisser à cette pétasse une chance de te revoir!...

Elena ne recevait qu'une fois par semaine, le mercredi. Mais ce soir-là, les valets-parking couraient dans tous les sens dans un tourbillon de Rolls, de Ferrari et de Porsche.

En dehors d'elle, personne n'aurait eu l'idée d'ouvrir une boîte dans ce coin impossible perdu dans une transversale d'Olympic du côté de Downtown.

Mais Elena créait la mode.

Où qu'elle aille, quoi qu'elle fasse, on la suivait.

Question de charisme...

En outre, elle avait vécu pendant des années sur Mulholland dans la propriété de Marlon Brando et de Jack Nicholson, ce qui lui conférait d'éblouissants titres de noblesse aux yeux de la jeunesse dorée de Beverly Hills.

Elena ne recevait pas n'importe qui. Deux cerbères musclés postés sur le perron rejetaient impitoyablement dans les ténèbres extérieures l'impétrant qui n'avait pas le look.

Mais quand Rinaldo Kubler et sa cour faisaient leur entrée, les portes s'ouvraient toutes grandes. Le Dom Pérignon coulait à flots et il n'était pas rare que l'addition s'élevât à vingt mille dollars, sans parler des pourboires fastueux dont Rinaldo, selon son habitude, arrosait les employés. A l'intérieur, on était certain de trouver les plus étourdissantes filles de Californie, insolentes, immenses, noires et blanches fringuées de ces nippes extravagantes que seules des beautés parfaites peuvent arborer sans ridicule.

Rinaldo et les pique-assiette de service arrivèrent vers 23 heures. Peut-être une quinzaine en tout.

Ils envahirent les banquettes de skaï noir qui leur étaient réservées... La vraie fête commença dans les hurlements de la sono.

Dès que Rinaldo ouvrait la bouche, tout le monde riait.

Dans l'espoir qu'il les remarquerait, les filles qui dansaient s'arrangeaient pour venir se déhancher devant sa table. Au centre de la piste, un superbe Noir immense lui disputait la vedette. Revêtu d'une salopette marron, la tête coiffée d'une casquette rouge d'où s'échappait dans la région du crâne une courte queue de cheveux tressés, il portait des petites lunettes rondes à verres fumés.

Il s'appelait Benny Pritchard.

En ville, tout le monde le connaissait.

Que faisait-il? Mystère... Au bout d'une heure, il secoua la grappe de filles qui s'accrochaient à ses basques et s'esquiva vers les commodités. Quelques secondes plus tard, Rinaldo prit la même direction. Quand il entra dans les toilettes. Pritchard se lavait soigneusement les mains.

Du coin de l'œil, Rinaldo vérifia que personne ne s'abritait derrière les portes des cabinets à claire-voie : ils étaient seuls.

Il s'installa devant un lavabo, enduisit ses mains de savon et les frotta l'une contre l'autre.

Sans le regarder, Pritchard passa tout près de lui pour aller prendre des Kleenex dans le distributeur automatique.

– Tu es prêt? demanda Rinaldo entre ses dents.

– Oui, souffla Pritchard.

– C'est imminent, dit Rinaldo.

La porte s'ouvrit sur deux garçons en nage qui hurlaient de rire. Pritchard s'effaça pour les laisser passer et sortit.

Rinaldo Kubler s'accorda un délai d'une minute.

Il se recoiffa méticuleusement.

Puis il retourna dans la salle.

Sauf lorsqu'elle tournait, Jenny ne se réveillait jamais avant 11 heures du matin.

A 9 heures, Kostia s'enferma dans la salle de bains pour y passer une chemise, un pantalon et des sandales. Il fourra son sauf-conduit dans une poche, s'empara d'un sac de sport en toile bleue, revint dans la chambre et regarda Jenny.

Enroulée dans le drap, elle dormait profondément.

Il résista à l'envie de lui caresser les cheveux, sortit à pas de loup en emportant la clé et accrocha l'écriteau « Ne pas déranger » à la poignée extérieure de la porte.

Négligeant l'ascenseur, il descendit à pied les dix étages, arriva dans le hall, donna la clé au concierge et se retrouva dans la rue. La veille, il avait consulté une carte de la ville, et, sans jamais y avoir mis les pieds, il aurait pu désormais s'y repérer les yeux fermés.

Il faisait une chaleur humide et lourde. Les gaz d'échappement de milliers de voitures coincées dans la circulation intense auraient fait frémir un écologiste militant. Kostia remonta la *vía* Porras jusqu'à l'angle de la *vía* España, vira à droite, aperçut le fronton de la Silver Bank et y pénétra.

Il eut droit à quelques regards soupçonneux... Les clients munis de sacs n'étaient guère appréciés dans les établissements financiers : on ne savait jamais ce qu'ils pouvaient contenir.

— Je voudrais voir M. Bessora.

L'employé le dévisagea avec attention.

— Je ne sais pas si M. Bessora est là, monsieur. Qui dois-je annoncer?

— Mandy.

— Je reviens tout de suite.

Kostia le vit décrocher un téléphone, parler dans le creux de sa main et revenir.

— Si vous voulez bien me suivre, M. Bessora vous attend...

Kostia lui emboîta le pas jusqu'à un ascenseur qui les déposa au troisième étage. Une secrétaire leur ouvrit une porte.

– Monsieur Bessora? dit Kostia. Mandy.

Le petit homme en cravate et costume gris fer lui jeta un regard aigu.

– Enchanté, monsieur Mandy. Que puis-je faire pour vous?

– Il y a quelques mois, j'ai ouvert un compte de un million de dollars dans votre établissement... Numéro 46 33. Nom de code, « Hugo ».

Bessora approuvait de la tête. Apparemment, il avait déjà tout vérifié.

– Je voudrais retirer de l'argent.

– Quelle somme, monsieur Mandy?

– Cent mille dollars.

– En liquide?

– En liquide.

– Je fais le nécessaire.

Il griffonna quelque chose sur un bloc, appuya sur un bouton. La secrétaire apparut. Il arracha la feuille du bloc et la lui tendit sans dire un mot.

– A propos de votre compte, monsieur Mandy, vous ne nous avez toujours donné aucune instruction. Souhaitez-vous faire travailler votre dépôt?

– J'y songe, dit Kostia. Je vous en aviserai sitôt que j'aurai pris une décision.

– Comme il vous plaira.

Trois minutes plus tard, un garde entra dans le bureau, une mallette de cuir à la main.

Il l'ouvrit.

– Voulez-vous compter, monsieur Mandy.

A une vitesse stupéfiante, Kostia fit voler les angles des cinquante liasses contenant chacune vingt billets de cent dollars. Il releva la tête.

– Parfait, dit-il.

Il fit passer les billets de la mallette dans son sac de sport dont il tira la fermeture.

Il tendit la main à Bessora.

– Je vous remercie.

– C'est un très grand plaisir, monsieur Mandy.

– Au revoir, dit Kostia en lui lâchant la main.

La première partie de son programme était achevée.

Restait encore le gros morceau...
La deuxième banque.

Peter O'Toole réunit son état-major à 8 heures du matin. Il fit des yeux le tour de la trentaine d'hommes qui l'observaient silencieusement.

— J'en ai ras le bol, leur dit-il, de prendre des coups sans pouvoir les rendre. Les filatures de six mois pour saisir dix ou cent kilos de coke, c'est parfait. Mais dans ce pays, il en entre des tonnes tous les mois, sous notre nez! On va changer de tactique...

Il laissa flotter un silence.

— Puisqu'on ne peut pas empêcher la drogue de passer, on va empêcher les dealers de la vendre.

— Quel avantage, lieutenant?

— Désorganiser le trafic au niveau de la distribution. Qu'est-ce qu'ils vont en faire, de leur came, s'il n'y a plus personne pour la livrer? On les connaît tous! Je veux que vous leur rendiez la vie impossible... Faites des descentes surprises partout où on en vend, les bars, les boîtes, les terrains de sport, les écoles, la rue... Je veux le blocus!

— Et ceux qu'on ne fait que soupçonner, lieutenant?

— Du moment qu'ils sont suspects, c'est qu'ils sont coupables.

Il y eut quelques rires.

— Je ne plaisante pas. Coffrez-les!

— Sous quel prétexte?

— Vous avez trouvé de la coke sur eux.

— Et s'ils n'en ont pas?

O'Toole lâcha avec agacement :

— La poésie, c'est fini. Tu n'as qu'à leur en fourrer un sachet dans le rectum!

Edmund Escher dévisageait d'un air neutre le grand jeune homme en chemise qui lui faisait face au vingt-huitième étage de son bureau directorial.

Il n'avait pas imaginé que, pour régler le transfert le plus colossal de l'histoire de la finance, on eût pu lui envoyer une espèce de play-boy de trente ans qui, avec ses longs cheveux blonds, ressemblait davantage à un acteur qu'à un prodige de l'institution bancaire.

— Monsieur Escher, je voudrais savoir si les fonds que nous vous avons transmis vous sont parvenus.

Comme tous ses confrères, Escher avait une répugnance viscérale à relâcher la plus infime partie de ce qui lui était confié.

— De quels fonds voulez-vous parler, monsieur Petersen ?

Kostia connaissait aussi bien que lui les règles du jeu.

Il eut un mince sourire.

— Trente milliards de dollars américains.

Escher croisa les mains sur son bureau aussi nu qu'une pierre tombale. Trente milliards... Il avait beau être né dans un coffre-fort, l'énormité de ce chiffre lui donnait le vertige.

Pourtant, il en voyait passer... Depuis quelques années, Panama avait détrôné toutes les autres places financières de la planète. Il faut dire qu'on y était peu regardant sur la provenance des fonds. Au début, les banquiers locaux, et eux seuls, avaient profité du pactole. Puis, peu à peu, le parfum de l'argent étant irrésistible, les banques internationales les plus prestigieuses avaient ouvert des succursales dans ce coin humide des Tropiques : britanniques, hollandaises, allemandes, françaises, suisses, japonaises, italiennes, canadiennes, américaines... Était-il plus immoral de blanchir l'argent de la drogue ou de faillir à l'éthique bancaire en abandonnant à la concurrence la manne tombée du ciel ?

Et la main gauche du Seigneur n'ignorait-elle pas ce que faisait la droite ?...

— Monsieur Petersen, quel serait d'après vous l'expéditeur de ces fonds ?

— La Trade Continental.

Escher eut un hochement de tête qui pouvait signifier n'importe quoi.

— Pourriez-vous me préciser sous quelle forme mon établissement aurait la garde de ce dépôt ?

— Compte numéroté 376 59. Voulez-vous également le nom du code ?

— Vous m'en verriez charmé, monsieur Petersen.

— « Nuage. »

Edmund Escher poussa un soupir déchirant.

– Nous avons effectivement ces fonds en notre possession, monsieur Petersen.

– Depuis quand?

– Trois jours.

– Permettez-moi de vous rappeler les instructions du groupe qui m'a donné pouvoir. D'abord, ces fonds ne sont divisibles en aucun cas. Ensuite, ils ne peuvent être débloqués que sur mon ordre. Enfin, leur destinataire exclusif est la société Bahamian Transfer.

– Cela m'a déjà été précisé.

– Parfait. Voulez-vous, je vous prie, appeler Adolf Bleicher, le fondé de pouvoir de la Bahamian Transfer. Dites-lui que vous avez dans votre bureau le fondé de pouvoir de la Trade Continental. Informez-le de la réception de trente milliards de dollars et veuillez lui confirmer que tout est en ordre.

– Certainement, monsieur Petersen. Le numéro?

– 53 61 36 à Zurich.

Escher le composa, eut en ligne Adolf Bleicher et se présenta ès qualité. Il s'apprêtait à continuer mais s'interrompit soudain pour écouter.

– C'est tout à fait naturel, dit-il enfin.

Il raccrocha.

Kostia comprit qu'à Zurich Bleicher avait demandé à rappeler la banque pour bien s'assurer de l'identité de son correspondant.

Sonnerie... Bleicher... Edmund Escher lui répéta ce que Kostia venait de lui dire. Il reposa le combiné, croisa de nouveau les mains...

– Monsieur Escher a pris bonne note et m'a chargé de vous informer qu'il répercutait instantanément sur la Bahamian.

– Tout est donc en ordre, conclut Kostia.

– Parfaitement en ordre... Au fait, monsieur Petersen... En matière bancaire, la législation panaméenne est extrêmement libérale. Il y a toutefois une limite de temps.

– Quelle est votre question, monsieur Escher?

– Pouvez-vous m'indiquer la durée approximative de votre dépôt?

– Trois mois.

– J'en prends bonne note, monsieur Petersen. En vous précisant que c'est un maximum au-delà duquel...

– Tout sera réglé avant, trancha Kostia. Monsieur Escher...

Il posa sur le bureau le sac de toile bleue qu'il avait laissé à ses pieds.

– Je désirerais personnellement ouvrir un compte chez vous. Beaucoup plus modeste..., ajouta-t-il avec un sourire.

Il vida une partie du sac et étala les liasses sur la table.

– Cinquante mille dollars.

– Très honoré, dit Escher.

– Voulez-vous vérifier?

Les petits doigts du banquier volèrent d'un billet à l'autre comme des papillons fous : le compte y était.

Il convinrent d'un numéro et d'un nom de code.

– Au revoir, dit Kostia. Désormais, plus rien ne peut changer ce qui a été décidé. Le moment venu, je vous communiquerai mes ordres par téléphone.

Une minute plus tard, il se retrouvait dans la moiteur étouffante de la rue.

10 h 25.

Pour boucler la boucle, il lui restait encore deux personnes à voir, un avocat et un troisième banquier.

Luz Botero sortait de la douche lorsqu'il reçut l'appel d'Adolf Bleicher.

– On m'apprend à l'instant que la Trade Continental vient de créditer en compte bloqué les fonds destinés à notre compagnie.

– La somme convenue?

– Exactement.

– En notre nom exclusif?

– La banque vient de me le confirmer.

– Vous avez tout vérifié?

– Absolument tout.

– Merci, dit Botero, je vous contacterai.

Il raccrocha.

Au moment des accords, Bleicher, comme d'habitude, s'était arrangé pour ne laisser au partenaire aucune marge de manœuvre. Depuis qu'il gérait à plein temps les affaires extraordinairement complexes de Botero, jamais quiconque n'avait tenté la moindre entourloupe.

Luz pouvait dormir tranquille, ce ne serait pas non plus pour aujourd'hui.

Car les représailles seraient mortelles : il lui suffisait de porter l'opération à la connaissance des médias pour que l'Union soviétique soit rayée de la carte politique du monde.

Un miroir lui renvoya son image... Un homme aux muscles durs, râblé, couvert de tatouages.

C'était lui, Botero, l'ancien petit voyou des rues pourries de Bogota.

Il possédait déjà une fortune colossale. Mais, avec trente milliards de dollars de plus, il allait devenir l'homme le plus riche que l'univers eût jamais enfanté depuis sa création.

Ils léchaient les vitrines de *l'avenida* Aquilino Guardia. Jenny était en jupe et tee-shirt blanc, un informe chapeau de brousse de la même couleur vissé directement sur d'énormes lunettes noires. En général, quand elle apparaissait dans les rues d'une grande ville, sa présence provoquait une émeute. Les gens se retournaient sur sa silhouette, l'identifiaient, l'approchaient, voulaient la toucher. Ce viol permanent de sa personne l'avait contrainte à ne plus mettre les pieds dehors et à renoncer aux innocents plaisirs du commun des mortels, faire des courses, flâner dans les boutiques, prendre un verre avec des amis à la terrasse d'un café.

Mais, dans cette avenue bourrée de monde, aucun passant ne lui prêtait la moindre attention et elle retrouvait le plaisir d'être mêlée aux autres sans l'angoisse diffuse d'une obscure menace.

Elle comprit alors ce qu'elle avait vaguement pressenti au concert de rock : sa phobie de la foule ne venait pas de la foule elle-même, mais de sa hantise d'être le centre des regards.

Brusquement, les choses se produisirent comme par magie.

Il y eut d'abord de petits groupes porteurs de banderoles qu'ils ne remarquèrent que lorsqu'ils en furent entourés...

– Qu'est-ce qu'ils veulent ?

– De l'argent, dit Kostia.

Progressivement, sans que l'on pût deviner d'où ils sortaient, les attroupements se firent plus nombreux, plus denses. Plus bruyants aussi. Ceux qui les composaient étaient revêtus pour la plupart d'une blouse blanche. Kostia déchiffra les inscriptions tracées en espagnol sur les morceaux d'étoffe tendus à bout de bras par les manifestants.

— Ce sont des médecins, des infirmiers, des membres du personnel hospitalier. Ils n'ont pas été payés. Ils sont en grève. Ils protestent.

Des slogans fusèrent...

Concessionnaires de la zone du canal depuis près d'un siècle, les Américains avaient exigé que Noriega, accusé de corruption et de trafic de drogue, fût destitué de ses fonctions de général en chef de l'armée panaméenne. Refus de Noriega soutenu par l'ensemble de ses officiers supérieurs. En guise de représailles, les États-Unis avaient bloqué les avoirs panaméens détenus dans les banques américaines et s'étaient abstenus de payer le prix de la location du canal qui rapportait à l'État cent cinquante millions par an.

La monnaie du pays étant le dollar, le blocus financier avait eu pour conséquence immédiate de priver les fonctionnaires de leur salaire.

— Viens, dit Kostia.

Il avait un sixième sens pour sentir les dangereuses vibrations secrètes d'une foule. Il prit Jenny par la taille et joua des coudes pour essayer de se dégager quand retentit le miaulement de sirènes de police toutes proches.

Quelques secondes plus tard, des hommes en tenue de combat chargèrent. Casque à visière de Plexiglas, bouclier protégeant leur poitrine et longue matraque de caoutchouc à la main, ils se mirent à frapper à l'aveuglette la muraille de dos qui refluait dans un grondement d'imprécations.

Trop tard pour s'échapper : malgré eux, Kostia et Jenny se trouvaient pris dans l'œil du cyclone d'un soulèvement avec lequel ils n'avaient rien à voir.

Les manifestants commencèrent à balancer sur les forces de l'ordre tout ce qui leur tombait sous la main. Des vitrines éclatèrent, des voitures furent mises à feu. Les policiers reculèrent, épaulèrent leurs carabines chargées de balles en caoutchouc et commencèrent à tirer dans le tas. Des femmes et des enfants étaient piétinés par la marée humaine.

Soutenus par leurs camarades, deux flics poussaient des hurlements atroces : du haut d'un immeuble où s'abritait un laboratoire d'analyses, on venait de les arroser d'acide.

— Accroche-toi, Jenny!

Blême de peur, elle se laissa entraîner au cœur de la marée humaine qui ondulait au gré de la charge des hommes en armes.

Les coups pleuvaient de tous côtés. La protégeant de son corps, Kostia parvint à atteindre le trottoir... Une lourde et ancienne porte cochère... Il la tira, elle s'ouvrit. Il projeta Jenny à l'intérieur d'un couloir plongé dans la pénombre, referma la porte d'un coup de pied et à bout de souffle, la tenant dans ses bras, s'appuya contre le mur...

Au-dehors, la bataille faisait rage...

A travers une craquelure du bois, Kostia vit des manifestants à terre sauvagement matraqués par les policiers...

Spectacle insoutenable, un gosse de six ans gisait dans une flaque de sang. Ceux qui faisaient des bonds désespérés pour fuir plus vite lui marchaient dessus comme s'il se fût agi d'un dérisoire paquet de chiffons abandonné.

Il resserra son étreinte.

Crispée de terreur, tremblant comme une feuille, Jenny pleurait, lui baignant le visage de ses larmes.

Il hasarda un petit rire grinçant...

– Dans le fond, Hollywood a du bon.

Elle s'agrippa farouchement à lui. Dans son mouvement, ses lèvres frôlèrent les siennes. Elles avaient un parfum de sel.

Il les baisa doucement. Jenny se laissa faire.

Les cris éperdus de ceux qui avaient le visage brûlé par l'acide leur vrillaient les oreilles pendant que la porte frémissait sous le choc sourd des corps qui s'écrasaient contre elle dans le fracas des détonations.

– Ne t'inquiète pas..., murmura Kostia.

– J'ai peur, Kostia, j'ai peur... On va mourir...

Ses sanglots redoublèrent. Dans la bagarre, son tee-shirt avait été déchiré... La pointe de ses seins s'écrasait contre la poitrine de Kostia. Embrasé par la chaleur intense de son corps qui lui parvenait à travers la mince étoffe de sa jupe, malgré lui, dotées soudain d'une volonté autonome, ses deux mains se posèrent sur le haut de ses cuisses. Ses doigts explorèrent cette zone d'une incroyable douceur où le corps d'une femme devient aussi doux que le duvet sous l'aile des colombes.

Du dehors, à travers le fragile rempart de la porte, scandant la clameur des cris de haine et de douleur, leur parvenaient la déflagration des voitures qui sautaient et le fracas des grenades lacrymogènes dans le crépitement des armes automatiques...

– Non, Kostia, gémit-elle. Non!...

Mais il n'entendait plus rien. Dix pistolets braqués sur sa tempe n'auraient pu enrayer cette pulsion animale plus forte que la mort lorsque la mort vous frôle.

La clouant durement contre le panneau de bois sombre, il souleva sa jupe et la pénétra.

Les pieds de Jenny quittèrent le sol.

Arc-boutée contre lui, bouche désespérément ouverte pour un refus farouche, elle bascula avec horreur dans l'effrayante énigme d'une dimension jusqu'alors inconnue.

La jouissance.

39

Lee et Dick firent leur entrée dans le bureau de O'Toole à peu près à l'heure où le soleil se couchait. Les flics de Cabos San Luca les avaient finalement relâchés avec des expressions goguenardes assorties d'excuses qui n'étaient qu'une humiliation supplémentaire.

En attendant, le Russe avait filé.

Ils n'en menaient pas large : échec sur toute la ligne.

Peter feignit de s'absorber une seconde dans la lecture d'un dossier, sembla soudain les découvrir et leur demanda d'une voix aimable :

— Alors, l'eau était bonne ?

Dick et Lee se tortillèrent avec embarras.

— Je crois que je vais être obligé de vous virer de mon service, dit Peter avec une nuance de regret. C'est trop grave.

— Écoutez, lieutenant..., voulut plaider Dick.

La faute à ne pas commettre.

— Ta gueule ! tonna Peter. Vous vous êtes laissé blouser comme deux crétins ! Le Russe a mis les voiles ! Notre enquête est foutue !

— Lieutenant..., dit Harry en passant la tête dans l'embrasure de la porte.

Il avait le chic pour toujours arriver en plein drame !

Avant que O'Toole eût pu exploser, il lâcha sur un ton précipité :

— Lieutenant, je viens d'apprendre que Jennifer Lewis, Kostia Vlassov et Vladimir Naritsa ont atterri il y a trois minutes.

— Où ?

— Ici, à Los Angeles.

O'Toole encaissa le choc : il n'y comprenait plus rien.

– Ils venaient d'où ?

– Mon collègue n'a pu le savoir, lieutenant. Leur pilote a redécollé tout de suite.

O'Toole pivota vers Lee et Dick et aboya :

– Qu'est-ce que vous attendez, vous deux ? Vous devriez déjà être sur Roxbury !

Jenny ne comprenait pas pourquoi elle avait brusquement exigé qu'on rentre à Los Angeles.

Maintenant qu'elle y était, elle se demanda ce qui lui était passé par la tête : elle ne savait plus qu'y faire.

Elle songea un instant à passer une heure dans son caisson d'isolation.

Stupide...

Ils étaient arrivés depuis dix minutes. Elle s'était rendue dans sa chambre sans un mot. Le regard de connivence que s'étaient lancé Kostia et Vladimir ne lui avait pas échappé.

En fait, elle étouffait de ne pouvoir mettre un nom sur le violent bouillonnement d'angoisse qui l'agitait.

Quand elle s'y essaya, le mot « souffrance » lui monta aux lèvres : or, elle n'avait aucune raison de souffrir.

Le second mot fut « menace » : quelle menace ?

Elle était dans sa propriété de Roxbury, au cœur de Beverly Hills, à un endroit du monde où rien d'extérieur ne pouvait l'atteindre.

Elle grimpa dans la galerie, aperçut Vladimir à travers la baie vitrée. Il jouait avec Crunch.

Eût-elle rencontré Kostia à cet instant-là que, peut-être, tout ce qui allait suivre n'aurait pas eu lieu.

Mais, à cet instant, il était la dernière personne qu'elle souhaitait voir.

Et il resta invisible.

Elle s'avança dans le corridor.

Arrivée devant la porte où étaient entreposées ses fourrures, elle donna deux tours de clé et entra.

La solution était là, dans le carton à chapeaux qui avait contenu les cendres d'Alex Malachian.

– Tu as vu Jenny?

Naritsa secoua la tête.

– Tu as regardé dans sa chambre?

– Oui. Partout. Elle n'est pas dans la maison.

– Et Adjibi?

– Elle ne l'a pas vue non plus.

– Elle a dû sortir pour acheter quelque chose.

– Probable..., dit Kostia. Si tu la vois avant moi, je suis dans ma chambre.

Il tourna les talons. Jenny faisant ses courses dans Los Angeles. Bouffon... Elle avait été très sérieusement secouée par les scènes sanglantes de Panama. Mais peut-être plus encore par son passage soudain de l'autre côté du miroir, derrière cette porte de bois brun où venaient s'affaisser et agoniser les manifestants blessés par la police. Et où, pour la première fois de sa vie, perdant enfin tout contrôle sur elle-même, ses sens, sans le secours de la coke, l'avaient projetée bien plus loin que ne l'avait jamais fait aucune drogue.

Quand le tumulte s'était apaisé, ils étaient directement rentrés à l'hôtel. Le steward et le chauffeur les attendaient pour les conduire à l'aéroport. Kostia avait cru que l'avènement de cette fantastique jouissance partagée allait les rapprocher davantage.

Mais, bizarrement, Jenny ne lui avait plus adressé la parole, s'écartant de lui avec une indifférence hostile chaque fois qu'il avait essayé de lui parler ou de l'approcher.

Au lieu de continuer comme prévu sur la Jamaïque, les Caraïbes ou Nassau, elle avait ordonné au commandant de la ramener directement à Los Angeles.

Personne n'avait osé lui poser de questions.

Kostia s'empara dans le tiroir de sa commode d'un canif à lames multiples, quitta sa chambre, vérifia que Vladimir n'était plus dans le salon et grimpa doucement dans la galerie.

Toutes les portes donnant sur le couloir étaient ouvertes.

Sauf une : celle où Jenny entreposait ses fourrures.

Avec des gestes de professionnel, il entreprit de fourrager dans la serrure à l'aide des différentes lames de son canif.

La porte s'ouvrit. Kostia la referma, donna de la lumière et s'adossa au mur en contemplant l'amoncellement d'objets et de boîtes empilées jusqu'au plafond. Il n'eut pas à réfléchir longtemps : l'une d'elles, portant la mention Christian Dior et fermée par un ruban rouge, était posée au milieu de la pièce.

Avant même de l'ouvrir, il sut ce qu'elle contenait.

Il en ôta le couvercle, déplia les sommets du sac de plastique, plongea son index dans la poudre et le posa contre sa langue pour y goûter.

Il eut peur : dans l'état où elle était, si Jenny avait forcé la dose, elle était capable de n'importe quoi.

Jenny roulait sur Sunset en direction de l'est.

Elle s'était déchaussée, avait allumé une cigarette, branché la radio et scandait la mélodie à petits coups du plat de la main sur le volant. Ce qui était épatant, c'est qu'elle ne savait du tout où elle allait. Elle n'en avait pas la moindre idée, s'en fichait complètement et c'était si cocasse qu'elle éclata de rire.

Elle traversa Chinatown en chantonnant, distingua les toits du Biltmore Hotel, longea le Civic Center où s'abritaient la mairie et le palais de justice et s'esclaffa en voyant le nom de la rue qu'elle venait de prendre : « Hope Street », la rue de l'espoir...

Bouchée, bien entendu. La circulation était paralysée... Elle admira les gens qui déambulaient sur les trottoirs.

Ils n'avaient pas l'impersonnel visage de porcelaine des indigènes des quartiers nobles. Sur chacun d'eux, on pouvait lire une histoire.

Elle aperçut de vrais clochards qui fouillaient dans de vraies boîtes à ordures pour bouffer de vraies saloperies.

Elle les trouva beaux. Des coups de klaxon furieux l'arrachèrent à sa contemplation. Elle recolla à la file et vira dans la première à droite, la Huitième.

Cette fois, elle se tordit en pensant à Beethoven, se demanda s'il valait mieux être sourd ou aveugle, croisa Olive Street, par association d'idées, pensa à salade, carter, rouages, et fut soudain irritée de se retrouver bloquée à 6 heures du soir sur la Huitième Avenue, entre Olive Street et Hill Street où elle n'avait strictement rien à faire.

Même à cette heure, les employés des ateliers de confection se faufilaient sur les trottoirs au milieu de la cohue en poussant leurs chariots remplis d'étoffes, de coupons de tissu, de lots de vestes et de vêtements.

Est-ce qu'ils avaient des trucs comme ça en Russie?

Il faudrait qu'elle en parle à Kostia...

Une bouffée de rage l'envahit : qu'il s'en aille!

Deux policiers à cheval passèrent tout près d'elle, et par la fenêtre ouverte de la Mercedes monta à ses narines l'odeur puissante du cuir et des chevaux en surimpression aux effluves de la foule. Curieusement, cela lui donna soif. Juste en face d'elle, sur le trottoir, elle vit luire les néons d'un bar, le Golden Goffer. Le genre d'endroit où on pouvait picoler de l'alcool à partir de midi dans une obscurité quasi totale...

Un verre d'alcool, voilà exactement ce qu'il lui fallait pour faire passer le reste...

Aussi décontractée que si elle l'avait garée sur un parking, elle arrêta son moteur, laissa la clé sur le tableau de bord et abandonna froidement sa voiture au cœur de la circulation.

Trois mètres plus loin, elle disparaissait, absorbée par la foule. Elle se crut revenue quelques heures auparavant; comme à Panama, les enseignes des boutiques étaient rédigées en espagnol et les passants visiblement de race hispanique.

Mocassins aux pieds, ses lunettes noires sur le nez, vêtue d'un jean et d'un tee-shirt, elle poussa la porte du Golden Goffer. Elle se trouva plongée dans une nuit profonde trouée par les écrans lumineux de deux téléviseurs branchés sur des chaînes de sports.

— Cognac, lança-t-elle au barman.

— Simple ou double?

— Triple. Les toilettes?

Il les lui indiqua d'un geste. Elle s'y rendit en balançant son sac.

Affalés au bar, une dizaine de consommateurs la suivirent des yeux.

— Hé, Marc, dit l'un d'eux au barman. C'est une pute?

Il haussa les épaules.

— Tu as déjà vu autre chose que des putes entrer dans mon bar?

— C'est marrant, dit un second client. Elle ressemble un peu à...

— Jennifer Lewis! J'allais le dire...

— Ça va pas, non? Ce boudin?

Jenny revint s'installer sur un tabouret, posa son sac auprès d'elle et avala son cognac cul sec.

420

– Un autre, dit-elle.

– Toujours triple?

– Verse!

– Salut, Miss... Je m'appelle Luis...

Jenny lui jeta un regard indifférent.

– Qu'est-ce que vous voulez que ça me fasse?

Le type éclata de rire. Il devait faire plus de cent kilos.

Grand, gros, massif, les bras tatoués, une casquette à visière sur la tête, il transpirait abondamment malgré l'air conditionné.

– On était en train de dire, avec mes copains, que vous ressembliez à une actrice...

Elle trempa le nez dans son verre.

– Je hais les actrices.

– Jennifer Lewis.

– Connais pas. Qu'elle crève.

La prise conjuguée de la cocaïne et de l'alcool avait des effets bizarres. Sans coke, quiconque serait tombé raide après l'absorption de quatre triples cognacs.

Discrètement, Luis s'en fit envelopper une bouteille par Marc.

– Comment c'est ton nom?

– Cognac, dit Jenny. Je m'appelle cognac!

Et au barman :

– Un autre...

– J'habite à côté, j'en ai une vraie bonne bouteille, intervint Luis en faisant signe à Marc. Pourquoi pas aller boire un coup chez moi?

Ce gros type était fascinant, elle le voyait en bleu. Une espèce de bleu tendre, léger, qui contrastait avec la lourdeur de son visage épais.

– C'est beau, le bleu de ta gueule...

Luis ne comprit évidemment pas de quoi elle lui parlait.

Trois minutes plus tard, ils sortaient du Golden Goffer sous l'œil complice et un peu envieux des autres traîne-patins.

Le temps était lourd et brumeux. Juste en face, des flics examinaient soigneusement la Mercedes de Jenny qu'ils avaient rangée contre le trottoir pour qu'elle ne gêne pas la circulation. Jenny ne la vit même pas. A la suite de Luis, elle pénétra dans le hall du Bristol Hotel orné d'une pancarte avec le prix des chambres : 33,5 dollars avec bain, 28 sans.

De peur qu'elle ne change d'avis et ne disparaisse, Luis lui passa le bras autour de la taille pendant qu'il jetait quelques billets à l'unique employé de la réception.

Il poussa Jenny dans un ascenseur qui les emmena au quatrième. La moquette du couloir était élimée. Il poussa la porte du 4255. Avant qu'il ait eu le temps de la refermer, Jenny était déjà allongée sur le lit. Luis tira le verrou, décapsula la bouteille, alla chercher sur le lavabo l'unique verre à dents enveloppé de cellophane, le remplit de cognac, le tendit à Jenny, posa la bouteille ouverte sur la table de nuit ornée de brûlures de mégots et mit son énorme main sur sa cuisse.

Ses doigts crissèrent sur la toile rêche de son jean.

— T'as pas chaud avec ce truc?

— Si, dit Jenny.

Elle dégrafa sa ceinture et se contorsionna pour enlever son pantalon.

— Aide-moi, dit-elle.

Ses mocassins valsèrent sur le tapis. Luis tira par le bas et, sidéré, eut la vision des jambes les plus parfaites qu'il eût jamais contemplées.

— T'es drôlement roulée..., murmura-t-il, la bouche sèche.

— Toi, t'es bleu, dit Jenny.

Il enleva sa chemise. Jenny vida son verre de cognac et éclata de rire...

— Tous ces dessins...

Le torse et le dos de Luis étaient recouverts de tatouages.

Jenny en suivit le contour du bout des doigts. Luis lui enferma les seins dans sa main et approcha son visage pour l'embrasser. Jenny le repoussa.

— Tu pues, dit-elle tranquillement.

Brusquement, il n'était plus bleu. Elle jeta un regard étonné sur la chambre misérable : les choses étaient redevenues ce qu'elles étaient.

Elle se redressa d'un coup de reins.

— Hé, qu'est-ce que tu fais?

Sans répondre, elle tenta maladroitement de se glisser dans son jean. Il lui sauta dessus, l'écrasa de tout son poids, la maintint immobile et lâcha dans un grondement sourd :

— Tu me prends pour un pigeon? J'ai payé la chambre et la bouteille de cognac!

Il chercha goulûment sa bouche. Elle poussa un hurlement strident.

– Salope!

D'une main, il chercha à l'étrangler pour la faire taire. De l'autre, il essayait de lui arracher son slip. Sans cesser de hurler, elle tenta de se protéger le visage. Luis la giflait sauvagement.

Elle parvint à dégager l'un de ses bras, accrocha au passage le goulot de la bouteille de cognac et la lui fracassa sur la tête.

Des coups furieux ébranlèrent la porte.

A demi assommé, aveuglé par le sang et l'alcool, Luis poussa un gémissement de douleur et se couvrit les yeux de ses mains. Jenny tentait de tourner la clé dans la serrure quand la porte fut enfoncée. L'employé de réception et deux flics jaillirent dans la chambre saccagée.

En un instant, Luis et Jenny se retrouvèrent plaqués contre le mur en position de déséquilibre, debout, jambes écartées.

Un des flics ouvrit le sac de Jenny : bien en évidence, il vit un gros sachet de poudre. Il le reposa, tira une mini-torche électrique de sa poche. Sans ménagement, il souleva la paupière supérieure de Jenny et dirigea le faisceau lumineux vers ses pupilles. Il eut une grimace d'écœurement.

– Camée à mort...

– Appelle une ambulance, dit le second à l'employé, je crois que l'autre gros porc a une fracture du crâne.

Luis venait de s'effondrer comme une masse et le poids de son corps fit trembler les cloisons.

Un quatrième personnage se glissa dans la chambre.

Il s'appelait Peter Bedford et faisait des piges pour le *Herald Examiner*, section chiens écrasés. Il était là par hasard, dans la rue, tentant de mettre bout à bout les éléments d'une vague enquête qu'il projetait, « Vingt-quatre heures de la vie d'un flic dans la jungle de Downtown ».

Il alla regarder Jenny sous le nez, tressaillit de stupéfaction, mit son Nikon en batterie et mitrailla son visage tuméfié sous tous les angles : si cette femme n'était pas Jennifer Lewis, alors, lui, Peter Bedford, était Dieu le Père!

La chance de sa vie... Non seulement ses clichés allaient faire la une de tous les journaux du monde et lui rapporter une fortune, mais aussi contraindre la direction du *Herald* à le titulariser!

Bégayant d'émotion, il dit aux flics :

— Vous savez qui c'est ?... Vous l'avez reconnue ?

Luis était allongé de tout son long sans connaissance, la tête dans une mare de sang. Mais personne ne faisait attention à lui. Tous les regards étaient braqués sur Jenny.

— Merde... Jennifer Lewis !

Affaissée maintenant contre le mur, la plus célèbre star du monde psalmodiait un nom d'une voix sourde :

— Kostia... Kostia... Kostia...

LIVRE VI

LA ZONE MORTE

40

Dans la ville, rien n'avait changé.

Chacun semblait toujours courir derrière quelque chose.

On dévorait le *Hollywood Reporter* à l'heure du petit déjeuner, et devant le foisonnement des projets mirifiques étalés à longueur de colonnes, le lecteur, quoi qu'il fît et quel que fût son nom ou son degré de notoriété, avait la déprimante sensation d'être nul et que les choses se passaient ailleurs.

En dehors.

Là où précisément il n'était pas.

Des femmes superbes au visage subtilement remodelé par la chirurgie esthétique bronzaient devant une tasse de thé agrémentée d'une capsule de saccharine, dans l'étourdissant pépiement des geais bleus se poursuivant sur les massifs de fleurs parsemés de sirènes d'alarme.

Plus à l'est, accablés par la température, les passants des quartiers pauvres s'asseyaient sur les trottoirs poussiéreux dans l'espoir de trouver un peu de fraîcheur.

Installée sur une chaise longue, une femme en maillot blanc posa le livre qu'elle lisait, fit quelques pas sur la pelouse et se laissa glisser dans l'eau tiède de la piscine.

Flottant sur le dos, elle regarda rêveusement la pointe sèche des cyprès pénétrer l'azur sombre du ciel sur fond de feuillages d'eucalyptus. Le soleil jouait sur sa peau dorée.

Après la mort de Laura, Anna s'était rendu compte que plus rien ne l'empêchait de se rapprocher de Peter.

De plus en plus souvent, elle passait la nuit chez lui.

Au matin, elle s'installait dans le jardin et se maudissait de sentir qu'insidieusement la vie reprenait ses droits.

Et qu'elle avait presque plaisir à vivre.

– *Señora*...

Coiffé d'un vaste chapeau, le jardinier, un balai à la main, lui montrait le fond de la piscine.

– S'il vous plaît, j'ai laissé tomber mon sécateur.

Anna fit trois brasses paresseuses. Gênée par les miroitements des vaguelettes réfléchissant le soleil, elle explora du regard l'endroit qu'il lui désignait.

– Je ne vois rien, dit-elle.

Le jardinier lui adressa un sourire de reconnaissance, s'agenouilla et tendit son doigt vers un point précis.

Anna baissa la tête.

Quand elle cria, sa bouche était déjà sous l'eau.

Le jardinier avait crocheté ses cheveux derrière la nuque et lui maintenait la tête enfoncée dans la piscine. Elle essaya de remonter en s'agrippant au rebord de céramique : rien à faire.

L'homme appuyait de tout son poids sur son crâne.

Elle tenta alors de lui échapper en descendant plus profondément sous la surface de l'eau : impossible.

Sa prise était aussi imparable que la morsure d'un étau.

Accroupi sur le rebord, le balai posé près de lui, il lui maintenait solidement le visage à trente centimètres de profondeur, en prenant soin que, dans ses mouvements convulsifs, elle ne se cogne pas la tête contre le rebord et que ses bras ne puissent frapper l'eau pour attirer l'attention.

Progressivement, il sentit diminuer sa résistance.

Muscles bandés, il continua à garder ses deux mains rivées sur son chignon.

Yeux grands ouverts, Anna comprit qu'elle allait mourir.

A sa grande surprise, ce n'était pas désagréable.

Se balançant à l'arrière-plan des petits papillons noirs qui dansaient devant son regard, elle admira les diaprures sous-marines qui s'irisaient et s'entrecroisaient dans toutes les nuances de bleus et de verts.

Une féerie mortelle...

Trois visages jaillirent devant elle, tous trois très proches et cependant irréels : celui de Laura, sa fille. Celui de Peter, l'homme qu'elle aimait. Et celui du jardinier.

Sa dernière pensée fut qu'elle ne l'avait jamais vu auparavant.

428

Puis, dans un réflexe d'agonie, elle ouvrit la bouche pour respirer à fond.

Et ce fut le noir.

Le matin, Janis reçut à son domicile de Washington une lettre postée la veille à Los Angeles.

Elle la décacheta et en tira une feuille de papier sur laquelle avaient été collés bout à bout des mots en caractères d'imprimerie découpés dans un quotidien.

Elle la lut à deux reprises :

« *La Bahamian Transfer de Zurich va recevoir et blanchir des milliards de dollars provenant des trafics d'Amérique latine en Amérique du Nord.* »

Le commandant Bjorn Nielsen connaissait désormais le sens profond du mot « plénitude » : depuis qu'il bourlinguait sur toutes les mers, il n'avait jamais eu entre les mains un bateau aussi magnifique.

Pour une raison très simple : il n'en existait pas.

Le *Sovereign of the Oceans* était un rêve flottant.

Conçu uniquement pour la croisière, il pouvait accueillir à son bord deux mille passagers auxquels les mille officiers, hommes d'équipage et employés avaient l'ordre d'offrir un service identique à celui des plus grands palaces européens.

Flambant neuf, il était sorti des chantiers navals de Bergen trois semaines plus tôt pour sa croisière inaugurale.

En l'absence de passagers, Bjorn Nielsen avait utilisé le trajet Norvège-Miami pour une espèce d'ultime rodage où il avait testé toutes les possibilités de son navire.

Vitesse, flottabilité, sécurité, résistance, exercices de sauvetage et d'incendie : perfection sur toute la ligne.

Le temps du crachin était terminé. Désormais, il ne naviguerait plus que d'une île à l'autre, dans ces eaux sublimes d'émeraude pur où se dressaient Saint-Thomas, Saint-Martin, la Dominique, Antigua, la Barbade, Curaçao, Tobago, Trinidad.

Un vieux rêve d'enfant parfumé au rhum et peuplé de trésors arrachés aux corsaires.

A Miami, ils avaient accueilli leurs premiers hôtes payants

pour un voyage de six jours qui les avait conduits dans les lagons de Labadee, Porto Rico et Saint-Thomas. Ils les avaient débarqués à Grenade pour qu'ils rejoignent leur point de départ par avions charters. Une répétition générale exemplaire avant la grande première : la croisière anti-drogue.

Appuyés par trois membres influents de l'ONU, les armateurs de la Compagnie avaient eu l'idée géniale de mettre gracieusement le *Sovereign of the Oceans* à la disposition de la Maison-Blanche.

Trois jours en mer. Départ d'Acapulco, arrivée à Los Angeles. Les chefs au grand complet des services anti-drogue de cent vingt-neuf pays.

Leur dernière rencontre avait eu lieu à Vienne l'année précédente. Mais cette fois, accompagnés d'une nuée de journalistes et de cameramen, le président des États-Unis et son épouse rallieraient les congressistes par hélicoptère pour patronner en personne la soirée de clôture : pouvait-on imaginer lancement plus prestigieux ?

La vie était belle!

Bjorn Nielsen caressa du bout des doigts le teck d'un brun chaud qui tapissait les murs de son bureau et appuya sur un bouton.

– Faites entrer, dit-il.

Le matin, deux officiers de l'US Navy lui avaient demandé une entrevue urgente.

Quelques années plus tôt, des Cubains à la solde des Soviétiques avaient effectué le début des travaux de l'aéroport de Grenade. Personne ne s'en était ému jusqu'à ce que la minorité procommuniste ne se mette à pavoiser trop bruyamment.

Alors, tous les citoyens s'étaient ligués pour que leur île ne devienne pas un second Cuba. De cette opposition était né « Bloody Wednesday » : dans la même journée, le Premier ministre Maurice Bishop et quarante de ses fidèles périssaient de mort violente. Traumatisés par ces meurtres, les démocrates appelaient les États-Unis à l'aide. Huit jours plus tard, le 27 octobre 1983, démarrage de l'opération « Urgent Fury ».

Mille hommes de troupe du 82e bataillon aéroporté débarquaient à Grenade pour protéger la population et les six cents étudiants américains de la Saint George's University School of Medicine.

430

La suite était connue, expulsion des « conseillers » cubains et retour au calme.

N'était restée sur place qu'une symbolique compagnie de l'US Navy forte d'une centaine d'hommes qui se prélassaient voluptueusement au soleil des Caraïbes.

Les deux officiers pénétrèrent dans le bureau et s'inclinèrent :

— Enrique Martinez.

— Rafaello Espinoza.

Le pacha les dévisagea avec surprise : de petite taille, le visage basané, ces deux civils soigneusement cravatés ressemblaient autant à des militaires américains que lui-même, Danois bon teint, à un Zoulou.

— Bienvenue à bord, messieurs.

Il les invita à s'asseoir.

— Que puis-je faire pour vous ?

— Commandant, nous sommes venus vous demander une faveur, dit Espinoza.

Il croisa ses jambes et tapota le pli de son pantalon.

— Nous avons appris que vous leviez l'ancre demain à midi pour vous rendre à Los Angeles.

Nielsen approuva.

— Nous souhaiterions, continua Espinoza d'une voix calme, que vous acheminiez du fret à Los Angeles.

Nielsen crut avoir mal entendu.

— Du fret ?

— Oui, commandant. Mille tonnes.

Ce fut plus fort que lui : Nielsen éclata de rire.

— Etes-vous en train de me dire que la Marine de guerre américaine demande à un navire de croisière battant pavillon danois de lui transporter mille tonnes de fret ?

— Exactement, commandant.

Ces types étaient cinglés... Il se leva.

— C'est une plaisanterie ? demanda-t-il d'une voix froide.

Martinez et Espinoza restèrent strictement immobiles.

— Je crains que non, commandant.

Nielsen sentit son visage s'empourprer. La patience n'était pas son fort. Mais plus encore que leur grotesque demande, le ton doucereusement comminatoire de ces deux paranos le mettait en fureur.

— Montrez-moi vos papiers!

Espinoza fit un signe.

Martinez tira une grosse enveloppe de sa poche et la lança sur le bureau.

— Vérifiez vous-même.

En atterrissant, l'enveloppe laissa s'échapper plusieurs documents. Nielsen allait s'en emparer lorsque son regard accrocha quelque chose d'impossible : la photo de son propre mariage que Marietta, sa femme, gardait dans son portefeuille depuis vingt-huit ans!

Il considéra ses deux visiteurs avec une expression abasourdie. Aucun des deux ne bronchait.

La main tremblante, il éparpilla d'autres clichés : tous faisaient partie de son album de famille soigneusement rangé dans sa maison de Copenhague. Henrick et Georges, ses deux fils, Catherina, sa fille.

Il éprouva brusquement une sensation de froid.

Sans un mot, Martinez lui tendit un walkman.

Nielsen se rassit lourdement, posa les écouteurs sur ses oreilles et, le regard perdu, prit connaissance du contenu de la bande. Quand elle s'arrêta de tourner, il ôta les écouteurs, posa le walkman sur sa table et demeura prostré pendant quelques secondes.

Finalement, il s'ébroua.

— Quand désirez-vous effectuer votre chargement? articula-t-il d'une voix cassée.

— Demain à l'aube, dit Espinoza.

Annibal avala une gorgée de sa Coors.

Il détestait la bière, mais au Tap-Cap, mieux valait en consommer si l'on ne voulait pas attirer l'attention.

La matinée touchait à sa fin.

Comme à l'ordinaire, tous les tabourets le long du bar étaient occupés par des clients regardant l'arrivée des courses sur les deux écrans de télé.

Annibal coula un regard vers le fond de la salle où s'exerçaient les sempiternels joueurs de billard.

Il avait peut-être tort de revenir ici chaque fois qu'il avait à téléphoner. Dangereux. Un vent de folie soufflait sur la ville.

Depuis quelques semaines, les flics étaient partout.

Les rafles succédaient aux rafles, les contrôles d'identité aux descentes de police dans les pubs, les boîtes, les restaurants.

Sans parler des arrestations arbitraires où les détectives « trouvaient » dans les poches de simples suspects des sachets de coke qui n'y étaient pas un instant auparavant.

Les dealers se terraient. La vente au détail était au point mort. De Santa Monica à Hollywood, plus personne n'osait livrer le moindre sachet de poudre. Les accros en manque couraient les rues pour mendier une dose.

A Medellin, on avait décidé des représailles au plus haut niveau.

Annibal se décolla de son tabouret, inséra plusieurs pièces de monnaie dans le taxiphone et composa un numéro.

A la deuxième sonnerie, on décrocha.

— Annibal, dit Annibal.

— Je t'écoute.

— Elle s'est noyée.

— Bravo.

La communication fut coupée.

L'une des qualités qu'Annibal appréciait le plus chez Botero, c'était son manque de goût pour la palabre.

— Vous avez sur elle une influence détestable!

Une lueur froide passa dans l'œil de Kostia.

— En quoi? dit-il.

— Vous l'avez rendue amoureuse! s'emporta Bo Schneiderman. Comment voulez-vous rester au sommet si vous aimez quelqu'un?

Il arpenta le salon à pas rageurs.

— Depuis des semaines, elle refuse tout ce que je lui propose! C'est pourtant un miracle qu'on veuille encore la faire tourner!

Quand on l'avait arrêtée, chacun avait cru que l'insolente carrière de Jennifer Lewis était terminée.

Ne se résignant pas à perdre les quinze pour cent qu'il touchait sur ses fabuleux cachets, Bo avait décrété l'état d'urgence et organisé un conseil de guerre en comité réduit : Kostia, Ralph Nadelman, Vladimir Naritsa et Paulo.

Pourquoi Paulo? Mystère.

Bo avait simplement senti la nécessité absolue de le faire participer. Superbe instinct : grâce au coiffeur, la catastrophe s'était retournée à leur avantage!

Pour être sûr d'être compris, Schneiderman avait ouvert la séance en ne ménageant personne.

— On a ramassé Jenny en état de choc, à demi nue, bourrée de coke et d'alcool dans un hôtel borgne du quartier le plus pourri de la ville en compagnie d'un routier cradingue à qui elle a fracassé le crâne à coups de bouteille!

Une expression amère et méprisante sur le visage, il se tourna vers ceux qu'il avait convoqués.

— Personnellement, je ne vois pas comment elle peut s'en relever. Mais peut-être l'un de vous a-t-il une idée?

Nadelman se demanda pendant combien de temps la fortune de Jenny serait suffisante pour payer ses inestimables services.

Comme on ne lui devait rien pour l'instant, il feignit de s'intéresser au débat.

— J'ai déjà réussi à la faire libérer à trois reprises. Cette fois, le juge était nerveux. Je m'en suis tiré par la légitime défense : tentative de viol d'une brute qui l'a droguée, enlevée et séquestrée.

Bo poussa un rugissement.

— Vous lui avez lâché cinq cent mille dollars de caution!

Nadelman le foudroya :

— Il s'agit de drogue! Vous préférez qu'elle soit en taule?

— Écoutez, dit Naritsa sur un ton apaisant. Évidemment, c'est grave. Mais Jenny est une gloire mondiale... Le public ne supporterait pas de ne plus la voir...

— Vous voulez dix exemples de stars qu'un scandale a rayées de la carte? s'étrangla Schneiderman. Est-ce que, depuis deux jours, le téléphone a sonné une seule fois chez vous? Dans les studios, même les machinistes me tournent le dos!

C'est alors que Paulo ouvrit la bouche.

— Je ne vois pas où est le problème, dit-il de sa voix de fausset. Jenny n'a qu'à leur refaire le coup de Nixon.

Une demi-heure plus tôt, dans la cuisine, Kostia, sans avoir l'air d'y toucher, lui avait mis cette idée dans le crâne.

Mais Paulo l'avait déjà oubliée. Il aurait été indigné si quelqu'un avait prétendu qu'elle ne venait pas de lui.

Nadelman ouvrit un œil méfiant.

– Quel coup de Nixon?

– Une confession publique. Une autocritique complète. Après quoi, Jenny pourra toujours créer un mouvement de croisade anti-drogue.

Il se tortilla de confusion et ajouta :

– Je sais déjà comment je la coifferai... Une torsade sévère prolongeant la nuque. Pas de maquillage. Un simple soupçon de rimmel pour mettre ses larmes en valeur...

– Il est génial! tonna Schneiderman. Vous avez entendu? continua-t-il, la voix vibrante d'émotion. La vérité sort de la bouche des shampouineurs! Je convoque la presse! Nous allons réserver tous les droits des cassettes! Si je n'en vends pas un million, je ne m'appelle plus Bo Schneiderman!

Le lendemain, dans le parc de la résidence, il y avait presque autant de caméras de télévision que de fleurs sur les pelouses.

Jenny fut prodigieuse.

Elle leur dit qu'elle avait craqué, qu'elle avait honte d'elle-même, qu'elle allait se racheter.

Elle leur dit que la drogue était le fléau du siècle, un siècle dur qui n'était pas fait pour les âmes sensibles.

Elle leur annonça que, désormais, elle consacrerait toutes ses forces à lutter contre le mal et à aider les victimes...

Elle pleurait de vraies larmes.

D'amour.

La veille au soir, elle avait rejoint Kostia dans sa chambre...

Il avait eu le tact de ne rien lui reprocher, de ne lui poser aucune question. Simplement, il l'avait bercée dans ses bras.

Et, de nouveau, s'était reproduit l'éblouissement qui l'avait à la fois détruite et fait renaître à Panama, la voie royale du plaisir ressenti.

Mais cette fois, voulu, désiré avec violence de toutes ses fibres.

C'est à ce souvenir violent qu'elle avait éclaté en sanglots dans le ronronnement des objectifs...

Le dernier journaliste parti, les sept lignes de téléphone de la résidence se mirent à crépiter éperdument.

Dans les journaux, les standards étaient bloqués par des dizaines de milliers d'appels.

Et Paulo, les larmes aux yeux, apportait en tremblant la grande nouvelle.

– Jenny... la présidente a vu l'émission... Elle est bouleversée... Elle souhaite que tu sois l'invitée d'honneur de sa croisière!

– Quelle croisière? éructa Schneiderman.

– Anti-drogue, dit Paulo. Elle regroupe les délégués de cent vingt-neuf nations.

– Quand?

– Neuf semaines.

– Inouï! Le Seigneur est avec nous!

Il avait fait alors une chose étonnante que n'auraient pu imaginer ceux qui pensaient le connaître : il s'était précipité sur le coiffeur et l'avait embrassé à pleine bouche!

Le lendemain, Jenny entrait au centre Betty-Ford.

Elle en ressortait trente jours plus tard.

Métamorphosée.

Le cinéma? Quelle importance?

Paradoxalement, sa cote n'avait jamais été aussi haute depuis qu'elle ne tournait plus.

Schneiderman pointa un index menaçant sur Kostia.

– Le départ est dans trois jours. Je vous préviens solennellement. Si, au retour, elle continue à refuser mes offres, je rends mon tablier!

Kostia le regarda droit dans les yeux.

– Pourquoi n'allez-vous pas le lui dire vous-même?

41

En tant que maître à bord, Bjorn Nielsen n'avait pas de comptes à rendre à ses officiers. La veille, au carré, il s'était simplement borné à les prévenir qu'ils embarqueraient un « chargement » le lendemain à l'aube.

Mais quand il vit arriver le convoi, il sentit une boule lui obstruer la gorge.

A l'est, la luminosité annonçait les premières lueurs de l'aube. De gros camions militaires bâchés, frappés sur leurs flancs de l'étoile américaine, vinrent se ranger doucement contre les flancs du *Sovereign of the Oceans*.

Plusieurs Jeeps les encadraient.

Bourrées de soldats en armes.

Ils mirent pied à terre et entourèrent les camions qui s'étaient placés sur deux files.

Nielsen en compta trente-trois.

– Commandant...

Il sursauta. Abasourdi, il n'avait pas remarqué Espinoza et Martinez gravissant l'échelle de coupée.

– Vous êtes prêt, commandant ?

– Oui, dit-il en se raclant la gorge.

Martinez approuva. Espinoza fit un signe à un officier qui attendait ses ordres, debout sur le quai.

L'officier donna un léger coup de sifflet. Cinq soldats sortirent de l'arrière de chaque camion. Ils défirent les bâches qui recouvraient les ridelles. Apparut sur le plateau de chaque véhicule un énorme container métallique long de cinq mètres, large de deux, haut de quatre. Ils portaient sur toutes leurs faces, écrite en énormes lettres noires, la mention « US NAVY ».

Nielsen aurait donné son bras droit pour savoir ce qu'ils contenaient. La veille, ils l'avaient prévenu :

— Tout ce que vous avez à faire est d'embarquer notre fret dans vos cales jusqu'à Los Angeles. La Marine fera le reste.

La Marine !...

En aucun cas, ces deux salauds ne pouvaient avoir un quelconque rapport avec la Marine américaine.

Et, pourtant, elle leur obéissait. Et elle était là, forte de ces deux cents soldats en uniforme qui manœuvraient maintenant pour placer leurs camions sous les grues.

Le soleil lança brusquement sa première flèche rouge au-dessus de la ligne de nuages qui barrait l'horizon.

Bjorn Nielsen pensa au vieux dicton de son enfance : « Chaque jour qui se lève est un jour de gagné. »

— Si, par hasard, on me demandait des explications à propos de vos containers ?

— Aucune chance, trancha Espinoza.

— N'empêche. Qu'est-ce que je mets sur mon manifeste ?

— Pièces de rechange US Navy. Top secret. Défense nationale.

Tremblant d'impuissance, de peur et de rage étouffée, Bjorn Nielsen donna l'ordre aux grutiers de commencer l'embarquement.

Jenny s'était juré de retourner voir Wendy Holmes au Betty Ford Center. Wendy était alcoolique.

Elle avait vingt-cinq ans à peine, mais au moment où on l'avait récupérée, elle descendait depuis l'âge de seize ans deux bouteilles de whisky par jour. Pendant qu'elles étaient en cure de désintoxication, leur frayeur et leur solitude les avaient rapprochées.

— Parole donnée, parole tenue, dit Jenny en souriant.

Elle lui avait promis de revenir la voir.

— Tiens, je t'ai apporté ça...

Elle tendit à Wendy un carton plein de livres.

— Comment te sens-tu ?

— Merci, Jenny... Merci... et toi ?

— Bien... Merveilleusement bien...

Quoique placées dans des services différents, l'une chez les éthyliques, l'autre chez les drogués, elles en avaient bavé ensemble. Même souffrance, mêmes tricheries.

Wendy injectait du scotch apporté en cachette dans une bouteille de jus de fruits. Jenny, par peur de craquer, s'était munie de quelques sachets de poudre.

Aujourd'hui, elles en riaient : elles savaient que la duplicité et le mensonge n'étaient qu'un des aspects de leur maladie. Loin de les confondre, le personnel médical, au courant bien entendu, leur laissait épuiser leurs dernières cartouches avant d'entrer dans la phase active du traitement.

– Qu'est-ce que tu as fait de tes lunettes noires?

En arrivant au Centre, Jenny refusait de les quitter.

Elle prit la main de Wendy.

– J'ai moins peur du soleil.

Nul ne lui avait prêté une attention spéciale. On la traitait comme les autres. C'est-à-dire comme un être humain.

Jamais la moindre allusion à son métier ou à son nom.

Très vite, elle s'était apprivoisée. Pourtant, on ne les ménageait guère. Levées à 5 heures et demie, elles devaient faire leur chambre, veiller à l'entretien du Centre et participer aux travaux ménagers... Il n'était pas rare que Jenny fut de corvée de poubelles. A sa stupeur, elle s'était aperçue que ces tâches mécaniques l'emplissaient d'une joie secrète.

Conférences, entretiens, séances de thérapie de groupe, les journées défilaient à la vitesse du vent.

Jusqu'au jour où chacun, osant enfin affronter le regard de l'autre, y découvrait ses propres angoisses et le reflet d'un identique mal de vivre. Alors, tout se débloquait. Les mots arrivaient pour dire le manque. Et peu à peu, insidieusement, y suppléaient.

– Je vais partir pour quelques jours.

– Où?

– En bateau. Acapulco-Los Angeles.

– Et Kostia?

– Il vient avec moi.

– Formidable!

Jenny eut une moue.

– Pas exactement ce que je souhaitais... Quatre jours à peine... Pas d'intimité...

Elle faillit lui révéler le but de la croisière, lui expliquer qu'elle n'avait rien d'un voyage d'amoureux...

Elle préféra se taire... Wendy n'avait pas un sou. En sortant du

Centre, elle n'était même pas sûre de retrouver sa place de serveuse au bar.

Comment aurait-elle pu lui raconter qu'elle était l'invitée d'honneur de la présidente des États-Unis ?

– Je suis indignée, dit Janis...

Elle avait empilé dix morceaux de sucre dans une tasse.

Depuis vingt ans qu'il la pratiquait, Erwin avait beau avoir l'habitude, il ne pouvait pas s'y faire.

Il désigna la tasse.

– Où vas-tu mettre ton thé ? Il n'y a plus de place.

Janis haussa les épaules et fit couler sur la pyramide un filet de liquide bouillant. Les sucres se mirent à fondre.

– C'est dégoûtant ! O'Malley sait très bien que je suis cette affaire depuis le début. Et quand tout va exploser, il me flanque au rancart !

– Tu l'as vraiment appelé dix fois ?

– Cent !

– Qu'est-ce qu'il t'a fait répondre ?

– Il est en voyage !

Erwin eut un ricanement désabusé.

– Je lui ai parlé ce matin. Il n'a pas quitté son bureau depuis trois jours...

– Alors pourquoi, Erwin ? Pourquoi ?

Il lui jeta un regard railleur. Puis, imitant la voix de Seamus O'Malley :

– Amenez-moi du concret, Janis... Rien que du concret !

Elle tira d'une poche la lettre anonyme en caractères d'imprimerie reçue le matin même.

– Et ça, c'est du vent ?

Erwin garda le silence.

– La dernière pièce du puzzle, Erwin !

– Où tu prends ça ?

– Trente milliards de dollars, c'est fait pour acheter des gaufrettes ?... J'ai fait le calcul : au prix de gros, c'est la valeur exacte de mille tonnes de cocaïne ! Qui peut sortir une somme pareille ?

– Certainement pas moi.

– Les Soviétiques ! Je me tue à le répéter !

440

Elle lui brandit l'enveloppe sous le nez.

– Ils sont en train de transférer les fonds!... Tu sais ce que ça veut dire?... Un, ils ont trouvé le moyen de faire entrer leur saloperie sur notre territoire. Deux, l'opération est imminente! Et qu'est-ce qu'on fait pour la bloquer? Rien!

– Faire quoi?

– Le pivot, c'est Kostia Vlassov!

Erwin poussa un hennissement de joie.

– Va le dire à Seamus O'Malley!... Tu as lu les journaux? Va donc lui expliquer que ton Russe part en croisière avec le président des États-Unis!

Janis s'abîma dans une longue réflexion.

Elle but machinalement une gorgée de son mélange.

– C'est un coup fourré, Erwin.

Il fronça les sourcils.

– O'Malley est au courant. Il ne peut pas ne pas savoir!

Erwin ôta ses lunettes, en nettoya les verres du bout de sa cravate et les rechaussa, comme si voir Janis plus nettement lui eût permis de mieux l'entendre.

– Peux-tu être plus claire?

– Pour quelle raison fait-il semblant de ne pas comprendre?

– Je ne pige toujours pas.

– Pour m'écarter!

– En quel honneur?

– Pas par hasard. Il a mis quelqu'un d'autre sur le coup, Erwin. Un de ses petits chouchous favoris...

Au sein du FBI, les rivalités entre clans étaient terribles.

Qu'il s'agisse du choix des enquêtes, d'avancement, de promotions, d'augmentations, ou d'autres avantages, tout se décidait chez Seamus O'Malley.

– Oui ou non, t'a-t-il formellement interdit de t'en occuper?

Il avait insisté sur le mot « interdit »

– C'est plus subtil, dit Janis. Il ne m'a rien interdit du tout. Seulement, il ne veut plus que j'y fourre mon nez. Nuance.

Erwin lui désigna la lettre restée sur la table.

– Qui a pu avoir intérêt à te l'envoyer?

Elle eut un geste évasif.

– N'importe quel gang rival à qui on fait de l'ombre.

– Dommage...

– Dommage quoi?

– De laisser perdre un tuyau pareil.

Elle baissa pudiquement les yeux.

– Il n'est pas tout à fait perdu...

Erwin portait son verre de whisky à ses lèvres : il suspendit son geste.

– J'ai fait le nécessaire, ajouta-t-elle.

Erwin éclata de rire.

– J'en étais sûr !

– J'ai quelques amis à Zurich. Très, très efficaces.

Le téléphone sonna.

– O'Malley..., dit Erwin pour la mettre en boîte.

C'était Peter O'Toole.

Rien qu'au son de sa voix, Janis sut que quelque chose d'affreux venait d'arriver.

– J'ai besoin de vous, Janis... Je pars en Colombie.

Elle eut un soubresaut qui fit craquer sa chaise.

– Comment ?

– Dans une heure.

– Mais vous êtes fou ! Ne quittez pas, une seconde...

Elle cessa brusquement de parler.

– Je reviens, dit Erwin...

Reçu cinq sur cinq. Il s'éloigna, franchit la porte de la véranda et sortit dans le jardin. Janis habitait une petite maison en briques rouges un peu à l'écart de la ville, genre cottage anglais. Entre deux missions, elle consacrait ses loisirs à son jardinet à peine plus grand qu'un mouchoir de poche.

Moitié rosiers, moitié salades et tomates.

– Excusez-moi, Peter, je n'étais pas seule... Qu'est-ce que c'est que cette histoire ? Qui vous envoie là-bas ?

– Moi-même.

– Je ne vous donne pas une heure à vivre !

– Écoutez..., la coupa-t-il.

– Où êtes-vous ?

– Los Angeles.

Il se racla la gorge. Elle perçut sa brève hésitation.

– Janis... je sais que ce n'est pas l'usage, mais... il faut que j'aie quelqu'un sur place... Exceptionnellement, j'ai pensé que vous pourriez peut-être m'indiquer...

Effectivement, il n'était pas dans les habitudes du FBI de refiler le nom de ses agents parallèles pour faire une fleur à des services concurrents...

442

Mais elle avait le béguin pour O'Toole.

Elle ne voulait pas qu'il aille au suicide.

Pour l'en empêcher, elle avait en réserve un argument définitif qu'elle lui cachait depuis des semaines.

– Vous n'avez plus aucune raison de vous déplacer, Peter... Je viens de recevoir de mauvaises nouvelles... Arthur Boswell est mort.

Il y eut un long silence.

– Je ne vous crois pas, dit O'Toole.

– J'en ai eu la preuve, Peter.

– Même si c'était vrai, raison de plus.

– Espèce de tête de pioche, allez-vous m'expliquer?

– Non! Affaire personnelle. Vous m'aidez ou pas?

A son exaspération subite, elle sentit qu'il allait raccrocher.

– Je vous aiderai si vous me dites pourquoi vous voulez faire une connerie aussi monumentale!

Un autre silence. Puis, de nouveau, la voix de Peter.

Calme.

– Je veux tuer Botero.

Elle poussa un rugissement d'indignation : il était cinglé!

– Chez lui? s'étouffa-t-elle. Entouré de son armée? Votre peau vaut plus que la sienne!

O'Toole eut un petit rire amer.

– Janis... Il a tué ma femme.

Kostia arrêta la Bentley sur le terre-plein du poste à essence Chevron à l'angle de Holloway et de La Cienega.

Toutes les pompes étaient occupées.

Il coupa le contact et sortit de la voiture.

Chacun semblait avoir la vie devant soi. Les employés mexicains se hâtaient avec nonchalance. Il se souvint d'une définition de la Californie qui lui était venue à l'esprit après ses trois premières semaines de séjour : une Sibérie avec des palmiers. Sauf qu'en Sibérie, jamais une fille n'aurait osé lui lancer des œillades aussi appuyées que la blonde en mini-jupe attendant sa monnaie.

– Hello, dit-elle.

– Hello, dit Kostia.

A en juger par la perfection de ses interminables jambes nues,

Kostia estima qu'elle devait consacrer un minimum de deux heures par jour à l'aérobic.

Il fit un pas dans sa direction.

— Vous êtes actrice?

La réponse fusa :

— Oui!

Il espéra qu'elle ne prononcerait pas la suite...

— Mais je suis modèle, dit-elle.

Raté!

Elle passa la pointe de sa langue sur ses lèvres.

— Vous avez un téléphone?

— On vient de me le couper, déplora Kostia.

Elle lui jeta un regard déçu, remonta dans son cabriolet et embraya.

— Sacré morceau!

Assis sur le capot de sa Porsche, le type en blouson attendait son tour.

Il avait un diamant rivé dans le lobe de l'oreille et ses longs cheveux bruns étaient rabattus en natte sur sa nuque.

Kostia eut un sourire poli. Il s'apprêtait à se détourner lorsque l'autre lui dit d'une voix neutre :

— Vous êtes de Kiev?

Kostia lui jeta un regarda aigu.

— Pas du tout, je suis de Leningrad.

Il lui tourna le dos.

— C'est chouette, Leningrad, continua l'autre, mais ça ne vaut pas un bon bateau.

— Qu'est-ce que vous en savez? demanda Kostia sans se retourner.

— Je suis formel.

— Monsieur, vous pouvez dégager s'il vous plaît?

Kostia se mit au volant et glissa trois billets de dix dollars à l'employé.

— Où est le téléphone?

Le Mexicain essuya ses mains noires de cambouis au plastron de sa salopette et le lui indiqua d'un geste.

Kostia rangea sa voiture un peu plus loin. Il ouvrit la boîte à gants, en sortit une poignée de monnaie et se dirigea vers l'appareil. Il jeta une rafale de pièces dans la fente. A Panama, son correspondant décrocha.

444

– Monsieur Escher?

– Lui-même.

– Nous nous sommes déjà rencontrés dans votre bureau, dit Kostia. Je m'appelle Petersen.

– Certainement, monsieur Petersen. Je me souviens très bien. Que puis-je faire pour vous?

– Transférez les fonds.

– De quels fonds voulez-vous parler, monsieur Petersen?

– Ceux de la Trade Continental. Numéro de compte 376 59. Nom de code, « Nuage ».

– Fort bien, monsieur Petersen.

– Comme convenu, à l'ordre de la Bahamian Transfer. Établissement bancaire, la Hong Hong Mercantile de Panama.

– C'est noté.

– Compte numéro 265 88. Nom, « Roosevelt ».

– Parfaitement.

– Joignez également à cet envoi les intérêts de mon dépôt.

– Je m'en occupe à l'instant même.

– Merci, monsieur Escher.

– Au revoir, monsieur Petersen. A votre service.

Kostia raccrocha. Au moment où il allait atteindre la Bentley, un cabriolet lui freina dans les jambes.

– Puisqu'on vous a coupé le téléphone, vous pouvez toujours prendre le mien...

La blonde en mini-jupe qui l'avait dragué devant la pompe lui tendit une carte.

– Je m'appelle Cindy...

Elle démarra. Après tout, rien ne s'opposait à ce qu'elle fasse une carrière dramatique : elle avait de la suite dans les idées.

Kostia s'installa dans la Bentley et vira sur Holloway en direction de Sunset. Une Pontiac cabossée comme une poubelle lui fila instantanément le train.

– Tu as vu cette salope! dit Lee. Ça t'est déjà arrivé, toi, que des nanas te balancent leur carte?

– Oui, grogna Dick. Chaque fois que j'ai eu un accident de la route. Je te signale que le Russe vient de téléphoner à l'étranger.

– Comment tu sais?

– Les pièces. Il en a mis un sacré paquet.

– Y a moyen de savoir où?

Au croisement de Sunset, devant Tower Record, Dick

ralentit légèrement pour laisser la Bentley prendre du champ.

Il se gratta la tête.

— Toute la question est là, gros malin. Mais je crois que oui...

Rinaldo Kubler roulait dans le désert droit vers l'est. Les yeux protégés par des lunettes, torse nu, visage fouetté par le vent brûlant, il chevauchait une énorme Honda. Depuis des miles, il résistait au désir violent de pousser le moteur de sa machine au maximum.

Pas le moment... Pourtant, c'était tentant.

Entre Los Angeles et Vegas, la route était une bande de goudron rectiligne qui s'allongeait sur près de cinq cents kilomètres. En plein jour, dans ce paysage parfaitement plat sans l'ombre d'une végétation, il était facile de repérer les voitures de police. Malheureusement, on n'apercevait les hélicoptères que lorsqu'ils atterrissaient devant vos roues.

Les flics ne badinaient pas avec les excès de vitesse.

Rinaldo vérifia son compteur : soixante miles.

Il avait quitté Los Angeles une heure plus tôt.

Il ralentit soudain, quitta la route et vira à droite dans le désert. Au bout de cinq cents mètres, il s'arrêta et coupa le contact. Il cala la moto sur sa béquille, s'assit dans le sable et attendit, bien en vue de la route. Dans les deux sens, la circulation était rare. Il prit une poignée de sable dans sa main et joua à le faire glisser entre ses doigts.

Dix minutes plus tard, un grondement puissant emplit l'espace. Il leva la tête : sur la route, une cinquantaine de motards roulaient en essaim compact. De loin, l'un d'eux l'aperçut. Il quitta le bitume pour foncer sur lui.

Dans un rugissement de moteurs surchauffés, tous les autres le suivirent. Quand ils furent à cent mètres de lui, Rinaldo comprit à qui il avait affaire : les Hells Angels.

Malgré lui, sa gorge se serra.

On racontait sur eux des choses étonnantes. Ils ne se déplaçaient qu'en groupe de vingt au minimum. Pour être accepté par la bande, il fallait passer une épreuve initiatoire en trois volets : assister sans broncher à l'accouplement de sa propre femme avec tous les membres du groupe.

446

Ensuite, sodomiser un inconnu.

Enfin, tuer un homme.

Après quoi, on était admis à partager. La route, le vent, les filles et la crasse. Ils vivaient, dormaient et transpiraient dans le même blouson. Ils ne se lavaient jamais. Non par un penchant pervers pour l'immondice, mais pour mieux vivre leur conception de la virilité : un homme, un vrai, n'a pas à être propre. Il impose son odeur. La savonnette, c'est pour les bourgeois. En revanche, tous leurs soins allaient à leurs Harley Davidson. Étincelantes de nickels, surchargées de chromes, elles leur servaient de lit, de maison, d'identité, de bolides. On aurait cherché en vain une tache d'huile sur le carter, un grain de poussière sur la selle, une éraflure sur le réservoir.

Tels qu'ils étaient, affublés de leurs loques extravagantes, ils faisaient peur. Dans les campagnes, quand un nuage de poussière annonçait leur présence, les plus marioles rebroussaient chemin. Personne ne se serait hasardé à les défier.

On racontait aussi qu'ils bénéficiaient de relais routiers essaimant le pays où, pour eux, bouffe et essence étaient gratuites. Sitôt embrigadé, chaque membre recevait cent dollars par semaine de la communauté. Comme des esclaves au temps des pharaons, les filles leur étaient dévouées à la vie à la mort.

On disait enfin que pour enrichir leur patrimoine collectif, outre le chapardage, le racket et la prostitution, ils exécutaient certains contrats pour la CIA.

Ils tournèrent autour de Rinaldo et l'encerclèrent.

Et soudain, à la même seconde, tous arrêtèrent leur moteur. Il n'y eut plus brusquement qu'un incroyable silence.

Rinaldo ne les avait jamais vus d'aussi près.

Revêtus de métal et de cuir, la plupart avaient de lourdes chaînes d'acier autour du cou. Leurs bras étaient couverts de tatouages.

Il déchiffra celui qu'une blonde aux cheveux sales avait fait graver dans sa peau à la naissance des seins, sur toute la largeur de sa poitrine : « Propriété de Tony. »

Elle était assise en croupe d'un barbu qui arborait sur la tête un casque allemand de la dernière guerre.

Le visage sans expression, elle dévisageait Rinaldo.

Toujours le silence... Le murmure du vent du désert...

— Tu as une belle bécane, dit le guerrier au casque.

Rinaldo se redressa.

– Toi aussi. C'est à toi que je parle ?

– C'est à moi. Tu es Rinaldo ?

– Oui.

– Tony.

– Viens.

Le barbu descendit de sa machine. Déplié, il devait faire dans les deux mètres. Son poids ne le cédait en rien à sa taille, pas moins de cent cinquante kilos.

Dans la troupe, personne ne bougeait.

Rinaldo et Tony s'éloignèrent.

Lorsqu'ils furent assez loin pour ne pas être entendus, ils se firent face. Debout.

– Tu aimes ton pays ? demanda Rinaldo.

– Et mon poing sur la gueule, ça te plairait ?

– Tu aurais raison.

La plupart d'entre eux étaient ultranationalistes.

L'Amérique, rien que l'Amérique. Beaucoup étaient d'anciens militaires déçus par la mollesse de l'armée et des politiciens devant la montée du communisme. Ils recrutaient leurs filles parmi les *runaway kids*, ces gosses de treize ans qui prenaient la route pour fuir leur famille. Quand elles intégraient le clan, les mâles se les disputaient à la loyale en combat singulier avec leur arme favorite, la chaîne de moto.

– C'est pour quand ?

– Sept jours. Dans la nuit de dimanche à lundi.

– Vous pouvez venir à combien ?

– A toi de le dire.

– Deux cents.

– S'il le faut, j'en ai mille. Où ?

– San Pedro. Dans le port. Quai numéro 9. En bas du Thomas Vincent Bridge. Un paquebot de ligne, le *Sovereign of the Oceans*.

– On y sera.

Des vagabonds de combat dont les haillons cachaient de solides comptes en banque. L'homme de la rue l'ignorait, mais les Hells avaient une organisation parfaite. Dans les tours de Century City, ils employaient à plein temps des avocats discrets qui géraient leurs affaires. Le bruit courait sous le manteau qu'ils avaient racheté 49 % de la firme Harley Davidson.

448

Entre autres...

— Il faudra escorter un train, dit Rinaldo.

— Jusqu'où ?

— Terminal Island. De l'autre côté du pont.

— Précise.

— New Dock Street. A l'angle de Ferry Avenue. Un trajet de trois miles à peine... Vital, Tony... Vital pour les États-Unis... Secret Defense.

Il le considéra longuement.

— Tu sais pourquoi je fais appel à toi ? Je ne fais confiance ni à l'armée, ni aux flics, ni aux politicards.

En signe de mépris, Tony cracha par terre.

— Trente-trois containers. Tous marqués « US Navy ». Un par wagon. Ne laisse personne s'en approcher ! Pour tes frais, je m'en remets à toi.

Tony approuva d'un hochement de tête.

— S'il le fallait, je le ferais à l'œil.

Ils échangèrent une poignée de main.

Deux minutes plus tard, tous s'envolaient sur la route du désert dans un vacarme de tremblement de terre.

Les Hells vers Vegas. Rinaldo, en direction de Los Angeles.

Maintenant, il se foutait des flics. Avec une joie sauvage, il libéra la fantastique puissance de son taureau d'acier.

42

Peter O'Toole était convaincu qu'en dehors de la neige, il avait tout vu dans sa vie.

Erreur : il n'avait jamais connu de vrai bordel.

Masquant son effarement devant le nombre de filles nues qui se pressaient dans le salon de velours rouge, il s'était assis à une table d'angle, juste en face de la galerie qui menait aux chambres. En dehors de la drogue, la Casa Mercedes était la meilleure affaire de Medellin. Vingt-quatre heures sur vingt-quatre, la maison ne désemplissait pas. Aucun problème pour le recrutement des pensionnaires. Les candidates se battaient pour être admises à se prostituer. Sous l'aide qualifiée de maquereaux du coin transformés en pédagogues, les tauliers administraient aux moins douées des cours pratiques accélérés à l'issue desquels le Kama Soutra faisait figure d'abécédaire.

— Tu m'offres à boire?

— Avec plaisir, dit O'Toole. Asseyez-vous.

Colombienne. Vingt ans. Grasse. Elle fit signe à une serveuse aux lourds seins nus.

— Champagne!

Elle posa sa main sur la cuisse de Peter.

— C'est la première fois que tu viens?

— Oui.

— Tu fais quoi?

— Pétrole. La recherche. Ingénieur.

— Je m'appelle Laura, dit la fille.

Laura... Le nom lui vrilla le cœur comme un coup de couteau. Au cas où il ne reviendrait jamais, il avait laissé toutes

450

les instructions à Harry pour les obsèques d'Anna, sa mère.

– C'est ton vrai nom?

Elle marqua une hésitation.

– Non... Mais mon vrai nom, ici...

– Dis toujours.

– Virginidad. Et toi?

– Peter.

On apportait le champagne.

– Et si on allait le boire dans ma chambre?

– J'attends un ami, s'excusa-t-il.

– Je le connais?

– Je ne pense pas. Il m'a recommandé une fille.

Le visage de Laura se rembrunit.

– Laquelle?

– Carmen.

– Elle est en main pour le moment. Tu veux que je la prévienne?

– Si tu peux...

Elle se leva.

– Tu n'es pas fâché si je te quitte?

Rien à tirer de ce type-là, sinon le pourcentage sur la bouteille qu'elle lui avait fait consommer. Elle rafla le bouchon, adressa un sourire à Peter, fut happée par un très jeune garçon en tricot de corps qui l'enlaça par la taille et disparut.

Zizi avait bien précisé que cette Carmen avait le béguin pour Arthur. A sa connaissance, elle était la dernière personne à l'avoir vu vivant.

– Salut.

Le grand type blond s'assit sans façon. Il avait la gueule bronzée et sillonnée de rides de ceux qui ont choisi d'avoir leur bureau en plein air.

– Tu es Peter?

– Marvin?

– C'est moi.

– Je te remercie d'être venu.

– Je t'écoute.

– Où est Botero?

Marvin leva les yeux au ciel.

– Écoute... Tu n'as pas une chance sur un milliard.

Peter se mordit violemment les lèvres.

– C'est toi qui vas m'écouter! gronda-t-il.

451

Marvin fut sidéré par le changement de ton : en une seconde, le visage de Peter était devenu un masque de pierre.

– Oui ou non, t'a-t-on demandé de m'aider ?

– Oui.

– Alors, épargne-moi tes points de vue. Où est Botero ?

Mal à l'aise, Marvin se tortilla en secouant la tête.

– A Yopal. Dans Los Llanos.

– Depuis quand ?

– Ce matin.

– C'est où ?

– Au pied de la Cordillère.

– Comment on y va ?

– Aucun moyen.

Peter le transperça du regard.

– On m'a dit que tu pilotais un hélico ?

– Exact. Je pilote.

– Où est ton hélico ?

Marvin crut que Janis lui avait envoyé un fou.

– Tu es cinglé ? Pas question !

Peter lui crocheta le bras.

– En ce moment, des connards charcutent la femme que j'aimais pour une autopsie. Botero ! Tu m'emmènes ou j'y vais à pied ?

– Vous me cherchez ?

Marvin et Peter se tournèrent vers la fille vêtue d'un morceau de soie rouge qui ne laissait rien ignorer de son corps.

Peter se leva.

– Carmen ?

– Oui.

Marvin se demanda s'il rêvait : ce type n'était même pas débarqué depuis une heure, et il connaissait par leur prénom les filles du bordel !

– J'ai un message pour vous, dit O'Toole. De la part d'Arthur.

A son changement d'expression, il sut que Zizi ne s'était pas trompé : elle en pinçait pour Boswell. Elle porta vivement la main à ses boucles d'oreilles. Il comprit d'où elles venaient.

– C'est lui qui te les a offertes ? demanda-t-il dans un sourire.

– Oui, souffla-t-elle.

– Il me l'a dit, mentit Peter.

– Où est-il ?

452

– A Los Angeles.

– Carmen!... Excusez-moi, messieurs...

La grosse matrone qui s'était interposée les dévisagea d'un air navré et glissa à Carmen :

– On te demande à la 21...

– J'arrive..., dit Carmen.

Elle se pencha vers Peter.

– Ce soir, je sors d'ici à 2 heures. Vous pouvez m'attendre?

– Où?

– Devant l'église. A côté.

– J'y serai, dit Peter.

Il la regarda s'éloigner.

– C'est du roi Arthur que tu parlais? dit Marvin.

Peter sursauta.

– Tu le connais?

– Oui. Janis t'a dit?

– Je n'en crois pas un mot.

Marvin eut un haussement d'épaules désabusé.

– Tu l'as vu mort? lui cracha Peter.

– Non, mais...

– Alors, dans ce cas, permets-moi de le considérer comme toujours en vie.

Il lui posa la main sur le bras.

– Marvin. Je veux que tu me pilotes demain jusqu'à Yopal.

Marvin se dégagea brutalement.

– Tu sais ce que c'est, Yopal? Une forteresse! Et Botero, tu le connais?

– Oui, je le connais.

– Je tiens à ma peau!

– Je voudrais partir à l'aube.

Avant que Marvin ait pu exploser, il enchaîna d'une voix douce :

– Il faudra aussi que tu me trouves un flingue, deux boîtes de balles et quelques bâtons de dynamite ..

Marvin ouvrit des yeux ronds.

– Tu es réellement fêlé!

– Ça devrait suffire, dit Peter.

De la fenêtre de son bureau, il voyait couler la Limmat. Elle naissait du lac tout proche. Elle avait beau traverser le centre de Zurich, elle était si pure et limpide qu'on aurait pu s'y désaltérer.

C'était ça, la Suisse : la propreté.

Adolf Bleicher y pensait souvent lorsque les nécessités de sa profession l'amenaient dans une ville puante aux trottoirs débordant d'ordures...

Il avait beau en manipuler des quantités colossales, l'argent, lui, n'avait pas d'odeur.

Sa dîme était modeste : 0,5 % de commission sur tout ce qui lui passait entre les mains. Comparé à ce qu'il faisait gagner à ses clients, peu de chose. Mais, parfois, les transactions étaient énormes. Et celle qu'il s'apprêtait à boucler ne se présentait pas une fois par siècle : trente milliards de dollars.

Sur lesquels son pourcentage personnel s'élèverait à cent cinquante millions! Deux heures auparavant, il avait appris que le chargement s'était déroulé sans encombre.

Désormais, même si le *Sovereign of the Oceans* se perdait corps et biens, plus rien ni personne n'avait le pouvoir de suspendre la manne : le virement devait s'effectuer à l'instant où le navire quittait les quais de Grenade.

Il n'y en avait qu'un pour douter, Botero.

Si maladivement méfiant qu'il venait de lui adresser un télex précisant les terrifiantes représailles à exercer sous quarante-huit heures au cas où ses partenaires ne tiendraient pas leurs engagements.

— M. Weber est là, monsieur.

Adolf fronça les sourcils.

— Nous avions rendez-vous ?

— Non. Il dit que c'est urgent, soupira sa secrétaire.

— Faites-le entrer...

Wolf Weber était fonctionnaire de police.

A plusieurs reprises, Adolf l'avait conseillé pour des investissements. Certes, quand il l'avait connu, Weber n'avait pas la moindre fortune. Adolf la lui avait faite. Il lui avait « avancé » de l'argent fantôme pour des opérations imaginaires.

« J'ai placé pour vous. »... « Je me suis permis d'investir en votre faveur. »... « J'ai pensé que vous ne verriez aucun inconvénient à ce que... » Tout ce cirque pour justifier les enveloppes qu'il lui remettait de temps en temps.

En revanche, il était informé de tout ce qui se tramait en matière de finances au même instant que les plus hautes instances bancaires et douanières de la Confédération.

– Entrez donc, mon cher Wolf. Que me vaut le plaisir?

Il avait l'air de ce qu'il était : un salarié minable.

Pire : malgré les pots-de-vin qu'il lui versait, Adolf le soupçonnait d'être foncièrement honnête.

– Bonjour, monsieur Bleicher... Je ne voudrais pas vous déranger...

– Jamais, Wolf... Jamais!

– J'ai appris tout à l'heure quelque chose qui vous concernait...

– Vraiment?

– J'ignore de quoi il s'agit... Je me borne simplement à vous répéter. Un ordre nous est arrivé de Washington...

– De Washington?

– Du FBI. Demain matin, mes collègues vont venir vous interroger sur l'origine des fonds d'une société dont vous seriez le fondé de pouvoir.

– Quelle société?

– La Bahamian Transfer.

Adolf sentit la décharge d'adrénaline le secouer des pieds à la tête. Il parvint toutefois à garder un visage impassible.

– La Bahamian? dit-il d'une voix négligente. Ma fois, à première vue... En tout cas, je vais vérifier.

– J'ai pensé que cela pouvait vous intéresser...

– Tout m'intéresse, mon cher Wolf... Je vous suis infiniment reconnaissant de vous être dérangé.

Il lui tendit la main... Weber la lui serra chaleureusement.

– Au fait, Wolf... Je n'avais pas eu le temps de vous en prévenir, mais je me suis permis de jouer pour vous la hausse de l'or. Passez me voir demain. Je crois que vous aurez une bonne surprise!

– Merci, monsieur Bleicher. Merci beaucoup.

Pendant qu'on le raccompagnait, Adolf, le cerveau en folie, se demanda par quel moyen éviter la tragédie : la Bahamian était grillée! Pas le choix : il fallait la dissoudre instantanément.

Mais s'il la dissolvait, les trente milliards qui allaient lui être crédités n'auraient plus de destinataire!

– Martha!

– Monsieur?

– De l'aspirine.

Il ne lui restait que quelques minutes pour jouer.

Il desserra le nœud de sa cravate. Pour la première fois de son existence, il se surprit à souhaiter que ses créanciers aient différé leur paiement.

D'abord, Panama... Escher.

Il calcula les décalages horaires... Il y avait une chance infime pour que les correspondants du banquier ne l'aient pas encore prévenu d'effectuer le versement.

A supposer que ce premier miracle ait lieu, il en faudrait un second : convaincre Edmund Escher, malgré l'irrévocabilité des ordres en matière de comptes à numéros, de virer les trente milliards à une autre société. Adolf en avait des dizaines prêtes à servir, en sommeil dans différents paradis fiscaux.

Il balança une seconde : qui appeler en premier?

Botero, au risque de joindre le banquier trop tard?

Ou le banquier, quitte à être exécuté comme un chien par les tueurs de Botero si l'opération ratait?

Des bouffées de chaleur lui montèrent au visage.

Il sortit une pièce de monnaie de sa poche.

Pile, le banquier. Face, Botero.

La pièce s'éleva dans les airs et retomba sur la moquette : c'était face.

Botero.

Adolf Bleicher se jeta sur le téléphone.

Trois minutes avant 2 heures, Peter O'Toole quitta sa chambre. Il n'eut pas beaucoup de chemin à faire : l'église se dressait entre son hôtel et le bordel. Il se posta sous le porche. La porte de la Casa Mercedes s'ouvrit deux ou trois fois pour laisser passage à un nouvel arrivant ou à un client qui en sortait.

Peter se demanda avec inquiétude ce que Marvin allait décider. En se séparant, il lui avait dit le plus naturellement du monde :

– Viens me prendre au lever du soleil. Je t'attendrai dans le hall.

Comme si le pilote lui avait déjà donné son accord...

– Jamais! avait lâché Marvin en tournant les talons.

S'il tenait parole, Peter allait se retrouver dans un sacré pétrin. Il ne connaissait personne en ville, baragouinait à peine deux mots d'espagnol et par conséquent, très vite, se ferait immanquablement repérer. Mais il s'était juré de mourir en Colombie plutôt que de laisser à Botero une chance de survivre.

Son œil fut soudain attiré par une vieille Chevrolet qui s'avançait doucement dans sa direction, tous feux éteints.

D'instinct, il se rencogna derrière un pilier du porche.

La voiture s'arrêta pile devant lui. La portière arrière s'ouvrit à la volée. Une masse molle roula sur les dalles du parvis. La guimbarde s'arracha dans un crissement de pneus et s'évanouit au bout de la place.

2 heures sonnèrent au clocher de l'église.

Peter s'approcha de la forme inerte. Carmen était exacte au rendez-vous.

Un seul détail clochait; sa gorge était fendue d'une oreille à l'autre par un coup de rasoir.

Pas rasés, revêtus de guenilles crasseuses, ils avaient tous d'impitoyables gueules d'assassins creusées par la lumière dure d'une ampoule se balançant au bout d'un fil couvert de chiures de mouches. Et pourtant, malgré la crosse des armes dépassant de leur ceinture, mains sagement posées sur les genoux, ils avaient l'air aussi penauds que les enfants d'une école maternelle lorsque le maître les sermonne : Botero parlait.

Sans élever la voix, il les agonissait d'insultes où il était question de l'accouplement de leur mère avec des porcs, de l'état de pourriture du corps de leur père et des tares génétiques de leurs descendants.

— Vous êtes des fainéants. Je vous place au-dessous de la merde.

Ils étaient peut-être une vingtaine dans la minable baraque de bois où Botero avait établi son quartier général quand il venait sur la zone d'embarquement du brut.

Tous *tanqueros*, chauffeurs virtuoses, artistes du poids lourd.

Il leur fallait six jours pour faire l'aller-retour entre la station de stockage d'Araguaney et les raffineries, de l'autre côté de la Cordillère des Andes. Six cents kilomètres d'une route effrayante, bordée de gouffres, défoncée d'éboulis à la saison des pluies, grimpant jusqu'à des pics neigeux de quatre mille mètres entre d'écrasantes parois de roches pour replonger dans des pentes vertigineuses où, tous freins bloqués, les camions chargés de quarante tonnes de brut zigzaguaient comme un ivrogne sur une piste de glace. Pas par hasard qu'on leur avait donné le nom de *mulas*. Pas certain non plus qu'une vraie mule eût réussi à passer où parvenaient à se faufiler les monstres d'acier vibrant de toutes leurs tôles dans la chaleur infernale. Outre les guet-apens de la nature, il y avait aussi ceux des hommes. Embusqués dans des villages oubliés que traversait la piste, ils étaient à l'affût de l'incident mécanique qui, en immobilisant les poids lourds, leur permettrait de s'attaquer aux chauffeurs.

Dans la région, nul ne se déplaçait sans être armé jusqu'aux dents.

— Des femelles tout juste bonnes à ramper à quatre pattes! cracha Botero avec dégoût.

Aucun des *tanqueros* ne broncha.

Deux ans plus tôt, Botero avait froidement logé une balle dans la tête d'un de ses chauffeurs qui avait commis l'imprudence de le contredire.

Il y eut un raclement de gorge.

Tous les regards se tournèrent craintivement vers Cabal, le plus ancien d'entre eux.

Il était célèbre dans toute la Cordillère des Andes pour détenir un étrange record : être sorti indemne de plusieurs accidents catastrophiques. Selon la coutume, en offrande à la Vierge qui l'avait protégé, il avait déposé aux pieds de sa statue dominant les eaux noires du lac Tota une multitude de phares.

— J'ai essayé, Luz... Même sans fermer l'œil, il est impossible de faire le trajet en moins de cinq jours.

Botero lui jeta un regard venimeux.

— Ta gueule, *maricon*! Je vais te prouver moi-même qu'on peut le faire en quatre!

Il ajouta avec un mépris écrasant :

— Préparez-moi une mule. Je partirai demain matin.

— Écoutez, mademoiselle, ça suffit! Je transmettrai votre message à M. Escher, mais à partir de maintenant, inutile de rappeler, je ne vous répondrai plus!

458

Interdite, Martha considéra le combiné avec répugnance : son correspondant venait de lui raccrocher au nez.

Depuis qu'elle travaillait pour Adolph Bleicher, on ne lui avait encore jamais fait ça.

Il faut dire que son patron lui avait donné l'ordre de contacter la Silver Bank de Panama de dix minutes en dix minutes. A la douzième reprise, ils avaient perdu patience.

Elle se leva, gratta à la porte et passa la tête.

– Toujours pas là.

– Continuez!

– Bien, monsieur.

Elle referma précautionneusement.

Bleicher se sentait devenir cinglé : les deux personnes qu'il devait contacter sous peine de mort s'étaient évanouies dans la nature. Le banquier était chez le dentiste. Quant à Luz Botero, on lui avait répondu à Medellin qu'il était parti pour une destination inconnue et qu'il était impossible de le joindre!

Trente milliards de dollars! Ces gens étaient fous furieux!

Ils n'avaient même plus le respect de l'argent!

Ces deux heures cruciales aussi longues qu'un siècle lui avaient tout de même permis de parer à une autre urgence – brûlante : la dissolution de la société.

Les contrôleurs des services financiers helvétiques pouvaient toujours venir fouiner le lendemain, la Bahamian Transfer n'existait plus. En revanche, par un tour de passe-passe qui lui était familier, Adolf avait transféré ses actifs à l'une de ses compagnies en sommeil, qui détenait elle-même une dizaine de holding différents dont chacun servait d'écran à une autre multitude de cartels, trusts et consortiums répartis dans ces honorables républiques bananières que le vulgaire appelait « paradis fiscaux », mais par où passaient nécessairement toutes les affaires sérieuses.

La complexité, l'enchevêtrement et le prodigieux réseau de ces raisons sociales auraient désormais interdit à l'inspecteur des finances le plus coriace de deviner qu'au bout de la chaîne, la Bahamian s'était métamorphosée en Illimited Oil.

– Monsieur! Edmund Escher en ligne! Sur la trois...

Adolf déglutit.

– Bleicher, dit-il.

En direct de Panama, la voix froide du banquier.

– Vous m'avez appelé, monsieur Bleicher?

L'appareil en main, Adolf alla se planter devant sa fenêtre.

Quand il était surexcité, la vue de l'eau verte et pure de la Limmat qui coulait à ses pieds le ramenait au calme.

– Oui, cher ami, effectivement.

Malgré les battements déments de son cœur, il réussit à donner à sa voix un ton neutre et professionnel.

– A propos du transfert, un simple détail que vous voudrez bien communiquer à votre client. Pour des raisons d'organisation interne, nous avons dissous la Bahamian.

A deux mètres à peine de la berge, de gros poissons sombres broutaient des algues.

– Par conséquent, je vous prierai d'effectuer le virement à l'ordre d'une autre compagnie dont je vais vous donner les références, la Illimited Oil.

Il s'aperçut avec stupeur que ses mains étaient humides de transpiration.

– Vous m'entendez, monsieur Escher?

– Parfaitement, mais je ne comprends pas très bien le sens de votre appel...

– Pardon?

– Le transfert a déjà été effectué.

Les poissons filèrent subitement vers le centre de la rivière et disparurent dans le courant.

Adolf sentit que ses jambes fléchissaient.

– A qui? demanda-t-il d'une voix blanche.

– Conformément aux accords dont nous étions convenus, à la Bahamian Transfer.

– Puisque je vous dis que la Bahamian n'existe plus! se révolta Adolf.

– Si elle n'existait plus, dit Escher sur un ton glacial, comment m'aurait-il été possible de lui verser les fonds?

– Mais c'est une histoire de fous!

En un éclair, il vit la faille. Une dérisoire petite lueur d'espoir. Il se força à articuler très lentement.

– Monsieur Bleicher, je crois que nous pouvons régler ce malentendu...

Tout allait se jouer sur sa prochaine phrase.

– Pouvez-vous m'indiquer le nom de l'établissement destinataire?

460

Au silence qui suivit, il comprit avec horreur que c'était foutu.

– Monsieur, venant de vous, la question me surprend.

– Monsieur Escher..., implora-t-il.

– Je ne sais pas de quoi vous parlez.

– Monsieur Escher! cria Adolf.

– Bonjour monsieur.

La mâchoire pendante, il perçut le bip indiquant que le banquier avait raccroché.

Il aurait pu hurler, insulter, menacer, supplier.

Ce fut bien plus atroce : pour la première fois de sa vie, il se mit à pleurer!

43

Botero sortit de sa baraque. Il n'avait presque pas dormi. Il était d'humeur exécrable.

Il savait très bien qu'il avait été idiot de lancer ce défi à ses chauffeurs. Non pour le défi lui-même – il était certain d'en sortir victorieux – mais parce qu'il ne pouvait plus se dédire aux yeux de ses hommes et que le moment était mal choisi.

Le chargement était déjà parti.

A moins de lancer un commando-suicide sur le *Sovereign of the Oceans*, plus rien désormais ne pouvait empêcher les mille tonnes de cocaïne d'arriver à destination.

Or, il ne savait toujours pas si les Soviétiques avaient effectué le transfert de fonds. En mettant les choses au mieux, deux jours au moins allaient s'écouler avant qu'il puisse téléphoner à Bleicher.

En voyant son air mauvais, un petit groupe de *tanqueros* s'écarta sur son passage.

– Où est ma « mule » ?

– On est en train de te la préparer, Luz.

– Tu veux dire qu'elle n'est pas encore prête ?

Blême de colère, il fit volte-face et s'avança d'un pas rageur vers une noria de camions stationnant aux alentours de la station de pompage. Certains attendaient qu'on emplisse leur citerne. D'autres, déjà lestés de leurs quarante tonnes de brut, manœuvraient pour se ranger en attendant qu'un contremaître leur donne le signal du départ. Botero avisa un énorme Mack rouge dont le moteur tournait.

– Tu es plein ou tu es vide ?

— Plein à ras bords, Luz.

— Barre-toi, maricon!

— Mais Luz, je dois partir...

— Ta gueule!

D'une violente secousse, il envoya le chauffeur valser hors de sa cabine, s'installa à sa place et démarra dans la boue, droit sur la Cordillère.

L'hélicoptère s'était posé en bordure du chantier gigantesque percé de cratères, hérissé de trépans, encombré de poids lourds faisant une navette incessante entre les puits d'extraction et les cuves où l'on déversait le brut avant d'en remplir les citernes.

— Il cherche à joindre Luz Botero. Extrêmement urgent.

Abandonnant Peter à son destin, Marvin avait redécollé immédiatement.

Au cours du vol, il n'avait pas desserré les dents.

En acceptant d'entrer dans la folie de O'Toole, il savait qu'il se grillait définitivement. Ainsi s'achevait le patient travail de fourmi accompli pendant des années pour infiltrer le gang. Stupide. Et inutile... Il se maudit d'avoir prêté la main à une action-suicide.

Quoi qu'il arrive désormais, on saurait qu'il avait trahi Botero. S'il avait la chance de quitter le pays vivant, il n'aurait plus qu'à finir ses jours à Washington en s'occupant des paperasseries du FBI.

De son côté, Peter n'avait pas ouvert la bouche.

Concentré sur ce qu'il s'était juré d'accomplir, il avait très vite renoncé à établir le moindre plan. Il allait en terre ennemie pour tuer un homme. C'est tout.

Peu lui importait ce qu'il adviendrait ensuite.

Son geste accompli, il se doutait bien qu'il n'avait pas une chance sur un million de s'en tirer.

Il s'en foutait.

Il appartenait à cette race d'individus en voie de disparition qui préfèrent mourir plutôt que de faillir à une promesse.

La Jeep sur laquelle il avait pris place s'arrêta devant une baraque. Des types en guenilles discutaient avec animation.

Le Colombien qui l'avait conduit se mit à leur parler rapidement en désignant Peter de la main.

Un homme à la gueule burinée s'approcha.

– *Habla espanol?*

– *No,* dit Peter.

– *Americano?*

– *Yes.*

– Je m'appelle Cabal, dit-il en anglais.

– Peter, dit Peter.

– Tu veux voir Botero?

– Oui.

– Il le sait?

– Oui. On a rendez-vous. C'est très important.

Machinalement, il serra contre lui la sacoche de toile écrue qu'il portait en bandoulière.

– Pas de chance, dit Cabal. Il vient de partir.

– Où?

Cabal pointa son pouce vers les pics de la Cordillère.

– Il y a combien de temps?

– Dix, quinze minutes...

Le visage de Peter changea de couleur.

– Il faut que je le rattrape!

Cabal éclata de rire :

– Personne ne pourrait le rattraper! Il s'attaque à un record de vitesse!

– Quand revient-il?

Cabal haussa les épaules.

– Il prétend qu'il peut traverser la montagne et retour en quatre jours... Je vais te dire... S'il le fait en cinq, ce sera déjà une drôle de performance!

Peter lorgna du côté où s'était arrêtée la Jeep : elle était repartie.

– Il y a un moyen de rentrer à Medellin?

– Ce soir, si le pilote veut te prendre.

– Merci. Je vais attendre.

Il salua Cabal, tourna les talons et fit quelques pas au hasard en direction de deux Mack dont le moteur tournait. Il coula un regard vers la baraque. Plus personne ne faisait attention à lui. Il dépassa le premier camion, vit leurs chauffeurs assis par terre. Ils mangeaient quelque chose qu'ils tiraient d'une gamelle.

Ils ne l'avaient pas remarqué.

Il rebroussa chemin, s'installa au volant le plus naturellement du monde et arracha le monstre dans un grondement.

Au bout de quelques kilomètres, la montagne commença. Plus haut que le ciel, zébré par la déchirure blême des coulées de roches, le mur de bronze de la Cordillère barrait l'horizon de sa masse prodigieuse.

Derrière Peter, roulant à la queue leu leu dans un brouillard de terre rouge, trois Jeeps se rapprochaient.

Son rétroviseur lui renvoyait leur image, elles étaient dans son champ de vision, mais pourtant, il ne les voyait pas.

Pas davantage la mortelle succession d'épingles à cheveux que formait la route.

En fait, ses yeux ne voyaient rien.

Chaque muscle de son corps conduisait à sa place, ses pieds et ses mains dotés soudain d'un cerveau autonome capable de juger les distances, de choisir l'angle d'attaque des virages, enchaîner les huit vitesses, accélérer, freiner, débrayer...

Rivé droit devant lui, son regard n'enregistrait qu'une chose à l'exclusion de toute autre, ce point de métal rouge qui miroitait sous le soleil ou disparaissait huit cents mètres plus loin au gré des accidents de terrain, du relief de la montagne, des méandres de la route : l'arrière du camion de Botero.

Une grêle de plomb crépita dans son dos sur les tôles de la citerne. Il rentra la tête dans les épaules.

Dans les Llanos, on pendait sans jugement celui qui dérobait un cheval. On fusillait les pillards. On étripait les voleurs d'émeraudes.

Mais de mémoire de *tanquero*, on n'avait encore jamais vu un cinglé faucher un camion.

Pour aller où ?

La piste ne menait que d'un point à un autre sans escale possible. Chemise et pantalons collés au corps par la sueur, Peter rétrograda dans le rugissement de ses cinq cents chevaux.

La bouche sèche, il s'engagea dans les premiers lacets : aucun véhicule au monde ne pouvait gravir une pente aussi raide. Comme s'il avait attaqué un mur à la verticale.

Il leva la tête. Cent mètres au-dessus de lui, accroché au flanc de la montagne, le monstre de Botero semblait grimper à l'assaut des nuages. Très vite, il disparut derrière un éboulis.

Même s'il apercevait le Mack de Peter, Botero ne pouvait pas se douter qu'il était poursuivi. Et, encore moins, qu'il serait fatalement rattrapé.

Ses citernes abritaient quarante mille kilos de brut.

Peter, lui, roulait à vide.

La piste se rétrécit. Entre les parois de granit, il n'eut plus brusquement que trente centimètres d'espace de chaque côté de ses ailes. Il tira de sa sacoche un bâton de dynamite, le plaça entre ses dents, enfonça l'allume-cigarette du tableau de bord, passa en seconde et franchit le corridor où le camion de Botero avait giclé cinq minutes plus tôt...

Un déclic... Il s'empara de l'allume-cigarette porté à incandescence, le maintint contre le bout du cordon Bickford et souffla dessus pour qu'il s'enflamme.

La mèche rougeoya, prit feu...

Peter cala la cartouche allumée entre ses cuisses.

Maintenant, les Jeeps n'étaient plus qu'à trente mètres.

La mèche se consumait à toute allure. Quand il sut que l'explosion était imminente, il jeta le bâton par la fenêtre.

Mentalement, il commença à compter...

Il n'arriva pas à trois : la déflagration fit vibrer la montagne. Derrière, lui, entraînant tout un pan de la falaise, d'énormes blocs dégringolèrent : la route était coupée.

Désormais, plus rien ne pourrait s'interposer entre sa proie et lui. Malgré ses roues qui patinaient au-dessus de l'abîme, il accéléra sauvagement.

Elle ne les connaissait pas, mais ils la connaissaient tous. C'était étrange. Tous ces types qui s'approchaient discrètement pour la voir de plus près étaient les patrons antidrogue de cent vingt-neuf nations. La crème de la crème.

Et c'était elle, Jenny, le nez truffé de coke depuis l'âge de seize ans, qui leur servait de mascotte et d'invitée d'honneur!

Un soleil magnifique illuminait la baie d'Acapulco.

Le cocktail se déroulait dans la résidence qui occupait le sommet de la colline de Las Brisas, l'endroit le plus snob, non seulement du Mexique, mais de toute la côte Pacifique.

D'énormes plaques de marbre de couleurs différentes entouraient la piscine qui flottait dans l'espace : des tables géantes de back-gammon.

On racontait que le propriétaire, d'origine allemande, était l'un des grands manitous occultes de la CIA.

Quand il lui avait fait visiter son bureau aux dimensions d'une salle de congrès, Jenny avait vu sur les murs une multitude de photos le représentant aux côtés de tous les grands de ce monde, chefs d'État, souverain pontife, rois en exercice, princes de sang, célébrités des arts et de la littérature.

– Il faudra que vous reveniez pour les fêtes de fin d'année, lui avait dit le maître de maison. Vous verrez, c'est très amusant.

Le 31 décembre, Acapulco était le rendez-vous international le plus recherché des politiciens au pouvoir et des jet-setters aux fortunes à dix zéros. C'était à qui afficherait la plus ravissante compagne. Les réputations se faisaient à coups de parures d'émeraudes, de colliers en diamants, de broches de saphir dont on changeait aussi aisément que de robes.

Quand on les recevait chez soi au son de trois orchestres, le nom des invités évoquait les différentes sections d'un fabuleux super-marché : Guiness, Colgate, Avis, Hertz, Bich, Ford, Rothschild, Gillette, Stuyvesant...

Le comble du chic...

La bière, les cigarettes, le dentifrice, les lames de rasoir et les crayons à bille cessaient brusquement d'être le nom commun de produits de consommation pour redevenir un nom propre, celui de leur propriétaire.

Jenny chercha Kostia des yeux. Elle le vit en compagnie de la présidente des États-Unis et du maître de maison qui lui avaient demandé de leur raconter l'histoire de son évasion.

Des maîtres d'hôtel en blanc passèrent au milieu des groupes en agitant des clochettes.

Une flotille de limousines les attendaient à la sortie de la résidence pour les déposer à bord du *Sovereign of the Oceans*.

Ils levaient l'ancre dans deux heures.

A l'avant, le Mack était équipé d'un monstrueux pare-chocs en acier destiné à balayer les roches qui encombraient la piste à la saison des pluies.

Chaque fois qu'il accélérait rageusement pour cogner l'arrière du camion rouge, une onde de douleur déchirait les bras de Peter soudés à son volant. A un détour de la route, il s'aperçut qu'ils arrivaient au sommet d'un pic : c'était écrit, l'un des deux mourrait là.

Luz Botero ou lui-même.

Il rétrograda de seconde en première, accéléra, colla son pare-chocs contre la paroi de la citerne. Maintenant le pied au plancher, il poussa de toute la puissance de son moteur. S'il pouvait maintenir la même vitesse pendant cinquante mètres encore, il serait impossible à Botero de négocier son virage.

De son côté, Botero exerçait la manœuvre inverse : il pesait à mort sur les freins.

Roues bloquées, dérapant sur la poussière, le camion continuait pourtant à glisser irrésistiblement vers le sommet. Métal contre métal, cathédrale contre cathédrale dans un grincement de tôles, l'arrachement de plaques de terre sous la pression des pneus, la fumée noire des tuyaux d'échappement surchauffés... Deux insectes de fer dans un combat à mort sur un décor de fin du monde...

A quelques centimètres de leurs roues droites, le précipice vertigineux plongeait directement de six cents mètres le long de la falaise. A gauche, s'élevant jusqu'au ciel en une verticale parfaite, un mur de granit.

Les écrasant tout autour, le paysage grandiose et déchiqueté de la Cordillère des Andes.

Le premier coup de boutoir avait été si surprenant que Botero avait failli s'envoler dans le ravin.

Depuis une vingtaine de kilomètres, il avait repéré le poids lourd qui lui collait aux roues. Il arrivait que des « mules » fassent le trajet ensemble.

Puis, progressivement, il s'était inquiété.

Et quand il avait voulu s'arrêter au milieu de la route pour savoir à qui il avait affaire, il y avait eu ce premier carambolage. Plus de doute possible, son suiveur anonyme voulait le balancer dans le ravin.

La secousse lui avait projeté la tête contre le tableau de bord.

Il porta la main à son arcade sourcilière : il la retira rouge de sang.

— Maricon! jura-t-il.

Il envisagea de sauter du camion pour bondir sur le Mack, sauter sur le chauffeur et lui ouvrir la gorge à coups de dents.

468

Stupide : c'était se mettre à sa merci.

Soit se faire mitrailler, soit mourir écrasé.

Plus que trente mètres pour trouver une solution...

Son regard aux abois parcourut le tableau de bord.

Un sourire dur éclaira son visage ensanglanté.

Il poussa une manette.

Sur le quai grouillant de journalistes et de photographes, on avait déroulé un tapis rouge qui s'étendait jusqu'à l'échelle de coupée.

En grande tenue de parade, marins et officiers s'étaient postés aux différents points névralgiques du navire où flottait le pavillon des cent vingt-neuf nations représentées.

— Je suis le commandant Bjorn Nielsen, à votre service. Bienvenue à bord.

Jenny remercia d'un sourire. Elle s'accrocha au bras de Kostia. Un officier les prit en charge.

— Si vous me le permettez, je vais vous conduire à votre appartement...

Kostia remarqua que l'œil des marins s'allumait sur le passage de Jenny. Elle lui glissa à l'oreille :

— Tu as vu, la tête du commandant ?

— Qu'est-ce qu'elle a de spécial ?

— On dirait qu'il a avalé sa canne, dit Jenny.

L'officier fourragea dans une serrure, ouvrit une porte et s'effaça :

— Si vous voulez bien entrer, c'est ici.

Jenny se précipita sur la baie vitrée. Elle n'avait encore jamais fait de croisière. Elle eut un regard d'enfant émerveillé.

— Regarde, Kostia, c'est formidable... On voit la mer !

Peter s'arc-bouta sur l'accélérateur.

Sous sa pression, mètre par mètre, cabré, frémissant de toutes ses tôles, le camion de Botero se rapprochait du sommet.

Quand, brusquement, un énorme jet de liquide sombre s'écrasa sur le pare-brise de Peter : Botero venait d'ouvrir les vannes de sa citerne.

Fébrilement, Peter actionna les essuie-glace.

Au lieu de nettoyer la couche grasse, ils l'étalèrent. La vitre devint totalement opaque... Impossible de manœuvrer dans le noir absolu sans prendre le risque de verser dans le ravin. Pas le choix... Maintenant la prodigieuse poussée de ses cinq cents chevaux, il passa la tête à la fenêtre : une torrentielle giclée gluante lui jaillit en plein visage. Avec la violence d'un déluge, quarante mille litres de brut se répandaient sur la piste !

Aveuglé, Peter arracha le plastron de sa chemise. Volant coincé entre les coudes et les genoux, il se frotta rageusement le visage, plongea la main dans sa sacoche et en ramena un colt Magnum.

Malgré la brûlure intolérable, il ouvrit les yeux. A travers un brouillard rouge, il aperçut Botero bondissant hors de sa cabine. Il le vit courir sur la route, crever son réservoir d'essence d'un coup de pioche et disparaître de son champ de vision.

A la volée, Peter plaça son levier de vitesses en position de parking, bloqua le frein à main, fit un roulé-boulé sur la banquette et, arme à la main, plongea hors du Mack côté passager.

Magnum braqué, il se retrouva accroupi dans la cataracte d'essence et de pétrole qui déferlait le long de ses jambes.

Il vit soudain réapparaître Botero.

A dix mètres à peine de lui, sourire aux lèvres, il se tenait debout au milieu de la piste.

A la stupéfaction de Peter, les mains nues.

– Botero !

– *Hombre !* cria l'autre en écho.

– Je suis le lieutenant O'Toole de la Narc Division de Hollywood. Je voulais que tu saches pourquoi tu vas mourir.

Luz Botero était toujours immobile. La cible idéale.

Peter leva son arme : Botero éclata de rire.

Alors, Peter aperçut le cigare rougeoyant coincé entre ses lèvres. S'il lui tombait de la bouche, ils sautaient. Le tenant toujours en joue, Peter barbota lentement dans sa direction.

Il n'avait jamais rien autant désiré de sa vie que tuer cet homme. Le tuer de sa main. A trois mètres de lui, il se figea.

Pendant quelques instants, on n'entendit plus que le bruit du vent qui faisait galoper les nuages, le halètement sourd des deux poids lourds dont le moteur tournait toujours et le grondement du torrent de brut dévalant la pente.

470

Ils étaient face à face, se dévisageant en silence.

Une lueur de défi dans l'œil, Botero parla le premier :

– J'ai tué ton ami Boswell. J'ai fait noyer ta femme. Qu'est-ce que tu attends ?

Peter prit son arme par le canon et la jeta dans le ravin.

Botero aspira une profonde bouffée de fumée, saisit le cigare entre ses doigts, le considéra rêveusement et le balança de toutes ses forces dans le vide.

De nouveau, il rit.

– *Mano a mano...*, dit-il.

Avec la souplesse d'une panthère, il se jeta sur le sol, roula trois fois sur lui-même dans un jaillissement de gerbes liquides, ramassa une grosse pierre aux arêtes vives, la souleva au-dessus de sa tête et fonça sur Peter pour lui fracasser le crâne.

Bras légèrement écartés, Peter fléchit doucement les genoux et attendit le choc. Quand il lui était arrivé de donner des cours de close-combat aux cadets de la police, il leur avait fait répéter cent fois cette parade... A l'ultime dixième de seconde, quand Botero abaissa les bras et que la pierre siffla aux oreilles, il déporta tout le poids de son corps sur la jambe droite. Simultanément, son pied gauche fusait vers les parties génitales de Botero à la vitesse d'une flèche.

Un coup de savate qui ne pardonnait pas.

Malgré la protection de ses chaussures, il poussa un grognement de douleur lorsque son pied, dans un ébranlement de tous ses muscles, atteignit sa cible de plein fouet. Il vit les yeux fous de Botero se révulser de souffrance et commit une erreur : il attendit sa chute.

Deux étaux de métal lui enserrèrent la gorge.

Collé à lui, l'étranglant, Botero lui faisait éclater les arcades et les lèvres à coups de tête. Au bord de l'asphyxie, Peter se souvint de la rumeur : à la place du sexe, Botero n'avait plus rien.

Ni testicules, ni phallus.

Rien : les rats.

C'était donc vrai.

Aveuglé par le sang, il se laissa tomber dans la marée gluante. Ils roulèrent dans le flot, enlacés comme deux bêtes enragées cherchant à mordre. La tête de Peter heurta le marchepied de son Mack. Un voile noir lui tomba devant les yeux. D'un coup de genou désespéré, il parvint à faire lâcher prise à Botero, roula

471

dans la cabine, aspira de l'air comme un noyé... Mais, le sentant à sa merci, Botero revint à la charge.

Il se rua sur lui, lui crocheta les cheveux à pleines mains et lui cogna la tête sur le plancher. S'il perdait connaissance, il était mort. De toute sa volonté, il tenta de résister à l'évanouissement. Les doigts de sa main gauche s'accrochèrent à un objet métallique : le frein à main. Il le débloqua.

Aussitôt, aspiré par la déclivité, le monstrueux poids lourd se mit à glisser vers l'arrière. Le médius et l'index de sa main droite en V, Peter projeta une fourchette sous les arcades sourcilières de Botero, donna un coup de reins, enclencha la marche arrière, se projeta hors du camion qui prenait de la vitesse, claqua la porte de la cabine, fonça vers le camion rouge libérant les flots de pétrole de ses entrailles, le dépassa et continua à courir jusqu'à ce qu'il arrive au sommet.

Il se catapulta sur le sol derrière l'abri de l'ultime éperon rocheux formant l'angle du virage avant la descente.

Alors, la montagne se transforma en une gigantesque gerbe de feu pendant que se répercutait d'un sommet à l'autre l'écho de la plus phénoménale explosion ayant jamais ébranlé la Cordillère des Andes.

Pendant de longues minutes, Peter resta prostré la tête dans les mains, les oreilles bourdonnantes, à demi aveuglé.

Maculé de boue noire puante, son corps n'était plus qu'une irradiation de douleur intense.

Progressivement, le silence revint...

D'autres minutes s'écoulèrent...

De nouveau, l'insupportable bourdonnement envahit ses oreilles... De plus en plus fort...

Malgré lui, il leva les yeux.

A dix mètres au-dessus de la route, immobilisé dans l'espace, l'hélicoptère battait l'air de ses pales dans le cognement lourd et régulier de son moteur.

Suspendu à un filin d'acier, Peter vit un harnais descendre du ciel.

Il se redressa en titubant et tendit les mains vers Marvin.

44

Quarante-huit heures s'étaient écoulées depuis l'embarquement des containers sur le bateau : le délai avait expiré.

L'argent n'était pas arrivé. Le banquier ne répondait plus à ses appels. Nul ne pouvait joindre Botero.

Pourtant, ses ordres étaient formels : il devait faire partir le télex.

Adolf Bleicher n'avait pas fermé l'œil pendant deux nuits. L'alternative était simple : ou il obéissait en sachant très bien qu'il coupait à jamais les ponts entre les trente milliards de dollars et eux.

Ou il attendait encore un peu que se produise le miracle.

Un retard était toujours possible. Un malentendu. Un contre-temps.

Mais si par malheur il se trompait, aucune illusion à se faire, Luz le ferait descendre. Lorsque les gangs avaient décidé d'avoir votre peau, la planète devenait trop petite pour s'y cacher.

Une bouffée de rancœur lui monta au visage : comment un homme, fût-il le plus buté, pouvait-il faire passer son orgueil avant sa fortune, ses passions avant ses intérêts ?

Trop tard pour approfondir la question. Désormais, la volonté d'Adolf n'avait plus de prise sur les événements.

Dans sa sagesse, il choisit de s'en remettre aux mains de la Providence.

Comme il l'avait déjà fait deux jours plus tôt, il tira une pièce de monnaie de sa poche : pile, il faisait le mort jusqu'au lendemain pour gagner quelques heures de plus.

Face, il envoyait le télex.

La pièce voltigea dans les airs, retomba sur le bureau, rebondit contre un éphéméride et roula sur la moquette.

Craintivement, Adolf se baissa pour la ramasser : face.

La mort dans l'âme, il se décida à expédier le télex.

Un jour avant l'arrivée à Los Angeles, peu avant le coucher du soleil, l'hélicoptère de la Maison-Blanche atterrit sur le pont du *Sovereign of the Oceans*. Précédant sa suite, cheveux au vent, le président en descendit et tendit la main au commandant Nielsen figé dans un garde-à-vous plein de raideur.

– Quel navire superbe, commandant!

Bjorn Nielsen ouvrit la bouche pour lui souhaiter la bienvenue, mais à sa grande surprise, aucun son n'en sortit. En trois jours, l'angoisse et la honte l'avaient détruit. Il aurait voulu disparaître. Le président lui présenta deux ou trois personnes dont il n'entendit même pas le nom et se précipita dans les bras de son épouse. Quelques pas en arrière, Jenny attendait en compagnie d'autres officiels.

Enlaçant sa femme par la taille, le président se dirigea vers elle en premier.

– Je suis enchanté de vous revoir. Sachez qu'avant d'être président des États-Unis, je suis avant tout celui de votre fan club!

Tout le monde éclata de rire. Jenny fit chorus.

Elle n'avait pas à se forcer, elle n'avait jamais été aussi heureuse. Au cours du congrès, elle avait pris la parole à plusieurs reprises. Pour la première fois de sa vie, c'était comme si elle avait laissé son corps au vestiaire : au lieu de la regarder, non seulement on l'écoutait, mais on semblait se passionner pour ce qu'elle avait à dire. D'objet – d'admiration, de désir, de mépris ou d'envie –, elle passait au rang de sujet à part entière. Une sensation qui l'étourdissait de bonheur.

Simultanément, elle s'apercevait que pour peu qu'on aime et qu'on soit aimé en retour, on pouvait très bien vivre sans cocaïne. En fait, elle avait remplacé la poudre par une drogue beaucoup plus puissante, Kostia.

Elle était contrariée qu'il eût préféré rester seul dans leur cabine. Elle aurait voulu le montrer au monde entier.

– Pourquoi ? avait-elle insisté.

474

Kostia avait fait une réponse vague.

– Plus tard... On verra...

Elle le sentait nerveux, préoccupé.

Le président la prit par le bras.

– Jenny, permettez-moi de vous présenter Seamus O'Malley.

L'homme à tête d'œuf lui serra la main avec un sourire froid.

– Ne le séduisez pas, dit le président avec malice. Il serait capable de vous confier tous les secrets du FBI!

De nouveau, les rires fusèrent. Le président s'éloigna.

Harry Bloch tenait le télex entre ses mains.

Il portait la mention « Confidentiel » et était adressé au lieutenant O'Toole.

Mais Dieu seul savait où était Peter. Depuis trois jours, il avait disparu. On était sans nouvelles.

Ni au bureau, ni chez lui.

Après l'horrible choc de la mort d'Anna, personne n'avait osé lui poser la moindre question.

Le chagrin n'expliquait pas tout. Harry avait remarqué sa pâleur, ses silences, son regard absent. Il en avait déduit que quelque chose le rongeait.

Peter lui avait dit :

– Je suis obligé de m'absenter.

– Combien de temps?

– Quelques jours. Je te préviendrai.

Il avait refermé la porte et était sorti.

Harry relut pensivement le télex :

« *Vous trouverez mille tonnes de cocaïne dans les cales du* Sovereign of the Oceans *attendu aujourd'hui à San Pedro en provenance d'Acapulco. La drogue est enfermée dans des containers portant la mention " US NAVY ". L'Union soviétique est le commanditaire de l'opération. Elle a pour nom de code, " SUNSET ". Leur agent responsable sur le territoire des États-Unis : le transfuge KOSTIA VLASSOV.* »

Des conneries pareilles, il y en avait tous les matins au courrier. Un type jaloux. Un délateur anonyme voulant empoisonner la vie d'un concurrent.

Bien entendu, il s'agissait d'un bobard. Mille tonnes de drogue, ça n'existait pas. Harry se demanda ce qu'aurait fait Peter à sa place. Il n'y aurait pas cru davantage. Mais il l'aurait tout de même chargé de vérifier.

— Hé, Marc. T'as pas vu Lee et Dick?

— A côté, dit Picitelli.

— Dis-leur de s'amener.

Quand ils entrèrent, Harry leur tendit le télex sans un mot. Ils en prirent connaissance.

— Mille tonnes! éclata Dick. Et puis quoi encore? Tu sais ce que c'est ce bateau! Le président des États-Unis est à bord avec tous les services anti-drogue de la planète!

Lee se gratta la tête.

— Dis donc, Dick. Il n'y a pas que lui...

— Merde, c'est vrai! s'exclama Dick.

— Jennifer Lewis...

— Quoi, Jennifer Lewis? aboya Harry.

— Elle est à bord.

Harry ouvrit des yeux ronds.

— Avec le Russe?

Lee confirma d'un mouvement de menton.

— La Star? demanda Dick.

— Aucun signe de vie, fit Harry.

— Écoutez, intervint Lee. Tout ça, c'est bidon. Maintenant, supposons que ce soit vrai. Qu'est-ce qu'on ferait?

— Mise sous séquestre du bateau, fouille, saisie de la came, tout le monde au ballon et à nous la prime! lança Dick.

Lee baissa les bras avec découragement.

— Harry, t'as compris pourquoi ce type ne s'élèvera jamais comme toi au grade de sergent.

— Parce qu'il est con, dit Harry.

Il se tourna vers Dick.

— Un stagiaire me dirait ça, je le vire immédiatement de la police! Explique-lui, Lee... Moi, j'y renonce.

Lee plaça ses deux mains sur les épaules de Dick et lui dit de la voix qu'on utilise pour les débiles mentaux :

— Tu attends de voir qui réceptionne la marchandise. A qui elle est destinée... Ainsi, tu pourras coffrer toute la bande.

— A quelle heure arrive ce foutu bateau? s'informa Harry.

— C'est dans tous les journaux. 5 heures.

476

Harry leur désigna la porte et tonna :
– Qu'est-ce que vous attendez pour vous bouger le cul !

A minuit, les dockers commencèrent le déchargement. Plutôt mal à l'aise. Ils n'avaient pourtant rien de fillettes, mais la horde de Hell's Angels regroupés sur le quai n° 6 n'avait rien de rassurant. Immobiles, les fesses calées contre la selle de leur moto reposant sur des béquilles, ils étaient arrivés séparément par petits groupes d'une dizaine.

Maintenant, ils formaient une armée silencieuse devant le train stationnant sous la proue du *Sovereign of the Oceans*.

Le navire avait accosté six heures plus tôt.

Un détachement militaire avait rendu les honneurs au couple présidentiel qui avait pris place dans une limousine.

On était dimanche. Illuminés à giorno comme pour une fête mystérieuse dont les invités se seraient décommandés au dernier instant, les sept cent cinquante hectares du port de San Pedro ressemblaient à un désert.

Dans la journée, six mille personnes faisaient vibrer les docks d'une activité frénétique. La nuit, Long Beach redevenait un port fantôme. Sans rencontrer âme qui vive, on pouvait rouler des kilomètres le long des quais dans un décor surréaliste peuplé de fantastiques engins de levage, de milliers de voitures neuves attendant d'être dédouanées, d'entrepôts aussi grands que des cathédrales, de trains à l'arrêt, de camions immobiles, de grues géantes et de cargos morts.

Frappé sur tous ses flancs par l'inscription « US NAVY » écrite en énormes lettres noires, le premier container se balança dans l'espace pour atterrir en douceur sur le plateau d'un wagon.

– Tu as appelé les flics ? glissa un docker au contremaître.

Du coin de l'œil, il ne perdait pas de vue les Hell's Angels.

– Oui.

– Ils se pointent ?

– Non.

– Tu rigoles ?

– Ils m'ont demandé s'ils nous emmerdaient. Qu'est-ce que tu voulais que je leur dise ?

– Un rassemblement sur les docks de trois ou quatre cents têtes de cuir en pleine nuit, ça leur paraît normal ?

– Tant qu'ils ne bougent pas, qu'est-ce qu'on peut faire?

– Justement, Cliff. C'est ça qui me fout la trouille. Ils ne bougent pas.

Le contremaître haussa les épaules et s'éloigna pour vérifier l'arrimage du container.

Le convoi se composait de trente-trois wagons.

A 3 heures du matin, chacun avait reçu son container.

Le déchargement devait s'opérer dans la Zone morte, sur Terminal Island relié à San Pedro par l'arche aérienne du Vincent Thomas Bridge.

Quatre kilomètres à peine pour arriver à New Dock Street. Mais un autre univers.

Une planète minérale de fer et de charbon où les carcasses de voitures concassées s'entassaient jusqu'au ciel sur des dizaines d'hectares.

Cliff lança un coup de sifflet. En réponse, la sirène de la loco mugit à deux reprises.

Comme s'ils n'attendaient que ce signal, les Hell's Angels lancèrent leur moteur et vinrent se placer par rangs de trois sur toute la longueur du convoi, à droite et à gauche des wagons.

Le train s'ébranla avec lenteur.

Kostia avait les yeux grands ouverts dans le noir. Il ne pouvait même pas faire un mouvement. Jenny s'était couchée en travers de sa poitrine. Sa respiration calme et douce résonnait contre son cœur.

A petites secousses imperceptibles, il essaya doucement de se dégager. Il fallait qu'il se lève, qu'il marche dans la maison. Sur sa table de nuit, sa montre lui indiqua 3 heures. Son destin se jouait peut-être à cet instant précis et il était condamné à attendre.

Avec des précautions infinies, il glissa sa main sous la nuque de Jenny pour la soulever. Instantanément, il sentit changer le rythme de sa respiration.

– Tu ne dors pas? demanda-t-elle.

– J'ai dû faire un cauchemar... J'ai soif... Tu veux boire quelque chose?

– Kostia...

– Oui?

478

– Je t'aime.

Elle nicha sa tête dans le creux de son épaule.

– Je reviens, dit-il.

Il lui effleura les lèvres, se leva, étira ses membres ankylosés et se dirigea vers la cuisine en luttant contre un sale pressentiment.

Bien avant l'arrivée du *Sovereign of the Oceans*, Lee et Dick avaient posté une brigade en planque quai n° 6. Mêlés à leurs hommes épars dans la foule, ils avaient assisté au débarquement des passagers. Kostia et Jenny étaient sortis sans encombre. On ne risquait pas de les perdre.

Deux inspecteurs avaient l'ordre de filer leur voiture.

Deux autres les attendaient devant leur résidence de Roxbury.

– Python... Sunset... Python... Sunset...

Embusqué derrière une pile de caisses, Lee avait enfoui son Motorola dans le creux de son épaule. L'appareil crachota.

– Dix quatre...

– Ils sont ressortis?

– Non, mais toute la maison est illuminée...

Il reconnut la voix de Stan qui stationnait sur Roxbury avec Ben. Il était un peu moins de 3 heures du matin. L'un après l'autre, les grues déposaient les containers sur les wagons du train en stationnement.

– OK. Attendez les ordres... Prévenez-moi si quelque chose bouge.

– Rogers, dit Stan.

Lee coupa le contact, refit un numéro.

– Dick?

– Qui d'autre ça peut être? La Reine Mère?

Quand ils avaient vu le train venir se ranger à quai vers les 11 heures, Lee et Dick en avaient déduit que le but final de l'opération était la Zone morte.

Pour une raison très simple : c'est là que les rails aboutissaient. Ils s'étaient partagé le travail. Dick s'était rendu jusqu'à Terminal Island sur New Dock Street en disposant ses hommes sur les quatre kilomètres du parcours.

Lee était resté sur place.

– Ça va?

– Je m'emmerde.

– Le déchargement continue.

– Combien de containers?

Lee les recompta des yeux.

– Pour le moment, trente-deux.

– Les Hell's?

– Des statues de sel.

– Nombreux?

– Deux... trois cents... Sais pas.

– Merde. Hé, Lee!

Au ton de sa voix. Lee fut en alerte.

– Qu'est-ce qu'il y a?

– Un type qui arrive... en moto...

Un silence de plusieurs secondes. Puis :

– Attends... Il descend... Bordel, c'est incroyable! Devine qui c'est?

– Accouche!

– Rinaldo Kubler!

Lee avala sa salive.

– Il entre dans un chantier...

– Quel chantier?

– Pas de nom. La porte qui touche le grillage de la Hugo Neu Proler Company... Un mec vient à sa rencontre... Un Noir... Ils discutent... Ils s'éloignent vers la montagne de ferraille...

Un autre silence. Nouvelle exclamation.

– Putain, je le connais! Benny Pritchard!

– Dick, écoute-moi...

– Benny Pritchard! répéta Dick comme pour arriver à s'en convaincre lui-même.

Ils n'avaient jamais pu le coincer, mais il était fiché depuis huit ans. On le soupçonnait d'avoir la haute main sur tous les dealers de la ville. D'après tous les recoupements, il était le patron de la distribution chargé par les intouchables gros bonnets de ventiler la coke sur la côte ouest.

– Tu m'écoutes oui ou merde?

– Kubler et Pritchard!

– Surtout ne fais rien. On sait maintenant où va le train et qui se trouve à la réception... Dis à tes hommes de cerner le chantier... On avisera ensuite...

480

– Rogers, dit Dick.

La grue géante déposa délicatement le trente-troisième container « US NAVY » sur le trente-troisième wagon dont les essieux gémirent.

Un contremaître donna un coup de sifflet. Les Hell's Angels s'animèrent soudain. Avec un ensemble parfait, ils mirent en marche le moteur de leur moto et vinrent encadrer le convoi.

Le train démarra.

Le train roulait au pas sur New Dock Street lorsque la catastrophe se produisit à mille mètres à peine de l'arrivée, au cœur de la Zone morte.

Les Hell's Angels ne se contentaient pas de coller au convoi. Parfois, certains giclaient dans une accélération brusque pour aller explorer en éclaireurs l'envers des amoncellements de caisses jonchant le parcours.

Soudain, l'un d'eux aperçut deux silhouettes sombres qui essayaient de se cacher derrière un tas de déchets métalliques. Il fonça pleins phares droit dessus.

Deux coups de feu retentirent.

Avec un miaulement aigu, l'une des balles vint ricocher sur les chromes de la carrosserie de la Harley Davidson.

Le Hell's mit sauvagement les gaz, décrivit un arc de cercle en passant à l'attaque, vida le chargeur de son arme sur les deux ombres qui détalaient pour se mettre à l'abri.

Instantanément, vingt motos arrivèrent à la rescousse.

– Stop! Police!

La voix sortait d'un mégaphone.

Des projecteurs illuminèrent brutalement d'une lumière crue ce décor désolé de fer et de charbon. Arme à la main, des dizaines d'hommes jaillirent alors de la nuit.

– Je répète... Police... Que personne ne bouge!

Dick s'empara fébrilement de son Motorola...

– Cobra! Cobra! Sunset. Dix quatre!

Il était accroupi au pied d'une montagne de limaille devant laquelle, sur les ultimes sections de voie ferrée, s'amassaient d'antiques locomotives à vapeur. Sur l'une d'elles, un cheminot manœuvrait pour venir s'accrocher à quelques wagons chargés de carcasses de voitures.

481

Pas la peine de faire un dessin : au bruit des détonations, il avait compris que tout foirait à la dernière seconde !

– Cobra... Sunset... Dix quatre...

Lee :

– Tu as combien de gus avec toi ?

– Dix-neuf, répondit Dick.

– Pour la surprise, c'est foutu..., haleta Lee. Coffrez immédiatement Kubler et Pritchard ! Si tu les laisses filer, je te casse la tête.

– Te fatigue pas, j'en ai pas ! Tu es où ?

– Je fonce en bagnole !

– Qui a tiré ?

– Un connard !

Lee balança avec rage son Motorola sur la banquette.

Il pénétra dans le cercle de lumière, freina en voltige et, pistolet au poing, sortit de la voiture.

– Ne tirez pas ! hurla-t-il.

Trois Hell's avaient grimpé sur la locomotive. Le train continuait à rouler au pas. Ils devaient menacer le conducteur.

D'autres s'étaient accrochés aux boogies des wagons.

Lee arracha le mégaphone des mains du sergent qui avait donné les ordres.

– On ne bouge plus ! Police !

Comme s'il avait pissé en l'air, les Hell's le braquaient toujours, le train avançait à la même allure... Il vit une moto se détacher du groupe. Un énorme barbu la pilotait. Il avait sur la tête un casque allemand de la dernière guerre. Il s'arrêta devant Lee dans un dérapage. Gilet de cuir, poignets de force, les bras couverts de tatouages.

– On est plus de deux cents, pourri ! Barrez ou on vous rentre dedans !

– Tu sais à qui tu parles ?

Le barbu cracha par terre en signe de mépris.

– Les flics, on chie dessus ! Tu as trente secondes !

– Tu travailles pour les communistes, connard !

Le Hell's haussa les épaules et désigna les « US NAVY » inscrits sur les containers.

– Et mon cul, il est communiste ?

Il fit pivoter sa moto et rejoignit la tête du convoi. Gorge nouée, Lee plongea dans la Pontiac. Il se jeta sur le Motorola.

– Cobra! Cobra!

– Dix quatre, répondit Dick.

– C'est la guerre! Ces enfoirés sont persuadés qu'ils protègent un convoi de la Défense nationale!

– Tu leur as dit que c'était de la came?

– Il m'a craché à la gueule!

– Je sais comment les faire changer d'avis! Restez tous où vous êtes!

Avant que Lee ait eu le temps de répondre, Dick avait fourré le Motorola dans sa poche.

En deux bonds, il se retrouva dans la cabine de la locomotive sous pression.

– Police!

– Et alors? répondit placidement un Noir en salopette.

Comme si Dick n'était pas là, il continua à s'affairer à ses manettes.

– Je dois avoir peur? ajouta-t-il.

Au loin, Dick lui désigna le convoi qui avançait vers eux, flanqué de son escorte menaçante.

– Tu vas lancer ta brouette contre cette merde de train!

– Ça va pas? s'esclaffa le Noir. J'ai pas envie de perdre ma place!

L'heure n'était pas aux échanges mondains.

Le crochetant par le col, Lee braqua son Magnum contre sa joue, juste au-dessous de l'œil.

– Tu préfères perdre la vie?

– Qu'est-ce que je dois faire? demanda le conducteur.

– Fais-moi péter ce foutu train! Fonce dedans!

La locomotive s'ébranla.

– Mets les gaz! rugit Dick.

Il poussa lui-même la commande à fond.

Le train prit de la vitesse.

– Saute! cria Dick.

C'était déjà fait, il vit le conducteur rouler deux ou trois fois, se relever et courir comme un fou dans les accumulations de détritus industriels.

A son tour, il se suspendit aux poignées, se laissa glisser, atterrit rudement, glissa sur le machefer et percuta avec violence une pile de madriers. Malgré la peau de son dos à demi arrachée, il banda sa volonté pour profiter du feu d'artifice avant le K.-O.

qu'il sentait venir : la machine était loin, volant sur les rails dans une accélération puissante.

Un sourire aux lèvres, il tourna de l'œil.

En face, quatre Hell's Angels caracolaient en tête du convoi. Ils poussèrent un hurlement simultané : à plus de soixante à l'heure, les cinquante tonnes d'une locomotive haut-le-pied se ruaient sur eux!

Même si le cinglé qui la pilotait freinait à mort, la collision était inévitable.

Comme des poux sur la crinière d'un lion, tous ceux qui s'agrippaient aux wagons se décrochèrent en grappes.

Le conducteur du train eut beau bloquer les freins, il n'y avait plus rien à faire.

Il sauta.

Autour de lui, un tourbillon de motos voltigeant de tous côtés dans un vrombissement affolé d'essaim de guêpes.

Trois secondes plus tard, les deux monstres de fer se percutaient de front dans un fracas de tremblement de terre.

Sous l'impact, le train jaillit hors des rails. Les wagons disloqués se couchèrent par terre, catapultant les containers à des mètres à la ronde.

Alors, de leurs flancs déchirés, des milliers de sacs de plastique se dispersèrent dans les airs pour retomber sur le sol en éclatant. Lee réagit le premier.

— Viens! cria-t-il au casque d'acier.

La moto s'approcha à petite vitesse.

— Descends, je vais te montrer un truc!

Le barbu cala sa machine et fit deux pas dans sa direction.

Lee était accroupi. Il plongea l'index dans la poudre répandue sur le bitume, le porta à ses lèvres et goûta.

D'un geste, il engagea le chef des Hell's à en faire autant.

Tout autour, noyé dans les flots de vapeur qui s'échappaient des débris des locomotives perforées, motards et flics, armes à la main, se dévisageaient en silence.

Le barbu ramassa une poignée de poudre, la flaira, y plongea le bout de la langue avec circonspection, abaissa le bras et la laissa filer entre ses doigts.

— Je te fais une proposition, dit Lee. On n'en a pas après vous. Il n'y a pas eu d'effusion de sang. Barrez-vous et on efface l'ardoise.

L'énorme barbu réfléchit un instant. Puis, il lâcha :

– Je m'appelle Tony.

– Lee, dit Lee.

Tony hocha la tête et s'éloigna.

– Hé, Tony!

Il se retourna.

– Kubler? demanda Lee.

Sans un mot, Tony enfourcha sa machine, siffla dans ses doigts et démarra.

Dans un nuage de cocaïne soulevé par les roues de leurs Harley Davidson, tous les autres le suivirent.

– Cobra..., dit Lee. Cobra... Sunset... Dix quatre...

– Cobra Sunset... Dix quatre...

Sur Roxbury devant la résidence de Jennifer Lewis, San était en ligne.

– Tu me reçois bien?

– Cinq sur cinq, Lee.

– Défoncez-moi cette baraque et arrêtez immédiatement Kostia Vlassov!

45

– Gin! dit Ken Rack.

– Montre...

Ken abattit son jeu.

Neal Bignucolo le vérifia avec méfiance : c'était bien un gin.

– Tu me dois une bière.

– O.K.

– Plus deux d'hier, ça fait trois. O.K. ?

– O.K., concéda Neal avec une pointe d'irritation.

Ken se leva, accrocha son ceinturon où pendait le holster contenant son arme réglementaire.

– Bon. J'y vais...

Il ouvrit la lourde grille qui se referma avec un claquement sec. Neal écouta son pas décroître dans le couloir.

Il s'étira, ramassa machinalement un vieux numéro de *People* qui traînait sur la table et commença à le feuilleter.

Toujours les mêmes histoires tordues de couples célèbres qui divorçaient, se remariaient, faisaient des enfants, se quittaient de nouveau...

Dans la famille Bignucolo, aussi loin que puissent remonter les souvenirs des survivants, personne n'avait jamais divorcé. On prenait une femme pour la vie et on la gardait. Même les emmerdeuses. Il lut de la première à la dernière ligne les avatars du ménage Lady D., prince Charles.

Il était bon, ce prince... Quand on est futur roi, il convient de fermer le bec à celle qu'on a choisie pour s'asseoir sur le trône. Après tout, c'étaient leurs affaires.

Il parcourut un article où un professeur de psychologie

expliquait comment devenir riche sans rien faire, et, dans la page médicale, trois paragraphes consacrés à un appareil miracle qui, par vibrations électriques, vous sculptait le corps d'Apollon pendant votre sommeil. Soudain, il sursauta : les gens étaient dégueulasses! On leur tenait au frais les plus dangereux des assassins et ils se permettaient de faire de l'ironie!

Il froissa le magazine et le balança par terre.

Dans le courrier des lecteurs, un salopard, qui se réfugiait courageusement derrière l'anonymat de deux initiales, s'en prenait « aux salaires trop élevés des gardiens de prison qui passaient leur temps à taper le carton ». Bignucolo aurait bien aimé l'avoir pour pensionnaire un an ou deux.

Parce qu'en fait – et l'idée commençait à germer en lui après vingt-deux ans de carrière – pour garder les voyous, les gardiens eux aussi passaient leur vie en prison.

Mais le public ne s'en rendait pas compte. Il ne voyait que les avantages de la profession, les primes, le calme, la sécurité de l'emploi.

Et les dangers?

Les fous qui vous menaçaient de vous faire la peau? La promiscuité des voleurs, des tueurs, des sadiques, des violeurs, des pervers?... Personne ne faisait jamais la moindre allusion à ces détails.

– Neal!

Il sursauta. Ken secouait les barreaux. Blême. Hors de souffle. Neal déverrouilla précipitamment. La porte se referma.

Ken trébucha vers le téléphone et composa un numéro intérieur.

– Ken! Qu'est-ce qu'il y a?

Mais Ken, sans lui répondre, s'accrochait à l'appareil.

– Ici Ken Rack! Nous avons un suicide! Venez tout de suite... Oui! Cellule de haute sécurité numéro 11... Il était arrivé hier... Malheureusement oui... Tout ce qu'il y a de plus mort!... Il s'est pendu.

Il raccrocha.

– Viens, Neal! Viens!

La pendule de leur bureau indiquait 2 heures.

– Merde à la fin! s'indigna Neal. Tu vas parler?

Ken partit au galop sur les dalles de pierre.

Neal se précipita sur ses talons.

– Qui s'est pendu, Ken? Qui est mort?

Sur leur passage, les prisonniers réveillés leur jetaient des insultes.

– L'espion russe, lâcha Ken. Kostia Vlassov!

46

Janis contemplait le tableau encadré dans le salon d'honneur.

— Extravagant, dit-elle. Le type qui a peint ce pastiche est un génie... L'or, les bruns, la patine... Tout y est...

La toile représentait l'un des plus purs chefs-d'œuvre de Rembrandt, *L'homme au casque d'or*.

Sauf que, contrairement à l'original, la tête du modèle n'était plus celle du peintre, mais le visage d'un tout jeune homme au regard arrogant.

— Où avez-vous acheté cette merveille? demanda Janis.

Elle était habillée d'un pourpoint écarlate.

Tout en parlant, elle piochait des poignées de petits fours sur une table basse.

— C'est un cadeau, dit Peter O'Toole.

Elle avala mélancoliquement cent grammes de pistaches.

— Vous en avez de la chance. Le seul cadeau qu'on m'ait jamais fait, c'était l'Ancien Testament.

— J'ai failli le renvoyer, sourit Peter.

— Criminel!

Peter désigna la peinture.

— Vous savez qui c'est?

— Le type représenté ou celui qui vous l'a offert?

— Il s'agit de la même personne. Rinaldo Kubler.

— Je ne vous crois pas!

— Parole.

— Qui l'a peint?

— Un faussaire. Ernst Loring.

– Il faisait partie de la bande?

– Non. Lui, il est pauvre.

– Avouez tout de même que le geste a de la gueule. Vous l'envoyez au trou, il vous offre son portrait!

– Je l'ai reçu un matin. *Avec les compliments de Rinaldo Kubler, ce chef-d'œuvre inachevé par votre faute.*

– Il va en prendre pour combien?

– Prison à vie. Il organisait le trafic depuis six ans. Il servait d'intermédiaire entre les Colombiens et les Soviétiques.

Janis empila des cubes de sucre dans une tasse de porcelaine bleue. Elle humecta le tout d'un filet de thé.

– On s'est tout de même bien fait blouser..., soupira-t-elle. Mais je ne pouvais pas piger... Seamus O'Malley est mon patron.

De nouveau, elle poussa un gros soupir.

– Ce qu'on peut être idiot avec les gens qu'on respecte!... Vous auriez pu imaginer, vous, que le Russe était de mèche avec le grand chef du FBI?

Elle rajouta quelques sucres dans sa tasse et les fit fondre à l'aide d'une petite cuiller d'argent.

– Qu'est-ce qui vous a mis sur la voie?

– Son insistance à m'écarter de l'enquête. A la longue...

Elle eut un geste vague.

– Un matin, j'ai appelé Jack Solton, notre ambassadeur au Japon. Et, malgré lui, j'ai appris ce que je voulais savoir: pendant les trois jours où Kostia Vlassov s'était réfugié à l'ambassade, O'Malley s'était rendu secrètement à Tokyo pour le rencontrer!

Peter eut une moue teintée d'amertume.

– Pendant ce temps, les pieds-plats de Los Angeles faisaient les bars à putes pour coincer de minables dealers.

– Hé oui, Peter... Hé oui... Marché classique... Kostia lui donnait la combine. En échange, la liberté, un passeport, de l'argent...

– Combien?

– Sûrement un paquet, dit Janis. Mais grâce à lui, on a démantelé l'opération, saisi mille tonnes de cocaïne et, politiquement, les Soviétiques ne peuvent plus se relever du scandale. Personnellement, je lui aurais offert des millions de dollars!

Peter observa un long silence.

Puis il se racla la gorge et dit d'une voix douce:

490

– Dites-moi, Janis... Il y a un truc que je ne pige pas très bien... Puisque Kostia était de mèche avec O'Malley, je suppose qu'il avait droit à sa protection?

– Condition *sine qua non*.

Il se tortilla sur sa chaise.

– Qu'est-ce qui vous tracasse? reprit Janis.

– Quelle raison avait-il de se suicider?

Elle se leva.

– Aucune idée, Peter. Peut-être faudrait-il poser la question autrement : pourquoi l'a-t-on suicidé?

O'Toole sursauta.

– Vous êtes sérieuse?

Elle enfila sur son pourpoint écarlate une délirante cape vert pomme : fascinant!

– Quand s'emmêlent le fric, la politique et la drogue, allez savoir... Kostia Vlassov est mort, on ne peut plus rien pour lui. La vraie question n'est pas là...

Elle hésita un instant et lâcha comme à regret :

– Ce qui me tarabuste, c'est de savoir où est passé l'argent de la transaction.

Elle ouvrit la porte, lui donna une accolade chaleureuse.

– Parce que, Peter, il ne faut pas oublier que trente milliards de dollars se baladent dans la nature. Fatalement, ils sont quelque part!

– Vous savez où?

– Peut-être...

Il pleuvait sur l'Irlande. D'ailleurs, en Irlande, il pleuvait tous les jours. Un peu. Par rafales...

Les gens de Dublin disaient que chaque jour leur apportait les quatre saisons. Soleil, vent, pluie, nuages... En raccourcis de vingt-quatre heures, printemps, hiver, automne, été...

La maison de Noëlle se nichait à l'ouest de Bray, dans le County Wicklow, entre des vallonnements de collines douces. Le village se nommait Annamoe. Un pont de pierres grises moussues enjambant un ruisseau aux eaux vives, six ou sept fermes, une épicerie où l'on fabriquait le pain et les brioches chaudes faisant également office de bureau de postes et de distributeur d'essence.

Tout sonnait vrai. Tout résonnait juste.

491

Autour, éclatant dans la splendeur de ses gammes de verts, un éparpillement de prairies, de forêts, de bruyères et de chaumes, balafrés par des routes sinueuses qui ne menaient nulle part.

C'est-à-dire partout.

Plus loin, la mer et les falaises. Souvent, Jenny était partie seule en voiture du côté de Brittas Bay...

Des heures entières, elle se promenait longuement sur des escarpements dominant les rochers où la mer venait battre.

Sans rencontrer personne. Seule.

Et la mélancolie poignante de ce paysage revêtait les couleurs de sa propre nostalgie. Elle n'avait vécu que pour ne pas comprendre. Et quand elle avait su, tout s'était envolé.

Kostia était mort depuis trois mois. Il était entré dans sa vie comme un soleil, pour lui apprendre qu'elle n'était pas coupable, la faire naître, lui donner une identité, l'ouvrir à une autre dimension de l'existence. Il l'avait dépouillée de son personnage hollywoodien comme d'une chemise sale. Il avait fait d'elle une personne. Le prix était dur à payer : Kostia disparu, elle était condamnée à se survivre. Jusqu'à la mort.

Car elle le savait. Après lui, il n'y en aurait plus d'autre.

Blessure ouverte. Elle ne pouvait plus faire semblant.

– Ça avance ?

Noëlle lui passa les bras autour du cou.

Sur le lit, il y avait deux valises ouvertes pleines de vêtements qui débordaient.

– Tu es triste ?

– Oui, dit Jenny. J'aimerais rester toujours.

– Qui t'en empêche ?

Jenny se mordilla les lèvres. Quand elle avait appris, elle s'était précipitée à la prison de Downtown. On ne lui avait même pas permis de se recueillir devant le corps de l'homme qu'elle aimait : affaire d'État.

Suffoquant de sanglots, aveuglée par les larmes, elle était remontée dans sa voiture, avait foncé à l'aéroport et pris l'avion pour Londres. Son seul refuge, c'était Noëlle.

Elle l'attendait à Dublin.

Trois mois déjà...

– Je reviendrai, dit-elle.

Elle n'était pas repassée à sa maison. Elle n'avait donné aucun signe de vie.

492

Comment son avocat avait-il trouvé son adresse?

Le télégramme gisait sur le lit :

« VOUS ATTENDS À PARIS DEMAIN SOIR. HÔTEL DE LA TRE-MOILLE. AFFAIRES URGENTES ET VITALES. RALPH NADELMAN. »

Elle avait hésité. Mais tôt ou tard, il faudrait faire face, affronter... Trop de choses restaient en suspens. Sa vie future en dépendait. Questions d'argent, paperasses, agents, notaires, avo-cats, juges. Car aux yeux de la Justice américaine, l'affaire n'était pas close. Jenny devait encore répondre aux questions concernant ses relations avec celui que la presse avait baptisé « l'espion rouge ».

« L'espion rouge », Kostia!... Son corps chaud, son sourire moqueur, ses caresses. Les larmes lui montèrent aux yeux.

– Je descends, dit-elle à Noëlle. Je suis prête dans dix minutes.

A l'idée qu'elle allait devoir affronter les flamboyantes têtes creuses de Hollywood, la nausée l'envahit.

Elle se jura que ce serait la dernière fois.

Elle boucla ses valises.

ÉPILOGUE

Un sable pareil ne pouvait exister nulle part au monde. Une couleur unique. Une espèce de rose tendre, composé de millions de chatoyants cristaux minuscules.

Quant aux eaux du lagon, elles étaient si claires que la mer y avait la même transparence que l'air.

Plus au large, semblant flotter sur un miroir d'émeraude pure, la barrière de corail délimitait l'océan et l'azur d'une tremblotante ponctuation beige.

L'eau et l'air étaient parfaitement immobiles.

A perte de vue, personne. Sauf dans la mer, flottant sur le dos loin de la rive, les yeux voluptueusement fermés, une femme.

Et allongé sur le sable, brûlé par le soleil, un garçon brun et mince. Il observait un petit crabe qu'il taquinait. Le crabe dressait ses pinces vers le ciel et reculait. D'une poussée de l'index, le garçon le ramenait vers lui.

Ils étaient là depuis deux semaines. On partait de Miami à Nassau. Ensuite, un coup d'aile pour North Eleuthera et, enfin, bateau jusqu'à l'île, Harbour Island.

Aucun hôtel pour le tourisme de masse. Les initiés qui y avaient une propriété gardaient jalousement le secret : on ne donne pas l'adresse du paradis.

Ils logeaient « Chez Pips », une résidence privée qui acceptait quelques hôtes. Masquée par des bougainvillées, ses terrasses donnaient sur la plage. Pas de chichis. On y était bien.

Parfois, le garçon ramenait du poisson qu'on leur faisait griller pour le dîner. Mérous, perroquets, langoustes, poissons-anges aux couleurs incroyables, il suffisait de se mettre à l'eau pour pêcher ce qu'on voulait...

Le crabe s'énerva. Il décida de le laisser filer.

Un instant, il le suivit des yeux. C'est alors que la silhouette s'inscrivit dans son champ de vision.

Barrant l'horizon de sa masse sphérique, elle grossissait lentement sur l'immensité de la plage et, une ombrelle au-dessus de la tête, progressait comme si elle avait roulé vers lui.

Le garçon jeta un regard vers le large : offerte au soleil, sa compagne flottait toujours dans la même position.

Il se retourna sur le ventre, le visage dans le sable.

Elle se rapprochait. Brusquement, à son souffle, au crissement de ses pieds nus, il sut qu'elle était là.

– Bonjour, Kostia.

Il risque un œil : extravagant spectacle.

Engoncée dans un bermuda jaune citron qui craquait aux coutures, protégée par une ombrelle violette, une colossale femme noire lui souriait gentiment.

– Quel nom avez-vous dit ? hasarda-t-il.

– Kostia.

Il secoua la tête.

– Vous devez faire erreur. Je m'appelle Oliver.

Elle eut un petit rire perlé.

– Oliver ! Et, bien entendu, je suppose que vous ne m'avez jamais vue ?

– Je ne pense pas.

Elle poussa un profond soupir.

– C'est pourtant difficile de m'oublier.

D'un mouvement de menton, elle lui désigna la mer.

– C'est votre femme, là-bas ?

– Oui.

– Jenny ?

Il eut un geste navré.

– Carol.

– Vous m'en direz tant. Ça ne lui manque pas, Hollywood ?

– Hollywood ?

– Les studios, la gloire...

– Carol n'a jamais mis les pieds à Hollywood. Elle est australienne.

Janis eut une moue goguenarde.

– Vous aussi, probablement?

Il la considéra avec étonnement.

– Comment avez-vous deviné?

De nouveau, son rire léger.

– L'accent russe.

Elle tira quelques morceaux de sucre d'une poche et les croqua tout en le dévisageant avec une expression songeuse.

– J'aimerais tellement me baigner, dit-elle. Mais je n'ose pas.

– Qui vous en empêche?

– J'aurais trop peur de faire déborder la mer.

Elle s'ébroua, fit tournoyer son ombrelle.

– Eh bien, au revoir. Et encore tous mes compliments... Pour un suicidé, je vous trouve dans une forme exceptionnelle!

Elle tourna les talons et se mit en marche d'un pas aérien stupéfiant par rapport à sa masse.

– Janis!

Elle pivota. Il fouilla dans un sac de toile.

– J'avais un ami à New York...

Il déposa une liasse entre ses doigts.

– Avant de mourir, il m'a demandé de m'acquitter d'une dette.

Elle gardait les billets dans la main sans le lâcher des yeux.

– Mille dollars. Il venait de débarquer à New York. Il était seul. Vous les lui aviez glissés dans un gâteau...

– J'espère que ça ne l'a pas gêné de me les rendre? s'inquiéta-t-elle sans une trace d'ironie.

– Non. Je crois que peu avant sa mort, il avait fait un héritage...

Elle lui jeta un regard aigu.

– Trente milliards de dollars?

Il eut l'air sidéré.

– Trente milliards? Ça existe?

– Non, dit-elle. Ça n'existe pas.

Pas davantage que les prisonniers décédés en cellule et batifolant sur une plage déserte. C'était cocasse. Comment avait-elle pu marcher une seule seconde dans cette histoire de suicide-bidon alors qu'elle-même, Janis, en avait organisé plusieurs pour le compte de Seamus O'Malley?

Faux-trépas et résurrections en tout genre étaient pourtant l'une des grandes spécialités du FBI.

Quand Jenny sortit de l'eau, elle était déjà loin.

– Qui était ce pachyderme?

– Sais pas.

– Qu'est-ce qu'elle te voulait?

– Elle cherche une pâtisserie.

Kostia s'empara d'une serviette, la lui fourra par-dessus la tête et lui frictionna doucement les épaules.

– Je ne veux pas que tu restes au soleil si longtemps, dit-il. Ça m'ennuierait que mon fils naisse idiot.

Jenny éclata de rire. Il la prit par la taille.

Ils quittèrent la plage et, par le sentier de sable, remontèrent vers la maison.

TABLE DES MATIÈRES

Aubin Imprimeur

LIGUGÉ, POITIERS

Achevé d'imprimer en mai 1990
N° d'édition ES 90078 / N° d'impression L 35192
Dépôt légal, juin 1990
Imprimé en France

ISBN 2-73-82-0321-3
11-5321-01/6